KT-520-616

UNIVERSAL DICTIONARY

LANGENSCHEIDT

DICCIONARIO UNIVERSAL

LANGENSCHEIDT'S UNIVERSAL DICTIONARY

ENGLISH-SPANISH
SPANISH-ENGLISH

HODDER AND STOUGHTON

Contents

Published in the British Commonwealth
by Hodder & Stoughton Limited

Printed in Germany

Abbreviations

Abreviaturas

The tilde (~, when the initial letter changes: 2) stands for the catchword at the beginning of the entry or the part of it preceding the vertical bar (|).

La tilde (~, si la inicial cambia: 2) sustituye la voz-guía entera, o bien la parte que precede a la raya vertical (|).

Examples:

abus|e; **~ive** = abusive
noche; **2buena** = Nochebuena
Españ|a; **2ol(a)** = español(a)

Ejemplos:

abani|car; **~co** = abanico
china; **2** = China.
Easter; **2n** = eastern

a adjective, *adjetivo*
adv adverb, *adverbio*
aer aeronautics, *aeronáutica*
agr agriculture, *agricultura*
Am America, *América*
anat anatomy, *anatomía*
arch, *arq* architecture, *arquitectura*
arti artillery, *artillería*
aut automobile, motoring, *automóvil*
b a fine arts, *bellas artes*
biol biology, *biología*
bot botany, *botánica*
carp carpentry, *carpintería*
cine films, *cinema*
cir surgery, *cirujía*
coc cookery, *cocina*
com commerce, *comercio*
compar comparative, *comparativo*
conj conjunction, *conjunción*
cost sewing, *costura*
dep sports, *deportes*
eccl ecclesiastic, *eclesiástico*
elec electricity, *electricidad*
f feminine, *femenino*
fam familiar, *familiar*
farm pharmacy, *farmacia*
f c railway, *ferrocarril*
fig figurative, *figurado*
for forensic, law, *voz forense*
fort fortification, *fortificación*
foto photography, *fotografía*
geog geography, *geografía*
geol geology, *geología*
gram grammar, *gramática*

ict ichthyology, fish, *ictiología*
igl church, *iglesia*
impr printing, *imprenta*
Ingl England, *Inglaterra*
interj interjection, *interjección*
interrog interrogative, *interrogativo*
lit literature, *literatura*
m masculine, *masculino*
mar marine, *marina*
mat mathematics, *matemática*
mech, mec mechanics, *mecánica*
med medical, *medicina*
metal metallurgy, *metalurgia*
mil military, *militar*
min mining, *minería*
mus, mús, music *música*
naut nautical, *navegación*
ópt optics, *óptica*
orn ornithology, birds, *ornitología*
pint painting, *pintura*
pl plural, *plural*
pol politics, *política*
prep preposition, *preposición*
pron pers personal pronoun, *pronombre personal*
pron pos possessive pronoun, *pronombre posesivo*
quim chemistry, *química*
rel relative, *relativo*
relig religion, *religión*
s substantive, *substantivo*
SA South America, *Sud América*
superl superlative, *superlativo*
surg surgery, *cirugía*
t also, *también*
theat, teat theatre, *teatro*
tecn technology, *tecnología*
tel telephone, *teléfono*
tv television, *televisión*
v/aux auxiliary verb, *verbo auxiliar*
v/i intransitive verb, *verbo intransitivo*
v/r reflexive verb, *verbo reflexivo*
v/t transitive verb, *verbo transitivo*
zool zoology, *zoología*

Pronunciation key to English words

Llave de pronunciación para las palabras inglesas

Vocales y Diptongos

[ɑ:] como en *bajo*: *father* ['fɑ:ðə], *palm* [pɑ:m]

[ʌ] sonido parecido al de la *a* en *para*: *butter* ['bʌtə], *mother* ['mʌðə]

[æ] sonido parecido al de la *a* en *parra*: *fat* [fæt], *man* [mæn]

[ɛə] diptongo compuesto de una *e* muy abierta y una *e* átona: *there* [ðɛə], *care* [kɛə]

[ai] diptongo parecido al *ai* en *baile*: *time* [taim], *eye* [ai]

[au] diptongo parecido al *au* en *causa*: *count* [kaunt], *how* [hau]

[ei] diptongo compuesto de un sonido como el de la *e* en *pelo* y una *i* débil: *day* [dei], *eight* [eit]

[e] como la *e* en *perro*: *men* [men], *said* [sed]

[i:] sonido como la *i* en *brisa*: *tea* [ti:], *meet* [mi:t]

[i] sonido breve parecido al de la *i* en *esbirro* pero más abierto: *bit* [bit], *city* ['siti]

[iə] diptongo compuesto de [i] y [ə]: *fear* [fiə], *here* [hiə]

[əu] diptongo compuesto de un sonido como el de la *o* en *como* y una *u* débil: *soap* [səup], *go* [gəu]

[ɔ:] sonido largo algo parecido al de la *o* en *forma*: *ball* [bɔ:l], *or* [ɔ:]

[ɔ] sonido breve parecido al de la *o* en *porra* pero más cerrado: *dog* [dɔg], *wash* [wɔʃ]

[ɔi] diptongo parecido al sonido de *oy* en *soy*: *point* [pɔint], *boy* [bɔi]

[ə] sonido átono parecido al de la *e* en el artículo francés *le*: *silent* ['sailənt], *about* [ə'baut]

[ə:] forma más larga del sonido anterior que se encuentra en sílabas acentuadas; su sonido es parecido al de *eu* en la palabra francesa *leur*: *bird* [bə:d], *learn* [lə:n]

[u:] sonido largo parecido al de la *u* en *una*: *do* [du:], *fruit* [fru:t]

[uə] diptongo compuesto de [u] y [ə]: *poor* [puə], lure [ljuə]

[u] sonido corto como el de la *u* en *culpa*: *put* [put], *took* [tuk]

Consonantes

[b] como la *b* en *ambos*: *hobby* [ˈhɔbi], *boat* [bəut]

[d] como la *d* en *andar*: *ladder* [ˈlædə], *day* [dei]

[f] como la *f* en *fácil*: *fall* [fɔ:l], *fake* [feik]

[g] como la *g* en *goma*: *go* [gəu], *again* [əˈgen]

[h] como la *j* en *jerga*, pero mucho más suave: *hard* [hɑ:d], *who* [hu:]

[j] como la *y* de *yo*: *yet* [jet], *few* [fju:]

[k] como la *c* en *casa*: *cat* [kæt], *back* [bæk]

[l] como la *l* en *lágrima*: *leaf* [li:f], *along* [əˈlɔŋ]

[m] como la *m* en *madre*: *make* [meik], *team* [ti:m]

[n] como la *n* en *nata*: *no* [nəu], *tin* [tin]

[p] como la *p* en *tapa*: *pay* [pei], *top* [tɔp]

[r] se pronuncia sólo cuando precede a una vocal, sin la vibración de la *r* española: *rate* [reit], *worry* [ˈwʌri]

[s] como la *s* en *cosa*: *sun* [sʌn], *fast* [fɑ:st]

[t] como la *t* en *tos*: *tip* [tip], *letter* [ˈletə]

[v] no existe el sonido en español; es parecido al de la *v* en la palabra francesa *avec*: *vain* [vein], *above* [əˈbʌv]

[w] como la *u* en *huevo*: *wine* [wain], *quaint* [kweint]

[z] como la *s* en *mismo*: *zeal* [zi:l], *hers* [hə:z]

[ʒ] no existe en *español*; su sonido es parecido al de la *j* en la palabra francesa *jolie*: *vision* [ˈviʒən], *measure* [ˈmeʒə]

[ʃ] no existe en español; su sonido corresponde al de la *ch* en la palabra francesa *charmant*: *sheet* [ʃi:t], *dish* [diʃ]

[θ] como la *c* en *dice* y la *z* en *zapato*: *thin* [θin], *path* [pɑ:θ]

[ð] sonido parecido a la *d* en *hada*: *there* [ðeə], *bother* [ˈbɔðə]

[ŋ] como la *n* en *tengo*: *long* [lɔŋ], *singer* [ˈsiŋə]

[dʒ] combina la [d] y la [ʒ]: *jaw* [dʒɔ:], *edge* [edʒ]

[tʃ] combina la [t] y la [ʃ]; como la *ch* en *mucho*: *chest* [tʃest], *watch* [wɔtʃ]

Sufijos sin pronunciación figurada

Para ahorrar espacio, no se ha indicado pronunciación figurada para los sufijos siguientes:

-ability [əbiliti]
-able [-əbl]
-age [-idʒ]
-al [-(ə)l]
-ally [-(ə)li]
-an [-(ə)n]
-ance [-(ə)ns]
-ancy [-ənsi]
-ant [-ənt]
-ar [-ə]
-ary [-(ə)ri]
-ation [-eiʃ(ə)n]
-cious [-ʃəs]
-cy [-si]
-dom [-dəm]
-ed [-d; -t; -id]
-edness [-dnis; -tnis; -idnis]
-ee [-iː]
-en [-n]
-ence [-(ə)ns]
-ent [-(ə)nt]
-er [-ə]
-ery [-əri]
-ess [-is]
-fication [-fikeiʃ(ə)n]
-ial [-(ə)l]
-ian [-(jə)n]
-ible [-əbl]
-ic(s) [-ik(s)]
-ical [-ik(ə)l]
-ily [-ili]
-iness [-inis]
-ing [-iŋ]
-ish [-iʃ]
-ism [-iz(ə)m]
-ist [-ist]
-istic [-istik]
-ite [-ait]
-ity [-iti]
-ive [-iv]
-ization [-aizeiʃ(ə)n]
-ize [-aiz]
-izing [-aiziŋ]
-less [-lis]
-ly [-li]
-ment(s) [-mənt(s)]
-ness [-nis]
-oid [-ɔid]
-oidic [-ɔidik]
-or [-ə]
-ous [-əs]
-ry [-ri]
-ship [-ʃip]
-(s)sion [-ʃ(ə)n]
-sive [-siv]
-ties [-tiz]
-tion [-ʃ(ə)n]
-tious [-ʃəs]
-trous [-trəs]
-try [-tri]
-y [-i]

English-Spanish Vocabulary

A

a [ei; ə] un *m*, una *f*; **not ~** ni un(a)
aback [ə'bæk] (hacia) atrás; **taken ~** desconcertado
abandon [ə'bændən] *v/t* abandonar; dejar; **~ment** abandono *m*
abate [ə'beit] *v/t* mitigar, reducir; *v/i* moderarse
abbess ['æbis] abadesa *f*
abbey ['æbi] abadía *f*
abbot ['æbət] abad *m*
abbreviat|e [ə'bri:vieit] *v/t* abreviar; **~ion** [~'eiʃən] abreviatura *f*
abdicate ['æbdikeit] *v/t*, *v/i* abdicar, renunciar, dimitir
abdomen ['æbdəmen] abdomen *m*, vientre *m*
abduct [æb'dʌkt] *v/t* secuestrar, raptar
abed [ə'bed] en cama, acostado
abet [ə'bet] *v/t* instigar, excitar
abeyance [ə'beiəns] suspensión *f*, expectativa *f*; **in ~** en suspenso
abhor [əb'hɔ:] *v/t* aborrecer, detestar; **~rence** aborrecimiento *m*, odio *m*
abide [ə'baid] *v/i* habitar, permanecer; **~ by** cumplir con; *v/t* esperar; soportar
ability [ə'biliti] facultad *f*, habilidad *f*, aptitud *f*, talento *m*, ingenio *m*
abject ['æbdʒekt] vil, despreciable; servil
abjure [əb'dʒuə] *v/t* abjurar, repudiar; retractarse de
able ['eibl] capaz, hábil, apto, competente; **to be ~** poder
abnormal [æb'nɔ:məl] anormal
aboard [ə'bɔ:d] a bordo
abode [ə'bəud] residencia *f*, domicilio *m*, morada *f*
aboli|sh [ə'bɔliʃ] *v/t* abolir; **~tion** [æbəu'liʃən] abolición *f*
abominable [ə'bɔminəbl] abominable
abominate [ə'bɔmineit] *v/t* abominar, detestar
abortion [ə'bɔ:ʃən] aborto *m*
abound [ə'baund] *v/i* abundar; **~ in** *o* **with** abundar en, ser rico en
about [ə'baut] *prep* alrededor, cerca (de); *adv* casi; **to be ~ to** (do) estar a punto de (hacer)

above [ə'bʌv] *adv, prep* sobre, (por) encima (de)
abreast [ə'brest] lado a lado; **to keep ~** correr parejas; estar al corriente
abridge [ə'bridʒ] *v/t* abreviar, condensar
abroad [ə'brɔːd] en el (al) extranjero
abrupt [ə'brʌpt] abrupto, brusco
abscess ['æbsis] absceso *m*
absen|ce ['æbsəns] ausencia *f*; falta *f*; **~t** ['æbsent] *a* ausente; *v/r* [æb'sent] ausentarse, retirarse; **~t-minded** distraído
absolute ['æbsəluːt] absoluto; **~ly** absolutamente, en absoluto
absolution [æbsə'luːʃən] absolución *f*, perdón *m*
absolve [əb'zɔlv] *v/t* absolver, dispensar [ber]
absorb [əb'sɔːb] *v/t* absor-
abstain [əb'stein] *v/i* abstenerse
abstemious [əb'stiːmjəs] abstemio, abstinente
abstention [æb'stenʃən] abstención *f*
abstinence ['æbstinəns] abstinencia *f*
abstract ['æbstrækt] *a* abstracto; *s* resumen *m*, extracto *m*; *v/t* [æb'strækt] abstraer, resumir
absurd [əb'səːd] absurdo
abundan|ce [ə'bʌndəns] abundancia *f*, plenitud *f*; **~t** abundante, copioso
abus|e [ə'bjuːs] abuso *m*; injuria *f*; *v/t* [ə'bjuːz] abusar; insultar; **~ive** abusivo; injurioso [ma *f*]
abyss [ə'bis] abismo *m*, si-
academ|ic [ækə'demik] *a*, *s* académico *m*; **~y** [ə'kædəmi] academia *f*
accede [æk'siːd] *v/i* acceder, consentir
accelerat|e [æk'seləreit] *v/t* acelerar; *v/i* apresurarse; **~or** acelerador *m*
accent ['æksənt] *s* acento *m*; *v/t* [æk'sent] acentuar; **~uate** [~'sentjueit] *v/t* acentuar
accept [ək'sept] *v/t* aceptar, admitir; **~able** aceptable; **~ance** aceptación *f*; acogida *f*; *com* aceptación (*de un giro, de una letra*); **~ation** [æksep'teiʃən] *gram* acepción *f*, significado *m*
access ['ækses] acceso *m*; paso *m*, entrada *f*; **~ible** [ək'sesəbl] asequible, accesible
accessor|y [æk'sesəri] *a* accesorio, secundario; *s for* cómplice *m*; **~ies** accesorios *m/pl*
accident ['æksidənt] accidente *m*; **by ~** accidentalmente, por casualidad; **~al** [~'dentl] accidental, casual
acclaim [ə'kleim] *v/t* aclamar, aplaudir
acclimatize [ə'klaimətaiz] *v/t* aclimatar
accomodat|e [ə'kɔmədeit] *v/t* acomodar; alojar; complacer; **~e with** proveer de;

v/i acomodarse, conformarse; **~ion** [əkɔmə'deiʃən] adaptación *f*; acomodamiento *m*; alojamiento *m*
accompan|iment [ə'kʌmpənimənt] acompañamiento *m*; **~y** *v/t* acompañar
accomplice [ə'kɔmplis] cómplice *m*
accomplish [ə'kɔmpliʃ] *v/t* realizar, efectuar; **~ed** consumado, perfecto; **~ment** realización *f*; logro *m*; talento *m*, habilidad *f*
accord [ə'kɔ:d] *s* acuerdo *m*; *mús* acorde *m*; *v/t* conceder, otorgar; *v/i* convenir, concordar; **~ance** conformidad *f*; concordancia *f*; **~ing to** según, conforme a; **~ingly** por consiguiente; en conformidad
accost [ə'kɔst] *v/t* dirigirse a
account [ə'kaunt] *s* cuenta *f*; relación *f*; informe *m*; **of no ~** sin importancia; **on ~** a cuenta; **on ~ of** por; a causa de; **on no ~** de ningún modo; **to take into ~** tomar en cuenta; **to turn to ~** sacar provecho de; *v/t* tener por, considerar; **to ~ for** explicar; responder de; **~ancy** contabilidad *f*; **~ant** contable *m*
accredit [ə'kredit] *v/t* acreditar
accrue [ə'kru:] *v/i* crecer, aumentar; *com* acumularse (*interés, capital*)
accumulate [ə'kju:mjuleit] *v/t, v/i* acumular(se)
accura|cy ['ækjurəsi] exactitud *f*, precisión *f*; **~te** exacto, preciso; fiel
accus|ation [ækju:'zeiʃən] acusación *f*; **~ative** [ə'kju:zətiv] *gram* acusativo *m*; **~e** [ə'kju:z] *v/t* acusar, culpar; **~er** acusador *m*
accustom [ə'kʌstəm] *v/t, v/i* acostumbrar(se); soler
ace [eis] as *m* (*t fig*)
ache [eik] *v/i* doler; *s* dolencia *f*; dolor *m*
achieve [ə'tʃi:v] *v/t* ejecutar; conseguir, lograr; **~ment** ejecución *f*; logro *m*, proeza *f*
acid ['æsid] *s, a* ácido *m*
acknowledg|e [ək'nɔlidʒ] *v/t* reconocer; confirmar; **~e receipt** acusar recibo; **~ment** reconocimiento *m*; confirmación *f*
acorn ['eikɔ:n] bellota *f*
acoustics [ə'ku:stiks] acústica *f*
acquaint [ə'kweint] *v/t* instruir, familiarizar (con); enterar, informar; **to be ~ed with** conocer; **~ance** conocimiento *m*; conocido *m*
acquiesce [ækwi'es] *v/i* asentir, acceder
acqui|re [ə'kwaiə] *v/t* adquirir, alcanzar; **~sition** [ækwi'ziʃən] adquisición *f*
acquit [ə'kwit] *v/t* absolver; **~ oneself** desempeñarse; **~tal** absolución *f*, descargo *m*
acre ['eikə] acre *m* (= 40,47 áreas); yugada *f*

acrid ['ækrid] acre (*t fig*)
acrobat ['ækrəbæt] acróbata *m*
across [ə'krɔs] a través de; al otro lado; **to come ~** encontrarse con
act [ækt] *s* acto *m*; hecho *m*; *for* ley *f*; **~ of faith** auto *m* de fe; *v/i* actuar, obrar; *teat* actuar; **to ~ a part** desempeñar un papel; **~ion** ['ækʃən] acción *f*, operación *f*; *mil* batalla *f*; *for* demanda *f*; proceso *m*, litigio *m*; **out of ~ion** no funciona; **~ive** *a* activo, enérgico; *s gram* (voz) activa *f*; **~ivity** [~'tiviti] actividad *f*; **~or** actor *m*; **~ress** actriz *f*
actual ['æktʃuel] real, verdadero; actual; **~ly** en efecto
acute [ə'kju:t] agudo
adapt [ə'dæpt] *v/t* adaptar, ajustar
add [æd] *v/t* añadir, agregar; **to ~ up** sumar
adder ['ædə] víbora *f*
addict ['ædikt] *med* adicto *m*, narcómano *m*; **~ed** [ə'diktid]: **~ed (to)** adicto (*a drogas*)
addition [ə'diʃən] adición *f*; añadidura *f*; **in ~** por añadidura; **in ~ to** además de; **~al** adicional
address [ə'dres] *v/t* dirigir (*carta, sobre, protesta*); dirigir la palabra a; dirigirse a; *s* señas *f/pl*, dirección *f*; discurso *m*; **~ee** [ædrə'si:] destinatario *m*
adequate ['ædikwit] adecuado
adhere [əd'hiə] *v/i* adherirse (**to** a); **~nt** adherente, adicto, secuaz
adhesive [əd'hi:siv] substancia *f* adhesiva; **~ tape** esparadrapo *m*; cinta *f* adhesiva
adjacent [ə'dʒeisənt] adyacente, contiguo, colindante
adjoin [ə'dʒɔin] *v/t* juntar; *v/i* lindar; **~ing** contiguo, colindante
adjourn [ə'dʒə:n] *v/t* diferir, aplazar; trasladar; suspender
adjust [ə'dʒʌst] *v/t* ajustar, arreglar; **~ment** ajuste *m*, arreglo *m*
administ|er [əd'ministə] *v/t* administrar; suministrar; **~ration** [~'streiʃən] administración *f*; gobierno *m*; suministro *m*; **~rative** [~trətiv] administrativo, gubernamental; gubernativo; **~rator** [~treitə] administrador *m*, albacea *m*
admir|able ['ædmərəbl] admirable; **~ation** [ædmə'reiʃən] admiración *f*; **~e** [əd'maiə] *v/t* admirar; **~er** admirador *m*
admiss|ible [əd'misəbl] admisible; **~ion** admisión *f*; entrada *f*
admit [əd'mit] *v/t* admitir; permitir; reconocer, confesar; **~tance** admisión *f*,

entrada *f*; **no ~tance** prohibida la entrada
admonish [əd'mɔniʃ] *v/t* amonestar, reprender
ado [ə'du:] bullicio *m*; dificultad *f*, fatiga *f*; **much ~ about nothing** mucho ruido y pocas nueces
adopt [ə'dɔpt] *v/t* adoptar; ahijar; **~ion** adopción *f*
ador|able [ə'dɔ:rəbl] adorable; **~ation** [ædɔ:'reiʃən] adoración *f*; **~e** *v/t* adorar
adorn [ə'dɔ:n] *v/t* adornar, ataviar
adroit [ə'drɔit] diestro, hábil
adult ['ædʌlt] *a*, *s* adulto *m*; **~erate** [ə'dʌltəreit] *v/t* adulterar; falsificar; **~ery** adulterio *m*
advance [əd'vɑ:ns] *v/t* avanzar; adelantar (*hora, reloj, dinero*); *v/i* progresar; avanzar (*tropas*); *s* avance *m*, progreso *m*; anticipo *m*, adelanto *m*; aumento *m*; **~d** avanzado, progresista
advantage [əd'vɑ:ntidʒ] ventaja *f*; **to take ~ of** aprovecharse de; **~ous** [ædvən'teidʒəs] ventajoso
adventur|e [əd'ventʃə] aventura *f*; **~er** aventurero *m*; **~ous** aventurado
adverb ['ædvə:b] *gram* adverbio *m*
advers|ary ['ædvəsəri] adversario *m*; enemigo *m*; **~e** adverso; contrario
advertis|e ['ædvətaiz] *v/t* anunciar, publicar; **~ement** [əd'və:tismənt] anuncio *m*; **~er** anunciador *m*, anunciante *m*; **~ing** publicidad *f*
advice [əd'vais] consejo *m*; *com* aviso *m*; comunicación *f*; **to take ~** seguir un consejo
advis|able [əd'vaizəbl] aconsejable; **~e** *v/t* aconsejar; *com* avisar, informar; **~er** consejero *m*, asesor *m*
advocate ['ædvəkeit] *v/t* abogar por; defender; ['ædvəkit] *s* abogado *m*
aerial ['ɛəriəl] *a* aéreo; atmosférico; *s* antena *f*
aero... ['ɛərəu] aéreo, aeronáutico; **~drome** ['ɛərədrəum] aeródromo *m*, campo *m* de aviación; **~dynamic** aerodinámico; **~nautics** [ɛərə'nɔ:tiks] aeronáutica *f*; **~plane** ['ɛərəplein] aeroplano *m*, avión *m*
affable ['æfəbl] afable
affair [ə'fɛə] asunto *m*; negocio *m*; aventura *f* amorosa
affect [ə'fekt] *v/t* afectar; impresionar; influir en; **~ed** afectado, artificioso; emocionado, conmovido; **~ionate** [~ʃnit] afectuoso, cariñoso
affinity [ə'finiti] afinidad *f*
affirm [ə'fə:m] *v/t* afirmar; ratificar; **~ation** [æfə:'meiʃən] afirmación *f*; **~ative** [ə'fə:mətiv] *a* afirmativo; *s* aserción *f*
afflict [ə'flikt] *v/t* afligir, acuitar, angustiar

affluen|ce ['æfluens] afluencia *f*; opulencia *f*; abundancia *f*; **~t** afluente, copioso; opulento, rico
afford [ə'fɔ:d] *v/t* permitirse el lujo de; proporcionar
affront [ə'frʌnt] *v/t* afrentar; insultar; ultrajar; *s* afrenta *f*, insulto *m*; injuria *f*
afire [ə'faiə] ardiendo
aflame [ə'fleim] en llamas
afore [ə'fɔ:] antes; **~said** antedicho
afraid [ə'freid] temeroso, miedoso; **to be ~** tener miedo
African ['æfrikən] *a*, *s* africano(a) *m* (*f*)
after ['ɑ:ftə] *prep* después de, detrás de; **~ all** después de todo, al fin y al cabo; **~math** [~mæθ] segunda siega *f*; **~noon** tarde *f*; **~wards** [~wədz] luego, después
again [ə'gein] otra vez, de nuevo; **now and ~** de vez en cuando; **once and ~** repetidas veces; **~st** contra
age [eidʒ] *s* edad *f*; **of ~, under ~** mayor, menor de edad; *v/t*, *v/i* envejecer(se)
aged ['eidʒid] viejo
agen|cy ['eidʒənsi] agencia *f*, representación *f*; medio *m*; **~t** agente *m*, representante *m*
aggravat|e ['ægrəveit] *v/t* agravar; **~ing** agravante; irritante
aggress|ion [ə'greʃən] agresión *f*, asalto *m*; **~ive** agresivo
aghast [ə'gɑ:st] espantado, horrorizado
agitat|e ['ædʒiteit] *v/t* agitar; **~ion** agitación *f*; **~or** agitador *m*
ago [ə'gəu] hace, ha; **how long ~?** ¿cuánto tiempo hace?; **long ~** hace mucho tiempo
agon|ize ['ægənaiz] *v/i* agonizar; **~izing** angustioso, agonizante; **~y** agonía *f*; angustia *f*
agrarian [ə'greəriən] *a*, *s* agrario
agree [ə'gri:] *v/i* estar de acuerdo, concordar; **~ to** convenir en; **~able** agradable; **~d** convenido; **~ment** acuerdo *m*; convenio *m*
agricultur|al [ægri'kʌltʃərəl] agrícola, agrario; **~e** agricultura *f*
ague ['eigju:] fiebre *f* intermitente; escalofríos *m/pl*
ahead [ə'hed] delante, al frente, adelante
aid [eid] *v/t* ayudar; *s* ayuda *f*
ail [eil] *v/t* afligir, molestar; *v/i* sufrir; **~ing** enfermizo
aim [eim] *v/t* apuntar (*arma*); dirigir; *v/i* aspirar; proponerse; *s* puntería *f*; designio *m*; finalidad *f*, fin *m*; **to miss one's ~** errar el tiro; **~less** sin objeto
air [ɛə] aire *m*; **in the open ~** al aire libre; **to be on the ~** transmitir (*por la radio*); **~ base** base *f* aérea; **~-**

-brake freno *m* neumático; **~-conditioned** con aire *m* acondicionado; **~craft** avión *m*; **~craft carrier** portaaviones *m*; **~-cushion** almohada *f* neumática; **~ force** *mil* fuerza *f* aérea; **~ hostess** azafata *f*, aeromoza *f* (*SA*); **~ing** ventilación *f*; **~line** línea *f* aérea, compañía *f* de aviación; **~liner** avión *m* de línea comercial; **~-mail** correo *m* aéreo; **~-plane** aeroplano *m*, avión *m*; **~port** aeropuerto *m*; **~ raid** ataque *m* aéreo; **~-raid shelter** refugio *m* antiaéreo; **~-sick** mareado; **~-tight** hermético

aisle [ail] pasillo *m*

ajar [ə'dʒɑ:] entreabierto

akin [ə'kin] consanguíneo, emparentado

alarm [ə'lɑ:m] *v/t* alarmar, preocupar; *s* alarma *f*; tumulto *m*; **~-clock** despertador *m*; **~ing** alarmante, perturbador

alas! [ə'lɑ:s] ¡ay!

alcohol ['ælkəhɔl] alcohol *m*; **~ic** [~'hɔlik] alcohólico

ale [eil] cerveza *f* inglesa fuerte

alert [ə'lə:t] *a* vivo, activo; vigilante; *s* alerta *f*; **on the ~** sobre aviso

alibi ['ælibai] coartada *f*

alien ['eiliən] *a* ajeno, extraño; *s* extranjero *m*; forastero *m*; **~ate** *v/t* enajenar; quitar

alight [ə'lait] *v/i* apearse; *aer* aterrizar

alike [ə'laik] igual; del mismo modo

alimony ['æliməni] *for* alimentos *m/pl*

alive [ə'laiv] vivo, viviente; activo

all [ɔ:l] todo; todos, todo el mundo; **~ along** siempre; **~ but** casi; **not at ~** de ningún modo; **~ over** por todas partes; **it is ~ over** se acabó; **~ right** muy bien; satisfactorio; **~ that** todo eso; **~ the better** tanto mejor; **~ the worse** tanto peor

allay [ə'lei] *v/t* aliviar, mitigar

alleged [ə'ledʒd] alegado; supuesto

alleviate [ə'li:vieit] *v/t* aliviar; aligerar

all|iance [ə'laiəns] alianza *f*; **~ied** aliado; **~y** aliado *m*, confederado *m*

allot [ə'lɔt] *v/t* adjudicar, asignar; **~ment** asignación *f*; cuota *f*, lote *m*

allow [ə'lau] *v/t*, *v/i* permitir; conceder; **~ for** tener en cuenta; **~ance** concesión *f*; pensión *f*, mesada *f*; *com* descuento *m*

alloy [ə'lɔi] aleación *f*

all-round ['ɔ:l'raund] completo; versátil; de uso variado

allu|de [ə'lu:d] *v/i* aludir; **~sion** alusión *f*; **~sive** alusivo

allure [ə'ljuə] *v/t* atraer, fascinar, seducir
almanac ['ɔ:lmənæk] almanaque *m*, calendario *m*
almighty [ɔ:l'maiti] *a*, *s* todopoderoso *m*
almond ['ɑ:mənd] almendra *f*
almost ['ɔ:lməust] casi
alone [ə'ləun] *a* solo; *adv* sólo; **to leave ~** dejar en paz; **let ~** mucho menos
along [ə'lɔŋ] a lo largo (de)
aloof [ə'lu:f] lejos; apartado
aloud [ə'laud] fuerte, alto
alphabet ['ælfəbit] alfabeto *m*, abecedario *m*
Alps [ælps] Alpes *m/pl*
already [ɔ:l'redi] ya
also ['ɔ:lsəu] también
altar ['ɔ:ltə] altar *m*
alter ['ɔ:ltə] *v/t* alterar, modificar
alternat|e ['ɔ:ltə:neit] *v/t*, *v/i* alternar, modificar(se); [~'tə:nit] *a* alterno; *s* suplente *m*; **~ing** alternante; **~ing current** corriente *f* alterna
although [ɔ:l'ðəu] aunque, a pesar de que
altitude ['æltitju:d] altura *f*
alto ['æltəu] *mús* contralto *m*
altogether [ɔ:ltə'geðə] en conjunto; por completo
aluminium [ælju'minjəm] aluminio *m*
always ['ɔ:lwəz] siempre
am [æm]: **I ~** soy; estoy
amass [ə'mæs] *v/t* acumular
amateur ['æmətə:] aficionado *m*
amaze [ə'meiz] *v/t* asombrar; **~ment** asombro *m*
ambassador [æm'bæsədə] embajador *m*
amber ['æmbə] ámbar *m*
ambiguous [æm'bigjuəs] ambiguo
ambiti|on [æm'biʃən] ambición *f*; **~ous** ambicioso
ambulance ['æmbjuləns] ambulancia *f*
ambush ['æmbuʃ] *v/t* acechar, emboscar; *s* emboscada *f*, celada *f*
amen ['ɑ:'men] amén *m*
amend [ə'mend] *v/t* enmendar, mejorar; **~ment** enmienda *f*; **~s** reparación *f*; indemnización *f*
America [ə'merikə] América *f*; **~n** *a*, *s* americano(a) *m* (*f*)
amiability [eimjə'biliti] amabilidad *f*
amicable ['æmikəbl] amistoso, amigable
amid(st) [ə'mid(st)] en medio de, entre
amiss [ə'mis] fuera de lugar, inoportuno; **to take ~** tomar a mal
ammunition [æmju'niʃən] munición *f*
among(st) [ə'mʌŋ(st)] entre (*varios*)
amorous ['æmərəs] enamorado, amoroso
amount [ə'maunt] *v/i* ascender (a), elevarse (a); *s* cantidad *f*, importe *m*
ampl|e ['æmpl] amplio; **~ifier** [~lifaiə] amplificador

m; **~ify** *v/t* ampliar, amplificar
amputate ['æmpjuteit] *v/t* amputar
amuse [ə'mju:z] *v/t* divertir, entretener; **to ~ oneself** divertirse; **~ment** diversión *f*; entretenimiento *m*
an [æn, ən] un, uno, una
anaemia [ə'ni:miə] anemia *f*
analog|ous [ə'næləgəs] análogo; **~y** [~dʒi] analogía *f*
analy|se ['ænəlaiz] *v/t* analizar; **~sis** [ə'næləsis] análisis *m*, *f*
anarch|ic [æ'na:kik] anárquico; **~ist** ['ænəkist] anarquista *m*
anatomy [ə'nætəmi] anatomía *f*
ancest|or ['ænsistə] antepasado *m*; **~ry** linaje *m*, abolengo *m*
anchor ['æŋkə] *v/t* anclar; *s* ancla *f*, áncora *f*
anchovy ['æntʃəvi] anchoa *f*
ancient ['einʃənt] antiguo
and [ænd, ənd] y, e
anew [ə'nju:] de nuevo, otra vez
angel ['eindʒəl] ángel *m*
ang|er ['æŋgə] ira *f*; enfado *m*; **~ry** furioso, enfadado
angle ['æŋgl] *s* ángulo *m*, esquina *f*; *v/t* pescar con caña
Anglican ['æŋglikən] *s*, *a* anglicano(a) *m* (*f*)
Anglo-Saxon ['æŋgləu'sæksən] *s*, *a* anglosajón
anguish ['æŋgwiʃ] angustia *f*, ansia *f*
animal ['æniməl] animal *m*
animate ['ænimeit] *v/t* animar, alentar; **~d cartoon** película *f* de dibujos animados
animosity [æni'mɔsiti] animosidad *f*; rencor *m*
ankle ['æŋkl] tobillo *m*
annex [ə'neks] *v/t* anexar, juntar, unir; ['æneks] *s* anexo *m*; *arq* pabellón *m*
annihilate [ə'naiəleit] *v/t* aniquilar
anniversary [æni'və:səri] aniversario *m*
annotat|e ['ænəuteit] *v/t* anotar, glosar; **~ion** anotación *f*; apunte *m*
announce [ə'nauns] *v/t* anunciar; **~ment** anuncio *m*, aviso *m*; **~r** locutor *m*
annoy [ə'nɔi] *v/t* molestar, enojar; **~ance** molestia *f*; **~ing** molesto, enojoso
annual ['ænjuəl] anual
annul [ə'nʌl] *v/t* anular; **~ment** anulación *f*
anomalous [ə'nɔmələs] anómalo
anonymous [ə'nɔniməs] anónimo
another [ə'nʌðə] otro, otra
answer ['a:nsə] *v/t*, *v/i* contestar; **~ for** responder de; *s* contestación *f*, respuesta *f*
ant [ænt] hormiga *f*; **~hill** hormiguero *m*
antagonis|m [æn'tægənizəm] antagonismo *m*; **~t** antagonista *m*

antarctic [ænt'ɑ:ktik] antártico
antelope ['æntiləup] antílope *m*
anthem ['ænθəm] himno *m*
anti|-aircraft ['ænti'ɛəkrɑ:ft] antiaéreo; **~biotic** ['~bai'ɔtik] *s, a* antibiótico *m*
antics ['æntiks] payasadas *f/pl*
anticipat|e [æn'tisipeit] *v/t* anticipar; prever; adelantar(se); **~ion** anticipación *f*; adelantamiento *m*
anti|dote ['ænti'dəut] antídoto *m*; **~freeze** [~fri:z] anticongelante *m*
antipathy [æn'tipəθi] antipatía *f*
antiqu|ated ['æntikweitid] anticuado; **~e** [æn'ti:k] antiguo; **~ity** [~'tikwiti] antigüedad *f*
antler ['æntlə] asta *f*, cornamenta *f*
anvil ['ænvil] yunque *m*
anxi|ety [æŋ'zaiəti] ansia *f*; ansiedad *f*; preocupación *f*; **~ous** ['æŋkʃəs] ansioso, inquieto; anheloso
any ['eni] cualquier(a); **not ~** ningún(o), a, os, as; **~body, ~one** alguno; cualquiera, quienquiera; **not ~body, ~one** nadie; **~how** de cualquier modo; **~thing** cualquier cosa; **not ~thing** nada; **~where** en cualquier parte; **not ~where** en ninguna parte; **have you ~ money?** ¿tienes, tiene Vd dinero?
apart [ə'pɑ:t] aparte; **~ment** cuarto *m*; *Am* piso *m*; *SA* departamento *m*
apath|etic [æpə'θetik] apático; **~y** ['æpəθi] apatía *f*
ape [eip] mono *m*
aperitif [ə'peritiv] aperitivo *m*
aperture ['æpətjuə] abertura *f*; rendija *f*
apiary ['eipiəri] colmenar *m*
apiece [ə'pi:s] (a, por, para) cada uno
apologize [ə'pɔlədʒaiz] *v/i* disculparse; **~y** disculpa *f*; excusa *f*
apoplexy ['æpəupleksi] apoplejía *f*
apostle [ə'pɔsl] apóstol *m*
apostrophe [ə'pɔstrəfi] *gram* apóstrofo *m*
appal [ə'pɔ:l] *v/t* asombrar, pasmar
apparatus [æpə'reitəs] aparato *m*; aparejo *m*
apparent [ə'pærənt] aparente; patente
appeal [ə'pi:l] *v/i for* apelar; **~ to** apelar a; interesar a, atraer; *s for* apelación *f*; petición *f*; instancia *f*
appear [ə'piə] *v/i* aparecer; personarse; parecer; *for* comparecer; **~ance** apariencia *f*; aspecto *m*; aparición *f*; *for* comparecencia *f*
appease [ə'pi:z] *v/t* apaciguar; **~ment** apaciguamiento *m*
append|icitis [əpendi'saitis] apendicitis *f*; **~ix** [ə'pendiks] apéndice *m*
appertain [æpə'tein] *v/i* pertenecer

appeti|te ['æpitait] apetito *m*; **~zing** apetitoso, tentador
applau|d [ə'plɔ:d] *v/t* aplaudir; *v/i* dar palmadas; **~se** [~z] aplauso *m*
apple ['æpl] manzana *f*; **~ of the eye** pupila *f*; **~-pie** pastel *m* de manzana, tarta *f* de manzana; **~-tree** manzano *m*
appliance [ə'plaiəns] aparato *m*; dispositivo *m*, artefacto *m*
application [æpli'keiʃən] aplicación *f*; solicitud *f*
apply [ə'plai] *v/t* aplicar, utilizar; *v/i* ser pertinente, corresponder; **~ for** pedir
appoint [ə'pɔint] *v/t* nombrar; decretar, fijar; **~ment** cita *f*, compromiso *m*; nombramiento *m*
apportion [ə'pɔ:ʃən] *v/t* repartir, asignar
apprecia|te [ə'pri:ʃieit] *v/t* apreciar, estimar; *v/i com* subir de valor; **~tion** apreciación *f*
apprehen|d [æpri'hend] *v/t*, *v/i* comprender, percibir; recelar; aprehender, prender, capturar; **~sive** aprensivo, receloso; perspicaz; **~siveness** aprensión *f*; recelo *m*
apprentice [ə'prentis] *v/t* contratar como aprendiz; *s* aprendiz *m*; **~ship** aprendizaje *m*
apprise [ə'praiz] *v/t* informar, avisar
approach [ə'prəutʃ] *v/t*, *v/i* aproximar(se); acercar(se); *s* acceso *m*; paso *m*
approbation [æprə'beiʃən] aprobación *f*
appropriate [ə'prəuprieit] *v/t* apropiarse de; [ə'prəupriit] *a* apropiado, apto, a propósito
approv|al [ə'pru:vəl] aprobación *f*; asentimiento *m*; **~e** *v/t* sancionar, aprobar
approximate [ə'prɔksimeit] *v/t*, *v/i* aproximar(se); [ə'prɔksimit] *a* aproximado
apricot ['eiprikɔt] albaricoque *m*; *SA* damasco *m*
April ['eipril] abril *m*
apron ['eiprən] delantal *m*
apse [æps] ábside *m*
apt [æpt] apto; propenso; **~itude** ['æptitju:d] aptitud *f*
aqu|arium [ə'kwɛəriəm] acuario *m*; **~atic** [ə'kwætik] acuático; **~atics** deportes *m/pl* acuáticos
aquiline ['ækwilain] aguileño
Arab ['ærəb] *s*, *a* árabe; **~ian** [ə'reibjən] arábico, arábigo; **~ian Nights** Las Mil y una Noches; **~ic** árabe *m*; lengua *f* árabe
arable ['ærəbl] cultivable, arable
arbitrary ['ɑ:bitrəri] arbitrario
arbour ['ɑ:bə] glorieta *f*, cenador *m*
arc [ɑ:k] arco *m*; **~ade** [ɑ:'keid] arcada *f*

arch [ɑ:tʃ] *arq* arco *m*; bóveda *f*; *a* socarrón; insigne
archaeolog|ist [ɑ:ki'ɔlədʒist] arqueólogo *m*; **~y** arqueología *f*
archaic [ɑ:'keiik] arcáico, antiguado
arch|angel ['ɑ:keindʒəl] arcángel *m*; **~bishop** ['ɑ:tʃ-'biʃəp] arzobispo *m*; **~er** ['ɑ:tʃə] arquero *m*; **~ery** [~əri] tiro *m* de arco
architect ['ɑ:kitekt] arquitecto *m*; **~ure** arquitectura *f*
arctic ['ɑ:ktik] ártico
ard|ent ['ɑ:dənt] ardiente, vehemente; **~our** ardor *m*, pasión *f*; **~uous** arduo, duro, muy difícil
are [ɑ:] eres, somos, sois, son; estás, estamos, estáis, están
area ['ɛəriə] área *f*, zona *f*
arena [ə'ri:nə] arena *f*; *fig* campo *m*, terreno *m*
Argentine ['ɑ:dʒəntain] *s* Argentina *f*; *a* argentino
argu|e ['ɑ:gju:] *v/t*, *v/i* argüir, discutir; razonar; **~ment** argumento *m*; discusión *f*, disputa *f*
arid ['ærid] árido
arise [ə'raiz] *v/i* elevarse, surgir; resultar (de)
arithmetics [ə'riθmətiks] aritmética *f*
ark [ɑ:k] arca *f*
arm [ɑ:m] *s* brazo *m*; *v/t*, *v/i* armar; **~ament** [~əmənt] armamento *m*; **~chair** butaca *f*; **~ful** brazada *f*; **~istice** armisticio *m*; **~let** brazal *m*, brazalete *m*; **~our** coraza *f*; **~oured car** carro *m* blindado; **~oury** armería *f*; **~pit** sobaco *m*; **~s** armas *f/pl*; **~y** ejército *m*; tropas *f/pl*
around [ə'raund] *adv* alrededor; *prep* alrededor de
arouse [ə'rauz] *v/t* despertar, excitar
arrange [ə'reindʒ] *v/t* arreglar; disponer; **~ment** arreglo *m*; disposición *f*
arrears [ə'riəz] atrasos *m/pl*, deudas *f/pl*
arrest [ə'rest] *v/t* detener, arrestar; *s* detención *f*, arresto *m*; paro *m*
arriv|al [ə'raivəl] llegada *f*; (el que ha) llegado *m*; **~e** *v/i* llegar; alcanzar éxito
arrogan|ce ['ærəgəns] arrogancia *f*; **~t** arrogante
arrow ['ærəu] flecha *f*
arsenic ['ɑ:snik] arsénico *m*
arson ['ɑ:sn] *for* incendio *m* premeditado
art [ɑ:t] arte *m*, *f*; destreza *f*; maña *f*; **~ful** mañoso; artificioso; **~fulness** astucia *f*; **~s** humanidades *f/pl*; letras *f/pl*
artichoke ['ɑ:titʃouk] alcachofa *f*
article ['ɑ:tikl] artículo *m*
articulate [ɑ:'tikjuleit] *v/t* articular, pronunciar; [~'tikjulit] *a* articulado; inteligible
artific|e ['ɑ:tifis] artificio *m*, estratagema *m*; **~ial** [~'fiʃəl] artificial

artillery [ɑːˈtiləri] artillería *f*
artisan [ɑːtiˈzæn] artesano *m*
artist [ˈɑːtist] artista *m*; **~e** [ɑːˈtist] artista *m* (*del circo, baile, etc*); **~ic** artístico
artless [ˈɑːtlis] natural, sencillo
as [æz, əz] *adv* como; **~ ... ~** tan(to) ... como; **~ far ~** en cuanto; **~ good ~** prácticamente; **~ many ~** tantos como; **~ soon ~** tan pronto como; **~ well** también; **~ well ~** así como (también); *conj* como; aunque; **~ to** en cuanto a
ascen|d [əˈsend] *v/t, v/i* ascender, subir; **~sion** ascensión *f*; **~t** subida *f*; ascenso *m*
ascertain [æsəˈtein] *v/t* averiguar; cerciorarse de
ascetic [əˈsetik] *s, a* ascético
ascribe [əsˈkraib] *v/t* atribuir, achacar
aseptic [æˈseptik] aséptico
ash [æʃ] fresno *m*; ceniza *f*
ashamed [əˈʃeimd] avergonzado; **to be** *o* **feel ~ of** estar avergonzado de
ash|es [ˈæʃiz] ceniza *f*; **~-tray** cenicero *m*
ashore [əˈʃɔː] en tierra, a tierra; **to go ~** bajar a tierra
Asia [ˈeiʃə] Asia *f*; **~tic** *a, s* [eiʃiˈætik] asiático(a) *m* (*f*)
aside [əˈsaid] de lado, al lado; aparte (*t s teat*)
ask [ɑːsk] *v/t* preguntar; formular (una pregunta); pedir; invitar, convidar
askew [əsˈkjuː] torcido, ladeado
asleep [əˈsliːp] dormido; **to fall ~** quedarse dormido
asparagus [əsˈpærəgəs] espárrago *m*
aspect [ˈæspekt] aspecto *m*
asphyxiate [æsˈfiksieit] *v/t, v/i* asfixiar
aspir|ant [əsˈpaiərənt] aspirante *m*; candidato *m*; **~e** *v/i* aspirar
aspirin [ˈæspərin] aspirina *f*
ass [æs] asno *m*, burro *m*
assail [əˈseil] *v/t* asaltar, acometer
assassin [əˈsæsin] asesino *m*; **~ate** *v/t* asesinar; **~ation** asesinato *m*
assault [əˈsɔːlt] *v/t* asaltar; *s* asalto *m*
assembl|age [əˈsemblidʒ] *tecn* montaje *m*; **~e** [əˈsembl] *v/t* juntar; *tecn* montar; *v/i* reunirse; **~y** asamblea *f*; junta *f*; montura *f*, montaje *m*; **~y line** *tecn* línea *f* de montaje
assent [əˈsent] *s* asentimiento *m*; beneplácito *m*; *v/i* **~ to** asentir a
assert [əˈsəːt] *v/t* afirmar, aseverar
assess [əˈses] *v/t* avaluar; acotar; fijar
assets [ˈæsets] activo *m*, haber *m*
assiduous [əˈsidjuəs] asiduo; perseverante
assign [əˈsain] *v/t* asignar; señalar, destinar; **~ment** asignación *f*; cesión *f*

assimilate [ə'simileit] *v/t* asimilar
assist [ə'sist] *v/t* asistir, ayudar; **~ance** ayuda *f*, auxilio *m*, asistencia *f*; **~ant** ayudante *m*; dependiente *m* (*de comercio*)
assizes [ə'saiziz] *pl* sesiones *f/pl* periódicas de un tribunal
associat|e [ə'səuʃieit] *v/t* asociar; *v/i* asociarse; adherirse; *s* socio *m*; **~ion** asociación *f*, sociedad *f*; **~ion football** balompié *m*, fútbol *m*
assort|ed [ə'sɔ:tid] surtido, mixto; **~ment** surtido *m*
assum|e [ə'sju:m] *v/t* asumir; presumir; usurpar; **~ed** supuesto; **~ption** [ə'sʌmpʃən] asunción *f*; postulado *m*, supuesto *m*
assur|ance [ə'ʃuərəns] seguridad *f*; promesa *f*; aseveración *f*; aplomo *m*; *com* seguro *m*; **~e** *v/t* asegurar, afirmar; **~ed** seguro, cierto; *com* asegurado
asthma ['æsmə] asma *f*
astonish [əs'tɔniʃ] *v/t* sorprender, asombrar; **~ed** sorprendido; **~ing** sorprendente, asombroso; **~ment** asombro *m*; sorpresa *f*
astound [əs'taund] *v/t*, *v/i* pasmar, consternar
astray [ə'strei]: **to go ~** extraviarse, perderse
astride [əs'traid] a horcajadas
astringent [əs'trindʒənt] *med* astringente
astronaut ['æstrənɔ:t] astronauta *m*
astronom|er [əs'trɔnəmə] astrónomo *m*; **~y** astronomía *f*
astute [əs'tju:t] astuto, sagaz
asunder [ə'sʌndə] en partes, en dos, a pedazos
asylum [ə'sailəm] asilo *m*
at [æt, ət] de; por; a, en; **~ best** en el mejor de los casos; **~ home** en casa; **~ work** trabajando
atheist ['eiθiist] ateo *m*
athlet|e ['æθli:t] atleta *m*; **~ic** [~'letik] atlético; **~ics** atletismo *m*
Atlantic [ət'læntik] atlántico
atmosphere ['ætməsfiə] atmósfera *f*
atom ['ætəm] átomo *m*; **~ bomb** bomba *f* atómica; **~ splitting** fisión *f* del átomo; **~ic** atómico; **~ic age** era *f* atómica; **~ic pile** pila *f* atómica; **~izer** pulverizador *m*
atroci|ous [ə'trəuʃəs] atroz; **~ty** [~ɔsiti] atrocidad *f*
attach [ə'tætʃ] *v/t* atar, ligar; vincular; apegar; **~ment** apego *m*; afecto *m*
attack [ə'tæk] *v/t* atacar; *s* ataque *m*
attain [ə'tein] *v/t* conseguir
attempt [ə'tempt] *v/t* intentar; *s* tentativa *f*, prueba *f*

attend [ə'tend] *v/t* asistir a, concurrir a; atender, cuidar; **~ance** asistencia *f*; presencia *f*; atención *f*; séquito *m*; **~ant** ayudante *m*; asistente *m*; concurrente *m*
attent|ion [ə'tenʃən] atención *f*; **~ion!** ¡ojo!; **~ion please!** ¡su atención, por favor!; **~ive** atento
attest [ə'test] *v/t* atestiguar, certificar
attic ['ætik] desván *m*
attire [ə'taiə] atavío *m*; vestido *m*
attitude ['ætitju:d] actitud *f*
attorney [ə'tə:ni] *for* apoderado *m*; *Am* abogado *m*
attract [ə'trækt] *v/t*, *v/i* atraer; **~ion** atracción *f*; atractivo *m*; **~ive** atractivo
attribute [ə'tribju(:)t] *v/t* atribuir; ['ætribju:t] *s* atributo *m*
auburn ['ɔ:bən] castaño
auction ['ɔ:kʃən] subasta *f* pública; almoneda *f*; remate *m*
audac|ious [ɔ:'deiʃəs] audaz; **~ity** [ɔ:'dæsiti] audacia *f*
audi|ble ['ɔ:dəbl] oíble, perceptible; **~ence** público *m*; audiencia *f*; audición *f*, entrevista *f*; **~tor** interventor *m*, revisor *m* de cuentas
augment [ɔ:g'ment] *v/t*, *v/i* aumentar, crecer
August ['ɔ:gəst] agosto *m*
aunt [ɑ:nt] tía *f*
auspicious [ɔ:s'piʃəs] propicio, favorable
auster|e [ɔs'tiə] austero; **~ity** [~'teriti] austeridad *f*
Australian [ɔs'treiljən] *a*, *s* australiano(a) *m (f)*
Austrian ['ɔstriən] *a*, *s* austríaco(a) *m (f)*
author ['ɔ:θə] autor *m*; escritor *m*; **~itative** [ɔ:'θɔritətiv] autoritario; autorizado; perentorio; **~ity** autoridad *f*; **~ize** ['~raiz] autorizar, facultar; **~ship** paternidad *f* literaria
auto|matic [ɔ:tə'mætik] automático; **~mation** automatización *f*
automobile ['ɔ:təməubi:l] automóvil *m*
autumn ['ɔ:təm] otoño *m*
avail [ə'veil] *s* provecho *m*; **of no ~** fútil; *v/i* valer; **to ~ oneself of** servirse de; **~able** disponible; aprovechable
avalanche ['ævəlɑ:ntʃ] [alud *m*]
avaric|e ['ævəris] avaricia *f*; **~ious** [~'riʃəs] avaro, avaricioso
avenge [ə'vendʒ] *v/t*, *v/i* [vengar]
avenue ['ævinju:] avenida *f*; alameda *f*
average ['ævəridʒ] *s* promedio *m*; *com* avería *f*; **on the ~** por término medio, en promedio; *a* mediano, ordinario
averse [ə'və:s] adverso, contrario
avert [ə'və:t] *v/t* desviar; prevenir

aviat|ion [eivi'eiʃən] aviación *f*; **~or** ['~eitə] aviador *m*
avoid [ə'vɔid] *v/t* evitar
avow [ə'vau] *v/t* confesar; **~al** confesión *f*
await [ə'weit] *v/t* aguardar
awake [ə'weik] *v/t, v/i* despertar(se); *a* despierto
award [ə'wɔ:d] *v/t, v/i* otorgar; conceder, conferir; *s for* fallo *m*; premio *m*
aware [ə'weə] sabedor; enterado
away [ə'wei] fuera, ausente; **far ~** lejos; **to go ~** marcharse
aw|e [ɔ:] temor *m* reverente; **~e-struck** espantado, despavorido; **~ful** terrible, espantoso; *fam* pésimo, atroz; tremendo
awhile [ə'wail] (por) un rato
awkward ['ɔ:kwəd] torpe; embarazoso, desagradable; delicado (*situación, etc*)
awning ['ɔ:niŋ] toldo *m*
awry [ə'rai] *a, adv* oblicuo; de soslayo
ax(e) [æks] hacha *f*
axis ['æksis] eje *m*
axle ['æksl] *mec* eje *m*
azure ['æʒə] azul *m* celeste

B

babble ['bæbl] *v/t, v/i* balbucear; parlotear; barbotar; *s* barboteo *m*; parloteo *m*
babe [beib] criatura *f*; niño *m*, cándido *m*
baboon [bə'bu:n] mandril *m*
baby ['beibi] criatura *f*; bebé *m*; **~hood** primera infancia *f*
bachelor ['bætʃələ] soltero [*m*]
back *s* [bæk] espalda(s) *f(pl)*; dorso *m*; reverso *m*, revés *m*; *dep* zaguero *m*; *v/t* apoyar; apostar a; financiar; *v/i* retroceder, dar marcha atrás; *adv* de vuelta; atrás; **~bone** espina *f* dorsal; **~fire** petardeo *m*; **~ground** fondo *m*; fundamento *m*; antecedentes *m/pl*; **~stairs** escalera *f* de servicio; **~stroke** brazada *f* de espaldas (*en natación*); **~ward(s)** *a* atrasado; *adv* (hacia) atrás
bacon ['beikən] tocino *m*
bacterium [bæk'tiəriəm] bacteria *f*
bad [bæd] malo; **too ~** ¡qué lástima!; **~ly** mal; muchísimo
badge [bædʒ] distintivo *m*
badger ['bædʒə] tejón *m*
badminton ['bædmintən] juego *m* del volante
baffle ['bæfl] *v/t* desconcertar; frustrar
bag [bæg] saco *m*; fardel *m*; bolsa *f*; **~gage** *Am* equipaje *m*; *mil* bagaje *m*
bag|gy ['bægi] abolsado; abombado; **~pipe** gaita *f*
bail [beil] fianza *f*

bailiff ['beilif] alguacil *m*
bait [beit] cebo *m*
bake [beik] *v/t* cocer (*al horno*); **~r** panadero *m*; **~ry** panadería *f*
balance ['bæləns] *s* balanza *f*; balance *m*; equilibrio *m*; volante *m* (*de reloj*); *com* balance *m*; *v/t* balancear; equilibrar; *com* saldar
balcony ['bælkəni] balcón *m*; *teat* galería *f*
bald [bɔ:ld] calvo
bale [beil] *s* bala *f*; fardo *m*; *v/t* embalar; **to ~ out** saltar en paracaídas
balk [bɔ:k] *s carp* viga *f*; impedimento *m*; *v/t* impedir, frustrar; *v/i* plantarse (*caballo*)
ball [bɔ:l] pelota *f*; bola *f*; baile *m*; globo *m*; yema *f* (*del dedo*); **~ad** ['bæləd] romance *m*; balada *f*; **~ast** ['bæləst] lastre *m*; **~-bearing(s)** *tecn* cojinete *m* de bolas
ballet ['bælei] ballet *m*, baile *m* artístico
ballistics [bə'listiks] balística *f*
balloon [bə'lu:n] globo *m* (aerostático)
ballot ['bælət] balota *f*; votación *f*; **~ box** urna *f* electoral
ball-point pen ['bɔ:lpɔint pen] bolígrafo *m*, rotulador *m*
balm [bɑ:m] bálsamo *m*; **~y** balsámico; *fam* tonto, chiflado
Baltic ['bɔ:ltik] **(Sea)** (Mar) Báltico *m*
balustrade [bæləs'treid] barandilla [*m*]
bamboo [bæm'bu:] bambú
ban [bæn] *s* prohibición *f* (oficial); *relig* excomunión *f*; *v/t* prohibir
banana [bə'nɑ:nə] plátano [*m*]
band [bænd] cinta *f*; *mús* banda *f*; **~age** venda *f*, vendaje *m*; **~box** sombrerera *f*
bandit ['bændit] bandido *m*
bang [bæŋ] *s* estampido *m*; golpe *m* resonante; *v/t* golpear; cerrar de golpe
banish ['bæniʃ] *v/t* proscribir; desterrar; **~ment** destierro *m*
banisters ['bænistəz] pasamano *m*; barandilla *f*
bank [bæŋk] orilla *f*; banco *m*; banca *f*; *v/t* depositar en el banco; **~ account** cuenta *f* bancaria; **~er** banquero *m*; **~ing** operaciones *f/pl* bancarias; banca *f*; **~note** billete *m* de banco; **~-rate** tipo *m* de descuento; **~-rupt** ['~rʌpt] quebrado; **~ruptcy** quiebra *f*, bancarrota *f*
banner ['bænə] bandera *f*
banns [bænz] amonestaciones *f/pl*
banquet ['bæŋkwit] *s* banquete *m* [cear]
banter ['bæntə] *v/i* chan-
bapti|sm ['bæptizm] bautismo *m*; **~ze** [~'taiz] *v/t* bautizar

bar [bɑ:] *s* barra *f*; mostrador *m*; bar *m*; *fig* obstáculo *m*; **~s** rejas *f/pl*; *v/t* atrancar; enrejar; impedir

barbar|ian [bɑ:'bɛəriən] bárbaro *m*; **~ous** ['~bərəs] bárbaro

barbed [bɑ:bd]: **~ wire** alambre *m* de púas

barber ['bɑ:bə] barbero *m*, peluquero *m*

bare [bɛə] desnudo; escaso; mero; **~faced** descarado; **~foot(ed)** descalzo; **~-headed** descubierto; **~ly** apenas

bargain ['bɑ:gin] *s* pacto *m*; ganga *f*; *v/t*, *v/i* negociar; regatear

barge [bɑ:dʒ] barcaza *f*; gabarra *f*

bark [bɑ:k] *s* corteza *f* (*de un árbol*); *mar* barca *f*; *v/i* ladrar

barkeeper ['bɑ:ki:pə] tabernero *m*

barley ['bɑ:li] cebada *f*

barmaid ['bɑ:meid] cantinera *f*

barn [bɑ:n] granero *m*; pajar *m*; hórreo *m*

barometer [bə'rɔmitə] barómetro *m*

barrack ['bærək] cuartel *m*

barrel ['bærəl] barril *m*; cañón *m*; **~ organ** organillo *m*

barren ['bærən] estéril, árido

barricade [bæri'keid] *s* barricada *f*; *v/t* obstruir

barrier ['bæriə] barrera *f*; obstáculo *m*

barrister ['bæristə] abogado *m*

barter ['bɑ:tə] *s* trueque *m*; *v/t* trocar; *v/i* traficar

base [beis] *a* bajo, vil, villano; *s* base *f*; *mil*, *quím* base *f*; *v/t* basar; apoyar; fundar; **~less** infundado; **~ment** sótano *m*

bashful ['bæʃful] tímido

basic ['beisik] básico

basin ['beisn] palangana *f*; *geog* cuenca *f*

bask [bɑ:sk] *v/i* tomar el sol

basket ['bɑ:skit] cesta *f*; canasta *f*; **~-ball** baloncesto *m*

bass [beis] *mús* bajo *m*

bastard ['bæstəd] bastardo *m*

bat [bæt] *zool* murciélago *m*

bath [bɑ:θ] *s* baño *m*; *v/t* bañar (*niño, enfermo, etc*); **~e** [beið] *v/t* bañar; *v/i* bañarse (*al aire libre*); **~ing-costume** traje *m* de baño; **~-tub** [bɑ:θ-] bañera *f*

baton ['bætən] vara *f*; *mús* batuta *f*

batter ['bætə] *v/t* golpear; demoler; **~ed** abollado; **~y** batería *f*

battle ['bætl] *s* batalla *f*; lucha *f*; *v/i* luchar; **~ship** acorazado *m*

bawl [bɔ:l] *v/i* bramar; llorar a gritos

bay [bei] *a* bayo; *s* bahía *f*; rada *f*; *bot* laurel *m*; *arq* entrepaño *m*; **at ~** acorralado; *v/t* ladrar; **~-window** mirador *m*

be [bi:, bi] *v/i* ser; estar; **to**

~ **in** estar (en *casa*, *etc*); **to ~ out** haber salido; **to ~ to** deber
beach [bi:tʃ] playa *f*
beacon ['bi:kən] baliza *f*; faro *m*
bead [bi:d] cuenta *f*; abalorio *m*; burbuja *f*; **~s** rosario *m*
beak [bi:k] pico *m*
beam [bi:m] *s arq* viga *f*; rayo *m* (*de luz*; *sol*); *mar* manga *f*; *v/t* emitir; **~ing** radiante; alegre, vivo
bean [bi:n] haba *f*; judía *f*; *SA* frijol *m*; habichuela *f*
bear [bɛə] *s zool* oso *m*; *com* bajista *m*; *v/t* aguantar; dar a luz, parir; **~ out** confirmar
beard [biəd] barba *f*; **~ed** [barbudo]
bear|er ['bɛərə] portador *m*; **~ing** porte *m*; **~ings** rumbo *m*, orientación *f*
beast [bi:st] bestia *f*; **~ly** brutal; asqueroso
beat [bi:t] *v/t* batir; pegar; *mús* llevar (*el compás*); tocar; derrotar; *v/i* latir, palpitar; **~ about the bush** andarse por las ramas; *s* golpe *m*; latido *m*; ronda *f* (*del policía*); *mús* compás *m*
beaut|iful ['bju:təful] hermoso, bello; **~ify** ['~ifai] *v/t* embellecer; **~y** hermosura *f*; belleza *f*; **~y parlour** salón *m* de belleza
beaver ['bi:və] castor *m*
because [bi'kɔz] *adv* porque; **~ of** *prep* por; por causa de
beckon ['bekən] *v/t* llamar por señas
becom|e [bi'kʌm] *v/i* llegar a ser; hacerse; volverse, ponerse; *v/t* convenir a; **~ing** que sienta bien (*vestido*); **~ing to** digno de
bed [bed] cama *f*; lecho *m*; **to go to ~** acostarse; **~ding** ropa *f* de cama; **~ridden** postrado en cama; **~room** dormitorio *m*; alcoba *f*; **~spread** colcha *f*; **~time** hora *f* de acostarse
bee [bi:] abeja *f*; **~hive** colmena *f*; **~line** línea *f* recta
beech [bi:tʃ] haya *f*
beef [bi:f] carne *f* de res *o* de vaca; **~eater** alabardero *m* del Tower; **~steak** biftec *m*; *SA* bife *m*; **~tea** caldo *m*
beer [biə] cerveza *f*
beet [bi:t] remolacha *f*
beetle ['bi:tl] escarabajo *m*
beetroot ['bi:tru:t] raíz *f* de remolacha
befall [bi'fɔ:l] *v/i* suceder; sobrevenir
befit [bi'fit] *v/t* convenir a
before [bi'fɔ:] *adv* delante (*lugar*); antes (*tiempo*); *prep* delante de (*lugar*); ante; antes de (*tiempo*); **~ all** ante todo; antes de nada; **~hand** de antemano
beg [beg] *v/t* rogar; pedir; *v/i* mendigar
beget [bi'get] *v/t* engendrar
beggar ['begə] mendigo *m*
begin [bi'gin] *s* comienzo *m*; *v/t*, *v/i* empezar, comenzar;

iniciar; **~ner** principiante *m*; **~ning** comienzo *m*
beguile [bi'gail] *v/t* engañar; seducir
behalf [bi'hɑ:f]: **on ~ of** por; en nombre de; de parte de
behav|e [bi'heiv] *v/t, v/i* (com)portarse; obrar; conducirse; **~iour** conducta *f*
behead [bi'hed] *v/t* decapitar
behind [bi'haind] *adv* atrás; detrás; *prep* detrás de; tras; *s* trasero *m*; *fam* culo *m*
being ['bi:iŋ] ser *m*; persona *f*; **for the time ~** por ahora
belated [bi'leitid] tardío; atrasado
belch [beltʃ] *v/i* regoldar, eructar
belfry ['belfri] campanario *m*
Belgi|an ['beldʒən] *a, s* belga; **~um** ['~əm] Bélgica *f*
belie [bi'lai] *v/t* desmentir
belie|f [bi'li:f] creencia *f*; **~vable** creíble; **~ve** *v/t, v/i* creer; **to make ~ve** fingir; **~ver** creyente *m*, fiel *m*
belittle [bi'litl] *v/t* menospreciar
bell [bel] (*iglesia*) campana *f*; (*eléctrico*) timbre *m*; (*ganado*) cencerro *m*; **~boy** botones *m*
belligerent [bi'lidʒərənt] *a, s* beligerante
bellow ['beləu] *v/i* bramar; gritar; **~s** fuelle *m*
belly ['beli] vientre *m*; panza *f*
belong [bi'lɔŋ] *v/i* pertenecer; **~ings** posesiones *f/pl*
beloved [bi'lʌvid] *a, s* querido(a) *m* (*f*)
below [bi'ləu] *adv* abajo; *prep* bajo; debajo de
belt [belt] cinturón *m*; faja *f*; *mec* correa *f*
bench [ben(t)ʃ] banco *m*; tribunal *m*
bend [bend] *s* vuelta *f*; curva *f*; *v/t* doblar; inclinar; *v/i* encorvarse; torcerse
beneath [bi'ni:θ] *adv* abajo; debajo; *prep* bajo, debajo de
bene|diction [beni'dikʃən] bendición *f*; **~factor** ['~fæktə] bienhechor *m*; **~ficial** [~'fiʃəl] benéfico; beneficioso; **~fit** ['~fit] beneficio *m*, provecho *m*; **~volent** [bi'nevələnt] benévolo
benzene ['benzi:n] benceno *m*
benzine ['benzi:n] bencina *f*
bequeath [bi'kwi:ð] *v/t* legar
bequest [bi:'kwest] legado *m*
bereave [bi'ri:v] *v/t* privar; **~ment** *s* duelo *m*; *v/t* desolar, afligir
beret ['berei] boina *f*
berry ['beri] baya *f*
berth [bə:θ] *s* amarradero *m*; camarote *m*; litera *f*; *v/t* atracar
beseech [bi'si:tʃ] *v/t* implorar; suplicar
beside [bi'said] *prep* al lado de, junto a; **~s** *adv* además

besiege [bi'si:dʒ] *v/t* sitiar; asediar
best [best] el (lo) mejor; óptimo; superior; **~ man** padrino *m* de boda; **~ seller** éxito *m* de librería; **to do one's ~** hacer todo lo posible; **to make the ~ of it** salir lo mejor posible
bestow [bi'stəu] *v/t* conferir; otorgar
bet [bet] *s* apuesta *f*; *v/t*, *v/i* apostar
betray [bi'trei] *v/t* traicionar; revelar; **~al** traición *f*; **~er** traidor *m*
betrothed [bi'trəuðd] prometido(a) *m* (*f*)
better ['betə] *a*, *adv* mejor; **it is ~ to** más vale; **so much the ~** tanto mejor; **to get ~** mejorarse; *v/t* mejorar
between [bi'twi:n] entre
bevel ['bevəl] bisel *m*
beverage ['bevəridʒ] bebida *f*
beware [bi'wɛə] *v/t*, *v/i* precaverse; **~ of ...!** ¡cuidado con (*el perro, etc*)!
bewilder [bi'wildə] *v/t* dejar perplejo; aturdir; **~ment** aturdimiento *m*
bewitch [bi'witʃ] *v/t* hechizar, embrujar
beyond [bi'jɔnd] *adv* al otro lado; allende; *prep* más allá de; además de; allende
bias ['baiəs] *s* sesgo *m*; prejuicio *m*, parcialidad *f*; *v/t* predisponer
bib [bib] babero *m*
Bible ['baibl] Biblia *f*
bicarbonate [bai'kɑ:bənit] bicarbonato *m*
bicycle ['baisikl] bicicleta *f*
bid [bid] *v/t* mandar; expresar; licitar; pujar; **~ding** orden *f*; mandato *m*; oferta *f*, licitación *f*
bier [biə] féretro *m*
big [big] grueso; grande; **~ game** caza *f* mayor; **~ head** humos *m/pl*, presunción *f*; **to talk ~** fanfarronear; **~-time** influyente; **~wig** *fam* pez *m* gordo, hombre *m* de fuste
bike [baik] *fam* bicicleta *f*
bile [bail] bilis *f*; hiel *f*
bill [bil] *com* cuenta *f*; nota *f*; factura *f*; billete *m*; cédula *f*; lista *f*; proyecto *m* de ley; cartel *m*, letrero *m*; pico *m* (*de ave*); **~ of exchange** letra *f* de cambio; **~ of fare** menú *m*; minuta *f*; **~ of lading** conocimiento *m* de embarque
billet ['bilit] *s mil* acantonamiento *m*; *v/t* acantonar
billiards ['biljədz] billar *m*
billion ['biljən] billón *m*, *Am* mil millones *m/pl*
billow ['biləu] *v/i* ondular; *s* ola *f*, onda *f*
bind [baind] *v/t* sujetar; atar, ligar; encuadernar; obligar; **~ing** *a* obligatorio; *s* encuadernación *f*; ligadura *f*
biography [bai'ɔgrəfi] biografía *f*
biology [bai'ɔlɔdʒi] biología *f*

birch [bə:tʃ] abedul *m*
bird [bə:d] ave *f*; pájaro *m*; **~ of passage** ave *f* de paso; **~ of prey** ave *f* de rapiña; **~'s-eye view** (a) vista *f* de pájaro
birth [bə:θ] nacimiento *m*; **to give ~ (to)** dar a luz; **~ control** control *m* de la natalidad; **~day** cumpleaños *m*; **~place** lugar *m* de nacimiento; **~-rate** natalidad *f*
biscuit [ˈbiskit] galleta *f*
bishop [ˈbiʃəp] obispo *m*; alfil *m* (*de ajedrez*)
bison [ˈbaisn] bisonte *m*
bit [bit] poquito *m*; bocado *m*; **a little ~** un poquito; **~ by ~** poco a poco
bitch [bitʃ] perra *f*
bite [bait] *s* mordisco *m*; bocado *m*; *v/t*, *v/i* morder; picar
bitter [ˈbitə] *a* amargo; severo; penoso; **~s** amargo *m*; licor *m* amargo; **~ness** amargura *f*
black [blæk] *a*, *s* negro(a) *m* (*f*); *v/t* teñir de negro; embetunar (*zapatos*); **~berry** zarzamora *f*; **~bird** mirlo *m*; **~board** pizarra *f*; **~ eye** ojo *m* amoratado; **~mail** chantaje *m*; **~ market** mercado *m* negro; **~out** apagón *m*; **~smith** herrero *m*
bladder [ˈblædə] vejiga *f*; ampolla *f*
blade [bleid] hoja *f* (*de espada, de cuchillo*); pala *f* (*de remo*); hoja *f* (*de hélice*)
blame [bleim] *s* censura *f*; culpa *f*; *v/t* censurar, culpar; **~less** inocente
bland [blænd] blando
blank [blæŋk] *a* en blanco; vacío; vago, sin expresión (*mirada, etc*); sin interés; **~ verse** verso *m* libre; *s* formulario *m*
blanket [ˈblæŋkit] manta *f*; *SA* frazada *f*
blast [blɑ:st] *s* ráfaga *f*; soplo *m*; carga *f* explosiva; explosión *f*; *v/t* volar (*con dinamita*); **~ furnace** alto horno *m*; **~ (it)!** ¡maldito sea!; **~-off** despegue *m* (*de un cohete*)
blaze [bleiz] *s* llamarada *f*; *v/i* arder; llamear
bleach [bli:tʃ] *v/t* blanquear
bleak [bli:k] desierto, yermo; frío; desolado, sombrío
bleat [bli:t] *v/i* balar; *s* balido *m*
bleed [bli:d] *v/t* sangrar; *v/i* sangrar, perder sangre
blemish [ˈblemiʃ] *v/t* denigrar; manchar; *s* tacha *f*; defecto *m*
blend [blend] mezcla *f*; combinación *f*; *v/t* mezclar, combinar
bless [bles] *v/t* bendecir; **~ my soul!** ¡válgame Dios!; **~ed** bendito; **~ing** bendición *f*; gracia *f*
blind [blaind] *a* ciego; *s* celosía *f*; persiana *f*; *fig* pretexto *m*; *v/t* cegar; deslumbrar; **~ alley** callejón *m*

sin salida; **~ness** ceguera *f*, ceguedad *f*
blink [bliŋk] *s* guiño *m*; centelleo *m*; *v/t* guiñar; pasar por alto
bliss [blis] felicidad *f*
blister ['blistə] ampolla *f*
blizzard ['blizəd] ventisca *f*
bloat [bləut] *v/t* hinchar; **~er** arenque *m* ahumado
block [blɔk] *s* bloque *m*; zoquete *m*; obstrucción *f*; **~ of houses** manzana *f* (*casas*), *SA* cuadra *f*; *v/t* obstruir; bloquear; **~ade** [blɔ'keid] bloqueo *m*; **~-head** zopenco *m*; **~ letter** letra *f* de imprenta
blond(e) [blɔnd] *a*, *s* rubio(a) *m* (*f*)
blood [blʌd] sangre *f*; **in cold ~** a sangre fría; **~shed** matanza *f*; **~shot** ensangrentado; **~thirsty** sanguíneo; **~ vessel** vaso *m* sanguíneo; **~y** sangriento; *fam* maldito
bloom [blu:m] *s* florecimiento *m*; *v/i* florecer
blossom ['blɔsəm] *s* flor *f*; *v/i* florecer
blot [blɔt] *s* borrón *m*; mancha *f*; *v/t* **~ out** borrar, tachar; **~ting paper** papel *m* secante
blouse [blauz] blusa *f*
blow [bləu] *s* golpe *m*; revés *m*; soplido *m*; *v/t* soplar; *mús* tocar; **~ one's nose** sonarse; **~ up** *v/t* volar; *foto* ampliar; *v/i* estallar; **~-pipe** soplete *m*; cerbatana *f* [porra *f*
bludgeon ['blʌdʒən] cachi-
blue [blu:] azul; *fam* desanimado, triste; **~-bell** campánula *f*; **~bottle** moscón *m*; **~print** calco *m* azul; *fig* plan *m* de acción
bluff [blʌf] *s* fanfarronada *f*; *v/i* aparentar, baladronear
blunder ['blʌndə] *s* patochada *f*; disparate *m*; *v/t*, *v/i* disparatar, equivocarse
blunt [blʌnt] desafilado; romo; obtuso; rudo; brusco
blur [blə:] *s* mancha *f*; *v/t* empañar, manchar
blush [blʌʃ] *s* sonrojo *m*; *v/i* sonrojarse, ruborizarse
bluster ['blʌstə] *v/i* bravear
boar [bɔ:] verraco *m*; **wild ~** jabalí *m*
board [bɔ:d] tabla *f*; tablero *m*; pensión *f*; **~ and lodging** cuarto y comida; **♀ of Trade** Ministerio *m* de Comercio; **on ~** a bordo; *v/t* subir a bordo de; enmaderar; **~er** huésped *m*; alumno *m* interno; **~ing-house** pensión *f*; casa *f* de huéspedes; **~ing-school** internado *m*
boast [bəust] *s* jactancia *f*; *v/t* ostentar; *v/i* alardear; jactarse, vanagloriarse
boat [bəut] bote *m*; barco *m*; barca *f*; **~ing** paseo *m* en bote; **~-race** regata *f*; **~swain** ['bəusən] contramaestre *m*

bob [bɔb] *s fam* chelín *m*; *v/t*, *v/i* menear(se)
bobby ['bɔbi] *fam* policía *m*
bodice ['bɔdis] corpiño *m*
body ['bɔdi] cuerpo *m*; casco *m* (*de barco*); carrocería *f* (*de coche*); gremio *m*, corporación *f*; **~-guard** guardaespaldas *m*
bog [bɔg] pantano *m*
boil [bɔil] *v/t*, *v/i* hervir, cocer; *s* furúnculo *m*; **~ over** rebosar(se); **~ed egg** huevo *m* pasado por agua; **~er** caldero *m*; caldera *f*
boisterous ['bɔistərəs] ruidoso, alborotado
bold [bəuld] atrevido, audaz; valiente
Bolshevik ['bɔlʃəvik] *s*, *a* bolchevique
bolster ['bəulstə] travesero *m*
bolt [bəult] *s* perno *m*; pasador *m*; rayo *m*; saeta *f*; *v/t* acerrojar; **~ upright** enhiesto
bomb [bɔm] *s* bomba *f*; *v/t* bombardear; **~er** bombardero *m*
bombard [bɔm'bɑ:d] *v/t* bombardear
bond [bɔnd] *s* lazo *m*; ligazón *f*; *com* bono *m*, título *m*; *v/t* hipotecar; **~age** servidumbre *f*, esclavitud *f*; **~ed** afianzado, depositado bajo fianza; **~ed warehouse** depósito *m* de aduanas
bone [bəun] hueso *m*; espina *f*
bonfire ['bɔnfaiə] hoguera *f*
bonnet ['bɔnit] gorra *f*; toca *f*
bonus ['bəunəs] prima *f*; premio *m*; gratificación *f*
bony ['bəuni] huesudo
book [buk] *s* libro *m*; *teat* libreto *m*; *v/t* reservar (*cuarto*, *etc*); asentar; **~binder** encuadernador *m*; **~case** armario *m* para libros; **~ing clerk** taquillero *m*; **~ing-office** despacho *m* de billetes, taquilla *f*; *SA* boletería *f*; **~-keeper** tenedor *m* de libros; **~let** ['~lit] folleto *m*; **~maker** corredor *m* de apuestas; **~seller** librero *m*; **~-shop** librería *f*
boom [bu:m] prosperidad *f*; auge *m* repentino
boor [buə] patán *m*
boost [bu:st] *s tecn* incremento; *v/t* levantar; fomentar
boot [bu:t] bota *f*; botín *m*; maletera *f* (*de automóvil*); **to ~** para colmos, además; **~black** limpiabotas *m*; **~-jack** sacabotas *m*; **~y** botín *m*
border ['bɔ:də] borde *m*; frontera *f*
bor|e [bɔ:] *v/t* taladrar; aburrir, dar la lata a; *s* latoso *m*, pelmazo *m*; **~edom** aburrimiento *m*; **~ing** aburrido, latoso
borough ['bʌrə] villa *f*; pueblo *m*
borrow ['bɔrəu] *v/t*, *v/i* pedir, tomar prestado
bosom ['buzəm] seno *m*; pecho *m*

boss [bɔs] *s* jefe *m*, patrón *m*, amo *m*, cacique *m*; *v/t* dominar
botany ['bɔtəni] botánica *f*
botch [bɔtʃ] *s* chapucería *f*; *v/t* frangollar, embarullar
both [bəuθ] *a* ambos; *pron* los (las) dos, ambos(as); ~ ... **and** tanto ... como
bother ['bɔðə] *s* molestia *f*; fastidio *m*; *v/t* fastidiar, molestar; *v/i* preocuparse; molestarse
bottle ['bɔtl] *s* botella *f*; *v/t* ~ **up** embotellar; *fig* reprimir [*m*; trasero *m*]
bottom ['bɔtəm] *s* fondo
bough [bau] rama *f*
boulder ['bəuldə] pedrón *m* rodado, pedrejón *m*
bounce [bauns] *v/i* rebotar
bound [baund] *v/t* confinar, limitar; *v/i* saltar; *s* límite *m*, término *m*; *a* atado, ligado; ~ **for** destinado a; con rumbo a; ~**ary** límite *m*, linde *m*; ~**less** infinito, ilimitado
bounty ['baunti] generosidad *f*; merced *f*
bouquet [bu'kei] ramo *m* de flores; nariz *f* (*del vino*)
bout [baut] tanda *f*, turno *m*; *med* ataque *m*; *dep* asalto *m*
bow [bəu] *s* arco *m*; [bau] saludo *m*; *mar* proa *f*; *v/t* doblar; saludar; *v/i* inclinarse, hacer reverencia
bowels ['bauəlz] intestinos *m/pl*
bower ['bauə] cenador *m*
bowl [bəul] *s* escudilla *f*; bolo *m*; *v/i* jugar a las bochas
bowler ['bəulə] (sombrero *m* de) hongo *m*
box [bɔks] *v/i* boxear; *v/t* abofetear; *s* caja *f*; *teat* palco *m*; casilla *f*; ~**ing** boxeo *m*; ~ **office** taquilla *f*
boy [bɔi] muchacho *m*; niño *m*; ~**hood** niñez *f*; ~**ish** amuchachado; ~ **scout** niño *m* explorador
boycott ['bɔikət] *v/t* boicotear
bra [brɑ:] *fam* sostén *m*
brace [breis] *v/t* arriostrar, apuntalar; asegurar; *s* abrazadera *f*, riostra *f*; ~**let** brazalete *m*; pulsera *f*; ~**s** tirantes *m/pl*
bracket ['brækit] *v/t* poner entre paréntesis; *s* ménsula *f*; soporte *m*; grupo *m*; ~**s** paréntesis *m*
brag [bræg] *v/t*, *v/i* jactarse, fanfarronear; ~**gart** ['~ət] bravucón *m*, fanfarrón *m*
braid [breid] *s* trencilla *f*; *v/t* trenzar
brain [brein] cerebro *m*; ~**s** *fig* sesos *m/pl*; ~**washing** *fig* lavado *m* del cerebro; ~**wave** idea *f* luminosa, inspiración *f* súbita
brake [breik] *s* freno *m*; *bot* helecho *m*; *v/t* frenar
bramble ['bræmbl] zarza *f*
branch [brɑ:ntʃ] *v/i* ramificarse; *s* rama *f*; ramo *m*; sucursal *f*, sección *f*; ~**-line** ramal *m*

brand [brænd] *s* tizón *m* (*fuego*); hierro *m* (*ganado*); marca *f*, estigma *m*; **~-new** flamante
brandy ['brændi] coñac *m*; aguardiente *m*
brass [brɑːs] latón *m*
brassière ['bræsiə] sostén *m*
brat [bræt] mocoso *m*, rapaz *m*
brave [breiv] *v/t* desafiar; *a* valiente; **~ry** valentía *f*; proeza *f*
bravo! ['brɑː'vəu] ¡olé!; ¡bravo!
brawl [brɔːl] *s* alboroto *m*; camorra *f*; *v/i* armar camorra
bray [brei] rebuzno *m*
brazen ['breizn] de bronce, bronceado; *fig* descarado
Brazilian [brə'ziljən] *a*, *s* brasileño(a) *m* (*f*)
breach [briːtʃ] *v/t*, *v/i* abrir una brecha (en); *s* rotura *f*; rompimiento *m*; *fig* infracción *f*, violación *f*; brecha *f*
bread [bred] pan *m*; **~ and butter** pan *m* con mantequilla; *fig* pan *m* de cada día
breadth [bredθ] ancho *m*
break [breik] *s* pausa *f*; rotura *f*; quiebra *f*; grieta *f*; *v/t* romper, quebrar; fracturar; infringir (*ley*); abatir; comunicar (*noticia*); hacer saltar (*la banca*); *v/i* romperse; abrirse; partirse; quebrar(se); **~ away** escaparse; **~ down** perder el ánimo; desplomarse; **~ out** estallar; **~down** colapso *m*; *mec* avería *f*; **~fast** ['brekfəst] desayuno *m*; **~-up** disolución *f*; desintegración *f*
breast [brest] pecho *m*; seno *m*; **to make a clean ~ of** confesar
breath [breθ] aliento *m*; **to hold one's ~** contener el aliento; **~e** [briːð] *v/i* respirar; vivir; **~ing** respiración *f*; **~less** ['breθlis] falto de aliento, sofocado
breeches ['briːtʃiz] calzones *m/pl*
breed [briːd] *s* casta *f*; raza *f*; *v/t* engendrar; criar; *v/i* multiplicarse; **~ing** crianza *f*; educación *f*
breeze [briːz] brisa *f*
brethren ['breðrin] *relig* hermanos *m/pl*
brew [bruː] *s* infusión *f*; mezcla *f*; *v/t* fabricar (*cerveza*); tramar; *v/i* amenazar (*tormenta*); **~ery** cervecería *f*, fábrica *f* de cerveza
bribe [braib] *s* soborno *m*; *v/t* sobornar; **~ry** cohecho *m*
brick [brik] *s* ladrillo *m*; *v/t* enladrillar; **~layer** albañil *m*; **~work** albañilería *f*
brid|al ['braidl] nupcial; **~e** novia *f*, desposada *f*; **~egroom** novio *m*, desposado *m*; **~esmaid** madrina *f* de boda
bridge [bridʒ] *v/t* tender un puente sobre; **~ a gap** *fig* llenar un vacío; *s* puente *m*, *f*; bridge *m* (*juego de naipes*)

bridle ['braidl] *v/t* embridar; *v/i* erguirse; *s* brida *f*; **~-path** camino *m* de herradura
brief [bri:f] *s* sumario *m*; resumen *m*; *for* escrito *m*, alegato *m*; *relig* breve *m* apostólico; *a* corto, sumario; **~-case** cartera *f*
brigand ['brigənd] bandolero *m*; **~age** latrocinio *m*
bright [brait] claro, brillante; despierto, inteligente; **~en** *v/t* iluminar; avivar; *v/i* aclararse; avivarse; **~ness** resplandor *m*; claridad *f*; agudeza *f*, viveza *f* de ingenio
brillian|ce, ~cy ['briljəns, '~si] brillantez *f*; **~t** brillante
brim [brim] borde *m*; labio *m* (*de vasija*); ala *f* (*de sombrero*); **~ful** repleto
brine [brain] salmuera *f*
bring [briŋ] *v/t* traer; conducir; rendir; **~ about** originar, causar; **~ forth** producir; parir; **~ forward** *com* llevar (*saldo*); **~ up** criar, educar
brink [briŋk] borde *m*
brisk [brisk] vivo; rápido; activo
bristle ['brisl] *v/t*, *v/i* erizar(se); *s* cerda *f*
brittle ['britl] quebradizo; frágil
broach [brəutʃ] *v/t* introducir (*tópico*)
broad [brɔ:d] ancho; amplio; **~cast** *v/t*, *v/i* emitir; radiar; *s* emisión *f*; **~en** *v/t*, *v/i* ensanchar(se); **~-minded** tolerante; generoso
broil [brɔil] *v/t* soasar, abrasar; *v/i* asarse
broke [brəuk] *fam* arruinado; **to be ~** estar sin blanca
broker ['brəukə] corredor *m*; agente *m*
bronze [brɔnz] bronce *m*
brooch [brəutʃ] broche *m*
brood [bru:d] *v/t* empollar; *v/i* **~ over** rumiar; *s* cría *f*; camada *f*
brook [bruk] arroyo *m*
broom [bru:m] escoba *f*; retama *f*
broth [brɔθ] caldo *m*
brothel ['brɔθl] burdel *m*
brother ['brʌðə] hermano *m*; **~hood** hermandad *f*; **~-in-law** cuñado *m*; **~ly** fraternal
brow [brau] ceja *f*; frente *f*
brown [braun] *a* marrón; moreno; castaño; pardo; **~ paper** papel *m* de estraza; *v/t* tostar, broncear
bruise [bru:z] *s* contusión *f*; magulladura *f*; *v/t* magullar
brush [brʌʃ] *s* cepillo *m*; brocha *f*; *v/t* cepillar; **~ up** pulir; *fig* repasar; *v/i* rozar
Brussels ['brʌslz] Bruselas; **~ sprouts** col *f* de Bruselas
brut|al ['bru:tl] brutal; **~ality** ['~tæliti] brutalidad *f*; **~e** [bru:t] bruto *m*; bestia *f*
bubble ['bʌbl] *s* burbuja *f*; **~ bath** baño *m* espumoso; *v/i* burbujear; bullir

buck [bʌk] macho *m* cabrío; gamo *m*; *fig* pisaverde *m*
bucket ['bʌkit] cubo *m*
buckle ['bʌkl] *v/t* abrochar con hebilla; *v/i* encorvarse; *s* hebilla *f*
buckram ['bʌkrəm] bucarán *m*
buckskin ['bʌkskin] piel *f* de ante
bud [bʌd] *v/t* injertar; *v/i* brotar; *s* brote *m*, cogollo *m*; yema *f*
budget ['bʌdʒit] presupuesto *m*
buff|alo ['bʌfələu] búfalo *m*; **~er** ['bʌfə] amortiguador *m*; tope *m*; **~et** ['bʌfit] *v/t* abofetear; *s* bofetada *f*; ['bufei] aparador *m*
bug [bʌg] sabandija *f*; chinche *f*; **~bear** espantajo *m*
bugle ['bju:gl] corneta *f*; clarín *m*; **~r** corneta *m*
build [bild] *v/t* construir; edificar; establecer; **~er** constructor *m*; **~ing** construcción *f*; edificio *m*
built-in ['bilt'in] empotrado; incorporado
bulb [bʌlb] *bot* bulbo *m*; *elec* bombilla *f*
bulge [bʌldʒ] *v/t*, *v/i* combar(se); *s* comba *f*; protuberancia *f*
bulk [bʌlk] masa *f*; volumen *m*; (la) mayor parte *f*; **in ~** (*mercancías*) a granel; **~y** voluminoso
bull [bul] *zool* toro *m*; bula *f*; *com* alcista *m*
bullet ['bulit] bala *f*
bulletin ['bulitin] boletín *m*
bull|fight ['bulfait] corrida *f* de toros; **~fighter** torero *m*; **~-headed** terco; **~ring** plaza *f* de toros
bullion ['buljən] lingote *m* (*de oro, etc*)
bully ['buli] *v/t* intimidar
bump [bʌmp] *v/t* golpear; *v/i* chocar contra; *s* choque *m*; chichón *m*; **~er** parachoques *m*
bun [bʌn] bollo *m*; (*de pelo*) moño *m*
bunch [bʌntʃ] manojo *m*; racimo *m*
bundle ['bʌndl] *s* lío *m*; haz *m* (*de leña*); *v/t* liar, atar
bungalow ['bʌŋgələu] casita *f* campestre
bungle ['bʌŋgl] *v/t* estropear, chapucear, frangollar
bunk [bʌŋk] litera *f*; tarima *f*; **~er** carbonera *f*
bunny ['bʌni] conejillo *m*
buoy [bɔi] *s* boya *f*; **~ant** boyante; animado
burden ['bə:dn] *s* carga *f*; *v/t* cargar; **~some** pesado; oneroso
bureau [bjuə'rəu] oficina *f*
burgl|ar ['bə:glə] ladrón *m*; **~ary** robo *m* con allanamiento (*de morada*)
burly ['bə:li] corpulento
burn [bə:n] *v/t* quemar; *v/i* arder; *s* quemadura *f*; **~er** mechero *m*; **~ing** ardiente, en llamas
burnish ['bə:niʃ] *v/t* bruñir
burst [bə:st] *v/t* reventar,

romper; *v/i* estallar, reventar; ~ **into tears** desatarse en lágrimas; *s* estallido *m*; explosión *f*; ~ **of laughter** carcajada *f*
bury ['beri] *v/t* enterrar
bus [bʌs] autobús *m*
bush [buʃ] arbusto *m*; **~y** tupido, espeso
business ['biznis] negocio *m*; ocupación *f*; asunto *m*; ~ **hours** horas *f/pl* de oficina; ~ **letter** carta *f* comercial; **~like** sistemático, práctico; **~man** hombre *m* de negocios; ~ **trip** viaje *m* de negocios; ~ **year** ejercicio *m*
bust [bʌst] busto *m*; pecho *m*
bustle ['bʌsl] *v/i* apresurarse; *s* animación *f*; ajetreo *m*
busy ['bizi] ocupado
but [bʌt] pero; sino; excepto; solamente; ~ **for** a no ser por; ~ **then** pero por otra parte
butcher ['butʃə] *v/t* matar; *s* carnicero *m*; **~y** carnicería *f*
butler ['bʌtlə] mayordomo *m*
butt [bʌt] tonel *m*; cabo *m*
butter ['bʌtə] *s* mantequilla *f*; *v/t* untar con mantequilla; **~cup** *bot* ranúnculo *m*; **~fly** mariposa *f*
buttock ['bʌtək] nalga *f*
button ['bʌtn] *v/t* abotonar; *s* botón *m*; **~hole** ojal *m*
buttress ['bʌtris] *arq* contrafuerte *m*; **flying** ~ arbotante *m*
buxom ['bʌksəm] rolliza
buy *v/t* [bai] comprar; **~er** comprador *m*
buzz [bʌz] *v/i* zumbar; *s* zumbido *m*
by [bai] *prep* por; al lado de; junto a; *adv* al lado; aparte; cerca; ~ **day** de día; ~ **and** ~ poco a poco; **~-election** elección *f* parcial; **~gone** pasado; **~-law** estatuto *m*; reglamento *m*; **~-pass** desvío *m*; **~-product** producto *m* secundario; **~stander** circunstante *m*, espectador *m*; **~street** callejuela *f*; **~-way** camino *m* apartado; **~word** refrán *m*
bye-bye! ['bai'bai] *fam* ¡adiós!

C

cab [kæb] coche *m*; taxi *m*
cabbage ['kæbidʒ] col *f*; repollo *m*
cabin ['kæbin] cabaña *f*; *mar* camarote *m*; cabina *f*; **~et** ['~it] gabinete *m*; **~et council** consejo *m* de ministros; **~etmaker** ebanista *m*
cable ['keibl] *s* cable *m*; *v/t*, *v/i* cablegrafiar
cabstand ['kæbstænd] parada *f* de taxis
cackle ['kækl] *s* cacareo *m*; *v/i* cacarear

cactus ['kæktəs] cacto *m*
cadger ['kædʒə] gorrón *m*
café ['kæfei] café *m*, cafetería *f*; restaurante *m*
cage [keidʒ] *s* jaula *f*; *v/t* enjaular
cake [keik] pastel *m*; torta *f*; pastilla *f* (*de jabón*)
calamity [kə'læmiti] calamidad *f*, desastre *m*
calcula|te ['kælkjuleit] *v/t* calcular; **~tion** cálculo *m*
calendar ['kælində] almanaque *m*; calendario *m*
calf [kɑ:f] *zool* ternero(a) *m* (*f*); *anat* pantorilla *f*
calibre ['kælibə] calibre *m* (*t fig*)
call [kɔ:l] *s* llamada *f*; llamamiento *m*; vocación *f*; visita *f*; *v/t* llamar; proclamar; **~ back** volver a llamar; *v/i* llamar; dar voces; **~ at** pasar por, visitar; *mar* hacer escala en (*puerto*); **~ for** ir por; pedir; **~ on** visitar; **~-box** cabina *f* telefónica; **~er** visitante *m*; llamador *m*; **~ing** vocación *f*
calm [kɑ:m] *a* sereno, tranquilo; *s* calma *f*; tranquilidad *f*; serenidad *f*; *v/t* calmar; *v/i* **~ down** tranquilizarse
calorie ['kæləri] caloría *f*
calumn|iate [kə'lʌmnieit] *v/t*, *v/i* calumniar; **~y** ['kæləmni] calumnia *f*
cambric ['keimbrik] batista *f*
camel ['kæməl] camello *m*
camera ['kæmərə] *foto* cámara *f*; **~-man** *cine* operador *m*
camomile ['kæməumail] manzanilla *f*
camouflage ['kæmuflɑ:ʒ] *s* camuflaje *m*; disfraz *m*; *v/t* camuflar; enmascarar
camp [kæmp] *s* campamento *m*; campo *m*; *v/i* acampar; **~-bed** catre *m* (*de tijera*); **~-stool** silla *f* plegadiza
campaign [kæm'pein] campaña *f*
camphor ['kæmfə] alcanfor *m*
can [kæn] *s* lata *f*; *v/t* enlatar; **~-opener** abrelatas *m*
can *defectivo usado como verbo auxiliar*: poder; saber; **I ~ go** puedo ir; **I ~ read** sé leer
Canadian [kə'neidjən] *a*, *s* canadiense *m*, *f*
canal [kə'næl] canal *m*
canary [kə'nɛəri] canario *m*
cancel ['kænsəl] *v/t* cancelar; revocar; **~lation** cancelación *f*; anulación *f*
cancer ['kænsə] cáncer *m*
candid ['kændid] cándido; sincero
candidate ['kændidit] candidato *m*
candied ['kændid] almibarado
candle ['kændl] candela *f*; vela *f*; bujía *f*; **~stick** candelero *m*; palmatoria *f*
cane [kein] caña *f*; bastón *m*
canister ['kænistə] lata *f*
cannon ['kænən] cañón *m*; (*billar*) carambola *f*; **~-shot** cañonazo *m*

canoe [kə'nu:] canoa *f*; piragua *f*
canon ['kænən] canon *m*; [regla *f*]
canteen [kæn'ti:n] cantina *f*
canter ['kæntə] *s* medio galope *m*
canvas ['kænvəs] lona *f*; lienzo *m*; **~s** *v/t* solicitar (*votos, etc*)
cap [kæp] gorra *f*; tapa *f*
capa|bility [keipə'biliti] capacidad *f*; **~ble** capaz; **~city** [kə'pæsiti] capacidad *f*; cabida *f*
cape [keip] *geog* cabo *m*; capa *f*
caper ['keipə] *bot* alcaparra *f*; brinco *m*; cabriola *f*
capital ['kæpitl] *s com* capital *m*; (*ciudad*) capital *f*; *arq* capitel *m*; *a* capital; magnífico; **~ letter** mayúscula *f*; **~ism** capitalismo *m*
capitulate [kə'pitjuleit] *v/i* capitular
capricious [kə'priʃəs] caprichoso
capsize [kæp'saiz] *v/t*, *v/i* zozobrar; volcar(se)
capstan ['kæpstən] cabrestante *m*
captain ['kæptin] capitán *m*
caption ['kæpʃən] encabezamiento *m*; leyenda *f*; *cine* subtítulo *m*
captiv|ate ['kæptiveit] *v/t* captar; **~e** *s*, *a* cautivo; **~ity** [~'tiviti] cautiverio *m*
capture ['kæptʃə] *v/t* capturar, apresar; *fig* cautivar; *s* captura *f*
car [kɑ:] coche *m*; auto *m*; *SA* carro *m*
caravan [kærə'væn] caravana *f*; carromato *m*
carbon ['kɑ:bən] carbono *m*; **~ paper** papel *m* carbón
carbuncle ['kɑ:bʌŋkl] (*piedra*) carbunclo *m*; *med* carbunco *m*
carburettor ['kɑ:bjuretə] carburador *m*
card [kɑ:d] *s* tarjeta *f*; carta *f*; (*baraja*) naipe *m*; *v/t* cardar; **~board** cartón *m*; **~igan** ['~igən] chaleco *m* de punto
cardinal ['kɑ:dinl] cardenal *m*
care [kɛə] *s* cuidado *m*; atención *f*; preocupación *f*; **take ~ of** cuidar; *v/i* **~ for** cuidar; querer; gustarle a uno; **~free** despreocupado; **~ful** cuidadoso; **~less** descuidado; **~taker** guardián *m*; **~worn** agobiado
career [kə'riə] carrera *f*
caress [kə'res] caricia *f*
cargo ['kɑ:gəu] carga *f*; cargamento *m*
caricature [kærikə'tjuə] caricatura *f*
carnation [kɑ:'neiʃən] clavel *m*
carnival ['kɑ:nivəl] carnaval *m*
carol ['kærəl] villancico *m*
carp [kɑ:p] *s* carpa *f*; *v/i* criticar
carpenter ['kɑ:pintə] carpintero *m*
carpet ['kɑ:pit] alfombra *f*
carriage ['kæridʒ] carruaje *m*; vagón *m*; coche *m*; transporte *m*; acarreo *m*; *com* porte *m*

carrier ['kæriə] transportador *m*; compañía *f* de transportes; *med* portador *m*; *aer* portaaviones *m*
carrot ['kærət] zanahoria *f*
carry ['kæri] *v/t* llevar; transportar; tener (encima); *com* tener en existencia; ~ **away** llevarse; *v/i* ~ **on** continuar, seguir; ~ **out** realizar
cart [kɑ:t] *s* carro *m*; carreta *f*; *v/t* acarrear; ~**er** carretero *m*; ~**-load** carretada *f*
cartoon [kɑ:'tu:n] caricatura *f*; *cine* dibujo *m* animado; ~**ist** caricaturista *m, f*
cartridge ['kɑ:tridʒ] cartucho *m*
carv|e [kɑ:v] *v/t, v/i* tallar; esculpir; (*carne*) trinchar; ~**er** tallista *m*; trinchante *m*; ~**ing** escultura *f*; entalladura *f*
cascade [kæs'keid] cascada *f*
cas|e [keis] *s* caso *m*; caja *f*; estuche *m*; cubierta *f*; *for* causa *f*, pleito *m*; **in any** ~**e** de todos modos; ~**ement** ventana *f* a bisagra
cash [kæʃ] *s* dinero *m* efectivo; ~ **down** al contado; ~ **on delivery** pago *m* contra entrega; ~ **register** caja *f* registradora; *v/t* cobrar; hacer efectivo; ~**ier** [kæ'ʃiə] cajero *m*
cask [kɑ:sk] cuba *f*; barril *m*; ~**et** cofrecito *m*
cassock ['kæsək] sotana *f*
cast [kɑ:st] *s* lanzamiento *m*; tirada *f*; molde *m*; *teat* reparto *m*; *v/t* tirar, lanzar; fundir (*metales*); *teat* repartir (*papeles*); echar; ~ **out** arrojar, expulsar; ~ **iron** hierro *m* fundido; ~**-iron** de hierro fundido; *fig* de hierro, firme; irrefutable
caste [kɑ:st] casta *f*
castle ['kɑ:sl] castillo *m*; (*ajedrez*) torre *f*
castor ['kɑ:stə] vinagrera *f*; ~ **oil** aceite *m* de ricino; ~ **sugar** azúcar *m* de lustre
casual ['kæʒjuəl] casual; indiferente; ~**ty** desastre *m*; víctima *f*; *mil* baja *f*
cat [kæt] gato(a) *m* (*f*)
catalogue ['kætəlɔg] *s* catálogo *m*; *v/t* catalogar
cataract ['kætərækt] catarata *f*
catarrh [kə'tɑ:] catarro *m*
catastrophe [kə'tæstrəfi] catástrofe *f*
catcall ['kætkɔ:l] rechifla *f*, *SA* silbatina *f*
catch [kætʃ] *v/t, v/i* coger; agarrar, atrapar; captar, entender; ~ **cold** resfriarse; ~ **fire** prender fuego; encenderse; ~ **up with** alcanzar; ~ **as** ~ **can** lucha *f* libre; *s* pesca *f*; presa *f*; *mec* retén *m*; engañifa *f*; ~**ing** pegadizo; contagioso; ~**-word** lema *m*, mote *m*
category ['kætigəri] categoría *f*
cater ['keitə]: ~ **for** proveer, abastecer

caterpillar ['kætəpilə] oruga *f*

cathedral [kə'θi:drəl] catedral *f*

Catholic ['kæθəlik] *a, s* católico(a) *m* (*f*)

cattle [kætl] ganado *m*

cauldron ['kɔ:ldrən] caldera *f*

cauliflower ['kɔliflauə] coliflor *f*

cause ['kɔ:z] *s* causa *f*, motivo *m*; *v/t* causar, motivar; **~less** infundado; **~way** arrecife *m*; calzada *f*

cauti|on ['kɔ:ʃən] *s* cautela *f*; advertencia *f*; *v/t* advertir; **~ous** cauteloso, cauto

cavalry ['kævəlri] caballería *f*

cav|e [keiv] cueva *f*; **~ern** ['kævən] caverna *f*; **~ity** cavidad *f*

cease [si:s] *v/t* suspender, parar; *v/i* cesar; **~less** incesante

cede [si:d] *v/t, v/i* ceder

ceiling ['si:liŋ] techo *m*; **~ price** precio *m* máximo

celebr|ate ['selibreit] *v/t* celebrar; **~ated** célebre; **~ation** fiesta *f*; **~ity** [si'lebriti] celebridad *f*

celerity [si'leriti] celeridad *f*

celery ['seləri] apio *m*

celestial [si'lestjəl] celeste, celestial

celibacy ['selibəsi] celibato *m*

cell [sel] celda *f*; célula *f* (*t elec*)

cellar ['selə] sótano *m*; bodega *f*

celluloid ['seljulɔid] celuloide *m*

Celt [kelt] celta *m*; **~ic** céltico

cement [si'ment] *s* cemento; *v/t* cimentar (*t fig*); *metal* cementar

cemetery ['semitri] cementerio *m*

cens|or ['sensə] *s* censor *m*; *v/t* censurar; **~orship** censura *f*; **~ure** ['~ʃə] *s* censura *f*, reprobación *f*; *v/t* reprobar, reprender

cent [sent] céntimo *m*; centavo *m*; **per ~** por ciento; **~enary** *a, s* centenario *m*

centimetre ['sentimi:tə] centímetro *m*

cent|ral ['sentrəl] central, céntrico; **~ral heating** calefacción *f* central; **~ralize** *v/t* centralizar; **~re** centro *m*; **~re-forward** delantero *m* centro; **~re-half** medio *m* centro

century ['sentʃuri] siglo *m*

cereal ['siəriəl] *a, s* cereal *m*

ceremon|ial [seri'məunjəl] *a, s* ceremonial; **~ious** ceremonioso; **~y** ['~məni] ceremonia *f*

certain ['sə:tn] cierto; **~ly** ciertamente, por cierto; **~ty** certeza *f*; certidumbre *f*

certif|icate [sə'tifikit] certificado *m*; diploma *m*; partida *f* (*de nacimiento, etc*); **~y** ['sə:rtifai] *v/t* certificar

cession ['seʃən] cesión *f*

chafe [tʃeif] *v/t, v/i* rozar (-se); irritar(se)

chaff [tʃɑ:f] barcia *f*, ahechaduras *f/pl*

chaffinch [ˈtʃæfintʃ] pinzón *m*

chagrin [ˈʃægrin] desazón *f*, mortificación *f*

chain [tʃein] *s* cadena *f*; serie *f*; *v/t* encadenar

chair [tʃɛə] silla *f*; cátedra *f* (*de universidad*); presidencia *f*; **~-lift** telesilla *f*; **~man** presidente *m*

chalk [tʃɔ:k] creta *f*; tiza *f*

challenge [ˈtʃælindʒ] *s* desafío *m*; *v/t* desafiar

chamber [ˈtʃeimbə] cámara *f*; aposento *m*; **~maid** camarera *f*; **~pot** orinal *m*

chamois [ˈʃæmwɑ:] gamuza *f*

champagne [ʃæmˈpein] champaña *m*

champion [ˈtʃæmpjən] campeón *m*; **~ship** campeonato *m*

chance [tʃɑ:ns] *a* accidental, casual; *s* casualidad *f*; ocasión *f*; suerte *f*; **by ~** por casualidad; **to take one's ~** correr el albur

chancell|ery [ˈtʃɑ:nsələri] cancillería *f*; **~or** canciller *m*; **≗or of the Exchequer** Ministro *m* de Hacienda

chandelier [ʃændiˈliə] araña *f*

change [tʃeindʒ] *s* cambio *m*; vuelta *f*; *v/t* cambiar; cambiar de (*ropa, tren, opinión*); **~able** variable; **~less** inmutable

channel [ˈtʃænl] canal *m* (*t fig*); *v/t* acanalar; encauzar

chap [tʃæp] *s* grieta *f*; *fam* mozo *m*; tipo *m*; *v/t* agrietar

chapel [ˈtʃæpəl] capilla *f*

chaperon [ˈʃæpərəun] *s* dueña *f*; señora *f* de compañía; *v/t* acompañar

chap|lain [ˈtʃæplin] capellán *m*; **~ter** [ˈ~tə] *igl* cabildo *m*; capítulo *m*

character [ˈkæriktə] carácter *m*; *teat* personaje *m*; **~istic** [~ˈristik] característico

charcoal [ˈtʃɑ:kəul] carbón *m* de palo

charge [tʃɑ:dʒ] *s* carga *f*; cargo *m*; gasto *m*; acusación *f*; **free of ~** gratis; **in ~ of** encargado de; *v/t* cargar; mandar, encargar; acusar; *mil* atacar

charit|able [ˈtʃæritəbl] caritativo; **~y** caridad *f*

charm [tʃɑ:m] *s* gracia *f*; encanto *m*; hechizo *m*; amuleto *m*; *v/t* encantar; **~ing** encantador

chart [tʃɑ:t] *s* carta *f* de navegar; gráfica *f*; esquema *m*; *v/t* trazar (*mapa*); **~er** [ˈ~ə] *s* carta *f*, cédula *f*; *v/t* *mar* fletar

charwoman [ˈtʃɑ:wumən] criada *f* por horas

chase [tʃeis] *s* caza *f*; *v/t* cazar; perseguir

chassis [ˈʃæsi] armazón *f*; chasis *m*

chast|e [tʃeist] *a* casto, puro; **~ity** [ˈtʃæstiti] castidad *f*

chat [tʃæt] *s* charla *f*; *v/i*

charlar; **~ter** *s* cháchara *f*; *v/i* parlotear; chacharear; **~terbox** parlanchín(ina) *m* (*f*)
chauffeur ['ʃəufə] chófer *m*
cheap [tʃi:p] barato; vulgar; **~en** *v/t* abaratar
cheat [tʃi:t] s tramposo *m*; trampa *f*; *v/t* engañar
check [tʃek] *s* freno *m*; impedimento *m*; comprobación *f*, control *m*; talón *m*, contraseña *f*; cuadro *m*; tela *f* de cuadros; (*ajedrez*) jaque *m*; *v/t* frenar; comprobar; *v/i* **~ in** registrarse en (*un hotel*); **~ out** pagar la cuenta y salir (*de un hotel*); **~mate** (*ajedrez*) mate *m*
cheek [tʃi:k] mejilla *f*; descaro *m*; **~y** descarado
cheer [tʃiə] *s* alegría *f*; *v/t* aplaudir; vitorear; *v/i* **~ up** animarse; **~ful** alegre; **~less** triste
cheese [tʃi:z] queso *m*
chemi|cal ['kemikəl] *a* químico; *s* producto *m* químico; **~st** químico *m*; farmacéutico *m*; boticario *m*; **~stry** química *f*; **~st's** botica *f*
cheque [tʃek] cheque *m*; talón *m*; **~-book** talonario *m* de cheques
chequered ['tʃekəd] a cuadros (*tela, etc*); *fig* variado
cherish ['tʃeriʃ] *v/t* acariciar
cherry ['tʃeri] cereza *f*
cherub ['tʃerəb] querubín *m*
chess [tʃes] ajedrez *m*; **~-board** tablero *m* de ajedrez
chest [tʃest] cofre *m*, cajón *m*; pecho *m*; **~ of drawers** cómoda *f*
chestnut ['tʃesnʌt] *a* castaño; *s* castaña *f*
chew [tʃu:] *v/t*, *v/i* masticar; **~ing-gum** chicle *m*
chicken ['tʃikin] pollo *m*; **~-hearted** cobarde; **~-pox** ['~pɔks] viruelas *f/pl* locas
chief [tʃi:f] *a* principal; *s* jefe *m*; **~tain** ['~tən] cacique *m*
chilblain ['tʃilblein] sabañón *m*
child [tʃaild] hijo(a), niño(a) *m* (*f*); **~birth** parto *m*; **~hood** niñez *f*; **~ish** pueril; **~like** como un niño; **~ren** ['tʃildrən] niños(as), hijos(as) *m/pl* (*f/pl*)
chill [tʃil] *s* frío *m*; escalofrío *m*; *v/t* enfriar; **~y** frío
chime [tʃaim] *s* repique *m*; campaneo *m*; *v/i* repicar; *v/t* tocar
chimney ['tʃimni] chimenea *f*; **~ sweep(er)** deshollinador *m*
chin [tʃin] barbilla *f*
chin|a ['tʃainə] porcelana *f*; **2a** China *f*; **2ese** *a*, *s* chino(a) *m* (*f*)
chip [tʃip] *s* astilla *f*; ficha *f*; *v/t* astillar; *v/i* desportillarse; **~board** madera *f* aglomerada; **~s** patatas *f/pl* fritas
chirp [tʃə:p] *s* gorjeo *m*; *v/i* piar; chirriar

chisel ['tʃizl] *s* escoplo *m*; cincel *m*; *v/t, v/i* cincelar
chivalr|ous ['ʃivəlrəs] caballeresco, caballeroso; **~y** caballerosidad *f*
chlor|ide ['klɔ:raid] cloruro *m*; **~ine** ['~in] cloro *m*; **~oform** cloroformo *m*
chocolate ['tʃɔkəlit] chocolate *m*
choice [tʃɔis] *a* selecto; *s* elección *f*; preferencia *f*
choir ['kwaiə] coro *m*
choke [tʃəuk] *v/t, v/i* estrangular, sofocar(se); *s mec* estrangulador *m*
cholera ['kɔlərə] cólera *m*
choose [tʃu:z] *v/t* escoger, elegir
chop [tʃɔp] *s* corte *m*; tajada *f*, *coc* chuleta *f*; *v/t* cortar; tajar; *coc* picar
chord [kɔ:d] cuerda *f*; *mús* acorde *m*
chorus ['kɔ:rəs] coro *m*; estribillo *m*; **~ girl** *teat* corista *f*
Christ [kraist] Jesucristo *m*; **ℒen** ['krisn] *v/t* bautizar; **~ian** ['kristjən] *a, s* cristiano(a) *m (f)*; **~mas** ['krisməs] Navidad *f*; **~mas Eve** nochebuena *f*
chromium ['krəumjəm] cromo *m*
chronic ['krɔnik] crónico
chron|icle ['krɔnikəl] *s* crónica *f*; **~ological** [krɔnə'lɔdʒikəl] cronológico
chuck [tʃʌk] *v/t fam* tirar
chuckle ['tʃʌkl] *s* risa *f* ahogada; *v/i* reírse entre dientes [rada *m, f*
chum [tʃʌm] *fam* cama-
chunk [tʃʌŋk] pedazo *m*; trozo *m*
church [tʃə:tʃ] iglesia *f*; **ℒ of England** iglesia anglicana; **~yard** cementerio *m*
churn [tʃə:n] *s* mantequera *f*; *v/t (leche)* batir; agitar
cider ['saidə] sidra *f*
cigar [si'gɑ:] cigarro *m*; puro *m*; **~ette** [sigə'ret] cigarrillo *m*; pitillo *m*; **~ette-case** pitillera *f*; **~ette-holder** boquilla *f*
cinder ['sində] carbonilla *f*; escoria *f*; **~s** cenizas *f/pl*; **~ track** *dep* pista *f* de cenizas
cinema ['sinimə] cine *m*
cipher ['saifə] *s* cifra *f*; clave *f*; cero *m (t fig)*; *v/t* cifrar
circle ['sə:kl] *s* círculo *m*; *v/t* rodear, circundar
circuit ['sə:kit] circuito *m*
circula|r ['sə:kjulə] circular; **~r letter** circular *f*; **~te** *v/i* circular; **~tion** circulación *f*
circum|ference [sə'kʌmfərəns] circunferencia *f*; **~scribe** ['~skraib] *v/t* circunscribir
circumstan|ce ['sə:kʌmstəns] circunstancia *f*; condición *f*; **~tial** [~'stænʃəl] circunstancial; circunstanciado
circus ['sə:kəs] circo *m*
cistern ['sistən] cisterna *f*
cit|ation [sai'teiʃən] cita (-ción) *f*; **~e** *v/t* citar

cit|izen ['sitizn] ciudadano(a) *m* (*f*); vecino(a) *m* (*f*); **~izenship** ciudadanía *f*
city ['siti] ciudad *f*; **~ council** concejo *m* municipal, ayuntamiento *m*
civ|ic ['sivik] cívico; civil; **~ics** educación *f* cívica; **~il** civil; cortés; **~il service** administración *f* pública; **~ilian** [si'viljən] paisano *m*; **~ility** cortesía *f*; **~ilization** civilización *f*; **~ilize** ['sivilaiz] *v/t* civilizar
claim [kleim] *s* derecho *m*; reclamación *f*; demanda *f*; *v/t* reclamar, demandar
clam [klæm] almeja *f*
clam|orous ['klæmərəs] ruidoso; **~our** *s* clamor *m*; ruido *m*; *v/i* gritar, vociferar [*v/t* sujetar]
clamp [klæmp] *s* grapa *f*;
clan [klæn] clan *m*
clandestine [klæn'destin] clandestino
clap [klæp] *s* ruido *m* seco; palmada *f*; **~ of thunder** trueno *m*; *v/t* **~ one's hands** dar palmadas
claret ['klærət] clarete *m*
clarity ['klæriti] claridad *f*
clash [klæʃ] *s* choque *m*; conflicto *m*; *v/i* chocar
clasp [klɑ:sp] *s* broche *m*; apretón *m* (de manos); **~ knife** navaja *f* (de muelle); *v/t* abrochar; apretar
class [klɑ:s] *s* clase *f*; distinción *f*; calidad *f*; **~-mate** compañero(a) *m* (*f*) de clase; *v/t* clasificar
classic ['klæsik] *a*, *s* clásico *m*; **~al** clásico
class|ification [klæsifi'keiʃən] clasificación *f*; **~ify** ['klæsifai] *v/t* clasificar
clatter ['klætə] *s* chacoloteo *m*; *v/i* chacolotear
clause [klɔ:z] cláusula *f*; artículo *m* [arañar]
claw [klɔ:] *s* garra *f*; *v/t*
clay [klei] arcilla *f*; barro *m*
clean [kli:n] *a* limpio; *v/t* limpiar; **~ up** poner en orden; **~ers** tintorería *f*, *SA* lavandería *f*; **~ing** limpieza *f*; aseo *m*; **~ness** limpieza *f*; **~se** [klenz] *v/t* limpiar, purificar
clear [kliə] *a* claro; libre; *v/t* aclarar; despejar (*camino, etc*); *v/i* despejarse; **~ out** marcharse; **~ing** claro *m*; *com* compensación *f* (de balances); **~ness** claridad *f*
cleave [kli:v] *v/t* partir, hender
clef [klef] *mús* clave *f*
cleft [kleft] abertura *f*; hendidura *f*
clemency ['klemənsi] clemencia *f*
clench [klentʃ] *v/t* cerrar; apretar
cler|gy ['klə:dʒi] clero *m*; **~gyman** clérigo *m*; cura *m*; **~ical** ['klerikəl] eclesiástico; de oficina (*error, etc*)
clerk [klɑ:k] oficinista *m*,
clever ['klevə] hábil; listo; mañoso; inteligente
click [klik] golpecito *m* seco; chasquido *m* (*de la lengua*);

v/t dar un golpecito a; chascar

client ['klaiənt] cliente *m*, *f*

cliff [klif] risco *m*, peñasco *m*

climate ['klaimit] clima *m*

climax ['klaimæks] culminación *f*; punto *m* culminante

climb [klaim] *s* subida *f*; *v/t*, *v/i* subir, escalar; trepar

clinch [klintʃ] forcejeo *m* (*de boxeadores*)

cling [kliŋ] *v/i* adherirse, pegarse, quedar fiel

clinic ['klinik] clínica *f*

clink [kliŋk] *v/i* retiñir, tintinear

clip [klip] *s* prendedor *m*; recorte *m*; sujetapapeles *m*; grapa *f*; *v/t* cortar; (*ovejas*) esquilar; acortar; recortar; **~pings** recortes *m/pl*

cloak [kləuk] manto *m*; capa *f* (*t fig*); **~-room** guardarropa *f*; ropería *f*

clock [klɔk] reloj *m*

clod [klɔd] terrón *m*, gleba *f*

clog [klɔg] zueco *m*; chanclo *m*

cloister ['klɔistə] claustro *m*; monasterio *m*

clos|e [kləus] *a* cerrado; estrecho; estricto; callado; cercano; exacto; tacaño; *adv* cerca; *s* fin *m*; [kləuz] *v/t*, *v/i* cerrar; terminar; **~e down** cerrar definitivamente; **~et** ['klɔzit] gabinete *m*; **~e-up** ['kləusʌp] vista *f* de primer plano

cloth [klɔθ] paño *m*; tela *f*; **~e** [kləuð] *v/t* vestir; **~es** [kləuðz] ropa *f*; **~es-hanger** percha *f*; colgador *m* de ropa; **~ing** ['kləuðiŋ] ropa *f*

cloud [klaud] *s* nube *f*; *v/t*, *v/i* anublar(se); **~less** despejado; **~y** nublado

clove [kləuv] *bot* clavo *m*; **~r** trébol *m*

clown [klaun] payaso *m*

club [klʌb] porra *f*; palo *m*; club *m*; círculo *m*; **~s** (*naipes*) tréboles *m/pl*

clue [klu:] indicio *m*; pista *f*

clump [klʌmp] *s* masa *f*; grupo *m*

clumsy ['klʌmzi] desmañado

cluster ['klʌstə] *s bot* racimo *m*; (*gente*) grupo *m*; *v/i* arracimarse; apiñarse

clutch [klʌtʃ] *s* agarro *m*; garra *f*; *mec* embrague *m*; *v/t* agarrar

coach [kəutʃ] coche *m*; *dep* entrenador *m*; *v/t* entrenar; preparar

coal [kəul] carbón *m*; hulla *f*; **~ field** yacimiento *m* de carbón

coalition [kəuə'liʃən] coalición *f*

coarse [kɔ:s] basto; vulgar; tosco

coast [kəust] *s* costa *f*; litoral *m*; **the ~ is clear** no hay moros en la costa

coat [kəut] *s* chaqueta *f*; americana *f*; abrigo *m*; capa *f*, mano *f* (*de pintura*); **~ of arms** escudo *m* de armas; *v/t* cubrir; **~ing** capa *f*; revestimiento *m*

coax [kəuks] *v/t* engatusar
cobalt [kəu'bɔ:lt] cobalto *m*
cobweb ['kɔbweb] telaraña *f*
cock [kɔk] *s* gallo *m*; macho *m*; grifo *m*; llave *f*; **~ and bull story** cuento *m* chino; *v/t* amartillar (*fusil*); levantar; **~atoo** [~ə'tu:] cacatúa *f*; **~pit** *aer* cabina *f* de piloto
cockroach ['kɔkrəutʃ] cucaracha *f*
cocktail ['kɔkteil] cóctel *m*
cocoa ['kəukəu] cacao *m*
coconut ['kəukənʌt] coco *m*; **~-tree** cocotero *m*
cocoon [kə'ku:n] capullo *m*
cod [kɔd] bacalao *m*
code [kəud] *s* código *m*; clave *f*; *v/t* cifrar
codex ['kəudəks] códice *m*
coexist ['kəuig'zist] *v/i* coexistir; **~ence** coexistencia *f*
coffee ['kɔfi] café *m*; **~-bean** grano *m* de café; **~-house** café *m*; **~-mill** molinillo *m* de café; **~-pot** cafetera *f*
coffin ['kɔfin] ataúd *m*
cog [kɔg] *mec* diente *m*; **~-wheel** rueda *f* dentada
coherence [kəu'hiərəns] coherencia *f*
coiffeur [kwa:'fjuə] peluquero *m*
coil [kɔil] *s* rollo *m*; bobina *f*; espiral *f*; *v/t*, *v/i* enrollar (-se)
coin [kɔin] *s* moneda *f*; *v/t* acuñar (*t fig*); **~age** acuñación *f*; moneda *f*
coincide [kəuin'said] *v/i* coincidir; **~nce** [kəu'insidəns] coincidencia *f*
coke [kəuk] coque *m*; *fam* Coca Cola *f*
cold [kəuld] *a* frío (*t fig*); muerto; *s* frío *m*; resfriado *m*; catarro *m*; **~ness** frialdad *f*, indiferencia *f*
colic ['kɔlik] cólico *m*
collaborat|e [kə'læbəreit] *v/t* colaborar; **~ion** colaboración *f*; **~or** colaborador *m*
collaps|e [kə'læps] *s* fracaso *m*; *med* colapso *m*; *v/i* desplomarse; **~ible** plegadizo
collar ['kɔlə] cuello *m*; collar *m* (*de perro*); **~bone** clavícula *f*
colleague ['kɔli:g] colega [*m*, *f*]
collect [kə'lekt] *v/t* juntar; reunir; coleccionar (*sellos, etc*); cobrar; **~ion** (*dinero*) colecta *f*; colección *f*; *com* cobranza *f*; **~ive** colectivo; **~or** coleccionista *m*; (*dinero*) cobrador *m*, recaudador *m*; *elec* colector *m*
college ['kɔlidʒ] colegio *m*
collide [kə'laid] *v/i* chocar
colliery ['kɔljəri] mina *f* de carbón
collision [kə'liʒən] coli[sión *f*]
colloquial [kə'ləukwiəl] oral, familiar
colon ['kəulən] *gram* dos puntos *m/pl*
colonel ['kə:nl] coronel *m*
colon|ial [kə'ləunjəl] colonial; **~ialism** colonialismo *m*; **~ist** ['kɔlənist] colono *m*; **~ize** *v/t* colonizar; **~y** colonia *f*

colour ['kʌlə] *s* color *m*; colorido *m*; *v/t* colorar; colorear, teñir; **~-bar** discriminación *f* racial; **~-blind** daltoniano; **~ed** colorado; de color (*personas*); **~ful** lleno de colorido; **~ing** colorido *m*; **~less** incoloro; pálido; *fig* apagado

colt [kəult] potro *m*

column ['kɔləm] columna *f*

comb [kəum] *s* peine *m*; *v/t* peinar

combat ['kɔmbət] *s* combate *m*; *v/t*, *v/i* combatir; **~ant** combatiente *m*

combin|ation [kɔmbi'neiʃən] combinación *f*; **~e** [kəm'bain] *v/t*, *v/i* combinar(se); ['kɔmbain] *s agr* segadora *f* trilladora

combusti|ble [kəm'bʌstəbl] *a*, *s* combustible *m*; **~on** [~stʃən] combustión *f*

come [kʌm] *v/i* venir; llegar; resultar; **~ about** acaecer; **~ across** encontrarse con; **~ along!** ¡vamos!; **~ back** volver; **~ down** bajar; **~ in** entrar; **~ off** salir; **~ up** subir; surgir; salir, brotar; **~ to terms** convenirse; **~ what may** pase lo que pase; **~-back** rehabilitación *f*

comed|ian [kə'mi:diən] cómico *m*; comediante *m*; **~y** ['kɔmidi] comedia *f*

comfort ['kʌmfət] *s* comodidad *f*; consuelo *m*; *v/t* consolar; **~able** cómodo; **~er** bufanda *f* de lana

comic ['kɔmik] gracioso; cómico; **~s**, **~ strips** tiras *f/pl* cómicas, historietas *f/pl*, tebeos *m/pl*

command [kə'mɑ:nd] *s* mando *m*; orden *f*; dominio *m*; *mil* comando *m*; *v/t* mandar; dominar; **~er** comandante *m*; **~er-in-chief** comandante *m* en jefe; jefe *m* supremo; **~ment** mandamiento *m*; precepto *m*

commemorate [kə'meməreit] *v/t* conmemorar

commence [kə'mens] *v/t*, *v/i* comenzar, empezar; **~ment** comienzo *m*

commend [kə'mend] *v/t* encomendar; alabar; **~able** loable

comment ['kɔment] *s* comentario *m*; *v/i* comentar; **~ator** ['~enteitə] comentarista *m*; (*radio*) locutor *m*

commerc|e ['kɔmə:rs] comercio *m*; **~ial** [kə'mə:ʃəl] comercial; **~ial law** derecho *m* mercantil

commission [kə'miʃən] *s* comisión *f*, encargo *m*; *mil* patente *f*; *v/t* encargar; nombrar; **~er** comisario *m*, comisionado *m*

commit [kə'mit] *v/t* cometer; encomendar; comprometer; **~ oneself** comprometerse; **~ment** compromiso *m*; promesa *f*

committee [kə'miti] comité *m*; comisión *f*

commodity [kəˈmɔditi] producto *m*; mercancía *f*, *SA* mercadería *f*
common [ˈkɔmən] *a* común; ordinario, corriente; público; vulgar; **in ~** en común; **~er** plebeyo *m*; **~ market** mercado *m* común; **~place** *s* lugar *m* común; *a* trivial, común; **ℒs** Cámara *f* Baja; **~ sense** sentido *m* común; **the (British) ℒwealth** la Mancomunidad *f* (británica)
commotion [kəˈməuʃən] conmoción *f*; alboroto *m*
commun|icate [kəˈmju:nikeit] *v/t* comunicar; *igl* comulgar; **~ication** comunicación *f*; aviso *m*; **~icative** [~kətiv] comunicativo; **~ion** [~jən] comunión *f*; **~ism** [ˈkɔmjunizəm] comunismo *m*; **~ist** *a*, *s* comunista; **~ity** [kəˈmju:niti] comunidad *f*, sociedad *f*
commute [kəˈmju:t] *v/t* conmutar
compact [kəmˈpækt] *a* compacto; *s* pacto *m*
companion [kəmˈpænjən] compañero(a) *m* (*f*); socio(a) *m* (*f*); **~able** sociable; **~ship** compañerismo *m*; compañía *f*
company [ˈkʌmpəni] compañía *f*
compar|able [ˈkɔmpərəbl] comparable; **~ative** [kəmˈpærətiv] comparativo; (*ciencia*) comparado; **~e** [~ˈpɛə] *v/t* comparar; *v/i* ser comparable; **~ison** [~ˈpærisn] comparación *f*
compartment [kəmˈpɑ:tmənt] compartimiento *m*; departamento *m*
compass [ˈkɔmpəs] *s* compás *m*; alcance *m*; *v/t* circundar; lograr
compassion [kəmˈpæʃən] compasión *f*; **~ate** [~it] compasivo
compatible [kəmˈpætəbl] compatible
compatriot [kəmˈpætriət] compatriota *m*
compel [kəmˈpel] *v/t* obligar, forzar
compensat|e [ˈkɔmpenseit] *v/t* compensar, indemnizar; **~ion** compensación *f*; indemnización *f*
compet|e [kəmˈpi:t] *v/i* competir; **~ence** [ˈkɔmpitəns] competencia *f*; **~ent** [ˈkɔmpitənt] competente; capaz; **~ition** [kɔmpiˈtiʃən] competición *f*; **~itor** [kəmˈpetitə] competidor *m*, rival *m*
compile [kəmˈpail] *v/t* recopilar
complain [kəmˈplein] *v/i* quejarse; **~t** queja *f*; dolencia *f*
complaisant [kəmˈpleizənt] afable, complaciente
complet|e [kəmˈpli:t] *a* completo; perfecto; *v/t* completar, concluir; **~ion** terminación *f*; cumplimiento *m*
complexion [kəmˈplekʃən] tez *f*; cutis *m*

complicate [ˈkɔmplikeit] *v/t* complicar
compliment [ˈkɔmplimənt] cumplido *m*; galantería *f*; **~s** saludos *m/pl*
comply [kəmˈplai]: **~(with)** *v/i* cumplir (con); acatar
component [kəmˈpəunənt] *a*, *s* componente
compos|e [kəmˈpəuz] *v/t* componer; **~e oneself** calmarse; **~ed** sereno; **~er** compositor *m*; **~ition** composición *f*; **~ure** [kəmˈpəuʒə] compostura *f*, serenidad *f*
compote [ˈkɔmpɔt] compota *f*
compound [ˈkɔmpaund] *a* compuesto; *s* mezcla *f*; [kəmˈpaund] *v/t* componer; combinar; *v/i* transigir; **~ interest** *com* interés *m* compuesto
comprehen|d [kɔmpriˈhend] *v/t* comprender; contener; **~sible** inteligible; **~sion** comprensión *f*; **~sive** comprensivo; amplio
compress [kəmˈpres] *v/t* comprimir, condensar
comprise [kəmˈpraiz] *v/t* comprender, incluir
compromise [ˈkɔmprəmaiz] arreglo *m*, componenda *f*
compuls|ion [kəmˈpʌlʃən] compulsión *f*, coacción *f*; **~ory** obligatorio
compunction [kəmˈpʌŋkʃən] remordimiento *m*, compunción *f*
computer [kəmˈpjuːtə] ordenador *m*
comrade [ˈkɔmreid] camarada *m*, *f*; **~ship** camaradería *f*; compañerismo *m*
conceal [kənˈsiːl] *v/t* ocultar; **~ment** ocultación *f*; disimulo *m*, encubrimiento *m*
conceit [kənˈsiːt] presunción *f*; **~ed** engreído, presumido
conceiv|able [kənˈsiːvəbl] concebible; **~e** *v/t*, *v/i* concebir
concentrat|e [ˈkɔnsentreit] *v/t*, *v/i* concentrar(se); **~ion** concentración *f*
conception [kənˈsepʃən] concepción *f*
concern [kənˈsəːn] *s* interés *m*; inquietud *f*; asunto *m*; empresa *f*; *v/t* concernir, interesar; tratar de; preocupar; **~ed** preocupado; **~ing** concerniente a, tocante a
concert [ˈkɔnsət] *s* concierto *m*; [kənˈsəːt] *v/t* concertar; **~ed** unido, combinado
concession [kənˈseʃən] concesión *f*
conciliate [kənˈsilieit] *v/t* conciliar
concise [kənˈsais] conciso; **~ness** concisión *f*; brevedad *f*
conclu|de [kənˈkluːd] *v/t* concluir, terminar; inferir; deducir; decidir; **~sion** [~ʒən] conclusión *f*; deducción *f*; decisión *f*

concord ['kɔŋkɔ:d] concordia *f*; *mús, gram* concordancia *f*

concrete ['kɔnkri:t] *s* hormigón *m*, *SA* concreto *m*; *a* concreto

concur [kən'kə:r] *v/i* concurrir, coincidir

concussion [kən'kʌʃən] *med* concusión *f*; **~ of the brain** concusión *f* cerebral

condemn [kən'dem] *v/t* condenar; sentenciar; **~ation** [kɔndem'neiʃən] condenación *f*

condens|e [kən'dens] *v/t, v/i* condensar(se); **~er** condensador *m*

condescend [kɔndi'send] *v/i* condescender, dignarse

condition [kən'diʃən] *s* condición *f*; *v/t* condicionar, estipular; acondicionar; **~al** condicional; **~ed reflex** reflejo *m* condicionado

condole [kən'dəul] *v/i* dar el pésame; **~nce** pésame *m*

conduct ['kɔndəkt] *s* conducta *f*; gestión *f*, dirección *f*; [kən'dʌkt] *v/t* conducir, dirigir; manejar; **~or** *mús* director *m* de orquesta; (*autobús*) cobrador *m*; *elec* conductor *m*

cone [kəun] cono *m*

confection [kən'fekʃən] *s* confección *f*; confitura *f*, dulce *m*; **~er** confitero *m*; repostero *m*; **~ery** repostería *f*; confites *m/pl*, confitura *f*

confedera|cy [kən'fedərəsi], **~tion** confederación *f*; alianza *f*; **~te** *a, s* aliado(a) *m* (*f*); *v/t* confederar, unir; *v/i* aliarse, confederar(se)

confer [kən'fə:] *v/t* conferir, otorgar; *v/i* conferenciar; consultar; **~ence** ['kɔnfərəns] conferencia *f*; entrevista *f*

confess [kən'fes] *v/t, v/i* confesar(se); **~ion** confesión *f*; credo *m*; **~or** confesor *m*; penitente *m*

confid|e [kən'faid] *v/t, v/i* confiar, fiar(se); **~ence** ['kɔnfidəns] confianza *f*; confidencia *f*; **~ent** confiado, cierto, seguro; **~ential** [~'denʃəl] confidencial

confine [kən'fain] *s* límite *m*; *v/t* limitar; encerrar; **to be ~d** *med* estar de parto; **~ment** encierro *m*; prisión *f*; *med* parto *m*

confirm [kən'fə:m] *v/t* confirmar; ratificar; **~ation** [kɔnfə'meiʃən] confirmación *f*

confiscate ['kɔnfiskeit] *v/t* confiscar

conflict ['kɔnflikt] *s* conflicto *m*; [kən'flikt] *v/i* pugnar; contradecirse; **~ing** antagónico, opuesto

conform [kən'fɔ:m] *v/t, v/i* conformar(se); **~ity** conformidad *f*

confound [kən'faund] *v/t* confundir; **~ it!** ¡maldito sea! **~ed** *fam* maldito

confront [kən'frʌnt] *v/t* confrontar; afrontar

confus|e [kən'fju:z] *v/t* confundir; **~ed** confuso; **~ion** [~ʒən] confusión *f*
congeal [kən'dʒi:l] *v/t, v/i* cuajar(se); coagular(se)
congestion [kən'dʒestʃən] *med* congestión *f*; embotellamiento *m* (*del tráfico*); *fig* aglomeración *f*
congratulat|e [kən'grætjuleit] *v/t* felicitar; **~ion** enhorabuena *f*; felicitación *f*
congregat|e ['kɔŋgrigeit] *v/t, v/i* congregar(se); **~ion** reunión *f*; asamblea *f*; *igl* congregación *f*
congress ['kɔŋgres] congreso *m*
conjecture [kən'dʒektʃə] conjetura *f*
conjugal ['kɔndʒugəl] conyugal
conjugat|e ['kɔndʒugeit] *v/t* conjugar; **~ion** conjugación *f*
conjunct|ion [kən'dʒʌŋkʃən] conjunción *f*; coyuntura *f*; **~ive** conjuntivo *m*
conjur|e [kən'dʒuə] *v/t* suplicar; ['kʌndʒə] *v/t, v/i* invocar; practicar la magia; **~er** mago *m*, prestidigitador *m*
connect [kə'nekt] *v/t* juntar; unir; conectar; asociar; relacionar; *v/i* unirse; conectarse; empalmar (*tren*); **~ed** unido; conexo; **~ing train** tren *m* de enlace; **~ion** conexión *f*; acoplamiento *m*; enlace *m*; relación *f*
conque|r ['kɔŋkə] *v/t* conquistar; *fig* vencer; **~ror** conquistador *m*; vencedor *m*; **~st** ['kɔŋkwest] conquista *f*
consci|ence ['kɔnʃəns] conciencia *f*; **~entious** [~i'enʃəs] concienzudo; **~entious objector** pacifista *m* por razones de conciencia; **~ous** ['kɔnʃəs] consciente; **~ousness** conciencia *f*; conocimiento *m*, sentido *m*
consecrate ['kɔnsikreit] *v/t* consagrar
consecutive [kən'sekjutiv] consecutivo
consent [kən'sent] *s* consentimiento *m*; *v/i* consentir; condescender
consequen|ce ['kɔnsikwəns] consecuencia *f*; rango *m*; importancia *f*; **~t** consecuente, lógico; **~tly** por consiguiente
conserv|ation [kɔnsə'veiʃən] conservación *f*; **~ative** [kən'sə:vətiv] *a, s* conservativo(a); conservador(a) *m* (*f*); **~atory** *mús* conservatorio *m*; **~e** *v/t* conservar; *s* conserva *f*
consider [kən'sidə] *v/t* considerar; mirar, examinar; **~able** considerable; **~ate** [~it] considerado, respetuoso; **~ation** consideración *f*; aspecto *m*; recompensa *f*
consign [kən'sain] *v/t* consignar; **~ation** consignación *f*; **~ee** [kɔnsai'ni:] con-

signatario *m*; **~ment** *com* consignación *f*; lote *m*, partida *f*
consist [kən'sist] *v/t* consistir; **~ence, ~ency** consistencia *f*; persistencia *f*; **~ently** firmemente
consol|ation [kɔnsə'leiʃən] consolación *f*; consuelo *m*; **~e** [kən'səul] *v/t* consolar
consolidate [kən'sɔlideit] *v/t*, *v/i* consolidar(se); fusionar(se)
consonant ['kɔnsənənt] consonante *f*
conspicuous [kən'spikjuəs] conspicuo
conspir|acy [kən'spirəsi] conspiración *f*; **~ator** conspirador *m*; **~e** [~'spaiə] *v/i* conspirar; *v/t* urdir
constable ['kʌnstəbl] policía *m* [tante; firme]
constant ['kɔnstənt] cons-
consternation [kɔnstə'neiʃən] consternación *f*
constipation [kɔnsti'peiʃən] *med* estreñimiento *m*; constipación *f*
constituen|cy [kən'stitjuənsi] distrito *m* electoral; **~t** *s pol* elector *m*, votante *m*; *for* mandante *m*; *a* componente; *pol* constituyente
constitut|e ['kɔnstitju:t] *v/t* constituir; designar; **~ion** *pol*, *med* constitución *f*; **~ional** constitucional
constrain [kən'strein] *v/t* constreñir, compeler; restringir; **~t** constreñimiento *m*; represión *f*
construct [kən'strʌkt] *v/t* construir; **~ion** construcción *f*; obra *f*; interpretación *f*; **~ive** constructivo; **~or** constructor *m*
consul ['kɔnsəl] cónsul *m*; **~ar** ['~julə] consular; **~ar invoice** *com* factura *f* consular; **~ate** ['~julit] consulado *m*
consult [kən'sʌlt] *v/t* consultar; **~ation** [kɔnsəl'teiʃən] consulta *f*; consultación *f*; **~ing hours** horas *f/pl* de consulta
consum|e [kən'sju:m] *v/t* consumir; devorar; *v/i* consumirse; **~er** consumidor *m*; **~er goods** artículos *m/pl* de consumo; **~mate** ['kɔnsəmeit] *v/t* consumar; [kən'sʌmit] *a* consumado
consumption [kən'sʌmpʃən] consunción *f*, consumo *m*; *med* tisis *f*
contact ['kɔntækt] *s* contacto *m*; [kən'tækt] *v/t* poner(se) en contacto con
contagious [kən'teidʒəs] contagioso
contain [kən'tein] *v/t* contener; abarcar; **~er** envase *m*, recipiente *m*
contaminat|e [kən'tæmineit] *v/t* contaminar; **~ion** contaminación *f*; **~ion of the environment** contaminación *f* ambiental
contemplat|e ['kɔntempleit] *v/t* contemplar; **~ion** contemplación *f*; **~ive** contemplativo

contemporary [kən'tempərəri] *a, s* contemporáneo
contempt [kən'tempt] desprecio *m*, desdén *m*; *for* rebeldía *f*, desacato *m*; **~ible** despreciable; **~uous** [~juəs] desdeñoso, despreciativo
contend [kən'tend] *v/t* sostener, disputar; *v/i* contender
content [kən'tent] *a* contento, satisfecho; *s* satisfacción *f*; agrado *m*; **~ed** satisfecho, tranquilo
contents ['kɔntents] contenido *m*; capacidad *f*; tabla *f* de materias
contest ['kɔntest] *s* contienda *f*; disputa *f*; [kən'test] *v/t* debatir, disputar
context ['kɔntekst] contexto *m*
continent ['kɔntinənt] continente *m*; **~al** [~'nentl] continental
continu|al [kən'tinjuəl] continuo; **~ance** duración *f*; permanencia *f*; **~ation** continuación *f*; **~e** [~u(:)] *v/t* continuar, seguir; *v/i* continuar, durar, proseguir; **to be ~ed** continuará; **~ous** continuo
contour ['kɔntuə] contorno *m*
contraceptive [kɔntrə'septiv] contraceptivo
contract [kən'trækt] *v/t* contraer; contratar; *v/i* contraerse; encogerse; ['kɔntrækt] *s* contrato *m*; **~or** [kən'træktə] contratista *m*
contradict [kɔntrə'dikt] *v/t* contradecir; refutar, desmentir; **~ion** contradicción *f*; **~ory** contradictorio
contrary ['kɔntrəri] *s, a* contrario; **on the ~** al contrario
contrast ['kɔntrɑːst] *s* contraste *m*; [kən'trɑːst] *v/t, v/i* contrastar
contribut|e [kən'tribju(:)t] *v/t, v/i* contribuir; **~ion** [kɔntri'bjuːʃən] contribución *f*; colaboración *f*; **~or** contribuyente *m, f*
contriv|ance [kən'traivəns] artificio *m*; artefacto *m*; **~e** *v/t* idear, inventar; lograr
control [kən'trəul] *s* control *m*, dominio *m*; comprobación *f*, inspección *f*; puesto *m* de control; *v/t* controlar; gobernar; dominar; manejar; **~ler** inspector *m*; *com* contralor *m*
controver|sial [kɔntrə'vəːʃəl] contencioso; discutible; **~sy** ['~vəːsi] controversia *f*
convalesce [kɔnvə'les] *v/i* convalecer; **~nce** convalecencia *f*; **~nt** convaleciente
conven|ience [kən'viːnjəns] conveniencia *f*; comodidad *f*; **~ient** conveniente, oportuno [vento *m*]
convent ['kɔnvənt] con-
convention [kən'venʃən] convención *f*; asamblea *f*; convenio *m*; **~al** convencional

convers|ation [kɔnvə'seiʃən] conversación *f*; **~e** [kən'vəːs] *v/i* conversar
conver|sion [kən'vəːʃən] conversión *f*; **~t** *v/t* convertir; **~tible** *a, s* convertible *m*
convey [kən'vei] *v/t* transportar; transmitir; **~ance** transporte *m*; transmisión *f*; vehículo *m*; **~or-belt** correa *f* transportadora
convict ['kɔnvikt] *s* presidiario *m*; [kən'vikt] *v/t* condenar, declarar culpable; **~ion** convicción *f*; convencimiento *m*; condena *f*
convince [kən'vins] *v/t* convencer
convuls|ion [kən'vʌlʃən] convulsión *f*; **~ive** convulsivo
cook [kuk] *s* cocinero(a) *m* (*f*); *v/t* guisar; cocer; *v/i* cocinar; **~ing** arte *m* de cocinar
cool [kuːl] *a* fresco; *fig* indiferente; sereno; *v/t* enfriar; *v/i* **~ down** enfriarse; calmarse; **~ness** frescura *f*; frialdad *f*
co-op ['kəuɔp] *fam* = **co-operative**
cooper ['kuːpə] tonelero *m*
cooperat|e [kəu'ɔpəreit] *v/i* cooperar; **~ion** cooperación *f*; **~ive** [~ətiv] cooperativo; **~ive apartment** apartamento *m* en propiedad horizontal; **~ive society** cooperativa *f*
co-ordinate [kəu'ɔːdineit] coordinar; *s mat* coordenada *f*
copartner ['kəu'pɑːtnə] consocio *m*, copartícipe *m, f*
cope [kəup] *v/i* **~ with** hacer frente a; arreglárselas con; dar abasto para
copious ['kəupjəs] copioso, cuantioso
copper ['kɔpə] cobre *m*; caldera *f*; calderilla *f*, *fam* perra *f* (*moneda*)
copy ['kɔpi] *s* copia *f*; ejemplar *m*; *v/t* copiar, imitar; **~-book** cuaderno *m*; **~-right** derechos *m/pl* de autor
coral ['kɔrəl] coral *m*
cord [kɔːd] *s* cordel *m*; cuerda *f*; *v/t* encordelar
cordial ['kɔːdjəl] cordial; **~ity** [~i'æliti] cordialidad *f*
corduroys ['kɔːdərɔiz] pantalones *m/pl* de pana
core [kɔː] *bot* corazón *m*; núcleo *m*, centro *m*; *fig* meollo *m*, esencia *f*
cork [kɔːk] corcho *m*; **~-screw** sacacorchos *m*
corn [kɔːn] grano *m*; trigo *m*; callo *m* (*de pie*)
corner ['kɔːnə] *s* rincón *m*; esquina *f*; *v/t* arrinconar
cornet ['kɔːnit] corneta *f*
coronation [kɔrə'neiʃən] coronación *f*
coroner ['kɔrənə] *for* pesquisidor *m*
corpora|l ['kɔpərəl] *a* corporal; físico; *s mil* cabo *m*; **~tion** corporación *f*

corpse [kɔːps] cadáver *m*
correct [kəˈrekt] *a* correcto, exacto; *v/t* corregir; castigar; **~ion** corrección *f*; castigo *m*
correspond [kɔrisˈpɔnd] *v/i* corresponder; **~ence** correspondencia *f*; **~ent** *a* correspondiente; *s* corresponsal *m*; **~ing** correspondiente
corridor [ˈkɔridɔː] pasillo *m*
corroborate [kəˈrɔbəreit] *v/t* corroborar
corro|de [kəˈrəud] *v/t* corroer; **~sion** [~ʒən] corrosión *f*
corrugate [ˈkɔrugeit] *v/t* arrugar; acanalar; **~d iron** hierro *m* acanalado
corrupt [kəˈrʌpt] *a* corrompido, corrupto; *v/t* corromper; viciar; *v/i* corromperse; **~ion** corrupción *f*
corset [ˈkɔːsit] corsé *m*
cosmetic [kɔzˈmetik] *a*, *s* cosmético *m*; **~ian** [~əˈtiʃən] cosmetólogo(a) *m* (*f*); **~s** cosmética *f*
cosmonaut [ˈkɔzmənɔːt] cosmonauta *m*
cost [kɔst] *s* coste *m*; costo *m*; gastos *m*/*pl*; *v/i* costar; **~ly** costoso
costume [ˈkɔstjuːm] traje *m*; traje *m* sastre (*para mujer*)
cosy [ˈkəuzi] cómodo; agradable
cot [kɔt] cuna *f*; catre *m*
cottage [ˈkɔtidʒ] casita *f* de campo; cabaña *f*
cotton [ˈkɔtn] algodón *m*; **~ wool** *med* algodón *m* (absorbente)
couch [kautʃ] *s* canapé *m*; sofá *m*; *v/t* recostar; formular, expresar; *v/i* echarse, yacer
couchette [kuːˈʃet] *f c* litera *f*
cough [kɔf] *s* tos *f*; *v/i* toser
council [ˈkaunsl] *s* consejo *m*; *igl* concilio *m*; **~lor** concejal *m*
counsel [ˈkaunsəl] consejo *m*; asesor *m* legal; **to take ~** consultar; **~lor** [ˈ~silə] consejero(a) *m* (*f*)
count [kaunt] *s* cuenta *f*; cómputo *m*; suma *f*; (*noble*) conde *m*; *v/t* contar; *v/i* valer; **~ on** contar con; **~-down** cuenta *f* regresiva (*al lanzar un cohete*); **~enance** [ˈ~inəns] semblante *m*; **~er** *s* mostrador *m*; ficha *f*, tanto *m*; *v/t* combatir; contradecir; *v/i* oponerse; *adv* al contrario; **~eract** [kauntəˈrækt] *v/t* contrarrestar; **~er-espionage** contraespionaje *m*; **~erfeit** [ˈ~fit] falsificado, falso; **~erpane** [ˈ~pein] cubrecama *m*, colcha *f*; **~ess** condesa *f*; **~less** ilimitado; innumerable
country [ˈkʌntri] país *m*; patria *f*; campo *m*; **in the ~** en el campo; **~man** paisano *m*; **~-seat** finca *f*, quinta *f*
county [ˈkaunti] condado *m*; provincia *f*

coupl|e ['kʌpl] *s* pareja *f*; par *m*; *v/t* acoplar; juntar; **~ing** *mec* acoplamiento *m*
courage ['kʌridʒ] valor *m*; ánimo *m*; **~ous** [kə'reidʒəs] valiente
cour|ier ['kuriə] correo *m*; **~se** [kɔ:s] marcha *f*; curso *m*; rumbo *m*; vía *f*; ruta *f*; plato *m*; **in due ~se** a su tiempo; **of ~se** por supuesto
court [kɔ:t] *s* patio *m*; corte *f*; tribunal *m*; *v/t* cortejar; **~eous** ['kə:tjəs] cortés; **~esy** ['kə:tisi] cortesía *f*; reverencia *f*; **~ier** ['kɔ:tjə] cortesano *m*; **~-martial** consejo *m* de guerra; **~ship** cortejo *m*; **~yard** patio *m*
cousin ['kʌzn] primo(a) *m* (*f*)
cover ['kʌvə] *s* cubierta *f*; tapa *f*; envoltura *f*; amparo *m*; pretexto *m*; *v/t* cubrir; proteger; encubrir; **~age** reportaje *m*; *com* respaldo *m*; **~let** colcha *f*
covet ['kʌvit] *v/t* codiciar; **~ous** codicioso
cow [kau] *s* vaca *f*; hembra *f* (*de elefante, etc*); *v/t* acobardar; **~ard** ['kauəd] cobarde *m*; **~ardice** ['~is] cobardía *f*; **~bell** cencerro *m*; **~boy** vaquero *m*
co-worker ['kəu'wɔ:kə] colaborador *m*; compañero *m* de trabajo
coxswain ['kɔkswein] timonel *m*
coy [kɔi] tímido
crab [kræb] cangrejo *m*
crack [kræk] *s* chasquido *m*; hendedura *f*; grieta *f*; *a* excelente; *v/t* chasquear (*un látigo*); resquebrajar; hender; *v/i* restallar; henderse; agrietarse; **~er** triquitraque *m*; petardo *m*
cradle ['kreidl] *s* cuna *f*; *v/t* mecer
craft [krɑ:ft] habilidad *f*; oficio *m*; artificio *m*; nave *f*; aeronave *f*; vehículo *m*; **~sman** artesano *m*; **~y** astuto
crag [kræg] despeñadero *m*, peñasco *m*
cram [kræm] *v/t* rellenar; embutir; preparar (*estudiante*)
cramp [kræmp] calambre *m*; grapa *f*
cranberry ['krænbəri] arándano *m* agrio
crane [krein] *s mec* grúa *f*; *orn* grulla *f*; *v/t, v/i* estirar (-se) (*el cuello*)
crank [kræŋk] *s* manubrio *m*; manivela *f*; *v/t* hacer arrancar (*motor*); **~shaft** cigüeñal *m*
crash [kræʃ] *s* estrépito *m*; choque *m*; *aer* caída *f*; *fig* derrumbe *m*; *com* quiebra *f*; *v/i* estrellarse
crate [kreit] embalaje *m* de tablas
crater ['kreitə] cráter *m*
crav|e [kreiv] *v/t* implorar; *v/i* **~e for** anhelar; **~ing** antojo *m*, anhelo *m*
crawl [krɔ:l] *v/i* arrastrarse; nadar estilo crol

crayfish ['kreifiʃ] cangrejo *m* de río
crayon ['kreiən] creyón *m*
crazy ['kreizi] loco; extravagante
creak [kri:k] *v/i* crujir; chirriar
cream [kri:m] (*de leche*) nata *f*, crema *f* (*t fig*); **~ cheese** queso *m* crema; **~y** cremoso
crease [kri:s] *s* arruga *f*; *v/t* arrugar
creat|e [kri(:)'eit] *v/t* crear; causar; **~ion** creación *f*; **~ive** creativo, creador; **~or** creador(a) *m* (*f*); **~ure** ['kri:tʃə] criatura *f*
credentials [kri'denʃəlz] credenciales *f/pl*
credible ['kredəbl] creíble
credit ['kredit] *s* crédito *m*; haber *m*; *v/t* acreditar, abonar en; **~ balance** *com* saldo *m* acreedor; **~ card** tarjeta *f* de crédito; **~or** acreedor *m*
creed [kri:d] credo *m*
creek [kri:k] cala *f*
creep [kri:p] *v/i* arrastrarse; gatear; **~er** *bot* trepadora *f*
cremate [kri'meit] *v/t* incinerar, quemar (*cadáver*)
crescent ['kresnt] *a* creciente; *s* (*luna*) cuarto *m* creciente
cress [kres] mastuerzo *m*
crest [krest] cresta *f*; cima *f*; **~fallen** abatido
crevasse [kri'væs] hendedura *f* (*de glaciar*)
crevice ['krevis] raja *f*; hendedura *f*
crew [kru:] tripulación *f*; equipo *m*
crib [krib] pesebre *m*; cuna *f* (*de bebé*); *fam* chuleta *f*
cricket ['krikit] grillo *m*; cricquet *m*
crim|e [kraim] crimen *m*; **~inal** ['kriminl] *a*, *s* criminal
crimson ['krimzn] carmesí
cripple ['kripl] *s* lisiado(a) *m* (*f*), tullido(a) *m* (*f*), inválido(a) *m* (*f*); *v/t* lisiar; *fig* incapacitar
crisis ['kraisis] crisis *f*
crisp [krisp] *a* frágil; crespo; tostado; *v/t* encrespar; **~s** rajas *f/pl* de patatas fritas
critic ['kritik] *s* crítico *m*; **~al** crítico; **~ism** ['~sizəm] crítica *f*; **~ize** ['~saiz] *v/t*, *v/i* criticar
croak [krəuk] *v/i* graznar; croar
crochet ['krəuʃei] *s* labor *f* de ganchillo; *v/t* hacer ganchillo
crockery ['krɔkəri] loza *f*
crocodile ['krɔkədail] cocodrilo *m*
crony ['krəuni] compinche *m*
crook [kruk] gancho *m*; *fam* fullero *m*, estafador *m*; **~ed** torcido
crop [krɔp] *s* buche *m* (*de ave*); cosecha *f*; *v/t* cortar; cosechar; *v/i* **~ up** dejarse ver
cross [krɔs] *s* cruz *f*; *v/t* cruzar; atravesar; **~ oneself** persignarse; **~ out** borrar; tachar; *a* malhumorado; enfadado; **~ing** cruce

m, intersección *f*; **~-road** camino *m* transversal; *pl* encrucijada *f*; **~-section** sección *f* transversal; **~wise** en cruz; **~word puzzle** crucigrama *m*
crouch [krautʃ] *v/i* agacharse
crow [krəu] *s* corneja *f*; *v/i* cantar (*gallo*)
crowd [kraud] *s* gentío *m*; muchedumbre *f*; *v/t* atestar; apiñar; *v/i* apiñarse; **~ed** atestado
crown [kraun] *s* corona *f*; *v/t* coronar; **~ prince** príncipe *m* heredero
crucial ['kru:ʃəl] crucial; decisivo
cruci|fixion [kru:si'fikʃən] crucifixión *f*; **~fy** ['kru:sifai] *v/t* crucificar
crude [kru:d] crudo; grosero
cruel ['kruəl] cruel; **~ty** crueldad *f*
cruet ['kru:it] vinagrera *f*, aceitera *f*
cruise [kru:z] *s* crucero *m*; *v/i* cruzar; **~r** crucero *m*
crumb [krʌm] miga *f*; **~le** ['~bl] *v/t* desmigajar; *v/i* desmoronarse
crumple ['krʌmpl] *v/t* arrugar; *v/i* contraerse
crunch [krʌntʃ] *v/t* ronzar; *v/i* crujir
crusade [kru:'seid] cruzada *f*; **~r** cruzado *m*
crush [krʌʃ] *s* apretón *m*, apretadura *f*; gentío *m*; *v/t* aplastar; estrujar; abrumar
crust [krʌst] *s* corteza *f*; costra *f*; *v/t*, *v/i* encostrar (-se)
crutch [krʌtʃ] muleta *f*
cry [krai] *s* grito *m*; llanto *m*; *v/t*, *v/i* gritar; llorar
crypt [kript] cripta *f*
crystal ['kristl] cristal *m*; **~lize** *v/i* cristalizarse
cub [kʌb] cachorro *m*
cub|e [kju:b] *s* cubo *m*; *v/t* cubicar; **~ic** cúbico
cuckoo ['kuku:] cuclillo *m*
cucumber ['kju:kʌmbə] pepino *m*
cuddle ['kʌdl] *v/t* acariciar
cudgel ['kʌdʒəl] *s* porra *f*; *v/t* aporrear
cue [kju:] apunte *m*; señal *f*; taco *m* (*de billar*)
cuff [kʌf] puño *m* de camisa; **~ links** gemelos *m/pl*
culminate ['kʌlmineit] *v/i* culminar
culprit ['kʌlprit] delincuente *m*
cult|ivate ['kʌltiveit] *v/t* cultivar; **~ure** ['~tʃə] cultura *f*; **~ured** culto
cunning ['kʌniŋ] *a* astuto; *s* ardid *m*; astucia *f*
cup [kʌp] taza *f*; *igl* cáliz *m*; **~board** ['kʌbəd] armario *m*; aparador *m*
cupola ['kju:pələ] cúpula *f*
cur|able ['kjuərəbl] curable; **~ate** cura *m*
curb [kə:b] = **kerb**
curd [kə:d] cuajada *f*, requesón *m*
curdle ['kə:dl] *v/t*, *v/i* cuajar(se)
cure [kjuə] *s* cura *f*; *v/t*, *v/i* curar(se)

curfew ['kə:fju:] toque *m* de queda
curio|sity [kjuəri'ɔsiti] curiosidad *f*; **~us** ['~əs] curioso
curl [kə:l] *s* rizo *m*; bucle *m*; *v/t*, *v/i* rizar(se)
currant ['kʌrənt] pasa *f* de Corinto; **red ~** grosella *f*
curren|cy ['kʌrənsi] moneda *f* corriente; aceptación *f* general; **~t** *s* corriente *f*; *a* corriente; actual
curse [kə:s] *s* maldición *f*; *v/t* maldecir; *v/i* renegar
curt [kə:t] brusco, rudo; breve, lacónico
curtail [kə:'teil] *v/t*, acortar; reducir
curtain ['kə:tn] cortina *f*
curtsy ['kə:tsi] *s* reverencia *f*; *v/i* hacer una reverencia
curve [kə:v] *s* curva *f*; *v/t*, *v/i* encorvar(se)
cushion ['kuʃən] *s* almohada *f*; almohadón *m*; *v/t* amortiguar; mitigar
custody ['kʌstədi] custodia *f*
custom ['kʌstəm] costumbre *f*; **~ary** acostumbrado; **~er** cliente *m*; **~-made** *Am* hecho a la medida; **~s** aduana *f*; **~s clearance** despacho *m* aduanero; **~s declaration** declaración *f* de aduana; **~s duties** derechos *m/pl* arancelarios
cut [kʌt] *s* cortadura *f*; corte *m*; rebaja *f*; *v/t* cortar; tallar; segar (*cereales*); **~ down** talar (*árboles*); reducir (*gastos, precios*); **~lery** cuchillería *f*, cubertería *f*; **~let** chuleta *f*; **~throat** asesino *m*
cycl|e ['saikl] *s* ciclo *m*; bicicleta *f*; *v/i* ir en bicicleta; **~ist** ciclista *m*
cyclone ['saikləun] ciclón *m*
cylinder ['silində] cilindro *m*
cyni|c ['sinik] cínico *m*; **~cal** cínico; **~cism** cinismo *m*
cypress ['saipris] ciprés *m*
cyst [sist] *med* quiste *m*
Czechoslovak ['tʃekəu'sləuvæk] *s*, *a* checo(e)slovaco(a) *m* (*f*)

D

dacron ['dækrɔn] dacrón *m*
dad [dæd], **~dy** [~i] papá *m*
daffodil ['dæfədil] narciso *m*
daft [dɑ:ft] tonto, chiflado
dagger ['dægə] puñal *m*; daga *f*
daily ['deili] diario, cotidiano
dainty ['deinti] delicado, exquisito, fino
dairy ['dɛəri] lechería *f*; vaquería *f*; **~ products** productos *m/pl* lácteos
daisy ['deizi] margarita *f*
dam [dæm] *s* dique *m*; embalse *m*; presa *f*; *v/t* represar; embalsar

damage ['dæmidʒ] *s* daño *m*; perjuicio *m*; avería *f*; *v/t* dañar; perjudicar; *v/i* dañarse
damask ['dæməsk] damasco *m*; ~ **steel** acero *m* damasquino
dame [deim] dama *f*; señora *f*
damn [dæm] *v/t* maldecir; ~ **it!** ¡maldito sea!; **I don't give a** ~ no me importa un bledo; ~**ation** [~'neiʃən] condenación *f*
damp [dæmp] *a* húmedo; *v/t* mojar; humedecer; amortiguar; *fig* desanimar; ~**ness** humedad *f*
danc|e [dɑːns] *s* baile *m*; danza *f*; *v/i* bailar; *fig* brincar; ~**er** bailarín *m*, bailarina *f*; ~**ing** baile *m*
dandelion ['dændilaiən] diente *m* de león
danger ['deindʒə] peligro *m*; riesgo *m*; ~**ous** ['~dʒrəs] peligroso; arriesgado
dangle ['dæŋgl] *v/t* balancear, bambolear; *v/i* pender
Danish ['deiniʃ] danés
dar|e [dɛə] *v/i* osar; atreverse; *v/t* desafiar; ~**ing** *a* atrevido, temerario; *s* osadía *f*, arrojo *m*
dark [dɑːk] *a* oscuro; tenebroso; *s* oscuridad *f*; ~**en** *v/t* oscurecer; *v/i* oscurecerse; ~**ness** oscuridad *f*
darling ['dɑːliŋ] *a*, *s* querido(a) *m* (*f*); amor *m*
darn [dɑːn] *v/t* zurcir; remendar
dart [dɑːt] *s* dardo *m*; *v/i* lanzarse
dash [dæʃ] *s* brío *m*; arremetida *f*; pizca *f*; raya *f*; *v/i* lanzarse; ~**board** tablero *m* de instrumentos; ~**ing** brioso; garboso; vistoso
data ['deitə] datos *m/pl*, detalles *m/pl*
date [deit] *s bot* dátil *m*; fecha *f*; plazo *m*; cita *f*; **up to** ~ al día; moderno; **out of** ~ anticuado; *v/t* fechar; ~**d** pasado de moda
dative ['deitiv] dativo *m*
daughter ['dɔːtə] hija *f*; ~**-in-law** nuera *f*
dawn [dɔːn] *s* alba *f*; *v/i* amanecer
day [dei] día *m*; luz *f* del día; época *f*; **all** ~ todo el día; **by** ~ de día; ~ **by** ~ día por día; **every** ~ todos los días; **every other** ~ un día sí y otro no; **the** ~ **after tomorrow** pasado mañana; **the** ~ **before yesterday** anteayer; **to this** ~ hasta hoy; ~**break** alba *f*; ~**dream** ensueño *m*; ~**light** luz *f* del día; amanecer *m*; **in broad** ~**light** en pleno día
daze [deiz] *s* ofuscamiento *m*; *v/t* aturdir
dazzle ['dæzl] *v/t* deslumbrar
dead [ded] muerto; **the** ~ los muertos *m/pl*; ~**en** *v/t* amortiguar; ~**end** callejón *m* sin salida (*t fig*); ~**ly** mortal; mortífero
deaf [def] sordo; **to turn a**

~ **ear** hacerse el sordo; ~**en** *v/t* ensordecer; ~**-mute** *a, s* sordomudo(a) *m (f)*; ~**ness** sordera *f*
deal [di:l] *s* (gran) cantidad *f*; trato *m*; pacto *m*; *v/t* distribuir; *v/i* ~ **in** comerciar en; ~ **with** tratar de; ~**er** comerciante *m*
dean [di:n] deán *m*; decano *m*
dear [diə] querido; caro; ~ **me!** ¡válgame Dios!; ~**ly** profundamente; caramente; ~**th** [də:θ] falta *f*; escasez *f*
death [deθ] muerte *f*; fallecimiento *m*; ~ **certificate** certificado *m* (partida *f*) de defunción; ~**ly** sepulcral; mortal; ~**-rate** mortalidad *f*
debase [di'beis] *v/t* rebajar, envilecer
debate [di'beit] *s* debate *m*; *v/t, v/i* discutir, debatir
debauchery [di'bɔ:tʃəri] libertinaje *m*
debit ['debit] *s com* débito *m*; pasivo *m*; *v/t* cargar en cuenta, adeudar; ~ **balance** saldo *m* deudor
debris ['deibri:] escombros *m/pl*
debt [det] deuda *f*; ~**or** deudor(a) *m (f)*
decade ['dekeid] decenio *m*; década *f*
decaden|ce ['dekədəns] decadencia *f*; ~**t** decadente
decay [di'kei] *s* podredumbre *f*; decaimiento *m*; *v/i* pudrirse; desmoronarse; decaer
decease [di'si:s] *s* fallecimiento *m*; *v/i* morir; ~**d** *a, s* difunto(a) *m (f)*
decei|t [di'si:t] engaño *m*; fraude *m*; ~**tful** engañoso, falso; ~**ve** *v/t* engañar
December [di'sembə] diciembre *m*
decen|cy ['di:snsi] decencia *f*; decoro *m*; ~**t** decente, decoroso
decept|ion [di'sepʃən] decepción *f*; engaño *m*; ~**ive** falaz, engañoso
decide [di'said] *v/t, v/i* resolver; determinar; decidir(se)
decipher [di'saifə] *v/t* descifrar
decision [di'siʒən] decisión *f*; *for* fallo *m*
deck [dek] *mar* cubierta *f*; ~**-chair** silla *f* de cubierta
declar|ation [deklə'reiʃən] declaración *f*; manifiesto *m*; ~**e** [di'klɛə] *v/t* declarar, manifestar
decl|ension [di'klenʃən] *gram* declinación *f*; ~**ine** [di'klain] *s* declive *m*; decadencia *f*; *v/t gram* declinar; rehusar; *v/i* declinar, decaer
declivity [di'kliviti] declividad *f*
decor|ate ['dekəreit] *v/t* decorar, adornar; condecorar; ~**ation** decoración *f*; condecoración *f*; ~**ator** decorador *m*; ~**ous** decoroso; ~**um** [di'kɔ:rəm] decoro *m*; decencia *f*
decrease ['di:kri:s] *s* disminución *f*; merma *f*; *v/t, v/i* disminuir(se), reducir(se)

decree [di'kri:] *s* decreto *m*; edicto *m*; *v/t*, *v/i* decretar
dedicat|e ['dedikeit] *v/t* dedicar; consagrar; **~ion** dedicación *f*; (*en un libro*) dedicatoria *f*
deduce [di'dju:s] *v/t* deducir, inferir
deduct [di'dʌkt] *v/t* deducir, descontar; **~ion** deducción *f*, rebaja *f*; descuento *m*
deed [di:d] acto *m*; hecho *m*; *for* escritura *f*
deep [di:p] profundo, hondo; astuto; subido, oscuro (*color*); *fig* astuto; **~en** *v/t* profundizar, intensificar; *v/i* intensificarse; **~-freeze** *s* congelación *f*; congelador *m*; *v/t* congelar; **~ness** profundidad *f*
deer [diə] ciervo *m*; venado *m*
deface [di'feis] *v/t* desfigurar; estropear
defame [di'feim] *v/t* difamar, calumniar
defeat [di'fi:t] *s* derrota *f*; *v/t* vencer, derrotar
defect [di'fekt] defecto *m*; **~ion** deserción *f*; **~ive** defectivo, defectuoso
defen|ce [di'fens] defensa *f*; protección *f*; **~celess** indefenso, desamparado; **~d** [di'fend] *v/t* defender; **~dant** *for* demandado(a) *m* (*f*); acusado(a) *m* (*f*); **~der** defensor(a) *m* (*f*); **~ding champion** *dep* campeón *m* titular; **~sible** defendible; **~sive** defensivo
defer [di'fə:] *v/t* diferir, aplazar; **~ential** [defə'renʃəl] deferente, respetuoso
defiant [di'faiənt] desafiante
deficien|cy [di'fiʃənsi] deficiencia *f*; **~t** deficiente; insuficiente
deficit ['defisit] déficit *m*, descubierto *m*
defile ['di:fail] *s* desfiladero *m*
defin|e [di'fain] *v/t* definir; explicar; **~ite** ['definit] definido; exacto; determinado; **~ition** definición *f*; **~itive** [di'finitiv] definitivo
deflate [di'fleit] *v/t* desinflar
deflect [di'flekt] *vt*, *v/i* apartar(se), desviar(se)
deform [di'fɔ:m] *v/t* deformar; **~ed** deforme, desfigurado; **~ity** deformidad *f*
defrost ['di:'frɔst] *v/t* deshelar, descongelar
defy [di'fai] *v/t* desafiar
degenerate [di'dʒenərit] *s*, *a* degenerado(a) *m* (*f*)
degrade [di'greid] *v/t* degradar
degree [di'gri:] grado *m*; rango *m*; **by ~s** paso a paso, gradualmente
dejected [di'dʒektid] abatido, desalentado
delay [di'lei] *s* dilación *f*; tardanza *f*; *v/t* retardar, dilatar; *v/i* tardar
delegat|e ['deligit] *a*, *s* delegado(a); diputado; ['deligeit] *v/t* delegar; **~ion** delegación *f*

deliberate [di'libəreit] *v/t, v/i* deliberar; [di'libərit] premeditado; deliberado
delica|cy ['delikəsi] delicadeza *f*; (*salud*) delicadez *f*; golosina *f*; manjar *m* exquisito; **~te** ['~it] delicado, fino
delicious [di'liʃəs] delicioso, rico
delight [di'lait] *s* encanto *m*; delicia *f*; *v/t* encantar; *v/i* deleitarse; **~ful** delicioso, encantador
delinquen|cy [di'liŋkwənsi] delincuencia *f*; *com* morosidad *f*; **~t** delincuente; *com* moroso
deliver [di'livə] *v/t* libertar; entregar; **~ a speech** pronunciar un discurso; **~y** entrega *f*; alumbramiento *m*
deluge ['delju:dʒ] diluvio *m*, inundación *f*
delusion [di'lu:ʒən] ilusión *f*; decepción *f*
demand [di'ma:nd] *s* demanda *f*; exigencia *f*; *v/t* pedir; exigir; **in ~** solicitado; **~ing** exigente
demeanour [di'mi:nə] comportamiento *m*
demilitarized [di:'militəraizd] desmilitarizado
demise [di'maiz] defunción *f*
demobilize [di:'məubilaiz] *v/t* desmovilizar
democra|cy [di'mɔkrəsi] democracia *f*; **~t** ['deməkræt] demócrata *m, f*; **~tic** [~'krætik] democrático
demolish [di'mɔliʃ] *v/t* demoler; derribar
demon ['di:mən] demonio *m*
demonstra|te ['demənstreit] *v/t* demostrar, probar; **~tion** demostración *f*
den [den] guarida *f*; escondrijo *m*
denatured [di'neitʃəd] desnaturalizado (*alcohol, té, etc*)
denial [di'naiəl] negación *f*; desmentida *f*
denounce [di'nauns] *v/t* denunciar
dense [dens] denso; estúpido
dent [dent] *v/t* abollar; *s* abolladura *f*; **~al** dental; **~al surgeon** cirujano *m* dentista
dent|ist ['dentist] dentista *m*; **~ure** ['~tʃə] dentadura *f*
deny [di'nai] *v/t* negar, denegar
depart [di'pa:t] *v/i* partir, irse; fallecer; **~ment** departamento *m*; distrito *m*; **~ment store** almacenes *m/pl*; **~ure** [~tʃə] partida *f*, salida *f*
depend [di'pend] *v/i* depender; **~able** responsable, de confianza; **~ence** dependencia *f*; confianza *f*; **~ency** dependencia *f*, pertenencia *f*; **~ent** *a, s* dependiente; subordinado(a) *m* (*f*)
deplor|able [di'plɔ:rəbl] deplorable; **~e** *v/t* deplorar
deployment [di'plɔimənt] *mil* despliegue *m*

depopulate [di'pɔpjuleit] *v/t* despoblar
deport [di'pɔ:t] *v/t* deportar; **~ation** deportación *f*; destierro *m*
depos|e [di'pəuz] *v/t* deponer, destituir; testificar; **~it** [~'pɔzit] *s* depósito *m*; fianza *f*; sedimento *m*; *v/t* depositar; **~itor** depositante *m*, *f*
depot ['depəu] depósito *m*
depraved [di'preivd] depravado
depress [di'pres] *v/t* deprimir; apretar; **~ion** desaliento *m*; depresión *f* (*t com*)
deprive [di'praiv] *v/t* privar, despojar
depth [depθ] profundidad *f*
deputy ['depjuti] diputado *m*, delegado *m*
derail [di'reil] *v/t*, *v/i* (hacer) descarrilar
derange [di'reindʒ] *v/t* desarreglar; **~ment** desarreglo *m*; desorden *m*; trastorno *m* (mental)
derisi|on [di'riʒən] mofa *f*; burla *f*; **~ve** [~'raisiv] burlón, irónico
derive [di'raiv] *v/t* derivar; obtener
derogatory [di'rɔgətəri] despectivo; desdeñoso
descen|d [di'send] *v/t*, *v/i* descender, bajar; **~dant** *a*, *s* descendiente; **~t** [di'sent] descenso *m*; pendiente *f*; descendencia *f*
descri|be [dis'kraib] *v/t* describir; **~ption** [dis'kripʃən] descripción *f*; **~ptive** descriptivo
desegregate [di:'segrigeit] *v/t* abolir la segregación en; integrar
desert ['dezət] *a* desierto, yermo; *s* desierto *m*; [di'zə:t] *v/t* abandonar, desamparar; *v/i* desertar; **~er** desertor *m*; **~ion** deserción *f*, defección *f*
deserve [di'zə:v] *v/t* merecer
design [di'zain] *s* designio *m*; proyecto *m*; dibujo *m*, diseño *m*; *v/t* proyectar; diseñar, dibujar
designat|e ['dezigneit] *v/t* designar; señalar; **~ion** designación *f*, nombramiento *m*
designer [di'zainə] dibujante *m*, *f*; diseñador *m*; *tecn* proyectista *m*, *f*
desir|able [di'zaiərəbl] deseable; **~e** [~aiə] *s* deseo *m*; *v/t* desear; **~ous** deseoso
desk [desk] escritorio *m*; (*escuela*) pupitre *m*; (*hotel*) mostrador *m*
desolat|e ['desəlit] *a* desolado, desierto; *v/t* desolar, arruinar; **~ion** desolación *f*
despair [dis'pεə] *s* desesperación *f*; *v/t* desesperarse
despite [dis'pait] *prep* a pesar de, a despecho de
despond [dis'pɔnd] *v/i* desalentarse; **~ency** desaliento *m*
dessert [di'zə:t] postre(s) *m*(*pl*)
destin|ation [desti'neiʃən] destino *m*; destinación *f*;

~e ['~in] *v/t* destinar; **~y** destino *m*; suerte *f*; sino *m*
destitute ['destitju:t] indigente, menesteroso
destr|oy [dis'trɔi] *v/t* destrozar; destruir; **~oyer** destructor *m*; **~uction** [dis'trʌkʃən] destrucción *f*; **~uctive** destructivo; destructor
detach [di'tætʃ] *v/t* separar, desprender; *mil* destacar; **~able** separable; **~ed** separado, independiente; imparcial; **~ment** separación *f*; *mil* destacamento *m*
detail ['di:teil] *s* detalle *m*; pormenor *m*; **in ~** en detalle, minuciosamente; *v/t* detallar, pormenorizar; **~ed** detallado
detain [di'tein] *v/t* retener; detener
detect [di'tekt] *v/t* descubrir; averiguar; **~ion** descubrimiento *m*; **~ive** detective *m*; **~ive story** novela *f* policíaca
detention [di'tenʃən] detención *f*
deter [di'tə:] *v/t* disuadir; desanimar; **~gent** *a*, *s* detergente *m*
deteriorate [di'tiəriəreit] *v/t*, *v/i* empeorar(se)
determin|ation [ditə:mi'neiʃən] determinación *f*, decisión *f*; **~e** [di'tə:min] *v/t* determinar; **~ed** resuelto
deterrent [di'terənt] *a* disuasivo; *s* factor *m* disuasivo
detest [di'test] *v/t* detestar; **~able** detestable
detonat|e ['detəuneit] *v/t*, *v/i* (hacer) detonar; **~ion** detonación *f*
detour ['di:tuə] desvío *m*
devalu|ation [di:vælju'eiʃən] devaluación *f*, desvalorización *f*; **~e** ['~'vælju:] *v/t* devaluar, desvalorizar
devastat|e ['devəsteit] *v/t* devastar; **~ing** devastador; abrumador; **~ion** devastación *f*
develop [di'veləp] *v/t* desarrollar; revelar; explotar; *v/i* desarrollarse, desenvolverse; **~ment** desarrollo *m*; suceso *m*; urbanización *f*; *foto* revelado *m*; *mil* despliege *m*
deviat|e ['di:vieit] *v/t*, *v/i* desviar(se); **~ion** desviación *f*; divergencia *f*; perversión *f*
device [di'vais] artificio *m*, dispositivo *m*; plan *m*; lema *m*, divisa *f*
devil ['devl] diablo *m*, demonio *m*; **~ish** diabólico, endiablado; **between the ~ and the deep sea** entre la espada y la pared
devise [di'vaiz] *v/t* trazar, idear
devoid [di'vɔid] libre, exento
devot|e [di'vəut] *v/t* dedicar; **~ed** devoto; dedicado; **~ion** devoción *f*; lealtad *f*; afecto *m*
devour [di'vauə] *v/t* devorar; tragar

devout [di'vaut] devoto; sincero, cordial
dew [dju:] *s* rocío *m*; **~y** rociado
dexter|ity [deks'teriti] destreza *f*; habilidad *f*; **~ous** ['~(ə)rəs] diestro, hábil
diagnose ['daiəgnəuz] *v/t* diagnosticar
dial ['daiəl] *s* cuadrante *m*; esfera *f*; *tel* disco *m* (selector); *v/t tel* marcar
dialect ['daiəlekt] dialecto *m*; **~ics** dialéctica *f*
dialogue ['daiəlɔg] diálogo *m*
diameter [dai'æmitə] diámetro *m*
diamond ['daiəmənd] diamante *m*
diaper ['daiəpə] *Am* pañal *m* (*para bebés*); lienzo *m* adamascado
diaphragm ['daiəfræm] diafragma *m*
diary ['daiəri] diario *m*
dice [dais] dados *m/pl*
dictat|e [dik'teit] *v/t* dictar; ordenar; imponer; *v/i* dictar una carta; dar órdenes; **~ion** dictado *m*; **~or** dictador *m*; **~orship** dictadura *f*
dictionary ['dikʃənri] diccionario *m*
die [dai] *v/i* morir; expirar; **~ down** extinguirse gradualmente; *s* dado *m*; troquel *m*, matriz *f* (*de imprenta*); **~-hard** intransigente *m, f*
diet ['daiət] *s* régimen *m* alimenticio, dieta *f*; *v/i* estar a dieta
differ ['difə] *v/i* diferenciarse; distinguirse; **~ence** ['difrəns] diferencia *f*; controversia *f*; **~ent** diferente
difficult ['difikəlt] difícil; **~y** dificultad *f*
diffident ['difidənt] tímido
diffus|e [di'fju:z] *a* difuso; *v/t* difundir; **~ed light** luz *f* difusa
dig [dig] *v/t, v/i* cavar; excavar; **~ out, up** desenterrar
digest ['daidʒest] *s* compendio *m*; [di'dʒest] *v/t* digerir (*t fig*); compendiar, resumir; **~ion** digestión *f*
digni|fied ['dignifaid] serio, mesurado; **~ty** dignidad *f*
digress [dai'gres] *v/i* divagar; **~ion** digresión *f*
digs [digz] *fam* alojamiento *m*, habitación *f*
dike [daik] dique *m*
dilapidated [di'læpideitid] ruinoso
dilate [dai'leit] *v/t, v/i* dilatar(se)
diligen|ce ['dilidʒəns] diligencia *f*, asiduidad *f*; **~t** diligente, aplicado
dilute [dai'lju:t] *v/t, v/i* diluir(se)
dim [dim] *a* débil; indistinto, oscuro; opaco (*t fig*); *v/t* oscurecer, opacar
dimension [di'menʃən] dimensión *f*
diminish [di'miniʃ] *v/t* disminuir, reducir; *v/i* decrecer
dimple ['dimpl] hoyuelo *m*

din|e [dain] *v/i* comer, cenar; **~e out** comer fuera de casa; **~ing-car** coche-comedor *m*, vagón *m* restaurante; **~ing-room** comedor *m*; **~ner** [ˈdinə] comida *f*, cena *f*; **~ner-jacket** esmoquin *m*
dip [dip] *s* inclinación *f*, inmersión *f*; *v/t* sumergir; *v/i* sumergirse; inclinarse
diphtheria [difˈθiəriə] difteria *f*
diploma [diˈpləumə] diploma *m*; **~cy** diplomacia *f*; **~t** [ˈ~əmæt] diplomático *m*; **~tic** [~əˈmætik] diplomático; **~tist** [diˈpləumətist] diplomático *m*
direct [diˈrekt] *a* directo; derecho; recto; franco; *v/t* dirigir; mandar; **~ current** corriente *f* continua; **~ion** dirección *f*; **~ions** instrucciones *f/pl*; **~ly** directamente; en seguida; **~or** director *m*; administrador *m*; gerente *m*; **~orate** directorio *m*; junta *f* directiva; (**telephone**) **~ory** guía *f* telefónica
dirt [dəːt] suciedad *f*; porquería *f*; **~-cheap** tirado, baratísimo, regalado; **~y** *a* sucio; sórdido; indecente; *v/t* ensuciar
disab|ility [disəˈbiliti] incapacidad *f*; inhabilidad *f*; **~led** [disˈeibld] incapacitado; inválido, lisiado
disadvantage [disədˈvaːntidʒ] desventaja *f*; detrimento *m*; **~ous** [disædvaːnˈteidʒəs] desventajoso
disagree [disəˈgriː] *v/i* disentir; discrepar; **~able** desagreable; **~ment** desacuerdo *m*; discordia *f*
disappear [disəˈpiə] *v/t* desaparecer; **~ance** desaparición *f*
disappoint [disəˈpɔint] *v/t* frustrar, desengañar; **~ment** desilusión *f*; desengaño *m*; chasco *m*
disapprov|al [disəˈpruːvəl] desaprobación *f*; **~e** *v/t*, *v/i* desaprobar
disarm [disˈaːm] *v/t* desarmar; *v/t* deponer las armas; **~ament** desarme *m*
disarrange [ˈdisəˈreindʒ] *v/t* desarreglar
disarray [ˈdisəˈrei] *s* desarreglo *m*; *v/t* desarreglar
disast|er [diˈzaːstə] desastre *m*; siniestro *m*; **~rous** desastroso
disbelie|f [ˈdisbiˈliːf] incredulidad *f*; **~ve** [ˈ~ˈliːv] *v/t* descreer; *v/i* ser incrédulo
disburse [disˈbəːs] *v/t* desembolsar; **~ment** desembolso *m*, gasto *m*
disc [disk] disco *m*
discern [diˈsəːn] *v/t*, *v/i* discernir; distinguir; **~ing** perspicaz; **~ment** discernimiento *m*; juicio *m*
discharge [disˈtʃaːdʒ] *s* descarga *f*; (*arma*) disparo *m*; *com* descargo *m*; *mil* licenciamiento *m*; pago *m*; *mec*, *elec* descarga *f*; salida *f*;

liberación *f*; despedida *f*; *v/t* descargar; disparar; licenciar; saldar; liberar; despedir; *v/i* descargar; dispararse
disciple [di'saipl] discípulo *m*
discipline ['disiplin] disciplina *f*
disc jockey ['disk 'dʒɔki] montadiscos *m*
disclaim [dis'kleim] *v/t* negar, repudiar; desconocer; *for* renunciar
disclose [dis'kləuz] *v/t* revelar, descubrir
discomfort [dis'kʌmfət] incomodidad *f*; molestia *f*
discompose [diskəm'pəuz] *v/t* descomponer; perturbar
disconcert [diskən'sə:t] *v/t* desconcertar; confundir
disconnect ['diskə'nekt] *v/t* desconectar; desacoplar; **~ed** inconexo
disconsolate [dis'kɔnsəlit] desconsolado
discontent ['diskən'tent] descontento *m*; desagrado *m*; **~ed** descontento
discontinue ['diskən'tinju(:)] *v/t*, *v/i* interrumpir, descontinuar
discord ['diskɔ:d] discordia *f*; desacuerdo *m*; **~ance** [~'kɔ:dəns] discordia *f*; *mús* disonancia *f*; **~ant** discordante; *mús* disonante
discount ['diskaunt] descuento *m*; rebaja *f*
discourage [dis'kʌridʒ] *v/t* desanimar, desalentar; **~ment** desaliento *m*
discover [dis'kʌvə] *v/t* descubrir; hallar; **~er** descubridor *m*, explorador *m*; **~y** descubrimiento *m*; hallazgo *m*
discredit [dis'kredit] *s* descrédito *m*, deshonra *f*; *v/t* *v/t* desacreditar; **~able** desdoroso
discre|et [dis'kri:t] discreto; **~te** [~] distinto, separado; **~tion** [~'kreʃən] discreción *f*
discriminat|e [dis'krimineit] *v/t* discriminar; **~ing** discerniente; **~ion** discriminación *f*
discuss [dis'kʌs] *v/t* discutir; debatir; **~ion** discusión *f*; debate *m*
disdain [dis'dein] *s* desdén *m*, desprecio *m*; *v/t* desdeñar, despreciar
disease [di'zi:z] enfermedad *f*; mal *m*; dolencia *f*; **~d** enfermo
disembark ['disim'bɑ:k] *v/t*, *v/i* desembarcar(se); **~ation** desembarque *m* (*de mercancías*), desembarco *m* (*de personas*)
disengage ['disin'geidʒ] *v/t* liberar; soltar; *mec* desembragar
disentangle ['disin'tæŋgl] *v/t* desenredar
disfavour ['dis'feivə] *s* desaprobación *f*; desgracia *f*
disfigure [dis'figə] *v/t* desfigurar; deformar

disgrace [dis'greis] *s* deshonra *f*; *v/t* deshonrar; **~ful** ignominioso
disguise [dis'gaiz] *s* disfraz *m*; *v/t* disfrazar
disgust [dis'gʌst] *s* asco *m*; repugnancia *f*; *v/t* repugnar; **~ing** asqueroso, repugnante
dish [diʃ] fuente *f*; plato *m*; **~es** vajilla *f*
dishearten [dis'hɑ:tn] *v/t* desalentar
dishevelled [di'ʃevəld] desgreñado, desmelenado
dishonest [dis'ɔnist] deshonesto, ímprobo, falso; **~y** improbidad *f*
dishonour [dis'ɔnə] *s* deshonra *f*, deshonor *m*; *v/t* deshonrar; *com* rechazar (*cheque*, *etc*)
dish-washer ['diʃwɔʃə] *mec* lavadora *f* de platos
disillusion [disi'lu:ʒən] *s* desilusión *f*; *v/t* desilusionar
disinclined ['disin'klaind] renuente, poco dispuesto
disinfect [disin'fekt] *v/t* desinfectar; fumigar; **~ant** *a*, *s* desinfectante *m*
disinherit ['disin'herit] *v/t* desheredar
disintegrate [dis'intigreit] *v/t* desagregar; *v/i* desintegrar(se)
disinterested [dis'intristid] desinteresado
dislike [dis'laik] *s* aversión *f*; antipatía *f*; *v/t* tener aversión a; no gustarle a uno
dislocate ['disləukeit] *v/t* dislocar
disloyal ['dis'lɔiəl] desleal; **~ty** deslealtad *f*
dismal ['dizməl] lúgubre, funesto; deprimente
dismantle [dis'mæntl] *v/t* desmontar
dismay [dis'mei] *s* consternación *f*; *v/t* consternar
dismember [dis'membə] *v/t* desmembrar, despedazar
dismiss [dis'mis] *v/t* despedir; destituir; dejar ir; **~al** despedida *f*; destitución *f*
dismount ['dis'maunt] *v/t* desmontar; *v/i* apearse
disobedien|ce [disə'bi:djəns] desobediencia *f*; **~t** desobediente
disobey ['disə'bei] *v/t*, *v/i* desobedecer
disoblige ['disə'blaidʒ] *v/t* incomodar, ofender
disorder [dis'ɔ:də] *s* desorden *m*; alboroto *m*; *med* trastorno *m*; *v/t* desarreglar; trastornar; **~ly** desordenado; alborotador, escandaloso
disown [dis'əun] *v/t* desconocer; negar; repudiar
disparage [dis'pæridʒ] *v/t* menospreciar; **~ment** menosprecio *m*
dispassionate [dis'pæʃənit] sereno, desapasionado
dispatch [dis'pætʃ] *s* despacho *m*; prontitud *f*; *v/t* despachar; expedir
dispens|able [dis'pensəbl]

dispensable; **~e** *v/t* distribuir, repartir; *v/i* **~e with** pasar sin, prescindir de
disperse [dis'pə:s] *v/t* dispersar; *v/i* dispersarse, disiparse
displace [dis'pleis] *v/t* desplazar; desalojar; **~ment** desalojamiento *m*; *mar* desplazamiento *m*
display [dis'plei] *s* exhibición *f*, ostentación *f*; **~ window** escaparate *m*; *v/t* ostentar, desplegar
displeas|e [dis'pli:z] *v/t*, *v/i* disgustar, molestar; desagradar; **~ing** desagradable; **~ure** [~eʒə] desagrado *m*, disgusto *m*
dispos|al [dis'pəuzəl] disposición *f*; distribución *f*; eliminación *f*; **~e** *v/t* disponer, colocar; *v/i* **~e of** vender; deshacerse de; **~ition** disposición *f*; ordenación *f*; carácter *m*
disproportionate [disprə'pɔ:ʃnit] desproporcionado
dispute [dis'pju:t] *s* disputa *f*, controversia *f*; *v/t*, *v/i* disputar
disqualify [dis'kwɔlifai] *v/t* descalificar; inhabilitar
disquiet [dis'kwaiət] *v/t* intranquilizar; **~ing** inquietante, alarmante
disregard [disri'gɑ:d] *s* descuido *m*; *v/t* pasar por alto
disreputable [dis'repjutəbl] desacreditado
disrespectful [disris'pektful] irrespetuoso, irreverente
disrupt [dis'rʌpt] *v/t* romper; interrumpir
dissatisf|action ['dissætis'fækʃən] descontento *m*; **~ied** [~faɪd] descontento
dissen|sion [di'senʃən] disensión *f*, discordia *f*; **~t** *s* desavenencia *f*; *v/i* disentir, discrepar
dissimilar ['di'similə] disímil
dissipat|e ['disipeit] *v/t*, *v/i* disipar(se); **~ion** disipación *f*
dissociat|e [di'səuʃieit] *v/t* separar; disociar; **~ion** disociación *f*
dissol|ute ['disəlu:t] disoluto; **~ution** disolución *f*; **~ve** [di'zɔlv] *v/t*, *v/i* disolver(se)
dissua|de [di'sweid] *v/t* disuadir; **~sion** disuasión *f*
distan|ce ['distəns] distancia *f*; **from a ~ce** desde lejos; **in the ~ce** en lontananza; a lo lejos; **~t** distante, apartado; *fig* reservado
distaste ['dis'teist] aversión *f*, fastidio *m*; **~ful** desagradable
disten|d [dis'tend] *v/t* hinchar; dilatar; ensanchar; **~sion** dilatación *f*
distil [dis'til] *v/t* destilar
distinct [dis'tiŋkt] distinto; claro; **~ion** distinción *f*; **~ive** distintivo
distinguish [dis'tiŋgwiʃ]

v/t distinguir; **~ed** distinguido, ilustre; marcado
distort [dis'tɔ:t] *v/t* torcer (*t fig*); distorsionar (*sonido, etc*); **~ion** distorsión *f*; tergiversación *f*
distract [dis'trækt] *v/t* distraer; perturbar; **~ed** aturdido; **~ion** distracción *f*; diversión *f*; perturbación *f*
distress [dis'tres] *s* angustia *f*; congoja *f*; apuro *m*, peligro *m*; miseria *f*; *for* secuestro *m*, embargo *m*; *v/t* afligir, angustiar; **~ing** penoso
distribut|e [dis'tribju(:)t] *v/t* distribuir, repartir; **~ion** distribución *f*, reparto *m*
district ['distrikt] distrito *m*; comarca *f*
distrust [dis'trʌst] *s* desconfianza *f*; *v/t* desconfiar de; **~ful** desconfiado
disturb [dis'tə:b] *v/t* molestar; inquietar; **~ance** disturbio *m*; tumulto *m*; **~ing** perturbador, inquietante
ditch [ditʃ] zanja *f*; cuneta *f*
dive [daiv] *v/i* bucear; zambullirse; *mar* sumergirse; *aer* picar; *fig* lanzarse; *s* zambullida *f*; *aer* picada *f*; **~r** buzo *m*
diverge [dai'və:dʒ] *v/i* divergir
diver|se [dai'və:s] diverso; **~sion** diversión *f*; **~t** *v/t* desviar; divertir
divid|e [di'vaid] *v/t* dividir, separar; *v/i* dividirse; **~ing** divisorio
divin|e [di'vain] *a* divino; *v/t* adivinar; *s* sacerdote *m*; **~ity** [di'viniti] divinidad *f*; deidad *f*; teología *f*
divis|ible [di'vizəbl] divisible; **~ion** [~ʒən] división *f*; *com* departamento *m*
divorce [di'vɔ:s] *s* divorcio *m*; *v/t* divorciar; *fig* separar
dizzy ['dizi] mareado; confundido; vertiginoso
do [du:] *v/t* hacer; ejecutar; rendir; servir; arreglar; recorrer; *v/i* actuar, hacer; estar; **~ away with** suprimir; **how ~ you ~?** ¿cómo está usted?; **that will ~** eso basta; **what can I ~ for you?** ¿en qué puedo servirle?
docile ['dəusail] dócil
dock [dɔk] *s* dique *m*; dársena *f*; muelle *m*; *for* banquillo *m*; *v/t* cercenar; acortar; *v/i* atracar; **~er** estibador *m*; **~yard** astillero *m*
doctor ['dɔktə] *s* médico *m*, doctor *m*; *v/t* medicinar; falsificar; **~ate** doctorado *m*
doctrine ['dɔktrin] doctrina *f*
document ['dɔkjumənt] documento *m*; **~ary** *cine* documental *m*
dodge [dɔdʒ] regate *m*; truco *m*; *v/t* regatear; evadir
doe [dəu] gama *f*; coneja *f*; **~-skin** ante *m*
dog [dɔg] *s* perro *m*; *v/t* seguir, acosar; **~ days** canícula *f*; **~ged** tenaz

dogma ['dɔgmə] dogma *m*
doings ['du(:)iŋz] *fam* actividades *f/pl*
dole [dəul] *s* repartimiento *m*; **to be on the ~** cobrar subsidio de paro; *v/t* repartir; **~ful** triste, lúgubre
doll [dɔl] muñeca *f*
dollar ['dɔlə] dólar *m*
dolphin ['dɔlfin] delfín *m*
dome [dəum] cúpula *f*
domestic [dəu'mestik] doméstico; casero; **~ate** [~eit] *v/t* domesticar
domicile ['dɔmisail] domicilio *m*
domin|ate ['dɔmineit] *v/t* dominar; **~ation** dominio *m*; tiranía *f*; **~eer** *v/t, v/i* tiranizar; **~eering** mandón
dona|te [dəu'neit] *v/t* donar; **~tion** donativo *m*; donación *f*
done [dʌn] ejecutado; acabado; rendido, agotado
donkey ['dɔŋki] asno *m*, burro *m*
donor ['dəunə] donante *m, f*
doom [du:m] *s* sentencia *f*; destino *m*; *v/t* condenar; **~sday** día *m* del juicio final
door [dɔ:] puerta *f*; **~-keeper** portero *m*; **~-knob** perilla *f*; **~-latch** pestillo *m*; **~mat** esterilla *f*; **~way** portal *m*
dope [dəup] *s fam* narcótico *m*, droga *f*; tonto *m*, bobo *m*; *v/t* narcotizar; entorpecer
dormitory ['dɔ:mitri] dormitorio *m*
dose [dəus] *s* dosis *f*; *v/t* dosificar
dot [dɔt] punto *m*; **on the ~** en punto; puntualmente
double ['dʌbl] *a* doble; *s teat* doble *m*; *adv* dos veces, doble; *v/t* doblar; *v/i* doblarse; **~ up** doblarse; **~-breasted** cruzado; **~-decker** *fam* ómnibus *m* de dos pisos; **~-entry** *com* partida *f* doble
doubt [daut] *s* duda; *v/t, v/i* dudar; **no ~** sin duda; **~ful** dudoso; **~less** indudable
douche [du:ʃ] ducha *f*
dough [dəu] masa *f*; pasta *f*; **~nut** buñuelo *m*
dove [dʌv] palomo(a) *m* (*f*); **~tailed** ensamblado
down [daun] *adv* abajo; hacia abajo; *v/t* derribar; beber; tragar; *s* plumón *m*; **~cast** cabizbajo, abatido; **~fall** caída *f*; **~hill** cuesta abajo; **~pour** chaparrón *m*; **~right** absoluto, completo; **~stairs** abajo; **~ward(s)** ['~wəd(z)] hacia abajo; **~y** velloso
dowry ['dauəri] dote *m, f*
doze [dəuz] *s* sueño *m* ligero; *v/i* dormitar
dozen ['dʌzn] docena *f*; **the bakers' ~** la docena del fraile
drab [dræb] pardusco; monótono
draft [drɑ:ft] bosquejo *m*; borrador *m*; *com* letra *f* de cambio, giro *m*; *mil* quinta *f*; **~ copy** borrador *m*;

v/t bosquejar; hacer un proyecto de; **~sman** dibujante *m*
drag [dræg] *s mar* rastra *f*; draga *f*; *v/t* arrastrar; halar; *mar* rastrear; *v/i* avanzar lentamente
dragon ['drægən] dragón *m*; **~fly** caballito *m* del diablo
drain [drein] *s* desagüe *m*; desaguadero *m*; *v/t* desaguar; drenar; **~age** desagüe *m*; drenaje *m*
drama ['drɑ:mə] drama *m*; **~tic** [drə'mætik] dramático; **~tist** ['dræmətist] dramático *m*, dramaturgo *m*
drape [dreip] *v/t* vestir, cubrir con colgaduras; **~r's shop** pañería *f*
drastic ['dræstik] drástico
draught [drɑ:ft] corriente *f* (de aire); tiro *m* de chimenea; trago *m* (*de bebida*); *mar* calado *m*; **~ animal** animal *m* de tiro; **~ treaty** proyecto *m* de tratado
draw [drɔ:] *s dep* empate *m*; atracción *f*; sorteo *m*; *v/t* tirar, arrastrar; dibujar, delinear; sacar; tomar (*aliento*); *com* girar; **~ money** cobrar; **~ lots** echar suertes *f/pl*; **~ out** sacar; alargar, prolongar; **~ up** redactar; *v/i* tirar (*pipa, etc*); *dep* empatar; **~ near** acercarse; **~ up** detenerse; **~back** inconveniente *m*; **~-bridge** puente *m* levadizo; **~ee** [~'i:] girado *m*, librado *m*; **~er** dibujante *m*; girador *m*, librador *m*; [drɔ:] cajón *m*; **~ing** dibujo *m*; diseño *m*; **~ing-room** salón *m*
dread [dred] *s* temor *m*; espanto *m*; *v/t*, *v/i* temer; **~ful** terrible, espantoso
dream [dri:m] *s* sueño *m*; visión *f*; *v/t*, *v/i* soñar; soñar con; **~y** soñador; encantador
dreary ['driəri] melancólico
dregs [dregz] heces *f/pl*
drench [drentʃ] *v/t* empapar; calar
dress [dres] *s* vestido *m*; traje *m*; atuendo *m*; *v/t* vestir; ataviar; arreglar; *med* curar; *v/i* vestirse; **~-circle** galería *f* principal; **~-coat** frac *m*; **~ing-gown** peinador *m*; bata *f*; **~ing-table** tocador *m*; **~maker** modista *f*
drift [drift] *s* corriente *f*; rumbo *m*, tendencia *f*; *mar, aer* deriva *f*; *v/t* llevar, arrastrar la corriente; *v/i* derivar; vivir sin rumbo; amontonarse (*arena, nieve*)
drill [dril] *s* taladro *m*; barrena *f*; *mil* ejercicio *m*; surco *m* (*para siembra*); *v/t* taladrar; ejercitar; *mil* adiestrar
drink [driŋk] *s* bebida *f*; trago *m*; *v/t*, *v/i* beber
drip [drip] *s* goteo *m*; *v/i* gotear; chorrear
driv|e [draiv] *s* paseo *m*, viaje *m* (en coche); calzada

f particular; avenida *f*; energía *f*, empuje *m*; *mec* propulsión *f*; *v/t* conducir, guiar; arrear; impulsar; empujar, llevar; *v/i* conducir; **~e at** querer decir; **~er** conductor *m*, piloto *m*; **~ing** conducción *f*, manejo *m*; **~ing licence** licencia *f* de conducir; **~ing school** autoescuela *f*

drizzle ['drizl] *s* llovizna *f*; *v/i* lloviznar

drone [drəun] *s* zángano *m*; zumbido *m*; *v/i* zumbar

droop [dru:p] *v/i* colgar; pender

drop [drɔp] *s* gota *f*; caída *f*; pastilla *f*; *v/t* dejar caer; *v/i* bajar, caer; **~ in** visitar de paso; **~ off** caer dormido

drown [draun] *v/t* ahogar; sofocar; inundar; *v/i* ahogarse

drowsy ['drauzi] soñoliento

drudge [drʌdʒ] *s* esclavo *m* del trabajo; *v/i* afanarse

drug [drʌg] *s* droga *f*; *v/t* narcotizar; **~ addict** narcómano *m*; **~gist** ['~gist] farmacéutico *m*; **~store** botica *f*

drum [drʌm] *s* tambor *m*; *mec* tambor *m*, cilindro *m*; *anat* tímpano *m*; *v/i* tocar el tambor; tamborear (*con los dedos*)

drunk [drʌŋk] borracho, ebrio; embriagado; **~ard** borracho *m*

dry [drai] *a* seco, árido; desecado; *fig* aburrido; *v/t* secar, desecar; *v/i* secarse; **~-clean** *v/t* limpiar en seco; **~ dock** dique *m* de carena

duchess ['dʌtʃis] duquesa *f*

duck [dʌk] *s* pato(a) *m* (*f*); *v/i* zambullir(se); **~ling** anadino *m*; **~y** ['~i] *fam* pichona *f*

due [dju:] *a* debido; merecido; *com* pagadero; vencido; **the train is ~ to arrive** el tren debe llegar; *s* derecho *m*

duel ['dju(:)əl] duelo *m*

duke [dju:k] duque *m*

dull [dʌl] *a* débil; apagado; aburrido; opaco; estúpido; *v/t* entorpecer; embotar

duly ['dju:li] debidamente; puntualmente

dumb [dʌm] mudo; **~-founded** enmudecido, atónito

dummy ['dʌmi] *a* imitado; *s* maniquí *m*; muerto *m* (*jugando a las cartas*); hombre *m* de paja

dump [dʌmp] *s* muladar *m*; *mil* depósito *m*; *v/t* descargar

dun [dʌn] *a* pardo; *s* acreedor *m* importuno; *v/t* demandar; importunar

dune [dju:n] duna *f*

dung [dʌŋ] estiércol *m*; **~-hill** estercolero *m*

dungeon ['dʌndʒən] calabozo *m*; mazmorra *f*

dupe [dju:p] *s* incauto *m*; primo *m*; *v/t* engañar

duplicate ['dju:plikit] *a, s* duplicado *m*
durable ['djuərəbl] duradero
duration [djuə'reiʃən] duración *f*
duress [djuə'res] compulsión *f*
during ['djuəriŋ] durante
dusk [dʌsk] anochecer *m*; crespúsculo *m*; **~y** obscuro; moreno
dust [dʌst] *s* polvo *m*; *v/t* desempolvar; quitar el polvo; empolvar; **~bin** cubo *m* para basura; **~er** plumero *m*; trapo *m* de polvo; **~man** basurero *m*; **~-pan** cogedor *m*; **~y** polvoriento
Dutch [dʌtʃ] *s, a* holandés; **~ cheese** queso *m* de bola; **~man** holandés *m*; **~woman** holandesa *f*
duty ['dju:ti] deber *m*; obligación *f*; **~-free** libre de derechos
dwarf [dwɔ:f] *s* enano *m*; [*v/t* achicar]
dwell [dwel] *v/i* habitar, morar; **~er** habitante *m*; **~ing** vivienda *f*
dwindle ['dwindl] *v/i* disminuir(se); menguar
dye [dai] *s* tinte *m*; *v/t* teñir, colorar; *v/i* teñirse; **~r** tintorero *m*
dying ['daiiŋ] moribundo
dynamic [dai'næmik] dinámico; **~s** dinámica *f*
dynamite ['dainəmait] dinamita *f*
dynamo ['dainəməu] dínamo *f*
dysentery ['disntri] disen-[tería *f*]

E

each [i:tʃ] *a* cada; *pron* cada uno(a); **~ other** mutuamente; el uno al otro, unos a otros
eager ['i:gə] ansioso; anhelante; **~ness** ansia *f*, anhelo *m*; afán *m*
eagle ['i:gl] águila *f*
ear [iə] oído *m*; oreja *f*; *bot* espiga *f*; **~drum** tímpano *m*
earl [ə:l] conde *m*
early ['ə:li] temprano; primitivo
earn [ə:n] *v/t* ganar(se); merecer; **~ings** ['~iŋz] sueldo *m*; ingresos *m/pl*
earnest ['ə:nist] serio, formal; **in ~** de veras, en serio
ear-phone ['iəfəun] auricular *m*
earth [ə:θ] *s* tierra *f*; *v/t elec* conectar a tierra; **~en** de barro; **~enware** loza *f* de barro; **~quake** terremoto *m*
ease [i:z] *s* tranquilidad *f*; alivio *m*; comodidad *f*; facilidad *f*; *v/t* facilitar; aliviar
easel ['i:zl] caballete *m* de [pintor]
east [i:st] este *m*, oriente *m*; **the ♀** el Oriente
Easter ['i:stə] Pascua *f* de Resurrección; **♀ly** de le-

vante; oriental; ~ **week** Semana *f* Santa; 2**n** oriental
easy ['i:zi] fácil; cómodo; ~ **chair** sillón *m*
eat [i:t] *v/t* comer; ~ **up** consumir; devorar; ~**able** comestible
eaves [i:vz] alero *m*
ebb [eb] *s* menguante *m*; reflujo *m*; *v/i* menguar la marea; disminuir
eccentric [ik'sentrik] *a* excéntrico; *s* persona *f* excéntrica
ecclesiastical [ikli:zi'æstikəl] eclesiástico
echo ['ekəu] *s* eco *m*; *v/i* reverberar, resonar
eclipse [i'klips] eclipse *m*
economi|c [i:kə'nɔmik] económico; ~**cal** económico, frugal; ~**cs** economía *f* política; ~**st** [i(:)'kɔnəmist] economista *m*, *f*; ~**ze** *v/t*, *v/i* economizar, ahorrar
economy [i(:)'kɔnəmi] economía *f*; ~ **class** *mar*, *aer* segunda clase *f*
ecstasy ['ekstəsi] éxtasis *m*; arrobamiento *m*
eddy ['edi] remolino *m*
edg|e [edʒ] *s* canto *m*; filo *m*; borde *m*; **on** ~**e** de canto; *fig* ansioso; nervioso; ~**ing** borde *m*; ribete *m*
edible ['edibl] comestible
edif|ice ['edifis] edificio *m*; ~**y** *v/t* edificar
edit ['edit] *v/t* editar; dirigir; redactar; ~**ion** [i'diʃən] edición *f*; tirada *f*; ~**or** redactor *m*; ~**orial** [~'tɔ:riəl] *a* editorial; *s* artículo *m* de fondo
educat|e ['edju(:)keit] *v/t* educar; instruir; ~**ion** educación *f*, instrucción *f*; ~**ional** educacional; docente
eel [i:l] anguila *f*
effect [i'fekt] *s* efecto *m*; impresión *f*; *v/t* efectuar, ejecutar; ~**ive** efectivo, eficaz; vigente; ~**s** bienes *m/pl*; efectos *m/pl*
effeminate [i'feminit] afeminado
effervescent [efə'vesnt] efervescente
efficien|cy [i'fiʃənsi] eficiencia *f*; eficacia *f*; ~**t** eficiente
effort ['efət] esfuerzo *m*
effusive [i'fju:siv] efusivo expansivo
egg [eg] huevo *m*; ~**-cup** huevera *f*; ~**nog** yema *f* mejida; ~**plant** berenjena *f*; ~**shell** cáscara *f* de huevo
Egypt ['i:dʒipt] Egipto *m*; ~**ian** [i'dʒipʃən] *a*, *s* egipcio(a) *m* (*f*)
eiderdown ['aidədaun] edredón *m*
either ['aiðə] *a*, *pron* uno u otro; ambos; *adv* (*en negación*) tampoco
eject [i(:)'dʒekt] *v/t* expulsar; echar; ~**ion** expulsión *f*
elaborate [i'læbərit] *a* elaborado; detallado; [~eit] *v/t* elaborar
elapse [i'læps] *v/i* transcurrir, pasar

elastic [i'læstik] *a, s* elástico *m* [entusiasmado
elated [i'leitid] regocijado,
elbow ['elbəu] *s* codo *m*; *v/i* codear
elde|r ['eldə] *a, s* mayor *m*; jefe *m*; *bot* saúco *m*; **~rly** entrado en años; **~st** *a, s* (*el, la*) mayor (*de todos*)
elect [i'lekt] *a* elegido, escogido; electo; *v/t* elegir; **~ion** elección *f*; **~or** elector *m*; **~orate** electorado *m*
electr|ic [i'lektrik] eléctrico; **~ical** eléctrico; **~ician** [~'triʃən] electricista *m*; **~icity** [~'trisiti] electricidad *f*; **~ify** *v/t* electrificar; *fig* electrizar; **~ocute** [i'lektrəkju:t] *v/t* electrocutar
electron [i'lektrɔn] electrón *m*
elegan|ce ['eligəns] elegancia *f*; **~t** elegante
element ['elimənt] elemento *m*; componente *m*; **~ary** [~'mentəri] elemental; **~ary school** escuela *f* primaria
elephant ['elifənt] elefante *m*
elevat|e ['eliveit] *v/t* elevar, alzar; **~ion** elevación *f*; altura *f*; **~or** montacargas *m*
eligible ['elidʒəbl] elegible
eliminat|e [i'limineit] *v/t* eliminar; descartar; **~ion** eliminación *f*
elk [elk] alce *m*
ellipse [i'lips] elipse *f*
elm [elm] olmo *m*
elongate ['i:lɔŋgeit] *v/t, v/i* alargar(se)
elope [i'ləup] *v/i* fugarse (*con un amante*)
eloquen|ce ['eləukwəns] elocuencia *f*; **~t** elocuente
else [els] *a* otro; más; **nobody ~** ningún otro; **somebody ~** otra persona; **nothing ~** nada más; **~where** en otra parte; a otra parte
elu|de [i'lu:d] *v/t* eludir, esquivar; **~sion** evasión *f*; **~sive** evasivo
emaciated [i'meiʃieitid] demacrado
emancipate [i'mænsipeit] *v/t* emancipar
embalm [im'bɑ:m] *v/t* embalsamar; *fig* preservar
embankment [im'bæŋkmənt] terraplén *m*; dique *m*
embark [im'bɑ:k] *v/t, v/i* embarcar(se); **~ upon something** lanzarse a, aventurarse en
embarras [im'bærəs] *v/t* desconcertar, avergonzar; embarazar, estorbar; **~ing** embarazoso; molesto; **~ment** desconcierto *m*; perplejidad *f*; embarazo *m*; apuros *m/pl*
embassy ['embəsi] embajada *f*
embedded [im'bedid] embutido, engastado, incrustado
embellish [im'beliʃ] *v/t* embellecer [*m*
embers ['embəz] rescoldo
embezzle [im'bezl] *v/t* desfalcar; **~ment** desfalco *m*

embitter [im'bitə] *v/t* amargar
emblem ['embləm] emblema *m*, símbolo *m*
embody [im'bɔdi] *v/t* encarnar; incorporar
embrace [im'breis] *s* abrazo *m*; *v/t* abrazar; abarcar
embroider [im'brɔidə] *v/t* bordar; **~y** bordado *m*
emerald ['emərəld] esmeralda *f*
emerge [i'mə:dʒ] *v/i* salir, surgir; **~ncy** [~ənsi] emergencia *f*; aprieto *m*; **~ncy landing** *aer* aterrizaje *m* forzoso
emigra|nt ['emigrənt] emigrante *m*; **~te** ['~eit] *v/i* emigrar; **~tion** emigración *f*
eminent ['eminənt] eminente, supremo
emit [i'mit] *v/t* emitir, despedir
emotion [i'məuʃən] emoción *f*; **~al** emocional; impresionable
emperor ['empərə] emperador *m*
empha|sis ['emfəsis] énfasis *m*; **~size** destacar, recalcar; **~tic** [im'fætik] enfático; categórico
empire ['empaiə] imperio *m*
employ [im'plɔi] *s* servicio *m*, empleo *m*; *v/t* emplear; **~ee** [emplɔi'i:] empleado *m*; **~er** empleador *m*, patrón *m*; **~ment** empleo *m*; oficio *m*; **~ment agency** oficina *f* de colocaciones
empress ['empris] emperatriz *f*
empt|iness ['emptinis] vacío *m*; vacuidad *f*; **~y** *a* vacío; *v/t* vaciar
enable [i'neibl] *v/t* capacitar; permitir
enact [i'nækt] *v/t* decretar, estatuir; **~ment** promulgación *f* (*de una ley*); estatuto *m*
enamel [i'næməl] *s* esmalte *m*; *v/t* esmaltar
encase [in'keis] *v/t* encajar
enchant [in'tʃɑ:nt] *v/t* encantar; hechizar; **~ing** encantador
encircle [in'sə:kl] *v/t* cercar; circundar
enclos|e [in'kləuz] *v/t* encerrar; incluir, adjuntar; **~ure** [~ʒə] cercado *m*; vallado *m*; *com* anexo *m*
encounter [in'kauntə] *s* encuentro *m*; choque *m*; *v/t*, *v/i* encontrar; dar con
encourag|e [in'kʌridʒ] *v/t* animar; alentar; **~ement** estímulo *m*; **~ing** animador, alentador
encumber [in'kʌmbə] *v/t* recargar; estorbar, impedir
end [end] *s* fin *m*; extremo *m*; cabo *m*; final *m*; conclusión *f*; **in the ~** al fin y al cabo; **to be at an ~** tocar a su fin; **to what ~?** ¿a qué propósito?; *v/t*, *v/i* terminar, acabar; cesar
endanger [in'deindʒə] *v/t* arriesgar; poner en peligro

endear [in'diə] *v/t* hacer querer; **~ment** caricia *f*
endeavour [in'devə] *s* esfuerzo *m*; empeño *m*; *v/i* esforzarse
end|ing ['endiŋ] terminación *f*; final *m*; **~less** interminable
endorse [in'dɔ:s] *v/t* endosar; aprobar; **~ment** endosamiento *m*; aprobación *f*; **~r** endosante *m*
endow [in'dau] *v/t* dotar, fundar; **~ment** fundación *f*
endur|ance [in'djuərəns] aguante *m*, resistencia *f*; **~e** *v/t* soportar, aguantar; tolerar [go(a) *m* (*f*)
enemy ['enimi] *a*, *s* enemi-
energ|etic [enə'dʒetik] enérgico; **~y** ['enədʒi] energía *f* [bilitar
enfeeble [in'fi:bl] *v/t* de-
enfold [in'fəuld] *v/t* envolver; abrazar
enforce [in'fɔ:s] *v/t* imponer; hacer cumplir (*ley*); poner en vigor; **~ment** ejecución *f* de una ley; coacción *f*
engage [in'geidʒ] *v/t* contratar; emplear; ocupar; comprometer; *v/i* empeñarse, comprometerse; **~d** comprometido (*en matrimonio*); ocupado; contratado; **~ment** compromiso *m*; contrato *m*; *mil* combate *m*; esponsales *m/pl*
engine ['endʒin] máquina *f*; motor *m*; locomotora *f*; **~-driver** maquinista *m*; **~er** [endʒi'niə] *s* ingeniero *m*; *v/t* manejar; **~ering** ingeniería *f*
English ['iŋgliʃ] *a* inglés; *s* (*idioma*) inglés *m*; **the ~** los ingleses; **~man** inglés *m*; **~woman** inglesa *f*
engrav|e [in'greiv] *v/t* grabar; **~er** grabador *m*; **~ing** grabado *m*
engross [in'grəus] *v/t* absorber
enjoin [in'dʒɔin] *v/t* mandar; prescribir
enjoy [in'dʒɔi] *v/t* gozar de; disfrutar de; gustarle a uno; **~ oneself** divertirse; **~able** agradable; **~ment** goce *m*; uso *m*
enlarge [in'lɑ:dʒ] *v/t foto* ampliar; extender; **~ment** aumento *m*; *foto* ampliación *f*
enlighten [in'laitn] *v/t* iluminar; ilustrar; **~ment** ilustración *f*
enlist [in'list] *v/t* alistar; *v/i* enrolarse; asegurarse (*ayuda, etc*)
enliven [in'laivn] *v/t* avivar, vivificar
enmity ['enmiti] enemistad *f* [me
enormous [i'nɔ:məs] enor-
enough [i'nʌf] bastante
enrage [in'reidʒ] *v/t* enfurecer
enrapture [in'ræptʃə] *v/t* arrebatar, arrobar
enrich [in'ritʃ] *v/t* enriquecer
enrol [in'rəul] *v/t*, *v/i* inscri-

bir(se), matricular(se); **~ment** inscripción *f*
ensign ['ensain, *mar* 'ensn] bandera *f*
ensue [in'sjuː] *v/i* resultar, sobrevenir
ensure [in'ʃuə] *v/t* asegurar
entangle [in'tæŋgl] *v/t* enredar; **~ment** enredo *m*
enter ['entə] *v/t* entrar en; afiliarse a; anotar, sentar; presentar (*reclamo, etc*)
enterpris|e ['entəpraiz] empresa *f*; **~ing** emprendedor
entertain [entə'tein] *v/t* entretener; divertir; agasajar; **~ing** divertido, entretenido; **~ment** entretenimiento *m*; hospitalidad *f*; espectáculo *m*
enthusias|m [in'θjuːziæzəm] entusiasmo *m*; **~t** [~st] entusiasta *m*; **~tic** [~'æstik] entusiástico, caluroso; entusiasmado
entice [in'tais] *v/t* atraer, seducir
entire [in'taiə] entero, íntegro; **~ly** enteramente; únicamente
entitle [in'taitl] *v/t* habilitar, autorizar; titular
entrails ['entreilz] entrañas *f/pl*
entrance ['entrəns] entrada *f*; admisión *f*; **~ fee** derechos *m/pl* de admisión
entreat [in'triːt] *v/t* rogar, suplicar
entrust [in'trʌst] *v/t* encargar (con); confiar
entry ['entri] entrada *f*; acceso *m*; *com* asiento *m*; partida *f*
enumerate [i'njuːməreit] *v/t* enumerar, contar
envelop [in'veləp] *v/t* envolver, cubrir; **~e** ['envələup] sobre *m*
env|iable ['enviəbl] envidiable; **~ious** envidioso
environ|ment [in'vaiərənmənt] ambiente *m*; **~ment protection** defensa *f* del ambiente; **~mental pollution** contaminación *f* ambiental; **~s** ['envirənz] alrededores *m/pl*, cercanías *f/pl*
envisage [in'vizidʒ] *v/t* contemplar
envoy ['envɔi] enviado *m*
envy ['envi] *s* envidia *f*; *v/t* envidiar
epidemic [epi'demik] *a* epidémico; *s* epidemia *f*
epilepsy ['epilepsi] epilepsia *f*
episode ['episəud] episodio *m*
epoch ['iːpɔk] época *f*
equal ['iːkwəl] *a*, *s* igual *m*; **to be ~ to** tener fuerzas para, estar a la altura de; **~ity** [i(ː)'kwɔliti] igualdad *f*; **~ize** *v/t* igualar
equanimity [ekwə'nimiti] ecuanimidad *f*
equation [i'kweiʒən] ecuación *f*
equator [i'kweitə] ecuador *m*
equilibrium [iːkwi'libriəm] equilibrio *m*
equip [i'kwip] *v/t* equipar;

dotar; aparejar; **~ment** equipo *m*; accesorios *m/pl*
equivalent [i'kwivələnt] *a, s* equivalente *m*
era ['iərə] época *f*; *geol* edad *f*
eras|e [i'reiz] *v/t* borrar; **~ure** [~ʒə] borradura *f*
ere [ɛə] *prep* antes de; *conj* antes que
erect [i'rekt] *a* derecho; (e)recto; *v/t* erigir; levantar; **~ion** erección *f*; estructura *f*
ermine ['ə:min] armiño *m*
erotic [i'rɔtik] erótico
err [ə:] *v/i* errar; equivocarse
errand ['erənd] mandado *m*, diligencia *f*; **~-boy** mandadero *m*
erroneous [i'rəunjəs] erróneo, errado
error ['erə] error *m*, yerro *m*
escalat|ion [eskə'leiʃən] intensificación *f*; **~or** escalera *f* móvil
escape [is'keip] *v/t* escapar de, evitar; *v/i* escaparse, huir; *s* fuga *f*; escape *m* (*de gas*)
escort ['eskɔ:t] *s* escolta *f*; [is'kɔ:t] *v/t* escoltar, acompañar
espadrille ['espədril] alpargata *f*
especial [is'peʃəl] especial; **~ly** especialmente
espionage [espiə'nɑ:ʒ] espionaje *m*
espy [is'pai] *v/t* divisar
essay ['esei] ensayo *m*; **~ist** ensayista *m*
essen|ce ['esns] esencia *f*; **~tial** [i'senʃəl] esencial
establish [is'tæbliʃ] *v/t* establecer; instituir; probar; **~ment** establecimiento *m*; **the** **℮ment** *Ingl* la clase *f* gobernante
estate [is'teit] estado *m*; finca *f*; *SA* hacienda *f*; propiedad *f*, bienes *m/pl*; caudal *m* hereditario; **~ car** rubia *f*
esteem [is'ti:m] *s* estimación *f*; aprecio *m*; *v/t* estimar; apreciar
estimat|e ['estimit] *s* estimación *f*, tasación *f*; ['~eit] *v/t* estimar, valorar, tasar; **~ion** estimación *f*; opinión *f*
estrange [is'treindʒ] *v/t* enajenar
estuary ['estjuəri] estuario *m*, ría *f*
etern|al [i(:)'tə:nl] eterno; **~ity** eternidad *f*
ether ['i:θə] éter *m*
ethics ['eθiks] ética *f*
Europe ['juərəp] Europa *f*; **~an** [~'pi(:)ən] *a, s* europeo(a) *m* (*f*); **~an Economic Community** Mercado *m* Común Europeo
evacuat|e [i'vækjueit] *v/t* evacuar; **~ion** evacuación *f*
evade [i'veid] *v/t* evadir, eludir
evaporate [i'væpəreit] *v/t*, *v/i* evaporizar(se); evaporar(se)
evasion [i'veiʒən] evasión *f*
eve [i:v] víspera *f*; **on the ~**

of la víspera de; en vísperas de
even ['i:vən] *a* llano, liso; igual, parejo; constante; *mat* par; *adv* aun, hasta; siquiera; **~ though** aunque; **not ~** ni siquiera; *v/t* igualar, nivelar
evening ['i:vniŋ] *s* tarde *f*; anochecer *m*; *fig* ocaso *m*; **good ~!** ¡buenas tardes!; ¡buenas noches!; **~ dress** traje *m* de etiqueta, de noche; **~ paper** periódico *m* de la tarde
evensong ['i:vənsɔŋ] vísperas *f/pl*
event [i'vent] suceso *m*, acontecimiento *m*; **at all ~s** en todo caso; **~ful** memorable, notable; **~ual** subsiguiente; eventual; **~ually** finalmente
ever ['evə] siempre, jamás; alguna vez; nunca (*con verbo negativo*); **for ~** para siempre; **~ since** desde entonces
every ['evri] *a* cada; todo, todos los; **~ other day** un día sí y otro no; **~body, ~one** todo el mundo; cada uno; todos; **~thing** todo; **~where** en todas partes
eviden|ce ['evidəns] evidencia *f*; *for* prueba *f*; testimonio *m*; **to give ~ce** declarar; **~t** evidente, patente
evil ['i:vl] *a* malo; maligno; *s* maldad *f*; mal *m*; perversidad *f*; **~s** malas consecuencias *f/pl*; *adv* mal
evince [i'vins] *v/t* demostrar, hacer patente
evoke [i'vəuk] *v/t* evocar
evolution [i:və'lu:ʃən] evolución *f*; desenvolvimiento *m*, desarrollo *m*
evolve [i'vɔlv] *v/t* desenvolver; *v/i* desarrollarse
ewe [ju:] oveja *f*
exact [ig'zækt] *a* exacto; *v/t* exigir; **~ing** exigente; **~ness** exactitud *f*
exaggerate [ig'zædʒəreit] *v/t* exagerar
exalt [ig'zɔ:lt] *v/t* exaltar
examin|ation [igzæmi'neiʃən] examen *m*; investigación *f*; **~e** [ig'zæmin] *v/t* examinar; *for* interrogar
example [ig'zɑ:mpl] ejemplo *m*; ejemplar *m*; **for ~** por ejemplo
exasperate [ig'zɑ:spəreit] *v/t* exasperar
excavate ['ekskəveit] *v/t* excavar
exceed [ik'si:d] *v/t* exceder; rebasar; **~ingly** sumamente
excel [ik'sel] *v/t*, *v/i* superar; sobresalir; **~lence** ['eksələns] excelencia *f*; **~lent** excelente
except [ik'sept] *prep* excepto, salvo; **~ for** aparte de; *v/t* exceptuar; **~ing** *prep* excepto, menos; **~ion** excepción *f*; **~ional** excepcional
excess [ik'ses] exceso *m*; **~ luggage** exceso *m* de equipaje; **~ive** excesivo

exchange [iks'tʃeindʒ] *s* cambio *m*; *com* bolsa *f*, lonja *f*; *v/t* cambiar; **~-rate** tipo *m* de cambio
exchequer [iks'tʃekə] tesorería *f*; *Ingl* ♀ tribunal *m* de hacienda
excit|able [ik'saitəbl] excitable; exaltado; **~e** *v/t* excitar; **~ement** excitación *f*; **~ing** excitante; emocionante
excla|im [iks'kleim] *v/t*, *v/i* exclamar; **~mation** [ekskləˈmeiʃən] exclamación *f*
exclu|de [iks'klu:d] *v/t* excluir; **~sion** [~ʒən] exclusión *f*; **~sive** [~siv] exclusivo; selecto
excursion [iks'kə:ʃən] excursión *f*; **~ist** excursionista *m*
excuse [iks'kju:z] *s* excusa *f*, disculpa *f*; pretexto *m*; *v/t* excusar, disculpar, perdonar; **~ me!** ¡perdóneme!
execut|e ['eksikju:t] *v/t* ejecutar; llevar a cabo; cumplir; **~ion** ejecución *f*; cumplimiento *m*; **~ioner** verdugo *m*; **~ive** [ig'zekjutiv] *a*, *s* ejecutivo *m*; **~ive committee** junta *f* directiva; **~or** *for* albacea *m*; ejecutor *m* testamentario
exempt [ig'zempt] *a* exento; *v/t* eximir; **~ion** exención *f*
exercise ['eksəsaiz] *s* ejercicio *m*; *v/t* ejercer; emplear; *v/i* hacer ejercicios
exert [ig'zə:t] *v/t* ejercer; **~ oneself** *v/r* esforzarse, afanarse; **~ion** esfuerzo *m*
exhale [eks'heil] *v/t* exhalar; despedir
exhaust [ig'zɔ:st] *s* escape *m*; **~ fumes** gases *m/pl* de escape; *v/t* agotar; **~ed** agotado; **~ing** agotador; **~ion** agotamiento *m*; **~ive** exhaustivo, detallado
exhibit [ig'zibit] *s* objeto *m* expuesto; *for* prueba *f* instrumental; *v/t* exhibir, presentar; **~ion** [eksi'biʃən] exhibición *f*; presentación *f*
exile ['eksail] *s* destierro *m*; desterrado *m*; *v/t* desterrar, deportar
exist [ig'zist] *v/i* existir; subsistir; **~ence** existencia *f*, vida *f*; ser *m*; **~ent, ~ing** existente
exit ['eksit] salida *f*
exotic [ig'zɔtik] exótico
expan|d [iks'pænd] *v/t*, *v/i* extender(se); **~se** [~s] extensión *f*, espacio *m*; **~sion** expansión *f*; *mat* desarrollo *m*; **~sive** expansivo
expect [iks'pekt] *v/t* esperar, aguardar; contar con; **~ant** expectante; preñada; **~ation** [ekspek'teiʃən] expectativa *f*
expedient [iks'pi:djənt] *a* conveniente; *s* expediente *m*, recurso *m*
expedition [ekspi'diʃən] expedición *f*; despacho *m*; **~ary** expedicionario
expel [iks'pel] *v/t* expulsar; expeler

expen|d [iks'pend] *v/t* gastar, derrochar; **~dable** sacrificable; **~diture** [~ditʃə] gastos *m/pl*; desembolso *m*; **~se** [~s] gasto *m*; **~sive** caro, costoso
experience [iks'piəriəns] *s* experiencia *f*; *v/t* experimentar, sentir
experiment [iks'perimənt] *s* experimento *m*; *v/i* experimentar
expert ['ekspə:t] *a* experto; *s* perito *m*, experto *m*; **~ness** pericia *f*
expir|ation [ekspaiə'reiʃən] expiración *f*; *com* vencimiento *m*; **~e** [iks'paiə] *v/i* expirar; *com* caducar; vencer
expla|in [iks'plein] *v/t* explicar; **~nation** [eksplə'neiʃən] explicación *f*; **~natory** [iks'plænətəri] explicativo
explicit [iks'plisit] explícito
explode [iks'pləud] *v/t* detonar, volar; hacer saltar; *v/i* estallar, explotar
exploit [iks'plɔit] *s* hazaña *f*, proeza *f*; *v/t* explotar; **~ation** explotación *f*
explor|ation [eksplɔ:'reiʃən] exploración *f*; **~e** [iks'plɔ:] *v/t* explorar; **~er** explorador *m*
explo|sion [iks'pləuʒən] explosión *f*; **~sive** [~siv] explosivo
export ['ekspɔ:t] *s* exportación *f*; [eks'pɔ:t] *v/t* exportar; **~ation** exportación *f*; **~er** exportador *m*
expos|e [iks'pəuz] *v/t* exponer; descubrir; poner al descubierto; **~ition** [ekspəu'ziʃən] exposición *f*; **~ure** [~ʒə] exposición *f*; revelación *f*; **~ure meter** *foto* exposímetro *m*
express [iks'pres] *a*, *s* expreso *m*; **~ train** tren *m* expreso, talgo *m*; *v/t* exprimir; expresar, formular; **~ion** expresión *f*; **~ive** expresivo; **~ly** expresamente
expulsion [iks'pʌlʃən] expulsión *f*
exquisite ['ekskwizit] exquisito
exten|d [iks'tend] *v/t* extender, alargar; prorrogar; diluir; *v/i* extenderse; proyectarse; **~sion** extensión *f*; anexo *m*; *com* prórroga *f*; *tel* extensión *f*; **~sive** extensivo; amplio; **~t** extensión *f*; alcance *m*; **to a certain ~t** hasta cierto punto
exterior [eks'tiəriə] *a* exterior; *s* exterior *m*; *b a* paisaje *m*
exterminat|e [iks'tə:mineit] *v/t* exterminar; **~ion** exterminación *f*
external [eks'tə:nl] externo, exterior
extin|ct [iks'tiŋkt] extinto; **~ction** extinción *f*; **~guish** [~'tiŋgwiʃ] *v/t* extinguir, apagar
extirpate ['ekstə:peit] *v/t* extirpar

extra ['ekstrə] *a* extraordinario; adicional; *s* recargo *m*; extra *m*; gasto *m* extraordinario
extract ['ekstrækt] *s* extracto *m*; [iks'trækt] *v/t* extraer; **~ion** extracción *f*
extraordinary [iks'trɔ:dnri] extraordinario
extravagan|ce [iks'trævigəns] extravagancia *f*; **~t** extravagante
extrem|e [iks'tri:m] *a* extremo; extremado; *s* extremo *m*, extremidad *f*; **~ely** extremadamente; sumamente; **~ity** [~'tremiti] extremidad *f*
exuberant [ig'zju:bərənt] exuberante
exult [ig'zʌlt] *v/i* exultar, alborozarse
eye [ai] *s* ojo *m*; vista *f*; **to keep an ~ on** vigilar; **with an ~ to** con miras a; *v/t* ojear, mirar; **~ball** globo *m* del ojo; **~brow** ceja *f*; **~-glasses** gafas *f/pl*, lentes *m/pl*; **~lash** pestaña *f*; **~let** ojete *m*; **~lid** párpado *m*; **~sight** vista *f*; **~witness** testigo *m* ocular

F

fable ['feibl] *s* fábula *f*
fabric ['fæbrik] tejido *m*; tela *f*; fábrica *f*; **~ate** ['~eit] *v/t* fabricar (*t fig*)
fabulous ['fæbjuləs] fabuloso
façade [fə'sɑ:d] fachada *f*
fac|e [feis] *s* cara *f*; frente *f*, fachada *f*; esfera *f* (*del reloj*); **~e to ~e** cara a cara; **~e value** valor *m* nominal; **to make** *o* **pull ~es** hacer muecas; *v/t* hacer frente a; mirar hacia; afrontar; **~ing** frente (a)
facil|itate [fə'siliteit] *v/t* facilitar; **~ity** facilidad *f*
fact [fækt] hecho *m*; realidad *f*; **in ~** en realidad; **~-finding** de investigación
factor ['fæktə] factor *m*
factory ['fæktəri] factoría *f*; fábrica *f*
faculty ['fækəlti] facultad *f*; aptitud *f*
fade [feid] *v/t* marchitarse; descolorarse; **~ away** desvanecerse
fail [feil] *v/t* abandonar; desaprobar; *v/i* fallar; fracasar; *com* quebrar; **~ to** dejar de; **~ure** ['~jə] fracaso *m*; fracasado *m*; *com* quiebra *f*
faint [feint] *a* débil, delicado; **to feel ~** sentirse mareado; *s* desmayo *m*; *v/i* desmayarse; **~-hearted** tímido, medroso
fair [fɛə] *a* despejado, claro; rubio; equitativo, justo; regular; favorable; **~ play** juego *m* limpio; *s* feria *f*; **~ly** bastante; **~ness** rectitud *f*
fairy ['fɛəri] hada *f*; **~-tale** [cuento *m* de hadas]

faith [feiθ] fe *f*; confianza *f*; **~ful** fiel, leal; **♀fully yours** atentamente suyo; **~fulness** fidelidad *f*, lealtad *f*; **~less** desleal, pérfido
fake [feik] *s* imitación *f*; falsificación *f*; *v/t* imitar; falsificar; simular
falcon ['fɔ:lkən] halcón *m*
fall [fɔ:l] *s* caída *f*; *com* baja *f*; otoño *m*; *v/i* caer(se); bajar; desplomarse; **~ back on** recurrir a; **~ due** *com* vencerse; **~ ill** enfermar; **~ in love with** enamorarse de; **~ out** reñir, pelear; **~ short of** no llegar a; **~out** precipitación *f* (radioactiva)
fals|e [fɔ:ls] falso, incorrecto; falsificado; **~ teeth** dientes *m/pl* postizos; **~ehood** falsedad *f*
falter ['fɔ:ltə] *v/i* vacilar; *v/t* balbucear; *s* vacilación *f*
fame [feim] fama *f*; renombre *m*; reputación *f*; **~d** famoso, afamado
famil|iar [fə'miljə] *a* familiar; conocido; *s* familiar *m*; **~iarity** [~i'æriti] familiaridad *f*; intimidad *f*; confianza *f*; **~y** ['fæmili] familia *f*; **~y name** apellido *m*; **~y tree** árbol *m* genealógico
fami|ne ['fæmin] hambre *f*; hambruna *f*; **~sh** *v/i* hambrear
famous ['feiməs] famoso, célebre
fan [fæn] *s* abanico *m*; ventilador *m*; aficionado *m*; *v/t* abanicar; avivar
fanatic(al) [fə'nætik(əl)] *a* fanático; *s* fanático *m*, entusiasta *m*
fancy ['fænsi] fantasía *f*; capricho *m*; gusto *m*; **~ ball** baile *m* de disfraces; **~ dress** disfraz *m*; **to take a ~ to** aficionarse a
fang [fæŋ] colmillo *m*
fantastic [fæn'tæstik] fantástico
far [fɑ:] *a* lejano, remoto; *adv* lejos; **as ~ as** hasta; **by ~** con mucho; **~ and wide** por todas partes; **~ better** mucho mejor; **~ off** a lo lejos; **to go too ~** extralimitarse
fare [fɛə] tarifa *f*; pasaje *m*; **~well** adiós *m*; despedida *f*
far-fetched ['fɑ:'fetʃid] improbable
farm [fɑ:m] *s* granja *f*; *v/t* cultivar; **~er** granjero *m*; **~hand** labrador *m*; **~house** alquería *f*; **~ing** cultivo *m*; labranza *f*
far-sighted ['fɑ:'saitid] présbita; *fig* previsor, prudente
farth|er ['fɑ:ðə] *a* más lejano; *adv* más adelante; más lejos; **~er on** más adelante
fascinat|e ['fæsineit] *v/t* fascinar, hechizar; **~ing** fascinador, fascinante; **~ion** fascinación *f*
fashion ['fæʃən] *s* moda *f*; uso *m*; **out of ~** fuera de moda; **to be in ~** estilarse; *v/t* formar, adaptar; **~able** de moda

fast [fɑːst] *a* rápido, veloz; firme; (*reloj*) adelantado; disoluta, inmoral (*mujer*); *adv* rápidamente; firmemente; *v/i* ayunar; **~en** ['fɑːsn] *v/t* fijar; atar; **~ener** sujetador *m*; **~ness** rapidez *f*; firmeza *f*
fastidious [fəs'tidiəs] descontentadizo; quisquilloso; **~ness** dengue *m*
fat [fæt] *a* graso; gordo, obeso; *fig* pingüe; *s* grasa *f*; gordura *f*
fat|al ['feitl] fatal; funesto; **~ality** [fə'tæliti] fatalidad *f*; desgracia *f*; **~e** hado *m*, sino *m*; suerte *f*; **~eful** fatal
father ['fɑːðə] *s* padre *m*; *v/t* engendrar; **~hood** paternidad *f*; **~-in-law** suegro *m*; **~land** patria *f*; **~less** huérfano de padre; **~ly** paternal
fathom ['fæðəm] *s mar* braza *f*; *v/t* sondear; *fig* comprender; **~less** insondable
fatigue [fə'tiːg] *s* fatiga *f*; *v/t* cansar, fatigar
fat|ten ['fætn] *v/t* cebar; *v/t* engordar; **~ty** grasiento, grasoso
faucet ['fɔːsit] llave *f*; grifo *m*
fault [fɔːlt] *s* falta *f*; defecto *m*; culpa *f*; **to find ~ with** criticar, desaprobar; **~less** sin defecto, impecable; **~y** defectuoso
favo(u)r ['feivə] *s* favor *m*; aprecio *m*; *v/t* favorecer; **~able** favorable, propicio; **~ite** ['~rit] *a* favorito, predilecto; *s* favorito *m*, protegido *m*; **~itism** favoritismo *m*
fawn [fɔːn] cervato *m*
fear [fiə] *s* miedo *m*; temor *m*; aprensión *f*; *v/t*, *v/i* temer; tener miedo; **~ful** miedoso; terrible, horrendo
feast [fiːst] *s* fiesta *f*; banquete *m*; *v/t* festejar; banquetear; *v/i* deleitarse
feat [fiːt] hazaña *f*, proeza *f*
feather ['feðə] pluma *f*; *mec* cuña *f*; *carp* lengüeta *f*; **birds of a ~** *fig* lobos *m/pl* de una camada; *v/t* emplumar; **~-bed** colchón *m* de plumas; **~y** plumoso
feature ['fiːtʃə] *s* rasgo *m*, característica *f*; película *f o* artículo *m* principal; *v/t* destacar; **~s** facciones *f/pl*
February ['februəri] febrero *m*
federal ['fedərəl] federal; **~ism** federalismo *m*
federation [fedə'reiʃən] federación *f*
fee [fiː] honorarios *m/pl*; cuota *f* de ingreso; derechos *m/pl*
feeble ['fiːbl] débil
feed [fiːd] *v/t* nutrir, alimentar; *v/i* pastar; alimentarse; **to be fed up with** estar harto de; **~er** *mec* alimentador *m*; **~er road** camino *m* secundario; **~ing** alimento *m*, pasto *m*; **~ing-bottle** biberón *m*
feel [fiːl] *v/t* tocar, palpar;

sentir; experimentar; *v/i* sentirse, encontrarse; resultar (*al tacto*); ~ **for** buscar tentando; compadecerse de; **~er** tentáculo *m*; sondeo *m*; **~ing** tacto *m*; sentimiento *m*; sensación *f*
fell [fel] *s* pelo *m*, cuero *m*; páramo *m*; *a* feroz, cruel; *v/t* talar; cortar
fellow ['felәu] compañero *m*; camarada *m*; asociado *m*; *fam* tipo *m*, tío *m*; mozo *m*; ~ **being** prójimo *m*; ~ **citizen** conciudadano *m*; **~ship** compañerismo *m*; beca *f*; ~ **traveller** compañero *m* de viaje (*t fig y pol*)
felon ['felәn] reo *m*, criminal *m*; **~ious** [fi'lәunjәs] felón; **~y** delito *m* mayor, felonía *f*
felt [felt] fieltro *m*
female ['fi:meil] *a*, *s* hembra *f*
feminine ['feminin] femenino; femenil
fen [fen] aguazal *m*
fenc|e [fens] *s* valla *f*, cerca *f*; *v/t* cercar; guardar; *v/i* esgrimir; **~ing** esgrima *f*
fend [fend] (**off**) *v/t* parar; repeler; **~er** *aut* guardabarros *m*
ferment ['fә:ment] *s* fermento *m*; [fә(:)'ment] *v/i* fermentar; **~ation** fermentación *f*
fern [fә:n] helecho *m*
ferocity [fә'rɔsiti] ferocidad *f*
ferry ['feri] *s* transbordador *m*; *v/t*, *v/i* transportar en barco; **~man** barquero *m*
fertil|e ['fә:tail] fértil, fecundo; **~ity** [~'tiliti] fertilidad *f*; **~ize** ['~ilaiz] *v/t* fertilizar, *agr* abonar; **~izer** abono *m*
fervent ['fә:vәnt] fervoroso, ardiente
fester ['festә] *v/i* ulcerarse; supurar
festiv|al ['festәvәl] fiesta *f*; *mús* festival *m*; **~e** festivo; **~ity** [~'tiviti] festividad *f*, regocijo *m*
fetch [fetʃ] *v/t* ir a buscar; ir por; *v/i* venderse a (*cierto precio*); **~ing** atractivo
fetter ['fetә] *v/t* encadenar, trabar; *s* grillete *m*; grillos *m/pl*
feud [fju:d] lucha *f* encarnizada; *for* feudo *m*; **~alism** feudalismo *m*
fever ['fi:vә] fiebre *f*, calentura *f*; agitación *f*; **~ish** febril
few [fju:] *a*, *s* pocos(as); unos(as), algunos(as); **a** ~ unos(as) cuantos(as); **~er** menos
fiancé [fi'ɑ:nsei] novio *m*; **~e** novia *f*
fib [fib] mentirilla *f*
fibr|e ['faibә] fibra *f*; **~eglass** vidrio *m* fibroso; **~ous** fibroso
fickle ['fikl] inconstante
ficti|on ['fikʃәn] ficción *f*; novelas *f/pl*; **~tious** [~'tiʃәs] ficticio
fiddl|e ['fidl] *s* violín *m*; *v/i*

tocar el violín; ocuparse en fruslerías; **~er** violinista *m, f*; **~esticks!** ¡tonterías! **~ing** frívolo
fidelity [fi'deliti] fidelidad *f*
fidget ['fidʒit] *v/t* molestar; *v/i* inquietarse
field [fi:ld] campo *m*; **~-artillery** artillería *f* de campaña; **~ events** *dep* competencias *f/pl* de salto y lanzamiento; **~ glasses** gemelos *m/pl* de campaña; **~-gun** cañón *m* de campaña; **~-hospital** hospital *m* de sangre; **~ marshal** mariscal *m* de campo
fiend [fi:nd] demonio *m*, diablo *m*; **~ish** diabólico, malvado
fierce [fiəs] fiero, feroz; impetuoso
fiery ['faiəri] flameante, ardiente; *fig* apasionado
fifth [fifθ] quinto; **~ column** *pol* quinta columna *f*
fig [fig] higo *m*; **~-tree** higuera *f*
fight [fait] *s* lucha *f*; pelea *f*; *v/t* combatir; *v/i* luchar, pelear; **~er** guerrero *m*; avión *m* de caza; **~ing** lucha *f*, contienda *f*
figur|ative ['figjurətiv] figurado, metafórico; **~e** ['figə] *s* figura *f*; ilustración *f*; cifra *f*, número *m*; personaje *m*; *v/t* figurar, representar; imaginar; **~e out** explicarse, deducir; *v/i* aparecer; **~e skating** patinaje *m* artístico
file [fail] *s* lima *f*; carpeta *f*; archivo *m*; fila *f*, hilera *f*; *v/t* limar; clasificar; registrar; archivar
fill [fil] *v/t* llenar; rellenar; empastar (*diente*); **~ in** llenar, completar; *v/i* llenarse
fillet ['filit] filete *m*, solomillo *m*
filling ['filiŋ] relleno *m*; **~-station** estación *f* gasolinera, *SA* grifo *m*
filly ['fili] potranca *f*
film [film] *s* película *f*; membrana *f*; *v/t* filmar; rodar (*una escena, etc*); **~-star** estrella *f* de cine
filter ['filtə] *s* filtro *m*; *v/t* filtrar
filth [filθ] suciedad *f*; obscenidad *f*; **~y** sucio; obsceno
fin [fin] aleta *f*
final ['fainl] final, último; **~ly** finalmente, por último
financ|e [fai'næns] *s* finanzas *f/pl*, recursos *m/pl*; ciencia *f* financiera; *v/t* financiar; **~ing** financiación *f*, financiamiento *m*; **~ial** [~ʃəl] financiero; **~ier** [~siə] financiero *m*
finch [fintʃ] pinzón *m*
find [faind] *v/t* encontrar, hallar; descubrir; **~ out** averiguar; *s* hallazgo *m*; **~er** hallador *m*, descubridor *m*; **~ing** descubrimiento *m*, invención *f*; *for* fallo *m*, veredicto *m*
fine [fain] *a* fino; bello; puro; **I am ~** estoy muy

bien; **that is ~!** ¡de acuerdo!; *s* multa *f*; *v/t* multar; **~ry** ['~əri] aderezo *m*, galas *f/pl*

finger ['fiŋgə] *s* dedo *m* (*de la mano*); manecilla *f* (*del reloj*); *v/t* manosear, tocar; teclear; **~-nail** uña *f*; **~-prints** huellas *f/pl* dactilares

finish ['finiʃ] *s* fin *m*; término *m*; acabado *m*; *v/t* acabar, terminar; arruinar; *v/i* acabarse; **~ing touch** última mano *f*

Finnish ['finiʃ] *a*, *s* finlan- } dés(esa)

fir [fəː] abeto *m*; pino *m*

fire ['faiə] *s* fuego *m*; incendio *m*; pasión *f*; **to be on ~** arder; **to set on ~** incendiar; *v/t* encender; incendiar; *fig* inflamar, excitar; *fam* echar, despedir; *v/i* disparar, cargar; **~-arm** arma *f* de fuego; **~ brigade** cuerpo *m* de bomberos; **~ engine** bomba *f* de incendios; **~-escape** escalera *f* de salvamento; **~-insurance** seguro *m* contra incendios; **~man** bombero *m*; **~-place, ~-side** hogar *m*; **~-proof** a prueba de fuego; **~works** fuegos *m/pl* artificiales

firm [fəːm] *a* firme; *s* casa *f* comercial, firma *f*; **~ness** solidez *f*; firmeza *f*; constancia *f*

first [fəːst] *a* primero; delantero; primitivo; original; **~ of all** ante todo; **(the) ~** *s* (el) primero; **at ~** al principio; **~ aid** primeros auxilios *m/pl*; **~-aid kit** botiquín *m*; **~-born** primogénito; **~class** excelente, sobresaliente; **~ cousin** primo hermano *m*; **~-hand** de primera mano; **~ly** en primer lugar; **~ name** nombre *m* de pila; **~ night** *teat* estreno *m*; **~-rate** de primera (clase)

firth [fəːθ] brazo *m* de mar

fish [fiʃ] *s* pez *m*; peces *m/pl*; pescado *m*; **~ and chips** pescado con patatas fritas; *v/t*, *v/i* pescar; **~bone** espina *f* de pescado; **~erman** ['fiʃəmən] pescador *m*; **~ing rod** caña *f* de pescar; **~ing tackle** aparejo *m* de pesca; **~monger's** pescadería *f*; **~y** a pescado (*sabor, olor*); *fig* dudoso, sospechoso

fiss|ion ['fiʃən] fisión *f*; **~ure** ['fiʃə] *s* grieta *f*, hendedura *f*; *v/i* agrietarse

fit [fit] *a* apto; en buen estado físico; de buena salud; a propósito; propio; adecuado, digno; *s* ataque *m*; ajuste *m*; *v/t* acomodar, ajustar; **~ on** probar; **~ out** equipar; *v/i* ajustarse; corresponder; **~ness** aptitud *f*; buena salud *f*; **~ter** ajustador *m*; montador *m*; **~ting** *a* conveniente, digno; *s* ajuste *m*; prueba *f*; **~tings** guarniciones *f/pl*; herrajes *m/pl*

fix [fiks] *s* apuro *m*; *v/t* fijar; asegurar; arreglar; **~ up** arreglar; reparar; **~tures** instalaciones *f/pl*
flabbergasted ['flæbəgɑ:stid] atónito
flabby ['flæbi] flojo
flag [flæg] *s* bandera *f*; pabellón *m*; *v/t* embanderar; *v/i* flaquear; *fig* aflojar (*interés, etc*); **~pole** asta *f* de bandera; **~ship** capitana *f*; **~stone** losa *f*
flake [fleik] *s* escama *f*; copo *m* (*de nieve*); *v/i* descamarse; desprenderse en escamillas
flam|e [fleim] *s* llama *f*; fuego *m*; ardor *m*; *v/i* llamear, arder; **~e-thrower** lanzallamas *m*
flank [flæŋk] *s* lado *m*, costado *m*; flanco *m*; *v/t* estar a cada lado de; lindar con; *mil* flanquear
flannel ['flænl] franela *f*; **~s** pantalones *m/pl* de franela
flap [flæp] *s* faldilla *f*; solapa *f* (*del bolsillo*); tapa *f* (*del sobre*); aletazo *m*; palmada *f*; *v/i* aletear; sacudirse; *v/i* batir
flare [flɛə] *s* llamarada *f*; señal *f* luminosa; *v/i* fulgurar; brillar; **~ up** destellar; inflamarse
flash [flæʃ] *s* destello *m*; fogonazo *m* de cañón; instante *m*; *v/i* brillar; *v/t* blandir; *fam* ostentar; **~ bulb** *foto* lámpara *f* de destello; **~light** antorcha *f*, linterna *f* eléctrica; **~y** brillante; chillón, llamativo
flask [flɑ:sk] frasco *m*
flat [flæt] *a* llano, liso; insípido; apagado; *mús* bemol; *s* piso *m*, *SA* departamento *m*; **~ of the hand** palma *f* de la mano; **~ iron** plancha *f*; **~ten** *v/t* allanar, aplastar; *v/i* aplanarse
flatter ['flætə] *v/t* adular, lisonjear; **~ing** halagüeño; **~y** adulación *f*, zalamería *f*
flavo(u)r ['fleivə] *s* sabor *m*, gusto *m*; aroma *m*; *v/t* sazonar, aromatizar
flaw [flɔ:] falta *f*; defecto *m*; grieta *f*; **~less** sin tacha; entero
flax [flæks] lino *m*
flay [flei] *v/t* desollar
flea [fli:] pulga *f*; **~bite** picadura *f* de pulga
flee [fli:] *v/i* huir
fleec|e [fli:s] *s* vellón *m*; lana *f*; *v/t* esquilar; *fig* desplumar, pelar
fleet [fli:t] *s* flota *f*; *a* veloz; **~ing** fugaz
flesh [fleʃ] carne *f* viva; **~y** carnudo, grueso
flexible ['fleksəbl] flexible
flexitime ['fleksitaim] horario *m* flexible
flick [flik] *s* golpecito *m*; *v/t* quitar con un golpecito
flicker ['flikə] *s* llama *f* vacilante; *v/i* flamear; vacilar
flight [flait] huida *f*, fuga *f*; vuelo *m*; **~ of stairs** tramo *m* de escalera
flimsy ['flimzi] débil, frágil

flinch [flintʃ] *v/i* acobardarse, echarse atrás

fling [fliŋ] *v/t* arrojar, tirar; ~ **open** abrir de golpe (*puerta, etc*)

flint [flint] pedernal *m*; [piedra *f*]

flip [flip] *v/t* lanzar, echar

flippant [ˈflipənt] impertinente

flipper [ˈflipə] *ict* aleta *f*

flirt [flə:t] *s* coqueta *f*; galanteador *m*; *v/i* coquetear, flirtear, galantear; **~ation** coqueteo *m*, flirteo *m*

flit [flit] *v/i* volar, revolotear

float [fləut] *s* boya *f*; balsa *f*; *v/i* flotar

flock [flɔk] *s* manada *f*; rebaño *m* (*de ovejas*); *v/i* congregarse, afluir

flog [flɔg] *v/t* azotar, flagelar; **~ging** zurra *f*; paliza *f*

flood [flʌd] *s* inundación *f*; pleamar *f*; *fig* flujo *m*; torrente *m*; *v/t* inundar; *v/i* desbordar; **~-gate** compuerta *f* de esclusa; **~-light** luz *f* de faro; reflector *m*

floor [flɔ:] *s* suelo *m*; piso *m*; *v/t* solar; *fig* derribar, vencer

flop [flɔp] *s fig* fiasco *m*, fracaso *m*; *v/i* aletear; *fig* fracasar; ~ **down** desplomarse; echarse flojamente

florist [ˈflɔrist] florero *m*, florista *m*

flour [ˈflauə] harina *f*

flourish [ˈflʌriʃ] *v/t* embellecer; blandir; *v/i* florecer; prosperar; **~ing** próspero, floreciente

flow [fləu] *s* corriente *f*; flujo *m*; *v/i* correr, fluir

flower [ˈflauə] *s* flor *f*; **~-bed** macizo *m*; **~-bowl, ~-vase** florero *m*; **~-pot** tiesto *m*, maceta *f*

fluctuate [ˈflʌktjueit] *v/i* fluctuar

flu(e) [flu:] *fam* influenza *f*

fluent [ˈflu(:)ənt] fluido, fácil; fluente

fluff [flʌf] pelusa *f*, pelusilla *f*; **~y** mullido

fluid [ˈflu(:)id] fluido *m*; líquido *m*

flurry [ˈflʌri] ráfaga *f*, remolino *m* (*de viento*); tole *m*, agitación *f*

flush [flʌʃ] *a* parejo, igual; ~ **with money** adinerado; *s* rubor *m*, sonrojo *m*; flujo *m* rápido; *v/t* sonrojar; baldear; *v/i* fluir, brotar (*agua*); ruborizarse, ponerse colorado

fluster [ˈflʌstə] *s* agitación *f*, confusión *f*; *v/t* confundir

flut|e [flu:t] *s* flauta *f*; *arq* estría *f*; *v/t* acanalar; **~ist** flautista *m*

flutter [ˈflʌtə] *s* alboroto *m*, confusión *f*; aleteo *m*; palpitación *f*; *v/i* palpitar; aletear; agitarse

flux [flʌks] flujo *m*

fly [flai] *s* mosca *f*; bragueta *f*; cabriolé *m*; *v/i* volar; huir; ~ **into a rage** montar en cólera; **~catcher** papamoscas *m*; **~ing boat** hidroavión *m*; **~ing machi-**

ne máquina *f* voladora; **~ing squad** radiopatrulla *f*; **~ing time** tiempo *m* de vuelo; **~-wheel** volante *m*
foal [fəul] *s* potro *m*; *v/t*, *v/i* parir (*una yegua*)
foam [fəum] *s* espuma *f*; *v/i* espumar; **~y** espumoso
focus ['fəukəs] *s* foco *m*; *v/t* enfocar
foe [fəu] enemigo *m*
fog [fɔg] *s* niebla *f*; *fig* nebulosidad *f*; *v/t* obscurecer; **~gy** brumoso; *fig* nebuloso
foible ['fɔibl] punto *m* débil, flaqueza *f*
foil [fɔil] *s* hojuela *f*; *fig* contraste *m*; *v/t* frustrar
fold [fəuld] *s* pliegue *m*, arruga *f*; corral *m*, aprisco *m*; rebaño *m*; *v/t* doblar; cruzar (*brazos*); *v/i* doblarse, plegarse; **~er** carpeta *f*; folleto *m*; **~ing bed** cama *f* plegadiza; **~ing boat** bote *m* plegable; **~ing chair** silla *f* de tijera; **~ing door** puerta *f* plegadiza; **~ing screen** biombo *m*
foliage ['fəuliidʒ] follaje *m*, frondas *f/pl*
folk [fəuk] gente *f*; **~lore** ['~lɔ:] folklore *m*; tradiciones *f/pl*; **~s** *fam* parentela *f*; **~-song** canción *f* folklórica
follow ['fɔləu] *v/t*, *v/i* seguir; imitar; resultar; **~er** seguidor(a) *m* (*f*), partidario *m*; **~ing** *a* siguiente; *s* partidarios *m/pl*; séquito *m*
folly ['fɔli] locura *f*; extravagancia *f*
fond [fɔnd] cariñoso, afectuoso; **to be ~ of** estar encariñado con; ser aficionado a [ciar; mimar
fondle ['fɔndl] *v/t* acari-
food [fu:d] alimento *m*; provisiones *f/pl*; **~-stuffs** comestibles *m/pl*
fool [fu:l] *s* tonto(a) *m* (*f*); **to make a ~ of oneself** ponerse en ridículo; *v/t* engañar; *v/i* bromear, chancear; **~hardy** temerario, audaz; **~ish** tonto; imprudente; **~ishness** tontería *f*, disparate *m*; **~-proof** a prueba de impericia; infalible
foot [fut] pie *m*; pata *f* (*de animal*); **on ~** de pie; **to put one's ~ in it** meter la pata; **~ball** fútbol *m*; **~-baller** futbolista *m*; **~-board** estribo *m*; **~hold** lugar *m* firme; **~ing** pie *m*, base *f*; **~lights** candilejas *f/pl*; **~note** observación *f*; **~print** huella *f*; **~step** paso *m*, pisada *f*; **~wear** calzado *m*
for [fɔ:, fə] *prep* para, con destino a; por, a causa de; **~ good** para siempre; *conj* pues, porque
forbear [fɔ:'bεə] *v/t*, *v/i* abstenerse (de)
forbid [fə'bid] *v/t* prohibir, vedar; **~ding** prohibitivo; repulsivo; amenazante
force [fɔ:s] *s* fuerza *f*; *for* vigencia *f*; **by ~** a la fuerza; *v/t* forzar; violar; **~d land-**

ing *aer* aterrizaje *m* forzoso; **~ful** vigoroso, enérgico
forceps ['fɔ:seps] tenazas *f/pl*
forcible ['fɔ:səbl] forzoso; convincente [vadear]
ford [fɔ:d] *s* vado *m*; *v/t*
fore [fɔ:] delantero; **~arm** antebrazo *m*; **~boding** corazonada *f*; **~cast** *s* pronóstico *m*; *v/t* predecir; **~fathers** antepasados *m/pl*; **~finger** índice *m*; **~front** frente *f*; **~going** anterior; **~ground** primer plano *m*; **~head** ['fɔrid] frente *f*
foreign ['fɔrin] extranjero, exterior; **~ currency** divisas *f/pl*; **~er** extranjero(a) *m* (*f*); **♀ Office** Ministerio *m* de Relaciones Exteriores; **~ policy** política *f* exterior; **♀ Secretary** Ministro *m* de Relaciones Exteriores; **~ trade** comercio *m* exterior; **~ exchange** divisas *f/pl*, moneda *f* extranjera
fore|man ['fɔ:mən] capataz *m*; **~most** primero; **~see** *v/t* prever; **~sight** previsión *f*
fore|st ['fɔrist] *s* bosque *m*; *v/t* arbolar; **~stry** silvicultura *f*
fore|taste ['fɔ:teist] sabor *m* anticipado; **~thought** previsión *f*
forever [fə'revə] para siempre [cio *m*]
foreword ['fɔ:wə:d] prefa-
forfeit ['fɔ:fit] prenda *f*; multa *f*
forge [fɔ:dʒ] *s* fragua *f*; *v/t* fraguar; forjar; falsificar; **~ry** falsificación *f*
forget [fə'get] *v/t* olvidar; **~ful** olvidadizo; descuidado; **~-me-not** *bot* nomeolvides *f*
forgiv|e [fə'giv] *v/t* perdonar; **~eness** perdón *m*; **~ing** indulgente
fork [fɔ:k] *s* tenedor *m*; *agr* horca *f*; bifurcación *f* (*de caminos, etc*); *v/i* bifurcarse
forlorn [fə'lɔ:n] abandonado; desdichado
form [fɔ:m] *s* forma *f*; figura *f*; fórmula *f*; modales *m/pl*; banco *m*; clase *f*; *v/t* formar; constituir
formal ['fɔ:məl] formal; ceremonial; **~ity** [~'mæliti] formalidad *f*
formation [fɔ:'meiʃən] formación *f*
former ['fɔ:mə] *a* anterior; precedente; **the ~** *pron* ése *m*, ésa *f*; aquél *m*, aquélla *f*; **~ly** antiguamente, antes
formidable ['fɔ:midəbl] formidable
formulate ['fɔ:mjuleit] *v/t* formular
forsake [fə'seik] *v/t* dejar, abandonar [leza *f*]
fort [fɔ:t] fuerte *m*, forta-
forth [fɔ:θ] adelante, fuera; **~coming** próximo, venidero; **~with** en seguida
fortify ['fɔ:tifai] *v/t* fortificar
fortnight ['fɔ:tnait] quincena *f*; **~ly** quincenal

fortress ['fɔ:tris] fortaleza *f*, plaza *f* fuerte
fortunate ['fɔ:tʃnit] afortunado, feliz; **~ly** afortunadamente
fortune ['fɔ:tʃən] fortuna *f*
forward ['fɔ:wəd] *a* adelantado, delantero; *s dep* delantero *m*; *v/t* promover, fomentar; reenviar; **~s** adelante, hacia adelante
foster-|brother ['fɔstə-] hermano *m* de leche; **~ mother** madre *f* adoptiva; **~ sister** hermana *f* de leche
foul [faul] *a* sucio, asqueroso; vil; malo, desagradable; obsceno, grosero; *s dep* falta *f*; *v/t* ensuciar
found [faund] *v/t* fundar; *tecn* fundir; **~ation** fundación *f*; **~er** fundador *m*; **~ling** niño *m* expósito
fountain ['fauntin] fuente *f*, manantial *m*; surtidor *m*; **~-pen** pluma *f* estilográfica
four|fold ['fɔ:fəuld] cuádruple; **~footed** cuadrúpedo
fowl [faul] ave *f* (*de corral*)
fox [fɔks] zorro *m* (*t fig*); **~glove** *bot* dedalera *f*; **~y** *fig* astuto
fraction ['frækʃən] fracción *f*, fragmento *m*; **~al** fraccionario
fracture ['fræktʃə] *s* fractura *f*; *v/t*, *v/i* fracturar(se)
fragile ['frædʒail] frágil; quebradizo
fragment ['frægmənt] fragmento *m*
fragran|ce ['freigrəns] fragancia *f*; perfume *m*; **~t** fragante, aromático
frail [freil] delicado, frágil; débil; **~ty** debilidad *f*, flaqueza *f*
frame [freim] *s* marco *m*; armazón *f*, *m*; estructura *f*; cuerpo *m*; *v/t* formar; formular; enmarcar; **~-house** casa *f* de madera
franchise ['fræntʃaiz] sufragio *m*; derecho *m* político
frank [fræŋk] franco, abierto
frankfurter ['fræŋkfətə] salchicha *f* alemana
frantic ['fræntik] frenético, furioso
fratern|al [frə'tə:nl] fraternal; **~ity** fraternidad *f*
fraud [frɔ:d] fraude *m*, timo *m*; **~ulent** fraudulento
fray [frei] *s* refriega *f*, riña *f*; *v/i* desgastarse
freak [fri:k] rareza *f*; monstruosidad *f*; tipo *m* excéntrico
freckle ['frekl] peca *f*
free [fri:] *a* libre; liberal; gratuito; **~ and easy** despreocupado; **~ on board** (f o b) franco a bordo; *v/t* liberar, libertar; eximir; desembarazar; **~booter** filibustero *m*; **~dom** libertad *f*; inmunidad *f*; **~ly** sin reserva; libremente; **~mason** francmasón *m*; **~ port** puerto *m* franco; **~ time** ratos *m/pl* perdidos;

~ **trade** librecambio *m*; ~ **will** libre albedrío *m*
freez|e [fri:z] *v/t* helar, congelar; *v/i* congelarse; *fig* helarse; **~er** congelador *m*; refrigerador *m*; **~ing point** punto *m* de congelación
freight [freit] *s* flete *m*; carga *f*; *v/t* cargar; fletar; **~er** buque *m* de carga
French [frentʃ] *a*, *s* francés; **the ~** los franceses *m/pl*; **~man** francés *m*; **~ window** puerta *f* ventana; **~woman** francesa *f*
frequen|cy ['fri:kwənsi] frecuencia *f*; **~t** frecuente
fresh [freʃ] fresco; nuevo; **~man** estudiante *m* del primer año; **~ness** frescura *f*; **~ water** agua *f* dulce
fret [fret] *v/t* rozar, raer; **~ful** irritable, enojadizo; **~fully** de mala gana
friar ['fraiə] fraile *m*
friction ['frikʃən] fricción *f*; *fig* rozamiento *m*
Friday ['fraidi] viernes *m*
fridge [fridʒ] *fam* refrigeradora *f*
friend [frend] amigo(a) *m* (*f*); **to make ~s** trabar amistades; **~ly** amistoso; **~ship** amistad *f*
fright [frait] susto *m*, espanto *m*; **~en** *v/t* asustar, espantar; **~en away** ahuyentar; **~ful** espantoso, terrible
frigid ['fridʒid] helado; *fig* indiferente, hostil; *med* frígido
frill [fril] faralá *m*, volante *m*
fringe [frindʒ] fleco *m*; borde *m*; periferia *f*; grupo *m* marginal
frisk [frisk] *v/i* brincar; cabriolar; **~y** juguetón, retozón
fritter ['fritə]: **~ away** desperdiciar
fro [frəu] atrás; **to and ~** de una parte a otra
frock [frɔk] batín *m*; vestido *m*
frog [frɔg] rana *f*
frolic ['frɔlik] juego *m*, retozo *m*
from [frɔm, frəm] de, desde; **~ day to day** de día en día
front [frʌnt] *s* frente *f*; fachada *f*; **in ~ of** delante de; *a* delantero; frontero; **~ door** puerta *f* principal; **~ier** ['~iə] frontera *f*; **~ page** primera plana *f*; **~ seat** asiento *m* delantero
frost [frɔst] *s* helada *f*; escarcha *f*; *v/t* congelar; cubrir con escarcha; escarchar (*pasteles, etc*)
froth [frɔθ] espuma *f*
frown [fraun] *s* ceño *m*; *v/i* fruncir el entrecejo; **~ing** ceñudo
frozen ['frəuzn] congelado, helado
frugal ['fru:gəl] frugal, sobrio
fruit [fru:t] fruta *f*; fruto *m*; producto *m*, resultado *m*; **~erer** frutero *m*; **~ful** provechoso; **~less** infructuoso
frustrate [frʌs'treit] *v/t* frustrar; defraudar

fry [frai] *s* fritada *f*; pececillos *m/pl*; **small ~** gentecilla *f*; *v/t, v/i* freír(se); **~ing-pan** sartén *f*
fuel [fjuəl] combustible *m*
fugitive [ˈfjuːdʒitiv] *a* fugitivo; fugaz; *s* fugitivo *m*; prófugo *m*
fulfil(l) [fulˈfil] *v/t* cumplir; realizar; **~ment** cumplimiento *m*; satisfacción *f*
full [ful] lleno, repleto; completo; máximo; pleno; **~-length** de cuerpo entero; **~ness** plenitud *f*; **~-stop** punto *m* final; **~-time** de jornada completa; **~y** completamente; plenamente
fumble [ˈfʌmbl] *v/t, v/i* manosear *o* tentar torpemente
fume [fjuːm] *s* tufo *m*; emanación *f*; humo *m*; *v/i* humear; *fig* echar rayos
fun [fʌn] diversión *f*; alegría *f*; **for ~, in ~** en broma; **to make ~ of** burlarse de
function [ˈfʌŋkʃən] función *f*, ocupación *f*; **~al** funcional; **~ary** funcionario *m*
fund [fʌnd] fondo *m*; reserva *f*; **~s** fondos *m/pl*; medios *m/pl*
fundamental [fʌndəˈmentl] fundamental, esencial
funeral [ˈfjuːnərəl] entierro *m*; **~ service** funerales *m/pl*
funnel [ˈfʌnl] embudo *m*; *mar* chimenea *f*
funny [ˈfʌni] gracioso; raro
fur [fəː] piel *f*; pelo *m*; **~-coat** abrigo *m* de pieles
furious [ˈfjuəriəs] furioso
furl [fəːl] *v/t* enrollar
furnace [ˈfəːnis] horno *m*; calorífero *m*
furni|sh [ˈfəːniʃ] *v/t* amueblar; suministrar; **~ture** [ˈfəːnitʃə] muebles *m/pl*
furrow [ˈfʌrəu] surco *m*; arruga *f*
furth|er [ˈfəːðə] *a* más distante; adicional; *adv* más allá; además; *v/t* fomentar; **~ermore** además; *for* otrosí; **~est** más lejano, más distante
furtive [ˈfəːtiv] furtivo, secreto
fury [ˈfjuəri] furia *f*, rabia *f*
fuse [fjuːz] *s* espoleta *f*; *elec* fusible *m*; *v/t, v/i* fundir(se)
fuselage [ˈfjuːzilɑːʒ] *aer* fuselaje *m*
fusion [ˈfjuːʒən] fusión *f*
fuss [fʌs] *s* agitación *f*; nerviosidad *f*; *v/i* agitarse por bagatelas
futile [ˈfjuːtail] fútil
future [ˈfjuːtʃə] *a* futuro, venidero; *s* futuro *m*, porvenir *m*

G

gab [gæb] *fam* parloteo *m*; **to have the gift of the ~** tener mucha labia
gable ['geibl] *arq* gablete *m*
gad-fly ['gædflai] tábano *m*
gadget ['gædʒit] aparato *m*; artefacto *m*
gag [gæg] *s* mordaza *f*; *teat* morcilla *f*; *v/t* amordazar
ga|iety ['geiəti] alegría *f*; alborozo *m*; **~ily** alegremente
gain [gein] *s* ganancia *f*; beneficio *m*; *v/t* ganar, conseguir, lograr; *v/i* ganar; adelantar (*reloj*)
gait [geit] marcha *f*, paso *m*
gale [geil] viento *m* fuerte, ventarrón *m*
gall [gɔ:l] hiel *f*; bilis *f*; *fig* amargura *f*; *bot* agalla *f*
gallant ['gælənt] valiente; galante; **~ry** valentía *f*, valor *m*; galantería *f*
gallery ['gæləri] galería *f*; *teat* paraíso *m*
galley ['gæli] galera *f*; **~ proof** *impr* galerada *f*
gallon ['gælən] galón *m* (*ingl*: 4,5 *litros*; *EU*: 3,8 *litros*)
gallop ['gæləp] *s* galope *m*; *v/i* galopar
gallows ['gæləuz] horca *f*
galore [gə'lɔ:] en abundancia
gambl|e ['gæmbl] *s* jugada *f* arriesgada; *v/t* apostar; *v/i* jugar al azar; **~er** jugador *m*; tahúr *m*
game [geim] *s* juego *m*; partida *f* (*de naipes*); partido *m* (*de fútbol, etc*); caza *f*; carne *f* salvajina; **~keeper** guardabosque *m*
gander ['gændə] ganso *m*
gang [gæŋ] banda *f*; pandilla *f*; cuadrilla *f*; **~ up** *v/i* agruparse; **~leader** cabecilla *m*
gangster ['gæŋstə] pistolero *m*, pandillero *m*
gangway ['gæŋwei] pasillo *m*; *mar* portalón *m*
gaol [dʒeil] cárcel *f*, prisión *f*; **~er** carcelero *m*
gap [gæp] abertura *f*; brecha *f*; vacío *m*
gap|e [geip] *v/i* estar con la boca abierta; **~ing** boquiabierto; abismal
garage ['gærɑ:dʒ] *s* garaje *m*; *v/t* guardar en un garaje
garbage ['gɑ:bidʒ] basura *f*
garden ['gɑ:dn] *s* jardín *m*; huerto *m*; huerta *f*; *v/t*, *v/i* cultivar; **~er** jardinero *m*; **~ing** jardinería *f*
gargle ['gɑ:gl] *s* gargarismo *m*; *v/i* hacer gárgaras, gargarizar
garland ['gɑ:lənd] guirnalda *f*
garlic ['gɑ:lik] ajo *m*
garment ['gɑ:mənt] prenda *f* de vestir
garnish ['gɑ:niʃ] *v/t* adornar, guarnecer
garret ['gærət] buhardilla *f*, desván *m*

garrison ['gærisn] *s* guarnición *f*
garter ['gɑ:tə] liga *f*; **Order of the** ♀ Orden *f* de la Jarretera
gas [gæs] *s* gas *m*; *Am* gasolina *f*; *v/t* gasear; **~eous** ['~jəs] gaseoso; **~-mask** careta *f* antigás; **~olene** gasolina *f*
gasp [gɑ:sp] *v/i* boquear; jadear; quedar boquiabierto; *s* boqueada *f*
gas|-stove ['gæsstəuv] cocina *f* de gas; **~-works** fábrica *f* de gas
gate [geit] puerta *f*, portal *m*; taquilla *f*; **~keeper** portero *m*; **~way** puerta *f*, entrada *f*
gather ['gæðə] *v/t* recoger; reunir; deducir; cobrar (*velocidad, fuerzas, etc*); *v/i* reunirse, congregarse; **~ing** reunión *f*; agrupación *f*
gaudy ['gɔ:di] llamativo, chillón
ga(u)ge [geidʒ] *s* medida *f*; calibre *m*; *f c* trocha *f*; *mec* calibrador *m*; *v/t* medir; calibrar; estimar
gaunt [gɔ:nt] flaco; sombrío
gauze [gɔ:z] gasa *f*
gay [gei] alegre; jovial, festivo; vistoso; de colores vivos
gaze [geiz] *s* mirada *f* fija; *v/i* mirar fijamente; contemplar
gear [giə] *s* prendas *f/pl*; equipo *m*; pertrechos *m/pl*; *mar* aparejo *m*; *mec* engranaje *m*; transmisión *f*; *aut* velocidad *f*; **in ~** engranado; *v/t* equipar; *mec* engranar, embragar; **~box** caja *f* de engranajes; **~shift** cambio *m* de velocidades
gem [dʒem] gema *f*; *fig* joya *f*
gender ['dʒendə] *gram* género *m*
general ['dʒenərəl] *a* general; corriente; vago; *mar, com* **~ average** avería *f* gruesa; *s* general *m*; **in ~** en general, generalmente; **~ize** *v/i* generalizar; **~ly** generalmente
generat|e ['dʒenəreit] *v/t* engendrar; procrear; producir; *elec* generar; **~ion** generación *f*; **~or** generador *m*
genero|sity [dʒenə'rɔsiti] generosidad *f*; **~us** ['dʒenərəs] generoso
genial ['dʒi:njəl] afable; suave
genitive ['dʒenitiv] genitivo *m*
genius ['dʒi:njəs] genio *m*
gentle ['dʒentl] suave, dulce; manso; cortés, fino; bien nacido, noble; **~man** caballero *m*; señor *m*; **~manlike** caballeroso; **~ness** bondad *f*; mansedumbre *f*; dulzura *f*; **~woman** señora *f*, dama *f*
gentry ['dʒentri] gente *f* bien nacida; alta burguesía *f*
genuine ['dʒenjuin] genuino, auténtico

geography [dʒi'ɔgrəfi] geografía *f*
geolog|ist [dʒi'ɔlədʒist] geólogo *m*; **~y** geología *f*
geometry [dʒi'ɔmitri] geometría *f*
germ [dʒə:m] germen *m*; **~ warfare** guerra *f* bacteorológica
German ['dʒə:mən] *a, s* alemán(ana) *m* (*f*); **~y** Alemania *f*
germinate ['dʒə:mineit] *v/i* germinar
gerund ['dʒerənd] gerundio *m*
gest|iculate [dʒes'tikjuleit] *v/i* gesticular; **~ure** ['dʒestʃə] gesto *m*
get [get] *v/t* conseguir, lograr; obtener; recibir; traer; aprender; comprender; *v/i* volverse, ponerse; **~ about** andar; viajar; **~ along** marcharse; progresar; llevarse bien; **~ away** escaparse; **~ back** *v/i* volver; *v/t* recobrar, recuperar; **~ down** bajar; **~ in** entrar; subir; **~ lost** perderse; **~ on** progresar; subir; **~ on with** congeniar con, llevarse bien con; **~ out** salir; *interj* ¡fuera!; ¡largo de aquí!; **~ ready** prepararse; **~ rid of** librarse de; **~ up** levantarse; **have got** poseer, tener; **have go to ...** tener que, deber ...
geyser ['gaizə] géiser *m*; ['gi:zə] calentador *m*
ghastly ['gɑ:stli] horrible, espantoso; lívido
gherkin ['gə:kin] pepinillo *m*
ghost [gəust] fantasma *m*; espectro *m*; **to give up the ~** rendir el alma; **~ly** espectral; espiritual
giant ['dʒaiənt] gigante *m*
gibbet ['dʒibit] horca *f*
gibe [dʒaib] *v/i, v/t* mofarse (de)
giblets ['dʒiblits] menudillos *m/pl*
giddy ['gidi] mareado; vertiginoso; *fig* casquivano
gift [gift] regalo *m*; dádiva *f*; don *m*, dote *f*, talento *m*; **~ed** talentoso, dotado
gigantic [dʒai'gæntik] gigantesco
giggle ['gigl] *s* risita *f* tonta; *v/i* reírse tontamente
gild [gild] *v/t* dorar
gin [dʒin] *s* ginebra *f*; (*caza*) trampa *f*; despepitadora *f*, *SA* desmotadora *f*
ginger ['dʒindʒə] *s* jengibre *m*; *fam* brío *m*, vivacidad *f*; *a* pelirrojo; **~bread** pan *m* de jengibre; **~ly** cautelosamente; delicadamente
gipsy ['dʒipsi] *a, s* gitano(a) *m* (*f*)
giraffe [dʒi'rɑ:f] jirafa *f*
gird [gə:d] *v/t* ceñir; **~er** viga *f* maestra; **~le** ['gə:dl] *s* cinturón *m*; faja *f*; *v/t* cercar; ceñir
girl [gə:l] muchacha *f*; chica *f*; moza *f*; **~hood** doncellez *f*; **~ish** de niña

girth [gə:θ] cincha *f*; circunferencia *f*
give [giv] *v/t* dar; causar (*enfermedad*); indicar (*temperatura, etc*); ~ **away** regalar; revelar; ~ **back** devolver; restituir; ~ **birth to** dar a luz; ~ **up** renunciar a; ~ **oneself up** rendirse, entregarse; ~**n to** adicto a; propenso a; *v/i* dar, hacer regalos; ceder; ~ **in** ceder, asentir
glaci|al ['gleisjəl] glacial; ~**er** ['glæsjə] glaciar *m*; ventisquero *m*
glad [glæd] contento, alegre; **to be** ~ alegrarse; estar contento; ~**ly** gustosamente; ~**ness** alegría *f*, regocijo *m*
glamo(u)r ['glæmə] encanto *m*; ~**ous** encantador
glance [glɑ:ns] *s* mirada *f*; vistazo *m*; **at the first** ~ a primera vista; *v/i* echar un vistazo; ~ **at** dar un vistazo a
gland [glænd] glándula *f*
glare [glɛə] *s* relumbrón *m*; mirada *f* feroz; *v/i* relumbrar; ~ **at** mirar con ira
glass [glɑ:s] *s* cristal *m*; vidrio *m*; vaso *m*; espejo *m*; barómetro *m*; catalejo *m*; ~**es** anteojos *m/pl*; *a* de cristal, de vidrio; ~**house** invernadero *m*; ~**y** vítreo, cristalino; vidrioso (*ojos, etc*)
glaz|e [gleiz] *s* barniz *m*; *v/t* barnizar; lustrar; poner vidrios a (*una ventana*); ~**ier** ['~jə] vidriero *m*
gleam [gli:m] *s* destello *m*; viso *m*, centelleo *m*; *v/i* brillar, centellear
glee [gli:] júbilo *m*
glen [glen] hocino *m*
glib [glib] suelto de lengua
glide [glaid] *s* deslizamiento *m*; *v/i* deslizarse; *aer* planear; ~**r** *aer* planeador *m*
glimmer ['glimə] *s* vislumbre *f*; *fig* rastro *m*; *v/i* rielar, brillar
glimpse [glimps] *s* ojeada *f*, vista *f* fugaz; *v/t* vislumbrar
glint [glint] *s* destello *m*; *v/i* destellar [brillar]
glisten ['glisn] *v/i* relucir,
glitter ['glitə] *s* brillo *m*, centelleo *m*; *v/i* brillar, centellear; chispear, rutilar
glob|al ['gləubl] mundial; global; globoso; ~**e** globo *m*; ~**e trotter** trotamundos *m, f*
gloom [glu:m] lobreguez *f*; tristeza *f*; ~**y** obscuro, tenebroso; triste, abatido
glor|ify ['glɔ:rifai] *v/t* glorificar, enaltecer; ~**ious** glorioso; espléndido
gloss [glɔs] *s* lustre *m*, brillo *m*; glosa *f*; ~**ary** ['~əri] glosario *m*; ~**y** brillante, satinado
glove [glʌv] guante *m*; **to be hand in** ~ ser carne y uña
glow [gləu] *s* incandescencia *f*; calor *m*; color *m* subi-

do; *v/i* brillar, fulgurar; **~-worm** luciérnaga *f*
glue [glu:] *s* cola *f*; goma *f*; *v/t* pegar, encolar
glutt|on ['glʌtn] glotón *m*, tragón *m*; **~onous** glotón, voraz; **~ony** glotonería *f*, gula *f*
gnarled [nɑ:ld] nudoso
gnash [næʃ] *v/t* hacer rechinar (*dientes*)
gnat [næt] mosquito *m*
gnaw [nɔ:] *v/t* roer
go [gəu] *v/i* ir; irse; andar; funcionar; pasar, correr (*el tiempo*); alcanzar; **~ ahead** proseguir; **~ away** irse, marcharse; **~ back** regresar; **~ between** mediar; **~ by** pasar (por); **~ for** ir a buscar, ir por; **~ home** volver a casa; **~ in for** dedicarse a; **~ into** entrar en; dedicarse a; investigar; **~ off** irse; dispararse; **~ on** seguir, continuar; **~ out** salir; extinguirse; apagarse; **~ through** pasar por; registrar, examinar; **~ to bed** acostarse; **~ to school** ir al colegio; matricularse en la escuela; **to be ~ing to** ir a (*hacer*); **~ under** hundirse; perderse; **~ without** pasarse sin; *s* energía *f*, fuerza *f*; empuje *m*; **it is no ~** es inútil; **on the ~** en actividad; activo
goad [gəud] *s* aguijón *m*; *v/t* aguijonear; estimular, incitar
goal [gəul] meta *f*, gol *m*; **~-keeper** guardameta *m*, portero *m*
goat [gəut] cabra *f*; chivo *m*
go-between ['gəu-bitwi:n] mediador(a) *m* (*f*)
goblet ['gɔblit] copa *f*
goblin ['gɔblin] duende *m*
God [gɔd] Dios *m*; ♀ deidad *f*, dios *m*; **~ forbid!** ¡por Dios!; ¡no quiera Dios!
god|child ahijado(a) *m* (*f*); **~dess** diosa *f*; **~father** padrino *m*; **~less** ateo; **~lessness** ateísmo *m*; impiedad *f*; **~like** deiforme; divino; **~mother** madrina *f*; **~parents** padrinos *m/pl*
goggles ['gɔglz] gafas *f/pl* protectoras
going ['gəuiŋ] ida *f*, partida *f*
gold [gəuld] oro *m*; **~-digger** buscador *m* de oro; *fig* explotadora *f* de hombres; **~en** de oro; **~fish** carpa *f* de color; **~-leaf** pan *m* de oro; **~-plated** de plaqué; **~smith** orfebre *m*
golf [gɔlf] golf *m*; **~ course, ~ link** campo *m* de golf; **~er** jugador *m* de golf
gone [gɔn] ido; perdido, arruinado; pasado; muerto
good [gud] *a* bueno; válido; **as ~ as** tan bueno como; casi; **a ~ deal** mucho; **~ afternoon** buenas tardes; **~ at** hábil en; **~ breeding** buena educación *f*; **~bye** adiós *m*; **~-for-nothing** haragán *m*; ♀ **Friday** Viernes *m* Santo; **in**

~ **time** a tiempo; **it's no ~** no vale para nada, es inútil; **~looking** guapo; **~ luck!** ¡buena suerte!; **~ morning** buenos días; **~-natured** bondadoso; **~ness** bondad *f*; benevolencia *f*; **~ness gracious!** ¡santo Dios!; **~ turn** favor *m*

goods [gudz] bienes *m/pl*; **~ train** tren *m* de mercancías

goodwill ['gud'wil] *com* clientela *f*; crédito *m*

goose [gu:s] ganso *m*; **~-berry** ['guzbəri] uva *f* espina; **~-flesh** *fig* carne *f* de gallina

gorge [gɔ:dʒ] *s anat, geog* garganta *f*; *v/t* engullir; *v/i* hartarse; **~ous** ['~əs] magnífico, hermosísimo; encantador

gosh! [gɔʃ] ¡Dios!

gospel ['gɔspəl] evangelio *m*

gossip ['gɔsip] *s* chismorreo *m*; chisme *m*; *v/i* chismear, murmurar

Gothic ['gɔθik] gótico

gourd [guəd] calabaza *f*

gout [gaut] gota *f*; **~y** gotoso

govern ['gʌvən] *v/t* gobernar; dirigir; regir, guiar; *v/i* gobernar; **~ess** aya *f*, institutriz *f*; **~ing board** junta *f* directiva; **~ment** gobierno *m*; *gram* régimen *m*; **~or** gobernador *m*; director *m*; *fam* padre *m*; jefe *m*

gown [gaun] vestido *m* de mujer; toga *f*; bata *f*

grab [græb] *v/t* agarrar; arrebatar

grace [greis] *s* gracia *f*; *relig* bendición *f*; *mus* nota *f* de adorno; ♀ alteza *f*; **to say ~** bendecir la mesa; *v/t* agraciar; favorecer; **~ful** gracioso

gracious ['greiʃəs] benigno; grato, ameno; **good ~!** ¡válgame Dios!; **~ness** afabilidad *f*

grad|e [greid] *s* grado *m*; pendiente *f*; *v/t* graduar; nivelar; *v/i* graduarse; **~ient** ['~jənt] pendiente *f*; rampa *f*; **~ual** ['grædʒuəl] gradual; **~uate** ['grædjueit] *v/t, v/i* graduar(se); ['~dʒuət] *s* graduado *m*; **~uation** [~dju'eiʃən] graduación *f*

graft [grɑ:ft] *s* injerto *m*; soborno *m*; *v/i* injertar; transferir

grain [grein] *s* grano *m*; (*de tejido*) fibra *f*; cereales *m/pl*; **against the ~** a contrapelo; *v/t* granular, granear

gramm|ar ['græmə] gramática *f*; **~ar school** instituto *m* de enseñanza media; **~atical** [grə'mætikəl] gramático

gramme [græm] gramo *m*

gramophone ['græməfəun] gramófono *m*

grand [grænd] grande, ilustre; magnífico; **~daughter** ['~ndɔ:tə] nieta *f*; **~eur** ['~ndʒə] grandeza *f*; **~-father** ['~df~] abuelo *m*; **~father(s) clock** reloj *m* de

péndulo; **~ma** ['~nmɑ:] abuelita *f*; **~mother** ['~nm~] abuela *f*; **~pa** ['~npɑ:] abuelito *m*; **~-parents** ['~np~] abuelos *m/pl*; **~son** nieto *m*; **~stand** tribuna *f* principal
granny ['græni] *fam* abuelita *f*
grant [grɑ:nt] *s* concesión *f*; otorgamiento *m*; donación *f*; *v/t* conceder, otorgar; permitir; **to take for ~ed** dar por sentado, tener por seguro
granulated ['grænjuleitid] **sugar** azúcar *m* granulado
grape [greip] uva *f*; **~fruit** pomelo *m*; toronja *f*; **~shot** metralla *f*
graph [græf] gráfica *f*; **~ic** gráfico
grasp [grɑ:sp] *v/t* empuñar, asir; agarrar; *s* asimiento **~ing** codicioso
grass [grɑ:s] hierba *f*; yerba *f*; césped *m*; **~hopper** saltamontes *m*
grate [greit] *s* parrilla *f* de hogar; reja *f*; *v/t* rallar; enrejar; *v/i* **~ on** *fig* irritar
grateful ['greitful] agradecido, reconocido; **~ness** agradecimiento *m*
grati|fication [grætifi'keiʃən] gratificación *f*; satisfacción *f*; **~fy** ['~fai] *v/t* satisfacer, complacer
grating ['greitiŋ] *s* verja *f*, reja *f*; *a* áspero; irritante
gratitude ['grætitju:d] gratitud *f*
gratuit|ous [grə'tju(:)itəs] gratuito; **~y** gratificación *f*
grave [greiv] *a* grave, serio; importante; *s* tumba *f*, sepultura *f*; **~-digger** sepulturero *m*
gravel ['grævəl] grava *f*
graveyard ['greivjɑ:d] cementerio *m*
gravitation [grævi'teiʃən] gravitación *f*
gravity ['græviti] gravedad *f*
gravy ['greivi] jugo *m* de carne; salsa *f*
gray [grei] *Am* gris
graz|e [greiz] *v/t* apacentar; rozar; *v/i* pastar, pacer; **~ing** pasto *m*; **~ing-land** dehesa *f*
greas|e [gri:s] *f* grasa *f*; lubricante *m*; [~z] *v/t* engrasar, lubricar; untar; **~y** ['~zi] grasiento, pringoso
great [greit] grande; grandioso; largo; principal; **a ~ deal** mucho; **a ~ many** muchos(as); **~-aunt** tía *f* abuela; **~est** mayor, máximo; **~-grandfather** bisabuelo *m*; **~-grandmother** bisabuela *f*; **~ly** mucho; muy; **~ness** grandeza *f*
greed [gri:d] gula *f*; voracidad *f*; codicia *f*, avidez *f*; **~y** voraz, tragón; ávido
Greek [gri:k] *a*, *s* griego(a) *m* (*f*)
green [gri:n] *a* verde; fresco; *s* pradera *f*; césped *m*; **~grocer** verdulero *m*; **~horn** tirón *m*; **~house** in-

vernadero *m*; **~s** verduras *f/pl*; hortalizas *f/pl*
greet [gri:t] *v/t* saludar; **~ing** saludo *m*
grenade [gri'neid] granada *f*
grey [grei] gris; **~-haired** canoso; **~hound** galgo *m*; **~ish** pardusco
grid [grid] *s* rejilla *f*; **~iron** parrilla *f*
grie|f [gri:f] *s* pesar *m*; pena *f*; desgracia *f*; **to come to ~f** fracasar; **~vance** agravio *m*; motivo *m* para quejarse; **~ve** *v/t* afligir; *v/i* apenarse; **~vous** penoso; doloroso; grave
grill [gril] *s* parrilla *f*; *v/t* asar a la parrilla
grim [grim] ceñudo, torvo; sombrío; severo
grimace [gri'meis] mueca *f*
grim|e [graim] suciedad *f*; mugre *f*; **~y** sucio, mugriento
grin [grin] *s* sonrisa *f*; mueca *f*; *v/i* sonreír forzadamente; hacer una mueca
grind [graind] *v/t* moler; triturar; afilar; hacer rechinar (*los dientes*); **~stone** amoladera *f*
grip [grip] *s* apretón *m*; agarro *m*; *v/t* apretar, agarrar
gripes [graips] cólico *m*
grisly ['grizli] espantoso, horrible
grit [grit] arena *f*, cascajo *m*; coraje *m*
groan [grəun] *s* gemido *m*; quejido *m*; *v/i* gemir
grocer ['grəusə] especiero *m*, abacero *m*; **~y** especiería *f*; tienda *f* de comestibles; *Am* bodega *f*
groin [grɔin] ingle *f*
groom [grum] *s* mozo *m* de cuadra; novio *m*; *v/t* cuidar
groove [gru:v] *s* ranura *f*, surco *m*; *v/t* acanalar
grope [grəup] *v/t*, *v/i* tentar; andar a tientas
gross [grəus] *a* grueso; denso; basto; grosero; obsceno; *com* bruto; *s* gruesa *f* (*doce docenas*); **~ly** excesivamente; groseramente
ground [graund] *s* suelo *m*, tierra *f*; causa *f*; fondo *m*; *v/t* fundar; *v/i* *mar* encallar; **~ control** *aer* control *m* desde tierra; **~floor** planta *f* baja; **~less** sin fundamento; **~nut** cacahuete *m*; **~s** terreno *m*; heces *f/pl*; **~work** cimientos *m/pl*
group [gru:p] *s* grupo *m*; *v/t*, *v/i* agrupar(se)
grove [grəuv] soto *m*; arboleda *f*
grow [grəu] *v/t* cultivar; *v/i* crecer; volverse; **~ dark** obscurecer; **~ fat** engordar; **~ old** envejecer; **~ up** crecer; salir de la niñez; **~er** cultivador *m*; **~ing** *a* creciente; *s* cultivo *m*; crecimiento *m*
growl [graul] *s* gruñido *m*; *v/i* gruñir

grown-up [ˈgrəunʌp] adulto
growth [grəuθ] crecimiento *m*; desarrollo *m*; vegetación *f*; *med* tumor *m*
grub [grʌb] *s* larva *f*; gusano *m*; *v/t*, *v/i* desarraigar, desyerbar; **~by** sucio; desaliñado
grudg|e [grʌdʒ] *s* rencor *m*; inquina *f*; *v/t* envidiar; escatimar; **~ingly** de mala gana
gruel [gruəl] gachas *f/pl*
gruff [grʌf] áspero; ceñudo
grumble [ˈgrʌmbl] *s* refunfuño *m*; *v/i* refunfuñar, regañar; **~r** gruñón *m*
grunt [grʌnt] *s* gruñido *m*; *v/i* gruñir
guarant|ee [gærənˈtiː] *s* garantía *f*; *v/t* garantizar, responder por; **~or** [~ˈtɔ] garante *m*; fiador *m*; **~y** [ˈgærənti] garantía *f*; fianza *f*
guard [gɑːd] *s* guarda *m*, *f*; *mil* guardia *m*; centinela *m*, *f*; *f c* conductor *m*; protección *f*; **off ~** desprevenido; **on ~** en guardia; *v/t*, *v/i* guardar, proteger; custodiar; **~ian** guardián *m*; *for* tutor *m*; **~ianship** tutela *f*; **2s** *Ingl* cuerpo *m* de guardia
guess [ges] *s* suposición *f*, conjetura *f*; *v/t*, *v/i* suponer, conjeturar
guest [gest] huésped(a) *m* (*f*)
guid|ance [ˈgaidəns] *s* gobierno *m*, dirección *f*; **~e** guía *m*, *f*; *v/t* guiar, conducir; **~e-book** guía *f* del viajero
guild [gild] gremio *m*; **2hall** Ayuntamiento *m* (*en Londres*)
guileless [ˈgaillis] inocente, cándido
guilt [gilt] culpa *f*, culpabilidad *f*; **~less** inocente; **~y** culpable
guinea-pig [ˈginipig] conejillo *m* de Indias
guise [gaiz] apariencia *f*; pretexto *m*
guitar [giˈtɑː] guitarra *f*
gulf [gʌlf] golfo *m*, bahía *f*
gull [gʌl] gaviota *f*
gull|et [ˈgʌlit] esófago *m*; gaznate *m*; **~y** barranca *f*
gulp [gʌlp] *s* trago *m*; *v/t* tragar; **~ down** engullir
gum [gʌm] goma *f*; *v/t* engomar; **~s** encías *f/pl*
gun [gʌn] *s* fusil *m*; cañón *m*; *Am fam* revólver *m*, pistola *f*; **~man** bandido *m*, pistolero *m*; **~-metal** bronce *m* de cañón; **~ner** artillero *m*; **~powder** pólvora *f*; **~smith** armero *m*
gurgle [ˈgəːgl] *s* gorgoteo *m*; *v/i* gorgotear
gush [gʌʃ] *s* chorro *m*; *fam* efusión *f*; *v/i* salir en chorros
gust [gʌst] ráfaga *f*
guts [gʌts] intestinos *m/pl*, tripas *f/pl*; *fig* agallas *f/pl*
gutter [ˈgʌtə] arroyo *m*, zanja *f*; gotera *f*

guy [gai] *s* viento *m*; *fam* sujeto *m*; tío *m*
gymnas|ium [dʒim'neizjəm] gimnasio *m*; **~tics** [~'næstiks] gimnasia *f*
gynaecologist [gaini'kɔlədʒist] ginecólogo *m*
gyr|ate [dʒaiə'reit] *v/i* revolver, girar; **~ation** giro *m*, vuelta *f*

H

haberdashery ['hæbədæʃəri] mercería *f*
habit ['hæbit] hábito *m*; costumbre *f*; **~able** habitable
habitual [hə'bitjuəl] habitual, acostumbrado
hack [hæk] *s* caballo *m* de alquiler; rocín *m*; *v/t* picar; machetear; **~ney coach** coche *m* de alquiler; **~-neyed** trillado; **~-saw** sierra *f* para metales
haddock ['hædək] róbalo *m*
haemorrhage ['heməridʒ] hemorragia *f*
hag [hæg] bruja *f*
haggard ['hægəd] emaciado, macilento; trasnochado, ojeroso; intratable
hail [heil] *s* granizo *m*; lluvia *f* (*de piedras, etc*); saludo *m*; *v/i* granizar; *v/t* llamar; aclamar; **~storm** granizada *f*
hair [hɛə] pelo *m*; cabello *m*; vello *m* (*de brazo o pierna*); **~cut** corte *m* de pelo; **~do** peinado *m*; **~dresser** peluquero *m* de señoras; **~drier** secador *m* de pelo; **~-net** redecilla *f*; **~pin** horquilla *f*; *Am* ganchillo *m*; **~-raising** horripilante; **~-splitting** quisquilloso; **~y** peludo, velludo; velloso
half [hɑ:f] *s* mitad *f*; **in ~** en dos mitades; *a, adv* medio (a); semi; casi; a medias; **~ an hour** media hora; **an hour and a ~** hora y media; **~blood** mestizo *m*; **~-brother** hermanastro *m*; **~-caste** mestizo(a) *m* (*f*); **~-time** *dep* intermedio *m*; **~-way** a medio camino; en el medio; **~-witted** bobo; imbécil; **~-yearly** semestral
hall [hɔ:l] vestíbulo *m*; sala *f*
hallo [hə'ləu] ¡hola!
hallow ['hæləu] *v/t* santificar; consagrar; **~ed** sagrado
halo ['heiləu] halo *m*; gloria *f*; corona *f*, aureola *f*
halt [hɔ:lt] *s* alto *m*; parada *f*; *v/t* parar; detener; *v/i* detenerse, hacer alto
halter ['hɔ:ltə] cabestro *m*; dogal *m*
halve [hɑ:v] *v/t* dividir en dos partes iguales
ham [hæm] jamón *m*
hamlet ['hæmlit] caserío *m*; villorrio *m*
hammer ['hæmə] *s* martillo *m*; gatillo *m* (*de armas*); *v/t* martillar

hammock ['hæmək] hamaca *f*
hamper ['hæmpə] *s* canasta *f*, cesta *f* grande; *v/t* estorbar
hand [hænd] *s* mano *f*; obrero *m*; *mar* tripulante *m*; manecilla *f* (*de reloj*); letra *f*, escritura *f*; **at ~** a la mano; inminente; **at first ~** de primera mano; **on ~** disponible; **on the one ~** por una parte; **on the other ~** por otra parte; **to change ~s** mudar de manos; **to lend a ~** echar una mano a; *v/t* entregar, pasar; **~ in** presentar; **~ over** entregar; **~bag** bolsa *f* de mano; **~-bill** volante *m*; **~-book** manual *m*; **~cuffs** esposas *f/pl*; **~ful** manojo *m*
handi|cap ['hændikæp] *s* handicap *m*; *fig* desventaja *f*; *v/t* estorbar; **~crafts** artesanía *f*; **~craftsman** artesano *m*; **~work** obra *f* manual; maniobra *f*
handl|e ['hændl] *s* mango *m*, puño *m*; manubrio *m*; picaporte *m*; **~e-bar** guía *f* (*de bicicleta*); **~ing** manejo *m*
hand|made ['hændmeid] hecho a mano; **~rail** pasamano *m*; **~shake** apretón *m* de manos; **~some** ['hænsəm] guapo, donoso; **~-writing** escritura *f*; caligrafía *f*; **~y** a la mano; diestro; práctico
hang [hæŋ] *v/t* colgar; suspender; ahorcar (*el criminal*); *v/i* pender, colgar; **~ on** quedarse; **~ on!** *tel* ¡no cuelgue!; **~man** verdugo *m*
hangar ['hæŋə] hangar *m*
hangover ['hæŋəuvə] *fam* resaca *f*
hanky ['hæŋki] *fam* pañuelo *m*
haphazard ['hæp'hæzəd] *a* casual; *s* azar *m*
happen ['hæpən] *v/i* suceder, acontecer, ocurrir, pasar; **~ to (do)** ... (hacer) por casualidad; **~ing** acontecimiento *m*; espectáculo *m* improvisado
happ|ily ['hæpili] *adv* felizmente; **~iness** felicidad *f*, suerte *f*; **~y** feliz, contento; propicio; **~y-go-lucky** despreocupado; descuidado
harass ['hærəs] *v/t* acosar; hostigar
harbour ['hɑːbə] *s* puerto *m*; *fig* asilo *m*, refugio *m*; **~ master** capitán *m* de puerto; *v/t* abrigar; albergar
hard [hɑːd] *a* duro; sólido; firme; inflexible; riguroso, severo; difícil; **~ luck** mala suerte *f*; *adv* fuertemente; severamente, muy; **~ by** muy cerca; **~ up** apurado; **~en** *v/t* endurecer; **~-headed** testarudo, terco; **~-hearted** frío, insensible; **~ihood** temeridad *f*; **~ly** apenas; **~ness** dureza *f*; **~ship** penuria *f*; fatiga *f*; **~ware** quincalla *f*, ferretería *f*; **~y** robusto; audaz
hare [hɛə] liebre *f*; **~-**

-brained tolondro; **~-lipped** labihendido
harm [hɑ:m] *s* daño *m*; perjuicio *m*; *v/t* dañar, perjudicar; herir; **~ful** dañino, perjudicial; **~less** inofensivo
harmon|ic [hɑ:ˈmɔnik] armónico; **~ious** [~ˈməunjəs] armonioso; **~ize** [ˈ~ənaiz] *v/i* armonizar; **~y** armonía *f*
harness [ˈhɑ:nis] *s* arreos *m/pl*, guarniciones *f/pl*; *v/t* enjaezar; *fig* utilizar
harp [hɑ:p] *s* arpa *f*; *v/i* **to ~ on** repetir; porfiar
harpoon [hɑ:ˈpu:n] *s* arpón *m*; *v/t* arponear
harpsichord [ˈhɑ:psikɔ:d] clavicordio *m*
harrow [ˈhærəu] *s* grada *f*; *v/t* gradar
harsh [hɑ:ʃ] áspero, duro; chillón (*color*)
hart [hɑ:t] ciervo *m*
harvest [ˈhɑ:vist] *s* cosecha *f*, recolección *f*; *v/t* cosechar, recoger; **~er** segadora-atadora *f*
hash [hæʃ] *s* picadillo *m*; *v/t* picar, desmenuzar
hashish [ˈhæʃi:ʃ] hachís *m*
hast|e [heist] prisa *f*; **to make ~e** darse prisa; **~en** [ˈ~sn] *v/i* darse prisa; *v/t* apresurar; apremiar; **~y** apresurado; precipitado
hat [hæt] sombrero *m*
hatch [hætʃ] *s* pollada *f*, nidada *f*; compuerta *f*; *mar* escotilla *f*; *v/t* empollar, incubar; tramar; *v/i* empollarse; (*ideas*) madurarse
hatchet [ˈhætʃit] machado *m*
hat|e [heit] *s* odio *m*; *v/t* odiar, detestar; **~eful** odioso; **~red** [ˈ~rid] odio *m*
haught|iness [ˈhɔ:tinis] soberbia *f*; **~y** altanero, soberbio
haul [hɔ:l] *s* redada *f* (*de peces*); botín *m*; tirón *m*; trayecto *m*; transporte *m*; *v/t* arrastrar, tirar de; transportar; **~age** arrastre *m*; acarreo *m*
haunt [hɔ:nt] *s* guarida *f*; lugar *m* favorito; *v/t* frecuentar, rondar; **~ed** visitado por fantasmas; perseguido
have [hæv, həv] *v/t* tener; poseer; *v/aux* haber; **to ~ a mind to** tener ganas de; **to ~ on** llevar puesto; **to ~ to** tener que
haven [ˈheivn] puerto *m*; *fig* abrigo *m*
haversack [ˈhævəsæk] mochila *f*
havoc [ˈhævək] estrago *m*; destrucción *f*; **to play ~ with** causar estragos en
hawk [hɔ:k] *s* halcón *m*; *v/t* pregonar
hawthorn [ˈhɔ:θɔ:n] acerolo *m*
hay [hei] heno *m*; **~cock** almiar *m*; **~ fever** fiebre *f* del heno; **~loft** henil *m*; **~stack** almiar *m*, niara *f*
hazard [ˈhæzəd] *s* azar *m*; *v/t* arriesgar; **~ous** arriesgado

haze [heiz] calina *f*
hazel ['heizl] *a* castaño claro; *s* avellano *m*; **~nut** avellana *f*
hazy ['heizi] calinoso; confuso
H-bomb ['eitʃbɔm] bomba *f* H, bomba *f* de hidrógeno
he [hi:] *pron* él; **~ who** el que, quien; *s* varón *m*, macho *m*; **~-dog** perro *m*
head [hed] *s* cabeza *f*; cara *f* (*de moneda*); jefe *m*; *geog* cabo *m*; *mec* cabezal *m*; **I can make neither ~ nor tail of it** esto no tiene ni pies ni cabeza; **~ over heels** precipitadamente; locamente; **off one's ~** loco; *v/t* dirigir; encabezar; encaudillar; *v/i* adelantarse, dirigirse; **~gear** tocado *m*, sombrero *m*; **~ing** título *m*; **~land** promontorio *m*; **~-lights** faros *m/pl*; **~line** titular *m*; **~master** director *m* (*de colegio*); **~mistress** directora *f*; **~ office** central *f*; oficina *f* principal; **~phone** auricular *m*, audífono *m*; **~quarters** cuartel *m* general; **~strong** terco, testarudo; **~way** progreso *m*
heal [hi:l] *v/t* curar; *v/i* sanar, curarse; cicatrizarse; **~ing** curación *f*
health [helθ] salud *f*; sanidad *f*; **~-giving** salubre, sanitario; **~ resort** centro *m* de salud, balneario *m*; **~y** sano, saludable
heap [hi:p] *s* montón *m*; *v/t* amontonar, acumular; colmar de
hear [hiə] *v/t* oír; atender; dar audiencia a; *v/i* oír; oír decir; **~er** oyente *m*, *f*; **~ing** oído *m*; audiencia *f*; **within ~ing** al alcance del oído; **~say** rumor *m*
hearse [hə:s] coche *m* fúnebre
heart [hɑ:t] corazón *m*; *fig* fondo *m*, quid *m*; corazón *m*, copa *f* (*de naipes*); **at ~** en el fondo; **by ~** de memoria; **to lose ~** descorazonarse; **~breaking** desgarrador; **~en** *v/t* alentar, animar
hearth [hɑ:θ] fogón *m*; hogar *m*
heart|less ['hɑ:tlis] despiadado; **~y** cordial; sincero; sano
heat [hi:t] *s* calor *m*; ardor *m*, vehemencia *f*; celo *m* (*animales*); *v/t* calentar; *fig* acalorar; *v/i* calentarse; **~ barrier** *aer* muro *m* térmico; **~er** calentador *m*; estufa *f*
heath [hi:θ] brezal *m*; brezo *m*
heathen ['hi:ðən] *a*, *s* pagano(a) *m* (*f*)
heather ['heðə] brezo *m*
heating ['hi:tiŋ] calefacción *f*
heave [hi:v] *v/t* levantar; elevar; alzar; **~ a sigh** suspirar
heaven ['hevn] cielo *m*; **good ~s!** ¡cielos!; **~ly** divino, celeste
heav|iness ['hevinis] peso

m; pesadez *f*; **~y** pesado; denso; fuerte; *fig* importante; **~y-handed** torpe
hectic ['hektik] hético; agitado
hedge [hedʒ] *s* seto *m* vivo; *v/t* cercar; rodear; dar respuestas evasivas; **~hog** erizo *m*
heed [hi:d] *s* cuidado *m*; atención *f*; *v/t* hacer caso de, atender a; escuchar; *v/i* prestar atención; **~less** descuidado
heel [hi:l] talón *m*; tacón *m* (*de zapato*); **to take to one's ~s** *fam* largarse, poner pies en polvorosa
heifer ['hefə] novilla *f*
height [hait] altura *f*; talla *f*; *geog* cerro *m*; cima *f*, cumbre *f*; *fig* colmo *m*; **~en** *v/t* realzar; aumentar
heinous ['heinəs] horrendo
heir [ɛə] heredero *m*; **~ess** heredera *f*
helicopter ['helikɔptə] helicóptero *m*
hell [hel] infierno *m*; **~ish** infernal
hello ['he'ləu] ¡hola!
helm [helm] timón *m*
helmet ['helmit] casco *m*
help [help] *s* ayuda *f*; socorro *m*; remedio *m*; ayudante *m*; *v/t* ayudar, socorrer; *v/i* asistir; servir; **I cannot ~ laughing** no puedo menos de reírme; **~er** ayudante *m*; **~ful** útil; servicial; **~ing** porción *f*; **~less** desvalido; impotente
helter-skelter ['heltəskeltə] a trochemoche
hem [hem] *s* dobladillo *m*; *v/t cost* dobladillar; **~ in** cercar, encerrar
hemisphere ['hemisfiə] hemisferio *m*
hemlock ['hemlɔk] cicuta *f*
hemp [hemp] cáñamo *m*
hen [hen] gallina *f*
hence [hens] *adv* de aquí; por esto; por lo tanto; **~forth** de aquí en adelante
hen|coop ['henku:p] gallinero *m*; **~peck** *v/t* tiranizar (*al marido*)
her [hə:] *pron pos* su (de ella); *pron pers* la, le, a ella; ella (*después de preposición*)
herald ['herəld] *s* heraldo *m*; *v/t* anunciar; **~ry** heráldica *f*
herb [hə:b] hierba *f*, yerba *f*; **~alist** ['~əlist] herbolario *m*
herd [hə:d] *s* hato *m*; rebaño *m*; manada *f*; *fig* tropel *m*; **~sman** vaquero *m*
here [hiə] *adv* aquí, acá; **~ goes!** ¡ahí va!; **~ I am** heme aquí; **~ you are!** ¡tenga!; **~'s to you!** ¡a su salud!; **look ~!** ¡mire Vd!; **over ~** por aquí; **~after** en lo futuro; **~by** por la presente
here|sy ['herəsi] herejía *f*; **~tic** hereje *m, f*
here|upon ['hiərə'pɔn] luego; **~with** con esto
heritage ['heritidʒ] herencia *f*

hermit ['hə:mit] ermitaño *m*; **~age** ermita *f*
hero ['hiərəu] héroe *m*; protagonista *m*; **~ic** [hi'rəuik] heróico; **~ine** ['herəuin] heroína *f*; **~ism** heroísmo *m*
heron ['herən] garza *f*
herring ['heriŋ] arenque *m*; **red ~** arenque ahumado; pista *f* falsa
hers [hə:z] *pron pos* suyo, suya; el suyo, la suya; los suyos, las suyas (*de ella*); **~elf** [hə:'self] ella misma; sí misma; se
hesita|te ['heziteit] *v/i* vacilar, titubear; **~tion** vacilación *f*; hesitación *f*
hew [hju:] *v/t* cortar; talar (*árboles*); labrar (*piedra*); **~er** cantero *m*
hey [hei] ¡oiga!; ¡eh!
heyday ['heidei] auge *m*; apogeo *m*
hi [hai] ¡hola!
hiccup ['hikʌp] hipo *m*
hid|den ['hidn] escondido, oculto; secreto; **~e** [haid] *v/t, v/i* esconder(se), ocultar(se); *s* cuero *m*; piel *f*
hideous ['hidiəs] horrible; feo; deforme
hid|e-out ['haidaut] escondite *m*; **~ing** *fam* paliza *f*, zurra *f*; escondite *m*; ocultación *f*; **~ing-place** escondrijo *m*
hi-fi ['hai'fai] (de) alta fidelidad *f*
high [hai] alto; elevado; fuerte; extremo; **it is ~ time** ya es hora; **~ and dry** en seco; **~ altar** altar *m* mayor; **~brow** intelectual *m, f*; **~-class** de clase superior; **~-coloured** muy colorado; *fig* exagerado; **~er** más alto; **~est** lo más alto, sumo; **~-fidelity** (de) alta fidelidad *f*; **~-handed** arbitrario; **~lander** montañés (-a) *m* (*f*); **~lights** puntos *m/pl* salientes; **~ly** altamente; muy bien; **~ness** altura *f*; **Ꙩness** Alteza *f*; **~-pitched** estridente (*voz*); **~-powered** de gran potencia; **~ pressure** alta presión *f*; **~ road** carretera *f*; **~-spirited** animado; **~ tide, ~ water** marea *f* alta; **~way** carretera *f*; **~wayman** salteador *m* de caminos
hijack ['haidʒæk] *v/t* asaltar; robar; secuestrar (*avión*)
hike [haik] *v/i* hacer excursiones; *s* caminata *f*; excursión *f*; **~r** excursionista *m*
hilarious [hi'lεəriəs] alegre, animado
hill [hil] colina *f*; cerro *m*; montón *m*; **~side** ladera *f*; **~y** ondulado, montuoso
hilt [hilt] puño *m*; empuñadura *f*
him [him] *pron pers* él, a él, le; **~self** [~'self] él mismo; sí mismo; se
hind [haind] *s* cierva *f*; *a* trasero, posterior
hind|er ['hində] *v/t* impe-

dir, estorbar; **~rance** impedimento *m*, estorbo *m*, obstáculo *m*

hinge [hindʒ] *s* bisagra *f*; *v/t* engoznar

hinny ['hini] burdégano *m*

hint [hint] *s* sugestión *f*; *v/t* insinuar, sugerir; *v/i* echar una indirecta

hinterland ['hintəlænd] región *f* interior [cía *f*

hip [hip] cadera *f*; **~-bone**

hippopotamus [hipə'pɔtəməs] hipopótamo *m*

hire ['haiə] *s* alquiler *m*; arriendo *m*; sueldo *m*; *v/t* alquilar, arrendar; **~ling** mercenario; **~-purchase** compra *f* a plazos

his [hiz] *pron pos* su, de él; (el) suyo, (la) suya; (los) suyos, (las) suyas (*de él*)

Hispanic [his'pænik] hispánico

hiss [his] *v/t*, *v/i* silbar, chiflar; sisear (*hablando*)

histor|ian [his'tɔ:riən] historiador(a) *m* (*f*); **~ic(al)** [~'tɔrik(əl)] histórico; **~y** ['~əri] historia *f*

hit [hit] *s* golpe *m*; choque *m*; acierto *m*; *mús*, *teat* éxito *m*; *v/t* pegar, golpear; dar; **~ the mark** dar en el blanco; **~ the nail on the head** dar en el clavo; **it ~s you in the eye** le salta a la vista

hitch [hitʃ] *s* tropiezo *m*, dificultad *f*; *v/t* atar; *mar* amarrar; **to ~-hike** *v/i* viajar por autostop

hither ['hiðə] acá, hacia acá; **~ and thither** acá y allá; **~to** hasta ahora

hive [haiv] *s* colmena *f*; enjambre *m*

hoard [hɔ:d] *s* provisión *f*; *v/t*, *v/i* acumular y guardar; acaparar; **~ing** acaparamiento *m*; atesoramiento *m*

hoar-frost ['hɔ:'frɔst] escarcha *f*

hoarse [hɔ:s] ronco; **~ness** ronquera *f*

hoax [həuks] *s* bola *f*, broma *f*; *v/t* chasquear, engañar

hobble ['hɔbl] *v/t* manear; poner trabas a; *v/i* cojear

hobby ['hɔbi] pasatiempo *m* favorito; **~-horse** caballito *m* de madera; *fig* caballo *m* de batalla

hobgoblin ['hɔbgɔblin] duende *m* [*m*

hobo['həubəu] vagabundo

hock vino *m* del Rin

hoe [həu] *s* azada *f*, azadón *m*; *v/t* azadonar

hog [hɔg] cerdo *m*, puerco *m*, cochino *m*; marrano *m*; *SA* chancho *m*

hoist [hɔist] *s* montacargas *m*; *v/t* alzar, elevar; levantar; izar (*bandera*)

hold [həuld] *s* presa *f*; *fig* posesión *f*; dominio *m*; autoridad *f*; *mar* bodega *f* (*de un barco*); **to catch (get) ~ of** coger, agarrar; *v/t* tener; poseer; ocupar; sostener; **~ one's own** mantenerse firme; **~ up** levantar; mostrar; detener;

asaltar; ~ **water** *fig* ser lógico; *v/i* no ceder; ser válido; ~ **on** agarrarse bien; *tel* no colgar; **~er** propietario *m*, arrendatario *m*; **~ing** posesión *f*; propiedad *f*; arrendamiento *m*; tenencia *f*; **~-up** atraco *m*
hole [həul] *s* agujero *m*; hoyo *m*; boquete *m*; *fig* aprieto *m*, apuro *m*; *v/t* agujerear; taladrar; perforar
holiday ['hɔlədi] fiesta *f*; **~s** vacaciones *f/pl*
hollow ['hɔləu] *a* hueco; cóncavo; hundido; *s* cavidad *f*; hondonada *f*; *v/t* excavar; ahuecar
holly ['hɔli] acebo *m*
holy ['həuli] santo; **♀ Ghost** Espíritu *m* Santo; **♀ Land** Tierra *f* Santa; **the ♀ Writ** la Sagrada Escritura
homage ['hɔmidʒ] homenaje *m*; **to pay ~** rendir homenaje
home [həum] casa *f*, hogar *m*; domicilio *m*; residencia *f*; asilo *m*; **at ~** en casa; **to make oneself at ~** ponerse cómodo; **~less** sin hogar; **~ly** acogedor; sencillo; feo; **~-made** casero, de fabricación casera; **~ market** mercado *m* nacional; **♀ Office** Ministerio *m* de la Gobernación; **~ rule** autonomía *f*; **♀ Secretary** *Ingl* Ministro *m* de la Gobernación; **~sick** nostálgico; **~-sickness** nostalgia *f*; **~ team** *dep* equipo *m* de casa; **~ trade** comercio *m* nacional; **~town** ciudad *f* natal, patria *f* chica; **~ward(s)** a casa, hacia casa; **~work** deberes *m/pl*, tarea *f* escolar
homicide ['hɔmisaid] homicidio *m*; homicida *m*, *f*
honest ['ɔnist] honrado; recto; probo; honesto; **~ly** honradamente; **~y** honradez *f*
honey ['hʌni] miel *f*; *fig* dulzura *f*; **~comb** panal *m*; **~moon** luna *f* de miel; **~suckle** madreselva *f*
honk [hɔŋk] bocinazo *m*
honorary ['ɔnərəri] honorario
hono(u)r ['ɔnə] *s* honor *m*; honra *f*; **last ~s** honras *f/pl* fúnebres; *v/t* honrar; respetar; condecorar; *com* aceptar, pagar; **~able** honorable; ilustre
hood [hud] capucha *f*; caperuza *f*; *mec* capota *f*; campana *f* de chimenea
hoodlum ['hu:dləm] maleante *m*, rufián *m*
hoodwink ['hu:dwiŋk] *v/t* engañar
hoof [hu:f] casco *m*; pezuña *f*
hook [huk] *s* gancho *m*; anzuelo *m* (*de pescar*); **by ~ or by crook** a todo trance; a tuertas o a derechas; *v/t* enganchar, encorvar; **~ed** ganchudo
hoop [hu:p] aro *m*; fleje *m*

hoot [huːt] *s* ululación *f*; grito *m*; bocinazo *m* (*de coche*); *v/i* ulular; gritar; tocar la bocina
hop [hɔp] *s bot* lúpulo *m*; brinco *m*, salto *m*; *v/i* brincar, saltar
hope [həup] *s* esperanza *f*; confianza *f*; *v/t*, *v/i* esperar, confiar; **~ful** confiado, esperanzado; **~less** sin esperanza, desesperado; imposible; **~lessly** desesperadamente
horizon [həˈraizn] horizonte *m*; **~tal** [hɔriˈzɔntl] horizontal
horn [hɔːn] cuerno *m*; asta *f*; *mús* cuerno *m*; corneta *f*; *aut* bocina *f*
hornet [ˈhɔːnit] avispón *m*
horny [ˈhɔːni] córneo; calloso
horr|ible [ˈhɔrəbl] horrible; espantoso; **~ibly** horriblemente; **~id** [ˈ~id] espantoso; **~ify** [ˈ~ifai] *v/t* horripilar; **~or** horror *m*, espanto *m*
horse [hɔːs] caballo *m*; *mil* caballería *f*; **on ~back** a caballo; **~ chestnut** castaño *m* de Indias; **~hair** pelo *m* de caballo; **~man** jinete *m*; **~power** caballo *m* de fuerza; **~-race** carrera *f* de caballos; **~radish** rábano *m* picante; **~shoe** herradura *f*; **~whip** látigo *m*
horticulture [ˈhɔːtikʌltʃə] horticultura *f*
hose [həuz] manguera *f*
hosiery [ˈhəuziəri] géneros *m/pl* de punto; calcetería *f*
hospi|table [ˈhɔspitəbl] hospitalario; **~tal** hospital *m*; **~tal ward** sala *f* de hospital; **~tality** [~ˈtæliti] hospitalidad *f*
host [həust] anfitrión *m*; multitud *f*; *relig* hostia *f*
hostage [ˈhɔstidʒ] rehén *m*
hostel [ˈhɔstəl] posada *f*; albergue *m* de estudiantes; **~ry** fonda *f*
hostess [ˈhəustis] anfitrio- [na *f*
hostil|e [ˈhɔstail] hostil; **~ity** [~ˈtiliti] hostilidad *f*
hot [hɔt] muy caliente; caluroso; *fig* acalorado, ardiente; (*comida*) picante; radiactivo; **it is ~** hace mucho calor; **~-blooded** de sangre caliente; **~ dog** emparedado *m* de salchicha de Francfort
hotel [həuˈtel] hotel *m*; **~-keeper** hotelero *m*
hot|head [ˈhɔthed] exaltado *m*; **~-house** invernadero *m*
hound [haund] *s* sabueso *m*; *v/t* cazar con perros; acosar, perseguir
hour [ˈauə] hora *f*; **by the ~** por horas; **~ly** a cada hora
house [haus] *s* casa *f*; residencia *f*; *teat* sala *f*; **the** ♀ el Parlamento; ♀ **of Commons** Cámara *f* de los Diputados; ♀ **of Lords** Cámara de los Lores; *v/t* alojar; almacenar; **~keeper** ama *f* de llaves; **~maid** sir-

vienta *f*, criada *f*; **~wife** ama *f* de casa; **~work** quehaceres *m/pl* domésticos
housing [ˈhauziŋ] alojamiento *m*; **~ estate** urbanización *f*
hover [ˈhɔvə] *v/i* revolotear, cernerse; **~craft** aerodeslizador *m*; **~ing** revoloteo *m*
how [hau] *adv* cómo; (*exclamación ante adjetivo o adverbio*) qué, cuán(to, -ta, -tos, -tas); **~ are you?** ¿qué tal?; **~ do you do?** mucho gusto; **~ far?** ¿hasta dónde?; **~ long?** ¿cuánto tiempo?; **~ many?** ¿cuántos(as)?; **~ much?** ¿cuánto?; **~ much is it?** ¿cuánto cuesta?
however [hauˈevə] *conj* no obstante; sin embargo; empero; *adv* por muy ... que sea; aunque sea
howl [haul] *s* aullido *m*, alarido *m*; *v/i* aullar, dar alaridos (*animales*); bramar (*viento*); llorar (*niños*); **~er** *fam* gazapo *m*
hub [hʌb] cubo *m* (*de rueda*); eje *m*, centro *m*
hubbub [ˈhʌbʌb] alboroto *m*, tumulto *m*
hubby [ˈhʌbi] *fam* maridito
huddle [ˈhʌdl] *v/t* amontonar; *v/i* **~ (up)** acurrucarse
hue [hju:] color *m*; matiz *m*
hug [hʌg] *s* abrazo *m* fuerte; *v/t* abrazar
huge [hju:dʒ] enorme, vasto, inmenso
hull [hʌl] *s* vaina *f*, hollejo *m*; casco *m* (*de un buque*); *v/t* mondar, descascarar
hullaballoo [hʌləbəˈlu:] alboroto *m*, jaleo *m*
hullo [ˈhʌˈləu] ¡hola!
hum [hʌm] *s* zumbido *m*; *v/t* tararear; *v/i* zumbar
human [ˈhju:mən] humano; **~e** [~ˈmein] humano, humanitario; **~itarian** [~ˈmæniˈtɛəriən] humanitario; **~ity** [~ˈmæniti] humanidad *f*
humble [ˈhʌmbl] *a* humilde; *v/t* humillar
humbug [ˈhʌmbʌg] *s* farsa *f*; patraña *f*; (*persona*) farsante *m*, embustero *m*; *v/t* embaucar
humdrum [ˈhʌmdrʌm] monótono
humidity [hju(:)ˈmiditi] humedad *f*
humili|ate [hju(:)ˈmilieit] *v/t* humillar; **~ation** humillación *f*; **~ty** [~ˈmiliti] humildad *f*
humming-bird [ˈhʌmiŋ-ˈbə:d] colibrí *m*
humo(u)r [ˈhju:mə] *s* humor *m*; genio *m*; humorismo *m*; **~ist** humorista *m*; *v/t* complacer; dar gusto a; **~ous** gracioso, chistoso
hump [hʌmp] joroba *f*
hunch [hʌntʃ] joroba *f*, giba *f*; **~back** jorobado *m*
hundredweight [ˈhʌndrədweit] quintal *m*
Hungar|ian [hʌŋˈgɛəriən] *a*, *s* húngaro(a) *m* (*f*); **~y** Hungría *f*

hung|er ['hʌŋgə] *s* hambre *m*; *v/i* tener hambre; ansiar; **~ry** ['hʌŋgri] hambriento; **to be ~ry** tener hambre
hunt [hʌnt] *v/t* cazar; **~ for** buscar; **~er** cazador *m*; **~ing** caza *f*, cacería *f*, montería *f*
hurdle ['hə:dl] zarzo *m*; *[dep* valla *f*]
hurl [hə:l] *v/t* tirar, lanzar
hurrah! [hu'rɑ:] ¡viva!
hurricane ['hʌrikən] huracán *m*
hurried ['hʌrid] apresurado; precipitado
hurry ['hʌri] *s* prisa *f*; **to be in a ~** tener prisa; *v/i* apresurarse; *v/t* acelerar; impulsar, apremiar
hurt [hə:t] *s* lesión *f*; daño *m*; *v/t* lastimar; (*zapato*) apretar; *v/i* doler
husband ['hʌzbənd] *s* marido *m*, esposo *m*; *v/t* economizar; **~ry** labranza *f*, agricultura *f*
hush [hʌʃ] *s* silencio *m*; *v/t* apaciguar; aquietar; *interj* **~!** ¡chitón!; ¡silencio!; **~ up** callar; encubrir; **~-money** soborno *m*
husk [hʌsk] *s* cáscara *f*; vaina *f*; pellejo *m*; *v/t* descascarar; desvainar
husky [hʌski] *a* ronco, rauco; robusto, fornido
hustle ['hʌsl] *s* ajetreo *m*; *v/t* empujar; apresurar; *v/i fam* menearse
hut [hʌt] cabaña *f*, choza *f*
hutch [hʌtʃ] jaula *f* (*de conejos*); arca *f*; cofre *m*
hybrid ['haibrid] *a*, *s* híbrido *m*
hydrant ['haidrənt] boca *f* de riego; toma *f* de agua
hydraulic [hai'drɔ:lik] hidráulico
hydro|carbon ['haidrəu'kɑ:bən] hidrocarburo *m*; **~chloric** [~'klɔrik] clorhídrico; **~gen** ['~ədʒən] hidrógeno *m*; **~gen bomb** bomba *f* de hidrógeno; **~plane** hidroavión *m*
hyena [hai'i:nə] hiena *f*
hygiene ['haidʒi:n] higiene *f*
hymn [him] himno *m*
hyphen ['haifən] guión *m*
hypnotize ['hipnətaiz] *v/t* hipnotizar
hypocri|sy [hi'pɔkrisi] hipocresía *f*; **~te** ['hipəkrit] hipócrita *m, f*; **~tical** [hipəu'kritikəl] hipócrita
hypothesis [hai'pɔθisis] hipótesis *f*
hysteri|a [his'tiəriə] histeria *f*, histerismo *m*; **~cal** [~'terikəl] histérico; **~cs** histerismo *m*, paroxismo *m* histérico

I

I [ai] yo
Iberian [ai'biəriən] *a* ibérico; *s* ibero(a) *m* (*f*)
ice [ais] *s* hielo *m*; *v/t* helar; cubrir con hielo; **~berg** ['~bə:g] iceberg *m*; **~box** nevera *f*; *SA* refrigerador *m*; **~cream** helado *m*; **~-cube** cubito *m* de hielo
Iceland ['aislənd] Islandia *f*
ic|icle ['aisikl] carámbano *m*; **~ing** alcorza *f*; **~y** helado
idea [ai'diə] idea *f*; concepto *m*; **~l** *a*, *s* ideal *m*
identi|cal [ai'dentikəl] idéntico; **~fication** [aidentifi'keiʃən] identificación *f*; **~fy** [~'dentifai] *v/t* identificar; **~ty** [~'dentiti] identidad *f*
idiom ['idiəm] lenguaje *m*, dialecto *m*; modismo *m*
idiot ['idiət] idiota *m*, *f*, necio *m*; **~ic** [~'ɔtik] idiota, tonto
idle ['aidl] *a* ocioso; perezoso; inútil; frívolo; **~ hours** horas *f/pl* desocupadas; *v/i* holgazanear; *mec* marchar en vacío; **~ness** ociosidad *f*
idol ['aidl] ídolo *m*; **~ize** ['~əulaiz] *v/t* idolatrar
idyl(l) ['idil] idilio *m*
if [if] *conj* si; aunque; **as ~** como si; **~ so** de ser así
ign|ite [ig'nait] *v/t* encender; *v/i* inflamarse; **~ition** [ig'niʃən] ignición *f*; inflamación *f*; encendido *m* (*del motor*)
ignoble [ig'nəubl] innoble
ignore [ig'nɔ:] *v/t* pasar por alto; desairar
ill [il] *a* enfermo; nocivo; grosero; desgraciado; *adv* mal; difícilmente; **~-advised** malaconsejado; **~-bred** malcriado
il|legal [i'li:gəl] ilegal; **~legible** [i'ledʒəbl] ilegible; **~licit** [i'lisit] ilícito; **~literate** [i'litərit] *a*, *s* analfabeto *m*
ill|-mannered ['il'mænəd] incivil, descortés; **~-natured** mal dispuesto; **~ness** enfermedad *f*; **~-tempered** de mal genio; **~-timed** inoportuno; **~-treat** *v/t* maltratar
illuminat|e [i'lju:mineit] *v/t* iluminar; **~ion** iluminación *f*; alumbrado *m*
illus|ion [i'lu:ʒən] ilusión *f*; ensueño *m*; engaño *m*; **~ory** [~səri] ilusorio; engañoso
illustrat|e ['iləstreit] *v/t* ilustrar; explicar; **~ion** ilustración *f*; grabado *m*; lámina *f*; **~ive** explicativo
illustrious [i'lʌstriəs] ilustre, insigne
imag|e ['imidʒ] imagen *f*; **~inary** [i'mædʒinəri] imaginario; **~ination** imaginación *f*; fantasía *f*; **~ine**

[~in] *v/t* imaginar; imaginarse; *v/i* fantasear
imitate ['imiteit] *v/t* imitar
immeasurable [i'meʒərəbl] inmensurable
immediate [i'mi:djət] inmediatamente
im|mense [i'mens] inmenso, vasto; **~merse** [i'mə:s] *v/t* sumergir, hundir
immigra|nt ['imigrənt] inmigrante *m, f*; **~te** ['~eit] *v/i* inmigrar
im|mobile ['iməubail] inmóvil; **~modest** [i'mɔdist] impúdico; **~moral** inmoral; corrupto; **~mortal** inmortal; **~mortality** [imɔ:'tæliti] inmortalidad *f*; **~movable** inamovible; **~mune** [i'mju:n] inmune
imp [imp] diablillo *m*; niño *m* travieso
impact ['impækt] impacto *m*
impair [im'pɛə] *v/t* dañar; deteriorar
impart [im'pa:t] *v/t* dar, impartir; **~ial** [~'paʃəl] imparcial
im|passable [im'pasəbl] intransitable; **~passive** impasible; **~patience** impaciencia *f*
impediment [im'pedimənt] impedimento *m*
impending [im'pendiŋ] inminente
imperative [im'perətiv] *a* imperioso; *s* imperativo *m*
imperfect [im'pə:fikt] *a* imperfecto, defectuoso; *s gram* imperfecto *m*
imperial [im'piəriəl] imperial; imperioso
imperil [im'peril] *v/t* arriesgar; poner en peligro
im|personate [im'pə:səneit] *v/t teat* hacer el papel de; **~pervious** [~'pə:vjəs] impenetrable; *fig* sordo (*a súplicas, etc*)
impetuous [im'petjuəs] impetuoso
implement ['implimənt] instrumento *m*; herramienta *f*
implicat|e ['implikeit] *v/t* implicar; **~ion** implicación *f*; inferencia *f*
implore [im'plɔ:] *v/t* suplicar, implorar
imply [im'plai] *v/t* implicar; significar
impolite [impə'lait] descortés
import [im'pɔ:t] *v/t com* importar; *v/i* importar; ['impɔ:t] *s com* importación *f*
importan|ce [im'pɔ:təns] importancia *f*; **~t** importante
import|ation [impɔ:'teiʃən] *com* importación *f*; **~er** importador *m*
importune [im'pɔ:tju:n] *v/t, v/i* importunar
impos|e [im'pəuz] *v/t* imponer; **~e upon** engañar; **~ing** imponente; **~ition** imposición *f*; carga *f*; impostura *f*, engaño *m*
impossib|ility [impɔsə'biliti] imposibilidad *f*; **~le** [~'pɔsibl] imposible

impostor [im'pɔstə] impostor *m* [impotencia *f*]
impotence ['impətens]
impracticable [im'præktikəbl] impracticable
impregnate ['impregneit] *v/t* impregnar
impress [im'pres] *v/t* impresionar; imprimir; grabar; **~ion** impresión *f*; marca *f*
imprint ['imprint] *s* impresión *f*; huella *f*; [im'print] *v/t* imprimir; grabar
imprison [im'prizn] *v/t* encarcelar; **~ment** encarcelamiento *m*
improbable [im'prɔbəbl] improbable
improper [im'prɔpə] impropio; incorrecto; deshonesto
improve [im'pru:v] *v/t* mejorar; *v/i* progresar; mejorarse; **~ment** mejora *f*; progreso *m*
im|provise ['imprəvaiz] *v/t*, *v/i* improvisar; **~prudent** [im'pru:dənt] imprudente
impuden|ce ['impjudəns] descaro *m*; **~t** descarado
impuls|e ['impʌls] impulso *m*; impulsión *f*; **~ive** [im'pʌlsiv] impulsivo
impur|e [im'pjuə] impuro; alterado; **~ity** impureza *f*
in [in] *prep* dentro de; en; de; con; por; *adv* dentro; de moda; **he is ~** está en casa; **~ the morning** por la mañana; **to go ~ for** dedicarse a
in|accessible [inæk'sesəbl] inasequible, inaccesible; **~accurate** inexacto; **~advertent** [~əd'və:tənt] inadvertido; accidental; **~animate** [~'ænimit] inanimado; *fig* desanimado; **~appropriate** inadecuado; **~apt** inepto; inconveniente; **~articulate** inarticulado; mudo
inasmuch [inəz'mʌtʃ]: **~ as** puesto que, por cuanto
inattentive [inə'tentiv] descuidado; desatento
in|born ['in'bɔ:n] innato; **~capable** [in'keipəbl] incapaz
incapa|citate [inkə'pæsiteit] *v/t* incapacitar; **~city** incapacidad *f* [cauto]
incautious [in'kɔ:ʃəs] in-
incendiary [in'sendjəri] *a*, *s* incendiario *m*
incense ['insens] *s* incienso *m*; [in'sens] *v/t* exasperar
incentive [in'sentiv] estímulo *m*
inch [intʃ] pulgada *f* (2,54 cm); **within an ~ of** a dos dedos de; **~ by ~** poco a poco
inciden|t ['insidənt] incidente *m*; **~tal** [~'dentl] incidental; **~tally** a propósito, de paso
incis|e [in'saiz] *v/t* cortar; grabar; **~ive** incisivo; **~or** incisivo *m* (*diente*)
incite [in'sait] *v/t* incitar, provocar; **~ment** instigación *f*

inclin|ation [inkli'neiʃən] inclinación *f*; declive *m*; **~e** [in'klain] *v/t* inclinar; *v/i* inclinarse; tender a
inclu|de [in'klu:d] *v/t* incluir; comprender; **~sive** inclusivo
incoherent [inkəu'hiərənt] incoherente
incom|e ['inkʌm] ingreso *m*; entrada *f*; **~e-tax** impuesto *m* sobre la renta; **~ing** entrante
in|competent [in'kɔmpitənt] incompetente; **~complete** incompleto; **~comprehensible** [~'kɔmpri'hensəbl] incomprensible; **~conceivable** inconcebible; **~consequent** inconsecuente; **~considerable** insignificante; **~considerate** inconsiderado
inconsistent [inkən'sistənt] inconsistente; contradictorio
inconstant [in'kɔnstənt] inconstante, variable
inconvenience [inkən'vi:njəns] *s* inconveniente *m*; *v/t* estorbar
incorporat|e [in'kɔ:pəreit] *v/t* incorporar; agregar; **~ed** constituido legalmente; **~ion** incorporación *f*
in|correct [inkə'rekt] incorrecto; impropio; **~corrigible** [in'kɔridʒəbl] incorregible
increas|e [in'kri:s] *s* aumento *m*; *v/t* aumentar; incrementar; *v/i* crecer; multiplicarse; **~ingly** cada vez más
incredible [in'kredəbl] increíble
incriminate [in'krimineit] *v/t* incriminar
incur [in'kə:] *v/t* incurrir en; contraer (*deuda*)
indebted [in'detid] adeudado; empeñado; **~ness** deuda *f*; obligación *f*
indecen|cy [in'di:snsi] indecencia *f*; **~t** indecente
indecisi|on [indi'siʒən] indecisión *f*; irresolución *f*; **~ve** [~'saisiv] indeciso; incierto
indeed [in'di:d] en efecto; **~?** ¿de veras?
indefatigable [indi'fætigəbl] incansable
in|definite [in'definit] indefinido; indeterminado; **~delible** [~'delibl] indeleble; imborrable
indelicate [in'delikit] indelicado; indecoroso
indemni|fy [in'demnifai] *v/t* indemnizar; **~ty** indemnización *f*
indent [in'dent] *v/t* dentar; **~ure** [~'dentʃə] *for* escritura *f*
independent [indi'pendənt] independiente; adinerado
indescribable [indis'kraibəbl] indescriptible
indeterminate [indi'tə:minit] indeterminado; indefinido
index ['indeks] *s* índice *m*; *v/t* hacer un índice de;

poner en el índice; ~ **card** ficha *f*
India ['indjə] India *f*; ~**n** *a*, *s* indio(a) *m* (*f*); ~**n corn** maíz *m*; ~**n summer** veranillo *m* de San Martín
India-rubber ['indjə'rʌbə] goma *f* de borrar
indicat|e ['indikeit] *v/t* indicar; ~**ion** indicación *f*; señal *f*; ~**ive** indicativo; ~**or** indicador *m*
indict [in'dait] *v/t* acusar; procesar; ~**ment** acusación *f*; *for* auto *m* de acusación
indifferen|ce [in'difrəns] indiferencia *f*; ~**t** indiferente; imparcial
indigent ['indidʒənt] indigente, pobre
indigesti|ble [indi'dʒestəbl] indigesto; ~**on** indigestión *f*; empacho *m*
indign|ant [in'dignənt] indignado; ~**ation** indignación *f*; ~**ity** indignidad *f*; ultraje *m*
indirect [indi'rekt] indirecto; *fig* torcido
indiscre|et [indis'kri:t] indiscreto; ~**tion** indiscreción *f*
indiscriminate [indis'kriminit] promiscuo; sin criterio
indispensable [indis'pensəbl] indispensable
indispos|ed [indis'pəuzd] indispuesto; ~**ition** indisposición *f*; aversión *f*
indisputable [indis'pju:təbl] indiscutible
indistinct [indis'tiŋkt] indistinto, confuso
individual [indi'vidjuəl] *a* individual; *s* individuo(a) *m* (*f*); persona *f*
indolen|ce ['indələns] indolencia *f*, desidia *f*; ~**t** indolente, haragán
indomitable [in'dɔmitəbl] indomable; invincible
indoor ['indɔ:] interno; interior; casero; ~**s** en casa
indorse [in'dɔ:s] *v/t* endosar; ~**ment** endosamiento *m*; aval *m*
induce [in'dju:s] *v/t* inducir
induct [in'dʌkt] *v/t* instalar; admitir; ~**ion** *elec* inducción *f*
indulge [in'dʌldʒ] *v/t* consentir a; ~**nce** indulgencia *f*; ~**nt** indulgente
industr|ial [in'dʌstriəl] industrial; ~**ialist** industrial *m*; ~**ialize** *v/t* industrializar; ~**ious** aplicado; ~**y** ['indʌstri] industria *f*
ineffective [ini'fektiv] ineficaz
inefficient [ini'fiʃənt] in- } [eficaz
inequality [ini'kwɔliti] desigualdad *f*; disparidad *f*
inert [i'nə:t] inerte
in|evitable [in'evitəbl] inevitable; ~**expensive** barato; ~**experienced** inexperto; ~**explicable** [~'eksplikəbl] inexplicable
inexhaustible [inig'zɔ:stəbl] inagotable
inexpressible [iniks'presəbl] indecible

infallible [in'fæləbl] infalible

infam|ous ['infəməs] infame; ignominioso; *for* infamante; **~y** infamia *f*

infan|cy ['infənsi] infancia *f*; **~t** criatura *f*; **~tile** ['~tail] infantil, pueril

infantry ['infəntri] infantería *f*

infatuat|e [in'fætjueit] *v/t* apasionar; atontar; **~ed** locamente enamorado

infect [in'fekt] *v/t* infectar; contagiar; **~ion** infección *f*; **~ious** infeccioso; contagioso

infer [in'fəː] *v/t* inferir, deducir; **~ence** ['infərəns] deducción *f*

inferior [in'fiəriə] *a*, *s* inferior *m*; **~ity** [~'ɔriti] inferioridad *f*

infernal [in'fəːnl] infernal

infidelity [infi'deliti] infidelidad *f*; perfidia *f*

infiltrate ['infiltreit] *v/t*, *v/i* infiltrar(se), penetrar

infinit|e ['infinit] infinito; **~ive** [~'finitiv] *gram* infinitivo *m*; **~y** infinidad *f*

infirm [in'fəːm] enfermizo; **~ity** debilidad *f*; fragilidad *f*

inflame [in'fleim] encender, inflamar (*t fig*)

inflamma|ble [in'flæməbl] inflamable; **~tion** [~ə'meiʃən] inflamación *f*; **~tory** [~'flæmətəri] *med* inflamatorio; *fig* sedicioso, incitante

inflat|e [in'fleit] *v/t* inflar; **~ion** inflación *f*

inflect [in'flekt] *v/t* torcer; doblar; **~ion** inflexión *f*; dobladura *f*

inflexible [in'fleksəbl] inflexible

inflict [in'flikt] *v/t* infligir; imponer; **~ion** imposición *f*; castigo *m*

influen|ce ['influəns] *s* influencia *f*; influjo *m*; *v/t* influir sobre, en; **~tial** [~'enʃəl] influente

influenza [influ'enzə] gripe *f*

inform [in'fɔːm] *v/t* informar; avisar; *v/i* **~ against** denunciar; **~al** informal; **~ation** información *f*; *for* denuncia *f*; **~er** denunciante *m*

infuriate [in'fjuərieit] *v/t* enfurecer

infuse [in'fjuːz] *v/t* infundir; inculcar

ingenious [in'dʒiːnjəs] ingenioso, genial

ingenu|ity [indʒi'nju(ː)iti] ingeniosidad *f*; **~ous** ingenuo

ingot ['iŋgət] lingote *m*; [barra *f*]

ingrati|ate [in'greiʃieit]: **~ate oneself** *v/r* congraciarse; **~tude** [~'grætitjuːd] ingratitud *f*

ingredient [in'griːdjənt] ingrediente *m*

inhabit [in'hæbit] *v/t* habitar; **~ant** habitante *m*

inherit [in'herit] *v/t* heredar; **~ance** herencia *f*

inhibit [in'hibit] *v/t* inhibir; **~ion** inhibición *f*
in|hospitable [in'hɔspitəbl] inhospitalario; **~human** inhumano; **~imitable** inimitable
initia|l [i'niʃəl] inicial; **~te** [~ʃieit] *v/t* iniciar; **~tive** [~ʃiətiv] iniciativa *f*
inject [in'dʒekt] *v/t* inyectar; **~ion** inyección *f*
injudicious [indʒuː'diʃəs] imprudente
injur|e ['indʒə] *v/t* lesionar; **~ious** [in'dʒuəriəs] dañino; **~y** herida *f*; lesión *f*; daño *m*
ink [iŋk] tinta *f*
inkling ['iŋkliŋ] idea *f*; noción *f* vaga
ink-pot ['iŋkpɔt], **-well** [~'wel] tintero *m*
inland ['inlənd] interior; nacional
inlay ['in'lei] *v/t* embutir; taracear
inlet ['inlet] caleta *f*
inmate ['inmeit] inquilino *m*; paciente *m*; recluso *m*
inmost ['inməust] íntimo; profundo
inn [in] posada *f*; fonda *f*
inner ['inə] interior; interno; **~ tube** *aut* cámara *f*
innocen|ce ['inəsns] inocencia *f*; **~t** inocente
inoculate [i'nɔkjuleit] *v/t* inocular
inoffensive [inə'fensiv] inofensivo
in-patient ['inpeiʃənt] enfermo *m* internado
inquest ['inkwest] pesquisa *f* judicial
inquir|e [in'kwaiə] *v/t*, *v/i* inquirir; informarse; **~e about** preguntar por; **~e into** examinar; **~y** consulta *f*; investigación *f*
inquisit|ion [inkwi'ziʃən] inquisición *f*; **~ive** [~'kwizitiv] inquisitivo
insan|e [in'sein] loco; demente; **~ity** [~'sæniti] locura *f*; demencia *f*
inscri|be [in'skraib] *v/t* inscribir; **~ption** [~ipʃən] inscripción *f*; rótulo *m*
insect ['insekt] insecto *m*
insecure [insi'kjuə] inseguro
insensible [in'sensəbl] insensible
insert [in'səːt] *v/t* insertar
inside [in'said] *a* interior; interno; *s* interior *m*; contenido *m*; **~ out** de dentro a fuera; al revés; **~s** entrañas *f*/*pl*
insight ['insait] perspicacia *f*
in|significant [insig'nifikənt] insignificante; **~sincere** [insin'siə] hipócrita; **~sinuate** [~'sinjueit] *v/t* insinuar; **~sipid** [~'sipid] insípido
insist [in'sist] *v/i* insistir; persistir; **~ence** insistencia *f*
insolent ['insələnt] descarado, insolente
in|soluble [in'sɔljubl] insoluble; indisoluble; **~solvent** insolvente

insomnia [in'sɔmniə] insomnio *m*
inspect [in'spekt] *v/t* inspeccionar; **~ion** inspección *f*; **~or** *a, s* inspector *m*
inspir|ation [inspə'reiʃən] inspiración *f*; **~e** [in'spaiə] *v/t* inspirar
install [in'stɔ:l] *v/t* instalar; **~ation** [~ə'leiʃən] instalación *f*
instalment [in'stɔ:lmənt] entrega *f*, cuota *f*; **~ plan** pago *m* a plazos
instan|ce ['instəns] ejemplo *m*; caso *m*; *for* instancia *f*; **for ~ce** por ejemplo; **~t** *a* inmediato; instantáneo; corriente; *s* instante *m*; momento *m*; **~tly** en seguida, al instante
instead [in'sted] *adv* en cambio; **~ of** *prep* en vez de; en lugar de
instep ['instep] empeine *m*
instigate ['instigeit] *v/t* instigar
instinct ['instiŋkt] instinto *m*; **~ive** [in'stiŋktiv] instintivo
institut|e ['institju:t] *s* instituto *m*; establecimiento *m*; *v/t* instituir; establecer; **~ion** institución *f*; establecimiento *m*
instruct [in'strʌkt] *v/t* instruir; mandar; **~ion** instrucción *f*; **~ive** instructivo; aleccionador; **~or** instructor *m*
instrument ['instrumənt] instrumento *m*
in|subordinate [insə'bɔ:dnit] insubordinado, rebelde; **~sufferable** [~'sʌfərəbl] insufrible; **~sufficient** insuficiente
insulat|e ['insjuleit] *v/t tecn* aislar; **~ion** aislamiento *m*; **~or** aislador *m*
insupportable [insə'pɔ:təbl] insoportable
insur|ance [in'ʃuərəns] seguro *m*; **~ance policy** póliza *f* de seguro; **~ance premium** prima *f* de seguro; **~e** *v/t* asegurar
insurrection [insə'rekʃən] insurrección *f*
intact [in'tækt] intacto
integ|rate ['intigreit] *v/t*, *v/i* integrar(se); **~rity** [in'tegriti] entereza *f*; integridad *f*
intellect ['intilekt] intelecto *m*; inteligencia *f*; **~ual** [~'lektjuəl] *a, s* intelectual *m,f*
intelligen|ce [in'telidʒəns] inteligencia *f*; información *f*; **~t** inteligente
intend [in'tend] *v/t* proponerse; querer hacer; pensar en; **~ for** destinar a
intens|e [in'tens] intenso; fuerte; **~ity** intensidad *f*, fuerza *f*; **~ive** intensivo
intent [in'tent] *a* atento; empeñado; *s* designio *m*; intento *m*; **~ion** intención *f*; **~ionally** adrede
inter [in'tə:] *v/t* enterrar
inter|cede [intə(:)'si:d] *v/t* interceder; **~cept** [~'sept] interceptar

interchange [ˈintə(:)-ˈtʃeindʒ] *s* intercambio *m*; [intə(:)ˈtʃeindʒ] *v/t, v/i* alternar(se); trocar(se)
intercourse [ˈintə(:)kɔ:s] trato *m*; tráfico *m*
interdict [intə(:)ˈdikt] *v/t* vedar; prohibir
interest [ˈintrist] *s* interés *m*; beneficio *m*; **to earn ~** devengar intereses; *v/t* interesar; **~ed party** interesado(a) *m (f)*; **~ing** interesante
interfer|e [intəˈfiə] *v/i* entremeterse; **~e with** estorbar; **~ence** intromisión *f*; **~ing** entremetido
interior [inˈtiəriə] *a* interior; interno; *s* interior *m*; **~ decorator** decorador *m* de interiores
interlude [intə(:)ˈlu:d] intervalo *m*; *teat* intermedio *m*
intermediary [intə(:)ˈmi:djəri] intermediario *m*, mediador *m*
intermingle [intə(:)ˈmiŋgl] *v/t* entremezclar
internal [inˈtə:nl] interno; doméstico
inter|national [intə(:)ˈnæʃənl] internacional; **~pose** *v/t* interponer, interpolar
interpret [inˈtə:prit] *v/t* interpretar; **~ation** interpretación *f*; **~er** intérprete *m, f*
interrogate [inˈterəugeit] *v/t* interrogar
interrupt [intəˈrʌpt] *v/t* interrumpir; **~ion** interrupción *f*
interval [ˈintəvəl] intervalo *m*
interven|e [intə(:)ˈvi:n] *v/i* intervenir; sobrevenir; mediar; **~tion** intervención *f*
interview [ˈintəvju:] *s* entrevista *f*; interviú *f*; *v/t* entrevistar(se con)
intestine [inˈtestin] intestino *m*
intima|cy [ˈintiməsi] intimidad *f*; **~te** [ˈ~it] *a* íntimo; [~ˈeit] *v/t* indicar
intimidate [inˈtimideit] *v/t* intimidar
into [ˈintu, ˈintə] hacia dentro; adentro; **~ the bargain** por añadidura
intolerant [inˈtɔlərənt] intolerante
intoxicate [inˈtɔksikeit] *v/t* embriagar; *med* intoxicar; **~d** borracho
intrepid [inˈtrepid] intrépido
intricate [ˈintrikit] intrincado
intrigu|e [inˈtri:g] *s* intriga *f*; trama *f*; *v/i* intrigar; *v/t* tramar; **~ing** intrigante
introduc|e [intrəˈdju:s] *v/t* introducir; presentar; **~tion** [~ˈdʌkʃən] introducción *f*; **~tory** [~ˈdʌktəri] preliminar
intru|de [inˈtru:d] *v/i* entremeterse; **~sion** [~ʒən] intrusión *f*
intuition [intju(:)ˈiʃən] intuición *f*

invade [in'veid] *v/t* invadir; **~r** invasor *m*
invalid ['invəli:d] *s* inválido *m*, enfermo *m*; [in'vælid] *a* inválido, nulo; **~ate** [~eit] *v/t* invalidar
invaluable [in'væljuəbl] } inestimable
invariable [in'vɛəriəbl] invariable
invasion [in'veiʒən] } invasión *f*
invective [in'vektiv] vituperación *f*
invent [in'vent] *v/t* inventar; idear; **~ion** invento *m*; invención *f*
inver|se ['in'və:s] inverso, al revés; **~sion** inversion *f*; **~t** *v/t* invertir; **~ted commas** comillas *f/pl*
invest [in'vest] *com* invertir
investigat|e [in'vestigeit] *v/t* investigar; **~ion** investigación *f*; **~or** investigador *m*
invest|ment [in'vestmənt] *com* inversión *f*; **~or** *com* inversionista *m*
inviolable [in'vaiələbl] inviolable
invit|ation [invi'teiʃən] invitación *f*; convite *m*; **~e** [in'vait] *v/t* invitar; convidar; instar; **~ing** atractivo
invoice ['invɔis] *com* factura *f*
in|voke [in'vəuk] *v/t* invocar; apelar a; **~voluntary** involuntario; **~volve** [~'vɔlv] *v/t* envolver; implicar; complicar
inward ['inwəd] interno; interior
iodine ['aiəudi:n] yodo *m*
I. O. U. ['aiəu'ju:] *com* pagaré *m*
irascible [i'ræsibl] irascible
Irish ['airiʃ] *a*, *s* irlandés *m*; **the ~** los irlandeses; **~man** irlandés *m*
iron ['aiən] *s* hierro *m*; plancha *f*; *a* férreo; de hierro; *v/t* planchar; **~ curtain** cortina *f* de hierro
iron|ic(al) [ai'rɔnik(əl)] irónico; **~ lung** pulmón *m* de acero; **~monger** ['aiənmʌŋgə] ferretero *m*; **~y** ['airəni] ironía *f*
ir|radiate [i'reidieit] *v/t* irradiar; **~rational** irracional; **~reconcilable** irreconciliable
irregular [i'regjulə] irregular; desordenado
ir|relevant [i'relivənt] ajeno; inaplicable; **~replaceable** [iri'pleisəbl] irreemplazable
irreproachable [iri'prəutʃəbl] intachable
irrespective [iris'pektiv] **of** sin consideración a
irrevocable [i'revəkəbl] irrevocable; inalterable
irrigat|e ['irigeit] *v/t* regar; *med* irrigar; **~ion** riego *m*; *med* irrigación *f*
irrit|able ['iritəbl] irritable; **~ate** [~eit] *v/t* irritar
island ['ailənd] *s* isla *f*; *a* isleño
isolat|e ['aisəleit] *v/t* aislar, separar; **~ion** aislamiento *m*
issue ['iʃju:] *s* problema *m*;

resultado *m*; sucesión *f*, prole *f*; emisión *f* (*de bonos, moneda, etc*); edición *f*; número *m* (*de revista, etc*); **at ~** en discusión; *v/t* emitir; extender (*cheque, etc*); impartir (*orden, etc*); publicar (*libro, etc*); *v/i* salir; surtir; descender (de); resultar

it [it] *pron neutro* ello; eso, esto; *acc* la, lo; *impers* (*no se traduce cuando es sujeto gramatical*) **~ is hot** hace calor; **~ is late** es tarde; **~ is impossible** es imposible; **who is ~?** ¿quién es?

Italian [i'tæljən] *a*, *s* italiano(a) *m*(*f*)

itch [itʃ] *s* picazón *m*; *v/i* picar

item ['aitem] artículo *m*; párrafo *m*; detalle *m*

itinerary [ai'tinərəri] itinerario *m*

its [its] *pron pos* su, sus (de él, de ello, de ella); **~elf** [it'self] *pron* él mismo, ella misma; ello mismo; **by ~elf** sólo; separado

ivory ['aivəri] marfil *m*

ivy ['aivi] hiedra *o* yedra *f*

J

jack [dʒæk] mozo *m*; *mec* gato *m*; sota *f* (*de cartas*)

jackal ['dʒækɔ:l] chacal *m*

jackdaw ['dʒækdɔ:] grajo *m*

jacket ['dʒækit] americana *f*; chaqueta *f*

jacknife ['dʒæknaif] navaja *f* de bolsillo

jagged ['dʒægid] dentado, mellado

jail [dʒeil] cárcel *f*; calabozo *m*; **~er** carcelero *m*

jam [dʒæm] *s* mermelada *f*; *fam* enredo *m*, lío *m*; *v/t* apretar; apiñar; obstruir; (*radio*) perturbar; *v/i* atascarse

janitor ['dʒænitə] portero *m*, conserje *m*

January ['dʒænjuəri] enero *m*

Japan [dʒə'pæn] Japón *m*; **~ese** [dʒæpə'ni:z] *a*, *s* japonés(esa) *m* (*f*)

jar [dʒɑ:] *s* tarro *m*; jarra *f*; cántaro *m*; sacudida *f*, choque *m*; *v/t* sacudir; *v/i* chirriar; **~on** irritar (*nervios, etc*)

jaundice ['dʒɔ:ndis] ictericia *f*

javelin ['dʒævlin] jabalina *f*

jaw [dʒɔ:] *s* mandíbula *f*; quijada *f*; *v/t*, *v/i fam* charlar; **~s** *fig* garras *f/pl*

jealous ['dʒeləs] celoso, envidioso; **~y** celos *m/pl*; envidia *f*

jeer [dʒiə] *v/i* burlarse, mofar; *s* burla *f*, mofa *f*

jelly ['dʒeli] jalea *f*; gelatina *f*; **~fish** medusa *f*

jeopardize ['dʒepədaiz] *v/t* arriesgar; comprometer

jerk [dʒə:k] *s* sacudida *f*; tirón *m*; *v/t* sacudir; tirar; *v/i* mover a empujones

jersey ['dʒəːzi] jersey *m*, *SA* chompa *f*
jest [dʒest] *s* broma *f*, burla *f*; *v/i* bromear, burlar; **~er** bufón *m*
jet [dʒet] azabache *m*; chorro *m*; surtidor *m*; mechero *m* (*de gas*); avión *m* de reacción a chorro; reactor *m*; **~ engine** motor *m* a reacción, a chorro; **~ fighter** caza *m* a (de) reacción; **~-propelled aircraft** avión *m* propulsado a reacción
jetty ['dʒeti] muelle *m*
Jew [dʒuː] judío *m*
jewel ['dʒuːəl] alhaja *f*; rubí *m* (*de reloj*); **~ler** joyero *m*; **~ler's** joyería *f*; **~lery** joyas *f/pl*
Jew|ess ['dʒu(ː)is] judía *f*; **~ish** judío
jingle ['dʒiŋgl] *s* tintineo *m*, retintín *m*; *v/t*, *v/i* retiñir
job [dʒɔb] tarea *f*; empleo *m*, puesto *m*; asunto *m*; **out of ~** desocupado
jocular ['dʒɔkjulə] jocoso
jog [dʒɔg] *v/t* empujar; *s* empujón *m*, estímulo *m*
join [dʒɔin] *v/t* juntar, unir, acoplar; anexar; *com* asociarse a; *v/i* unirse, asociarse; colindar; **~ in** participar en; **~er** ebanista *m*; **~t** *s* junta *f*, juntura *f*; *anat* articulación *f*; asado *m* (*de carne*); *a* unido, junto; colectivo; común; *v/t* acoplar; **~tly** en común, juntamente; **~t property** propiedad *f* mancomunada; **~t stock** capital *m* social; **~t stock company** sociedad *f* por acciones; sociedad *f* anónima
joke [dʒəuk] *s* chiste *m*, broma *f*; *v/i* bromear, hacer chistes; **~r** bromista *m*; comodín *m* (*de naipes*)
jolly ['dʒɔli] *a* alegre, festivo; *adv* muy; sumamente
jolt [dʒəult] *v/t*, *v/i* sacudir, traquetear; *s* traqueteo *m*
jostle ['dʒɔsl] *v/t*, *v/i* empujar; codear
jot [dʒɔt] *s* pizca *f*; punto *m*; *v/t* **~ down** apuntar
journal ['dʒəːnl] *s* diario *m*; periódico *m* (*diario*); **~ism** ['~əlizəm] periodismo *m*; **~ist** periodista *m*, *f*
journey ['dʒəːni] *s* viaje *m*; pasaje *m*; *v/i* viajar
joy [dʒɔi] alegría *f*, júbilo *m*; **~ful** alegre, jubiloso
jubil|ant ['dʒuːbilənt] jubiloso, alborozado; **~ation** júbilo *m*, regocijo *m*; **~ee** aniversario *m*; *relig* jubileo *m*
judg|e [dʒʌdʒ] *s* juez *m*; árbitro *m*; conocedor *m*; *v/i* juzgar, opinar; *v/t* juzgar, sentenciar; **~ment** juicio *m*; fallo *m*; sentencia *f*; **♀ment Day** día *m* del juicio final
judic|ial [dʒu(ː)'diʃəl] judicial; crítico; equitativo; **~ious** juicioso, prudente; sensato
jug [dʒʌg] jarro *m*
juggle ['dʒʌgl] *v/i* hacer

juego de manos; ~ **with** engañar; falsificar; ~**r** malabarista *m, f*
Jugoslav ['ju:gəu'slɑ:v] *a, s* yugoeslavo(a) *m (f)*
juic|e [dʒu:s] jugo *m (de carne, fruta)*; zumo *m (de fruta, verdura)*; ~**y** jugoso, suculento; *fig* picante, sabroso
juke-box ['dʒu:k-] tocadiscos *m* automático
July [dʒu(:)'lai] julio *m*
jumble ['dʒʌmbl] *s* confusión *f*, mezcla *f*; *v/t* mezclar, confundir
jump [dʒʌmp] *s* salto *m*, brinco *m*; *v/i* saltar, brincar; ~**y** nervioso
junction ['dʒʌŋkʃən] unión *f*; *elec, f c* empalme *m*
juncture ['dʒʌŋktʃə] coyuntura *f*; junta *f*
June [dʒu:n] junio *m*
jungle ['dʒʌŋgl] jungla *f*; selva *f*
junior ['dʒu:njə] *s* joven *m*; subalterno *m*; *a* menor, más joven
junk [dʒʌŋk] junco *m (barca)*; *fam* trastos *m/pl*
juri|sdiction [dʒuəris'dikʃən] jurisdicción *f*; ~**sprudence** ['~pru:dəns] jurisprudencia *f*; ~**st** jurista *m*
jury ['dʒuəri] jurado *m*
just [dʒʌst] *a* justo, recto; merecido; genuino, legítimo; *adv* precisamente, justamente, exactamente; apenas; solamente; ~ **like that** así como así; ~ **now** ahora mismo; **he has ~ come** acaba de venir
justice ['dʒʌstis] justicia *f*; juez *m*
justif|ication [dʒʌstifi'keiʃən] justificación *f*; ~**y** ['~fai] *v/t* justificar
just|ly ['dʒʌstli] justamente; debidamente; ~**ness** justicia *f*
jut [dʒʌt] *v/t* sobresalir
juvenile ['dʒu:vinail] juvenil; ~ **court** tribunal *m* de menores

K

kangaroo [kæŋgə'ru:] canguro *m*
keel [ki:l] *s* quilla *f*; *v/i* ~ **over** dar de quilla
keen [ki:n] agudo; afilado; sutil, vivo; entusiasta, interesado; ~ **on** aficionado a; ~**ness** agudeza *f*; entusiasmo *m*
keep [ki:p] *v/t* guardar, conservar; mantener; llevar; proteger; seguir por; cumplir con, observar; ~ **books** llevar libros, hacer la contabilidad; ~ **company** acompañar; ~ **in mind** tener presente, recordar; ~ **waiting** hacer esperar; *v/i* quedar(se); conservarse; continuar, seguir; ~ **aloof,** ~ **away** mantenerse apartado; ~ **on** continuar; ~ **to**

adherirse a; ~ **up** mantenerse firme; **~er** guardián *m*; **~ing** preservación *f*; custodia *f*; **in ~ing with** en conformidad con

kennel ['kenl] perrera *f*

kerb [kə:b] bordillo *m*; **~-stone** piedra *f* de reborde de la acera

kerchief ['kə:tʃif] pañuelo *m*

kernel ['kə:nl] grano *m*; meollo *m*, núcleo *m*

kettle ['ketl] caldera *f*; **a pretty ~ of fish** bonito lío *m*; **~drum** atabal *m*, timbal *m*

key [ki:] *s* llave *f*; clave *f*; *mús* tono *m*; tecla *f* (*de piano o máquina de escribir*); *v/t mec* calzar; afinar; **~board** teclado *m*; **~hole** ojo *m* de la cerradura; **~ring** llavero *m*; **~stone** *arq* clave *f*

kick [kik] *s* coz *f*, patada *f*, puntapié *m*; *fig* fuerza *f*, vigor *m*; *v/t* dar una coz a; dar una patada a; **~ the bucket** *fam* morirse; *v/i* dar coces

kid [kid] cabrito *m*; *fam* niño(a) *m* (*f*); chico(a) *m* (*f*); **~ gloves** guantes *m/pl* de cabritilla; **~nap** ['kidnæp] *v/t* secuestrar, raptar; **~napper** secuestrador *m*; **~napping** secuestro *m*

kidney ['kidni] riñón *m*; **~ bean** judía *f*, frijol *m*

kill [kil] *v/t* matar; destruir; **~er** asesino *m*; **~ing** matanza *f*; asesinato *m*

kiln [kiln] horno *m*

kilogram ['kiləugræm] kilógramo *m*

kilometre ['kiləumi:tə] kilómetro *m*

kilt [kilt] tonelete *m* escocés

kin [kin] parentela *f*; linaje *m*; **~ship** parentesco *m*

kind [kaind] *a* amable; cordial; bondadoso; cariñoso; **~ regards** muchos recuerdos *m/pl*; *s* clase *f*, especie *f*; **in ~** en especie

kindle ['kindl] *v/t* encender; *v/i* arder

kind|ly ['kaindli] bondadoso; agreable; **~ness** bondad *f*

kindred ['kindrid] semejante; afín

king [kiŋ] rey *m*; **~dom** ['~dəm] reino *m*; **~ly** real; regio; **~-size** extralargo

kipper ['kipə] arenque *m* ahumado

kiss [kis] *s* beso *m*; *v/t* besar

kit [kit] equipo *m*; caja *f* de herramientas

kitchen ['kitʃin] cocina *f*; **~ette** [~'net] kitchenette *f*; cocina *f* pequeña

kite [kait] cometa *f*

kitten ['kitn] gatito *m*

knack [næk] destreza *f*; treta *f*, truco *m*

knapsack ['næpsæk] morral *m*; mochila *f*

knav|e [neiv] bribón *m*, pícaro *m*; sota *f* (*de naipes*); **~ery** picardía *f*

knead [ni:d] *v/t* amasar
knee [ni:] rodilla *f*; **~l** [ni:l] (**down**) *v/i* arrodillarse
knickerbockers ['nikəbɔkəz], **knickers** ['nikəz] pantalones *m/pl* bombachos; bragas *f/pl*
knick-knack ['niknæk] baratija *f*
knife [naif] *s* cuchillo *m*; navaja *f*; *mec* cuchilla *f*; *v/t* acuchillar
knight [nait] *s* caballero *m*; caballo *m* (*de ajedrez*); *v/t* armar caballero
knit [nit] *v/t*, *v/i* hacer punto, hacer calceta; fruncir (*el entrecejo*); *fig* unir, enlazar; **~wear** géneros *m/pl* de punto
knob [nɔb] botón *m*; perilla *f*; bulto *m*
knock [nɔk] *s* golpe *m*; *v/t*, *v/i* golpear, pegar; llamar (*a la puerta*); **~ down** tumbar, derribar; atropellar; **~ out** dejar fuera de combate; **~er** aldaba *f*; llamador *m*; **~ing** golpeteo *m*; llamada *f*
knot [nɔt] *s* nudo *m*; lazo *m*; grupo *m*; *mar* nudo *m*; *v/t* atar, anudar; **~ty** nudoso; *fig* difícil
know [nəu] *v/t* saber; conocer; comprender; *v/i* saber; estar informado; **~ about** estar enterado de; **~-how** pericia *f*; **~ing** hábil; sagaz; despierto; **~ingly** a sabiendas; **~ledge** ['nɔlidʒ] conocimiento *m*; saber *m*; noticia *f*; **to my ~ledge** que yo sepa; **~n** conocido, sabido; **to make ~n** dar a conocer, hacer saber
knuckle ['nʌkl] *s* nudillo *m*, artejo *m*; *v/i* ceder
Koran [kɔ'rɑ:n] Alcorán *m*, Corán *m*

L

label ['leibl] *s* etiqueta *f*, rótulo *m*; *v/t* marcar, etiquetar, rotular
laboratory [lə'bɔrətəri] laboratorio *m*
laborious [lə'bɔ:riəs] laborioso
labo(u)r ['leibə] *s* labor *f*; trabajo *m*; fatiga *f*; tarea *f*; faena *f*; mano *f* de obra; dolores *m/pl* de parto; **♀ Party** partido *m* laborista; **hard ~** trabajos *m/pl* forzados; *v/i* trabajar; fatigarse; estar de parto; **~er** trabajador *m*; **~-saving** que ahorra trabajo, racional
lace [leis] *s* encaje *m*; cordón *m* de zapato; *v/t* atar; ajustar
lack [læk] *s* falta *f*, carencia *f*; *v/t* carecer de; faltarle a uno
lacquer ['lækə] laca *f*
lad [læd] muchacho *m*, joven *m*
ladder ['lædə] *s* escalera *f*; carrera *f* (*de media*); *v/i*

correrse, desmallarse (*la media*); **~-proof** indesmallable
laden ['leidn] cargado
ladle ['leidl] *s* cucharón *m*, cazo *m*; *v/t* sacar con cucharón
lad|y ['leidi] señora *f*; señorita *f*; **~ybird** mariquita *f*; **~y-in-waiting** dama *f* de honor; **~ylike** elegante, bien educada
lag [læg] *s* retraso *m*; *v/i* quedarse atrás
lager ['lɑːgə] cerveza *f* (añeja)
lagoon [lə'guːn] laguna *f*
lair [lɛə] guarida *f*, madriguera *f*
lake [leik] lago *m*
lamb [læm] *s* cordero *m*; *v/i* parir (*la oveja*)
lame [leim] cojo; lisiado; *fig* débil, insatisfactorio
lament [lə'ment] *s* lamento *m*, queja *f*; *v/t* lamentar, deplorar; *v/i* lamentar(se), quejarse; **~able** ['læməntəbl] lamentable, deplorable; **~ation** lamentación *f*, lamento *m*
lamp [læmp] lámpara *f*; **~-post** poste *m* de alumbrado; **~shade** pantalla *f* de lámpara
lance [lɑːns] *s* lanza *f*; *v/t* lancear; **~r** lancero *m*; **~t** lanceta *f*
land [lænd] *s* tierra *f*; terreno *m*; suelo *m*; hacienda *f*; país *m*; *for* bienes *m/pl* raíces; **by ~** por tierra; *v/t* desembarcar; *v/i* desembarcar; aterrizar; **~ed** hacendado; **~ing** desembarque *m*; aterrizaje *m*; **~ing field** *aer* campo *m* de aterrizaje; **~lady** patrona *f*; **~lord** patrón *m*; **~mark** mojón *m*; hito *m*; **~scape** paisaje *m*; **~slide** derrumbamiento *m*, desprendimiento *m* de tierra; **~ tax** impuesto *m* predial
lane [lein] senda *f*; callejuela *f*; pista *f* (*de carretera*)
language ['læŋgwidʒ] idioma *m*; lengua *f*; lenguaje *m*
langu|id ['læŋgwid] lánguido; **~ish** *v/i* languidecer, consumirse; **~or** ['læŋgə] languidez *f*; **~orous** lánguido
lank [læŋk] flaco; lacio (*pelo*); **~y** delgaducho, larguirucho
lantern ['læntən] linterna *f*
lap [læp] *s* regazo *m*; falda *f*; *v/t*, *v/i* traslapar(se); **~el** [lə'pel] solapa *f*
lapse [læps] *s* lapso *m*; desliz *m*; transcurso *m* de tiempo; *v/i* interrupción *f*; transcurrir, pasar (*tiempo*); decaer; *for* caducar
larceny ['lɑːsəni] hurto *m*, robo *m*
lard [lɑːd] manteca *f* de cerdo; **~er** despensa *f*
large [lɑːdʒ] grande; amplio, vasto; grueso; **at ~** en libertad; **~ly** grandemente; en buena parte, mayormente

lark [lɑ:k] alondra *f*; *fam* travesura *f*
larynx ['læriŋks] laringe *f*
lascivious [lə'siviəs] lascivo, salaz
lash [læʃ] *s* tralla *f* (*del látigo*); latigazo *m*; pestaña *f*; *v/t* flagelar; *fig* azotar; *mar* amarrar
lass, ~ie [læs, '~i] muchacha *f*, mozuela *f*
lasso [læ'su:] *s* lazo *m*; *v/t* lazar
last [lɑ:st] *a* último; pasado; final; extremo; **~ but one** penúltimo; **~ night** anoche; **~ week** la semana pasada; **the ~ time** la última vez; **this is the ~ straw!** ¡no faltaba más que esto!; *adv* por último; finalmente; **at ~** al fin, por fin; **~ not least** no hay que olvidar; *v/i* durar; continuar; subsistir; sobrevivir; **~ing** duradero, permanente; **~ly** por fin; **~ name** apellido *m*
latch [lætʃ] *s* aldaba *f*; picaporte *m*; *v/i* cerrar con aldaba
late [leit] *a* tarde; tardío; difunto; último; antiguo; *adv* tarde; **it is ~** es tarde; **to be ~** llegar tarde; **~ly** últimamente; **~r** más tarde; **~st** último; más reciente
lathe [leið] torno *m*
lather ['lɑ:ðə] espuma *f* (*de jabón*); *v/t* enjabonar
Latin ['lætin] *a* latino; *s* latín *m*
latitude ['lætitju:d] latitud *f*
latter ['lætə] *a* posterior; *pron* **the ~** éste, ésta, esto
lattice ['lætis] celosía *f*
laudable ['lɔ:dəbl] laudable
laugh [lɑ:f] *s* risa *f*; *v/i* reír; reírse; **~ at** reírse de; **~able** risible; **~ter** risa *f*
launch [lɔ:ntʃ] *s* lancha *f*; *v/t* botar; lanzar; **~ing** lanzamiento *m* (*de cohetes*); *mar* botadura *f*; **~ing-pad** plataforma *f* de lanzamiento
laund|erette [lɔ:ndə'ret] lavadero *m* con autoservicio; **~ry** lavadero *m*; establecimiento *m* de lavar; *SA* lavandería *f*; ropa *f* de lavar
laurel ['lɔrəl] laurel *m*
lavatory ['lævətəri] lavabo *m*; retrete *m*
lavender ['lævində] lavanda *f*
lavish ['læviʃ] *a* pródigo; *v/t* prodigar
law [lɔ:] ley *f*; estatuto *m*; derecho *m*, jurisprudencia *f*; justicia *f*; **~ and order** el orden *m* público; **~-court** tribunal *m* de justicia; **~ful** legal, lícito, legítimo; **~less** ilegal; anárquico
lawn [lɔ:n] césped *m*
law|suit ['lɔ:sju:t] pleito *m*; **~yer** ['~jə] abogado *m*
lax [læks] laxo, flojo; **~ative** ['~ətiv] *a*, *s* laxante *m*, purgante *m*
lay [lei] *v/t* poner; colocar; tumbar; **~ before** exponer a; **~ down** deponer; sen-

tar; ~ **out** tender; gastar; planificar; ~ **up** acumular; atesorar; **to be laid up** guardar cama
lay-by ['leibai] *aut* apartadero *m*
layer ['leiə] capa *f*
layman ['leimən] lego *m*
lazy ['leizi] perezoso, holgazán
lead [li:d] *s* delantera *f*; dirección *f*; *teat* papel *m* principal; *elec* conductor *m*; traílla *f*; *v/t* guiar, conducir; acaudillar
lead [led] plomo *m*; mina *f* (*de lápiz*); *mar* sonda *f*; **~en** plomoso
lead|er ['li:də] guía *m*, *f*; líder *m*, caudillo *m*; editorial *m*; **~ing** conductor; principal
leaf [li:f] *s* hoja *f*; *v/i* echar hojas, brotar; **~let** folleto *m*; **~y** frondoso
league [li:g] *s* liga *f*, alianza *f*; *v/t*, *v/i* aliar(se)
leak [li:k] *s* gotera *f*; escape *m*; *v/i* gotear; salirse; escaparse; **~age** goteo *m*; escape *m*, fuga *f*; **~y** agujerado; permeable; llovedizo (*techo, etc*)
lean [li:n] *a* flaco; magro; *v/i* apoyarse; inclinarse; ~ **out** asomar la cabeza; **~ing** propensión *f*, inclinación *f*
leap [li:p] *s* salto *m*, brinco *m*; *v/i* saltar, brincar; ~ **year** año *m* bisiesto
learn [lə:n] *v/t*, *v/i* aprender, estudiar; enterarse de; **~ed** ['~id] docto, erudito; **~er** principiante *m*, *f*; estudiante *m*, *f*; **~ing** saber *m*, instrucción *f*
lease [li:s] *s* arriendo *m*; contrato *m* de arrendamiento, de alquiler; *v/t* arrendar; alquilar
leash [li:ʃ] *s* traílla *f*
least [li:st] *a* mínimo; menos; más pequeño; **at ~** por lo menos; **not in the ~** de ninguna manera; *adv* menos
leather ['leðə] cuero *m*, piel *f*; **~ette** similicuero *m*
leave [li:v] *s* permiso *m*, vacaciones *f/pl*; *mil* licencia *f*; **to take (one's) ~** despedirse; *v/i* partir, salir, marcharse; *v/t* dejar; abandonar, salir de
leaven ['levn] levadura *f*
lecture ['lektʃə] *s* conferencia *f*; instrucción *f*; reprimenda *f*; *v/i* dictar conferencias, disertar; *v/t* sermonear; **~r** conferenciante *m*; catedrático *m*
ledge [ledʒ] repisa *f*; reborde *m*
ledger ['ledʒə] *com* libro *m* mayor
leech [li:tʃ] *s* sanguijuela *f*; *fam* gorrón *m*
leek [li:k] puerro *m*
leer [liə] *v/i* mirar de reojo (*maliciosa o socarronamente*); *s* mirada *f* de soslayo
left [left] *a* izquierdo; *s* izquierda *f*; **on the ~** a la izquierda; **to the ~** a la iz-

quierda, hacia la izquierda; **~handed** zurdo
left-luggage office ['left'lʌgidʒ'ɔfis] depósito *m* de equipaje, consigna *f*
leg [leg] pierna *f*; pata *f* (*de animales*); **to pull one's ~** tomarle el pelo a alguien
legacy ['legəsi] herencia *f*, legado *m*
legal ['li:gəl] legal, jurídico; legítimo, lícito; **to take ~ action** entablar juicio; **~ adviser** asesor *m* jurídico; **~ tender** moneda *f* de curso legal; **~ize** *v/t* legitimar, legalizar
legation [li'geiʃən] legación *f*
legend ['ledʒənd] leyenda *f*; **~ary** legendario, fabuloso
legible ['ledʒəbl] legible
legion ['li:dʒən] legión *f*
legislat|ion [ledʒis'leiʃən] legislación *f*; **~ive** ['~lətiv] legislativo; **~or** ['~leitə] legislador *m*
legitimate [li'dʒitimit] *a* legítimo; [~eit] *v/t* legitimar
leisure ['leʒə] ocio *m*; tiempo *m* libre; **at ~** con sosiego; cuando quiera uno; **~ly** pausadamente; despacio
lemon ['lemən] limón *m*; **~ade** [~'neid] limonada *f*; **~-juice** zumo *m* de limón; **~ squash** limonada *f*
lend [lend] *v/t* prestar; **~ing** préstamo *m*; **~ing library** biblioteca *f* circulante
length [leŋθ] *s* longitud *f*, largo *m*; trozo *m*; duración *f*; **at ~** detalladamente; por fin; **~en** *v/t*, *v/i* alargar(se), estirar(se); prolongar(se); **~ening** alargamiento *m*, prolongación *f*; **~wise** ['~waiz] longitudinalmente; **~y** largo; dilatado
lenient ['li:njənt] indulgente, clemente
lens [lenz] lente *m*, *f*
Lent [lent] cuaresma *f*; **~en** cuaresmal
leopard ['lepəd] leopardo *m*
leprosy ['leprəsi] lepra *f*
less [les] *a* menor; menos; *adv* menos; **to grow ~** disminuir, menguar; **more or ~** más o menos
less|en ['lesn] *v/t* disminuir, reducir; **~er** menor, más pequeño
lesson ['lesn] lección *f*; instrucción *f*, clase *f*; advertencia *f*
lest [lest] *conj* para que no; no sea que; por miedo de
let [let] *v/t* dejar, permitir; alquilar; **~ alone** menos aún; **~ down** bajar; *fam* decepcionar, dejar plantado; **~ go** soltar; **~ him go** que se vaya; **~ in** admitir; **~ off** disparar, descargar; **~ out** dejar salir; *v/i* alquilarse; **to ~** se alquila
lethal ['li:θəl] letal
letter ['letə] *s* carta *f*; letra *f*; **~ of credit** carta de crédito; **to the ~** al pie de la letra; *v/t* estampar con letras; **~-box** buzón *m*; **~-head** membrete *m*
lettuce ['letis] lechuga *f*

level ['levl] *s* nivel *m*, altura *f*; llanura *f*; rango *m*, grado *m*; *a* llano; igual, parejo; ~ **crossing** paso *m* a nivel; *v/t* nivelar; igualar; derribar; allanar
lever ['li:və] palanca *f*
levity ['leviti] ligereza *f*
levy ['levi] *s* leva *f*; recaudación *f* (*de impuestos*); *v/t* imponer tributo; *mil* reclutar
lewd [lu:d] lascivo, sensual
liab|ility [laiə'biliti] responsabilidad *f*; obligación *f*; *pl com* pasivo *m*; **~le** ['laiəbl] responsable; expuesto (a)
liar ['laiə] mentiroso(a) *m* (*f*)
libel ['laibəl] *s* difamación *f*; *v/t* difamar
liberal ['libərəl] *a* liberal, generoso; amplio; *s* liberal *m*; **~ism** liberalismo *m*
liberat|e ['libəreit] *v/t* liberar; **~ion** liberación *f*
liberty ['libəti] libertad *f*; **at ~** libre, en libertad
librar|ian [lai'brɛəriən] bibliotecario(a) *m* (*f*); **~y** ['~əri] biblioteca *f*
lice [lais] *pl* de **louse** piojos *m/pl*
licen|ce ['laisəns] licencia *f*; permiso *m*; autorización *f*; título *m*; **~ciate** [~'senʃiit] licenciado(a) *m* (*f*); **~se** ['~səns] *v/t* licenciar, permitir, autorizar; **~see** [~'si:] concesionario *m*
lichen ['laikən] liquen *m*
lick [lik] *s* lamedura *f*; *v/t* lamer; *fam* cascar; derrotar; **~ing** paliza *f*
lid [lid] tapa *f*; *anat* párpado *m*
lie [lai] *s* mentira *f*; embuste *m*; **white ~** mentirilla *f*; *v/i* mentir
lie [lai] *s* posición *f*; *v/i* estar acostado; yacer; estar colocado, situado; **~ down** acostarse, echarse
lieutenant [lef'tenənt, *mar* le'tenənt] teniente *m*
life [laif] vida *f*; existencia *f*; **for ~** de por vida; **~ annuity** renta *f* vitalicia; **~-belt** cinturón *m* salvavidas; **~boat** bote *m* salvavidas; **~-guard** guarda *m* de playa; **~ jacket** chaleco *m* salvavidas; **~less** exánime; muerto; **~time** vida *f*
lift [lift] *s* ascensor *m*; montacargas *m*; alza *f*; **to give someone a ~** llevar a uno en auto; *v/t* elevar, subir, levantar; *v/i* disiparse; **~-off** *aer* despegue *m*
light [lait] *s* luz *f*; claridad *f*; lumbre *f*; día *m*; **have you a ~?** ¿tiene Vd un fósforo?; *a* ligero; claro; *v/t* encender; alumbrar, iluminar; **~en** *v/t* alumbrar; aligerar (*peso*); aliviar; **~er** mechero *m*, encendedor *m*; *mar* alijador *m*; **~headed** ligero de cascos; **~-house** faro *m*; **~ing** alumbrado *m*; **~ly** ligeramente; ágilmente; **~ning** ['~niŋ] relámpago *m*; **~ning conductor** para-

rrayos *m*; **~-weight** peso *m* ligero
like [laik] *a* semejante, parecido; *prep* como, a manera de; **to feel ~** sentir deseos de; **what is he ~?** ¿qué tal es él?; *s* semejante *m*; *v/t* querer, tener afecto a; gustar; **I ~ tea** me gusta el té; **~ better** preferir; **~able** simpático; **~lihood** ['laiklihud] probabilidad *f*; **~ly** probable; verosímil; **~ness** parecido *m*, semejanza *f*; retrato *m*; **~wise** ['~waiz] igualmente
liking ['laikiŋ] simpatía *f*; agrado *m*
lilac ['lailək] lila *f*
lily ['lili] lirio *m*
limb [lim] miembro *m*; rama *f* (*de árbol*)
lime [laim] *s* cal *f*; *bot* lima *f*; *v/t* encalar, abonar con cal; **~light** luz *f* de calcio; *teat* luz *f* de los proyectores; *fig* vista *f* del público; **~-tree** limero *m*; tilo *m*
limit ['limit] *s* límite *m*; *v/t* limitar, restringir; **that's the ~!** *fam* ¡esto es el colmo!
limp [limp] *a* flojo; debilitado; *v/i* cojear
line [lain] *s* línea *f*; vila *f*, hilera *f*; cuerda *f*; *f c* vía *f*, trayecto *m*; *com* especialidad *f*, ramo *m*; **to stand in ~** hacer cola; *v/t* alinear; rayar; revestir, forrar; *v/i* **~ up** ponerse en fila; **~age** ['liniidʒ] linaje *m*; **~ar** linear, lineal
linen ['linin] hilo *m*, lino *m*; lienzo *m*; lencería *f*; ropa *f* blanca
liner ['lainə] transatlántico *m*; avión *m* de línea
linger ['liŋgə] *v/i* tardar, demorarse
lining ['lainiŋ] forro *m*, revestimiento *m*
link [liŋk] *s* eslabón *m*; enlace *m*; *v/t* enlazar, unir; **~ up** encadenar; vincular
links [liŋks] campo *m* de golf
lion ['laiən] león *m*; **~ess** leona *f*
lip [lip] labio *m*; **~stick** lápiz *m* labial
liquid ['likwid] *a*, *s* líquido *m*; **~ate** *v/t* liquidar
liquor ['likə] licor *m*
liquorice ['likəris] regaliz *m*
lisp [lisp] *s* ceceo *m*; *v/i* cecear
list [list] *s* lista *f*; *v/t* catalogar; registrar, inscribir
listen ['lisn] *v/i* escuchar; **~ in** escuchar por radio; **~er** oyente *m*, *f* (*de radio*)
listless ['listlis] indiferente
literal ['litərəl] literal, exacto
litera|ry ['litərəri] literario; **~ture** ['~ritʃə] literatura *f*
lithe [laið] elástico, flexible
litre ['li:tə] litro *m*
litter ['litə] *s* litera *f*; camilla *f*; camada *f*; desechos *m/pl*; *v/t* esparcir
little ['litl] *a* pequeño; poco; **a ~** un poquito *m*; **~ finger** meñique *m*; *s* poco *m*; **~ by ~** poco a poco; *adv* poco

liv|e [laiv] *a* vivo; *elec* cargado; *tv* vivo; [liv] *v/i* vivir, existir; habitar, residir; **~elihood** ['laivlihud] medios *m/pl* de vida; **~ely** animado
liver ['livə] hígado *m*
livestock ['laivstɔk] ganado *m*
livid ['livid] lívido; furioso
living ['liviŋ] *a* vivo; *s* vida *f*; medios *m/pl* de vida; **~ room** sala *f* de estar
lizard ['lizəd] lagarto *m*
load [ləud] *s* carga *f*; *v/t* cargar
loaf [ləuf] hogaza *f* de pan
loam [ləum] barro *m*, marga *f*
loan [ləun] *s* préstamo *m*, empréstito *m*; **on ~** prestado; *v/t* prestar
loath [ləuθ] renuente; **~e** *v/t* detestar; **~some** ['~ðsəm] repugnante
lobby ['lɔbi] vestíbulo *m*, antesala *f*; **~ing** cabildeo *m*
lobe [ləub] lóbulo *m*
lobster ['lɔbstə] langosta *f*
loca|l ['ləukəl] *a* local; *s fam* taberna *f* del barrio; **~lity** [~'kæliti] localidad *f*; **~lize** *v/t* localizar; **~te** [~'keit] *v/t* situar, localizar; **~tion** ubicación *f*; localización *f*; *cine* **on ~tion** (*rodaje*) exterior
loch [lɔk] lago *m*, laguna *f*
lock [lɔk] *s* cerradura *f*; cerrojo *m* (*del fusil*); *dep* llave *f*; esclusa *f*; *v/t* cerrar con llave; entrelazar; **~er** gaveta *f*; armario *m*; **~out** cierre *m* forzoso (*de fábrica, etc*); **~smith** cerrajero *m*
locomotive ['ləukəməutiv] locomotora *f*
locust ['ləukəst] langosta *f*
lodg|e [lɔdʒ] pabellón *m*; casita *f* (del portero); casa *f* de campo; *v/t* alojar; **~er** huésped *m*; **~ings** hospedaje *m*; habitación *f*
loft [lɔft] desván *m*, buhardilla *f*; **~y** elevado; altivo; eminente
log [lɔg] tronco *m*; **~book** diario *m* de navegación
logic ['lɔdʒik] *s* lógica *f*; *a* lógico; **~al** lógico
loiter ['lɔitə] *v/i* holgazanear, vagar
London ['lʌndən] Londres; **~er** londinense *m, f*
lonel|iness ['ləunlinis] soledad *f*; **~y** solitario
long [lɔŋ] *a* largo; alargado; prolongado; **in the ~ run** a la larga; *adv* por mucho tiempo; **all day ~** todo el santo día; **as ~ as** mientras; **before ~** en breve; **~ ago** hace mucho; **~ before** mucho antes; **how ~?** ¿cuánto tiempo?; **~ since** hace mucho; **so ~!** ¡hasta luego!; **to be ~** tardar; *v/i* **~ for** anhelar, ansiar; **~ing** anhelo *m*; **~-term** *com* a largo plazo; **~-winded** verboso
look [luk] *s* mirada *f*; *pl* aspecto *m*; **to take a ~ at** echar una mirada a; *v/t*

mirar, contemplar; *v/i* mirar; tener aspecto de; ~ **after** cuidar (de); ~ **at** mirar, observar; ~ **bad** tener mal aspecto; ~ **for** buscar; ~ **in** entrar al pasar; ~ **into** investigar; ~ **like** parecerse a; ~ **out!** ¡ojo!; ¡cuidado!; ~ **well** tener buen aspecto; **~er-on** ['lukər'ɔn] espectador *m*; **~ing glass** espejo *m*; **~-out** vigía *f*; atalaya *f*; *fig* perspectiva *f*; asunto *m*
loom [lu:m] *s* telar *m*; *v/i* asomarse en forma vaga
loop [lu:p] *s* lazo *m*; presilla *f*; *aer* rizo *m*; **~hole** escapatoria *f*
loose [lu:s] suelto; vago; disoluto; **~n** ['~sn] *v/t* soltar, desatar, aflojar
loot [lu:t] *s* botín *m*; *v/t* pillar, saquear
lop [lɔp] *v/i* pender; *v/t* desmochar; ~ **off** cercenar
lope [ləup] medio galope *m*; paso *m* largo
lord [lɔ:d] señor *m*; lord (*título*); patrón *m*; **♀ Mayor** alcalde *m* (*de Londres o de otras ciudades grandes*); **♀'s Prayer** padrenuestro *m*; **~ly** señorial; **~ship** señoría *f*; poder *m*; dominio *m*
lorry ['lɔri] camión *m*; *f c* vagoneta *f*
los|e [lu:z] *v/t* perder; *v/i* sufrir una pérdida; perder; atrasarse (*reloj*); **~s** [lɔs] pérdida *f*; **to be at a ~s** no saber cómo (*hacer*); **~t** [lɔst] perdido; **to get ~t** perderse, extraviarse
lot [lɔt] lote *m*; suerte *f*; parcela *f*; **a ~** mucho
lotion ['ləuʃən] loción *f*
lottery ['lɔtəri] lotería *f*
loud [laud] alto; fuerte; ruidoso; chillón; **~ly** en alta voz, fuertemente; **~-speaker** altavoz *m*, *SA* altoparlante *m*
lounge [laundʒ] *s* salón *m*; vestíbulo *m*, hall *m*; *v/i* haraganear
lous|e [laus] piojo *m*; **~y** piojoso; *fam* pésimo, miserable
lout [laut] patán *m*, rústico *m*
lov|e [lʌv] *s* amor *m*; cariño *m*; **to fall in ~e** enamorarse; *v/t* amar, querer; **~e affair** intriga *f* amorosa; amorío *m*; **~e letter** carta *f* de amor; **~ely** encantador, bello, hermoso; **~ing** cariñoso, afectuoso
low [ləu] *a* bajo; abatido; débil; estrecho; escotado; *adv* bajo; en voz baja; *v/i* mugir; **~er** *a* más bajo, inferior; **♀er House** *pol* Cámara *f* Baja; *v/t* bajar; reducir; disminuir; *v/i* bajar; menguar; **~land** tierra *f* baja; **~liness** humildad *f*; **~ly** humilde; ~ **tide** marea *f* baja
loyal ['lɔiəl] leal, fiel; **~ty** lealtad *f*; fidelidad *f*
lozenge ['lɔzindʒ] tableta *f*, pastilla *f*
lubrica|nt ['lu:brikənt] *a*, *s*

lubricante *m*, lubrificante *m*; **~te** ['~eit] *v/t* lubricar, lubrificar, engrasar; **~tion** engrase *m*
lucid ['lu:sid] lúcido
luck [lʌk] suerte *f*, ventura *f*; **good ~** buena suerte *f*; **hard ~** mala suerte *f*; **~y** afortunado, dichoso
ludicrous ['lu:dikrəs] ridículo, absurdo
lug [lʌg] *s* tirón *m*; *v/t* tirar; arrastrar
luggage ['lʌgidʒ] equipaje *m*; **~ rack** portaequipajes *m*, rejilla *f*; **~ van** *f c* furgón *m*
lukewarm ['lu:kwɔ:m] tibio (*t fig*)
lull [lʌl] *s* momento *m* de calma; *v/t* arrullar, adormecer; calmar; **~aby** ['~əbai] canción *f* de cuna; nana *f*
lumber ['lʌmbə] *s* madera *f* aserrada; *fam* trastos *m/pl*; *v/i* andar pesadamente; **~jack** leñador *m*; **~yard** maderería *f*
luminous ['lu:minəs] luminoso
lump [lʌmp] *s* bulto *m*; pedazo *m*; terrón *m* (*de azúcar*); *v/t* amontonar; **~ish** torpe; **~ sugar** azúcar *m* en terrones; **~ sum** cantidad *f* global
lunar ['lu:nə] lunar; **~ landing** alunizaje *m*; **~ walk** paseo *m* en la luna
lunatic ['lu:nətik] *a*, *s* loco *m*, demente *m*; **~ asylum** manicomio *m*
lunch [lʌntʃ] *s* almuerzo *m*; merienda *f*; **~ hour** pausa *f* para almorzar; *v/i* almorzar
lung [lʌŋ] pulmón *m*
lurch [lə:tʃ] *s* sacudida *f*; tambaleo *m*; **to leave one in the ~** dejar a uno en la estacada; *v/i mar* guiñar
lure [ljuə] *s* atractivo *m*; señuelo *m*; *v/t* atraer, inducir
lurk [lə:k] *v/i* estar al acecho; *fig* estar latente
luscious ['lʌʃəs] suculento, sabroso; voluptuoso
lust [lʌst] *s* lujuria *f*; codicia *f*; *v/i* **~ after** codiciar; **~y** robusto
lustr|e ['lʌstə] lustre *m*, brillo *m*; **~ous** lustroso
lute [lu:t] laúd *m*
luxate ['lʌkseit] *v/t med* luxar
luxur|ious [lʌg'zjuəriəs] lujoso, suntuoso; **~y** ['lʌkʃəri] lujo *m*
lying ['laiiŋ] falso, mentiroso; yacente, situado; **~-in** parto *m*
lymph [limf] linfa *f*
lynch [lintʃ] *v/t* linchar
lynx [liŋks] lince *m*
lyric ['lirik] *a* lírico; *s* poema *m* lírico; **~s** letra *f* (*de una canción*)

M

macaroni [mækəˈrəuni] macarrones *m/pl*
machine [məˈʃiːn] *s* máquina *f*; mecanismo *m*; *fig* maquinaria *f*; *v/t* trabajar, acabar a máquina; **~ gun** ametralladora *f*; **~ tool** máquina *f* herramienta
mackintosh [ˈmækintɔʃ] impermeable *m*
mad [mæd] loco; demente; furioso; **to be ~ about** estar loco por; **to go ~** volverse loco; enloquecerse
madam [ˈmædəm] señora *f*
madden [ˈmædn] *v/t, v/i* enloquecer
made [meid] hecho; fabricado; **~-up** ficticio
mad|man [ˈmædmən] loco *m*, lunático *m*; **~ness** locura *f*
magazine [mægəˈziːn] *impr* revista *f*; *arti* recámara *f* (*del cañón*); almacén *m* de explosivos
maggot [ˈmægət] cresa *f*
magic [ˈmædʒik] *s* magia *f*; **~, ~al** mágico; **~ian** [meˈdʒiʃən] mago *m*
magistrate [ˈmædʒistreit] magistrado *m*
magnet [ˈmægnit] imán *m*; **~ic** [~ˈnetik] magnético; atractivo
magni|ficence [mægˈnifisns] magnificencia *f*; **~ficent** magnífico; **~fy** [ˈ~fai] *v/t* amplificar; exagerar
magpie [ˈmægpai] urraca *f*
mahogany [məˈhɔgəni] caoba *f*
maid [meid] doncella *f*; sirvienta *f*; **~en** *a* virgen; soltera; *s* doncella *f*; joven *f* soltera; **~en name** nombre *m* de soltera; **~enly** virginal, modesto
mail [meil] *s* correo *m*; correspondencia *f*; *v/t* despachar; echar al correo; **~-bag** valija *f* (postal); **~-box** buzón *m*; **~-order house** almacén *m* de ventas por correo
maim [meim] *v/t* mutilar; [*fig* estropear]
main [mein] principal; esencial; **~land** tierra *f* firme; **~s** tubería *f* maestra (*de gas, agua*); red *f* eléctrica; **~ road** camino *m* troncal
maint|ain [meinˈtein] *v/t* mantener; sostener; **~enance** [ˈmeintənəns] mantenimiento *m*; conservación *f*
maize [meiz] maíz *m*
majest|ic [məˈdʒestik] majestuoso; **~y** [ˈmædʒisti] majestad *f*; majestuosidad *f*
major [ˈmeidʒə] *a* mayor; más importante; *s* comandante *m*; **~ general** general *m* de división
majority [məˈdʒɔriti] mayoría *f*; mayor parte *f*; mayor edad *f*

make [meik] *s* marca *f*; fabricación *f*; *v/t* hacer; crear; producir; ganar (*dinero*); obligar; causar; *fam* recorrer (*distancia*); ~ **fun of** burlarse de; ~ **known** dar a conocer; ~ **the most of** aprovechar; ~ **out** descifrar; comprender; divisar; extender (*documento*); ~ **over** traspasar; ~ **up** formar; inventar; arreglar; ~ **up one's mind** resolverse; ~ **it up** hacer las paces; ~ **use of** servirse de; *v/i* disponerse a; ~ **for** ir hacia; ~ **off** largarse; ~ **ready** prepararse; **~-believe** fingimiento *m*; **~r** constructor *m*; fabricante *m*; **Ջr** Creador *m*; **~shift** expediente *m*; **~-up** maquillaje *m*

malady ['mælədi] enfermedad *f*

male [meil] *s* varón *m*; *a* [masculino

male|diction [mæli'dikʃən] maldición *f*; **~factor** ['~fæktə] malhechor *m*; **~volent** [mə'levələnt] malévolo

malic|e ['mælis] malicia *f*; **~ious** [mə'liʃəs] malicioso

malignant [mə'lignənt] maligno

malnutrition ['mælnju(:)'triʃən] desnutrición *f*

malt [mɔ:lt] malta *f*

mam(m)a [mə'mɑ:] mamá *f*

mammal ['mæməl] mamífero *m*

man [mæn] *s* hombre *m*; el hombre *m*, la humanidad *f*; sirviente *m*; *v/t* tripular; guarnecer

manage ['mænidʒ] *v/t* manejar; manipular; dirigir; arreglar; administrar; *v/i* arreglárselas; **~able** manejable; dócil; **~ment** dirección *f*; manejo *m*; *com* gerencia *f*; **~r** *com* gerente *m*; director *m*; empresario *m*

mane [mein] crin *f*; melena *f*

manger ['meindʒə] pesebre *m*

mangle ['mæŋgl] *s* planchadora *f* a rodillo; *v/t* mutilar; pasar por una planchadora a rodillo

manhood ['mænhud] virilidad *f*; edad *f* adulta; los hombres

mania ['meinjə] manía *f*; **~c** ['~iæk] *a*, *s* maníaco *m*

manifest ['mænifest] *a* manifiesto, claro; *s* manifiesto *m*; *v/t* manifestar

manifold ['mænifəuld] múltiple; vario; variado

man|kind [mæn'kaind] la humanidad; ['~kaind] los hombres; **~ly** varonil

manner ['mænə] manera *f*; modo *m*; costumbre *f*; **~s** modales *m/pl*

manœuvre [mə'nu:və] *s* maniobra *f*; *v/t*, *v/i* maniobrar

man-of-war ['mænəv'wɔ:] buque *m* de guerra

manor ['mænə] casa *f* solariega

manpower ['mænpauə] mano *f* de obra; efectivos *m/pl* militares
mansion ['mænʃən] casa *f* señorial
manslaughter ['mænslɔ:tə] *for* homicidio *m* impremeditado
mantelpiece ['mæntlpi:s] repisa *f* de chimenea
manufactur|e [mænju'fæktʃə] *s* manufactura *f*; *v/t* fabricar; **~ing** manufactura *f*; fabricación *f*
manure [mə'njuə] *s* estiércol *m*; *v/t* abonar
many ['meni] muchos; diversos; **a great ~** muchísimos; **how ~?** ¿cuántos?
map [mæp] *s* mapa *m*; plano *m* (*de una ciudad*); *v/t* cartografiar
maple ['meipl] arce *m*
marble ['mɑ:bl] mármol *m*; canica *f*
March [mɑ:tʃ] marzo *m*; **♀** *v/i* marchar; *s* marcha *f*
mare [mɛə] yegua *f*
margarine [mɑ:dʒə'ri:n] margarina *f*
margin ['mɑ:dʒin] margen *m*, *f*; borde *m*
marine [mə'ri:n] *a* marino; marítimo; **~r** ['mærinə] marinero *m*, marino *m*
maritime ['mæritaim] marítimo
mark [mɑ:k] *s* marca *f*; señal *f*; importancia *f*; huella *f*; meta *f*; blanco *m*; *v/t* marcar; notar; caracterizar; **~down** rebaja *f*; **~ed** ['mɑ:kit] marcado, pronunciado
market ['mɑ:kit] *s* mercado *m*; *v/t* llevar al mercado; *v/i* comprar *o* vender en el mercado; **~able** vendible; **~ing** marketing *m*, compra *f* y venta *f*; **~ place** plaza *f* del mercado
marksman ['mɑ:ksmən] tirador *m* (certero)
marmalade ['mɑ:məleid] mermelada *f* de naranja amarga
marmot ['mɑ:mət] mar-} [mota *f*}
marri|age ['mæridʒ] matrimonio *m*; boda *f*; **~age certificate** partida *f* de matrimonio; **~ageable** casadero; **~ed** casado; matrimonial; **to get ~ed** casarse
marrow ['mærəu] médula *f*; calabacín *m*
marry ['mæri] *v/t* casar; casarse con; *v/i* contraer matrimonio
marsh [mɑ:ʃ] pantano *m*; marisma *f*
marshal ['mɑ:ʃəl] *s* mariscal *m*; *v/t* dirigir; ordenar, formar (*las tropas*)
marten ['mɑ:tin] marta *f*
martial ['mɑ:ʃəl] marcial; militar
marvel ['mɑ:vəl] *s* maravilla *f*; *v/i* admirarse; **~lous** maravilloso
masculine ['mæskjulin] masculino
mash [mæʃ] *s* masa *f*; *v/t* majar; **~ed potatoes** puré *m* de patatas, *SA* de papas

mask [mɑːsk] máscara *f*
mason ['meisn] albañil *m*; **~ry** mampostería *f*
mass [mæs] *s* masa *f*; montón *m*; muchedumbre *f*; *igl* misa *f*; *v/t*, *v/i* juntar(se)
massacre ['mæsəkə] matanza *f*
massage ['mæsɑːʒ] *s* masaje *m*; *v/t* dar masaje a
massive ['mæsiv] macizo; grande, grueso
mast [mɑːst] palo *m*; mástil *m*
master ['mɑːstə] *s* amo *m*; dueño *m*; maestro *m*; *v/t* superar; domar; dominar; **~ly** magistral; **~piece** obra *f* maestra; **~y** maestría *f*; supremacía *f*
mat [mæt] *s* estera *f*; felpudo *m*; *v/i* enredarse; *a* mate
match [mætʃ] *s* cerilla *f*, fósforo *m*; partido *m*; matrimonio *m*; *v/t* aparear; emparejar; *v/i* hacer juego, corresponderse; **~-box** cajita *f* de fósforos; **~less** sin igual
mate [meit] *s* cónyuge *m*, *f*; compañero(a) *m* (*f*); *mar* maestre *m*; (*ajedrez*) mate *m*; *v/t* casar; aparear
material [mə'tiəriəl] *s* material *m*; género *m*; *a* material; físico; esencial; **~ize** *v/i* concretarse; realizarse
matern|al [mə'təːnl] maternal; materno; **~ity** maternidad *f*
mathematic|ian [mæθimə'tiʃən] matemático(a) *m* (*f*); **~s** [~'mætiks] matemáticas *f*/*pl*
matriculate [mə'trikjuleit] *v/t*, *v/i* matricular(se)
matrimony ['mætriməni] matrimonio *m*
matron ['meitrən] matrona *f*; supervisora *f*
matter ['mætə] *s* materia *f*; asunto *m*; **a ~ of fact** cuestión *f* de hecho; **as a ~ of fact** en realidad; **for that ~** en cuanto a eso; **no ~** no importa; **what's the ~?** ¿qué pasa?; *v/i* importar; **it doesn't ~** no importa; **~-of-fact** prosaico; práctico
mattress ['mætris] colchón *m*
matur|e [mə'tjuə] *a* maduro; *v/i* madurar; *com* vencer; **~ity** madurez *f*; *com* vencimiento *m*
mauve [məuv] color *m* de malva
maw [mɔː] *zool* abomaso *m*; *orn* buche *m*
maxim ['mæksim] máxima *f*; **~um** ['~əm] máximo *m*
May [mei] mayo *m*
may [mei] *v/i*, *irr y def* poder; ser posible; **~ I come in?** ¿puedo entrar?; **~be** quizá
mayor [mɛə] alcalde *m*
maze [meiz] laberinto *m*; *fig* confusión *f*
me [miː, mi] *pron pers* me, mí; **with ~** conmigo
meadow ['medəu] pradera *f*
meagre ['miːgə] magro; pobre

meal [mi:l] comida *f* (*preparada*); **~time** hora *f* de comer
mean [mi:n] *a* ordinario; medio; humilde; tacaño; *v/t* querer decir; significar; *v/i* tener (buenas, malas) intenciones; *s/pl* medios *m/pl*; recursos *m/pl*; **by all ~s** de todos modos; **by no ~s** de ninguna manera; **by ~s of** mediante
meaning ['mi:niŋ] significado *m*; intención *f*; **~less** insensato
mean|time ['mi:n'taim], **~while** ['~'wail]: **in the ~** mientras tanto
measles ['mi:zlz] *med* sarampión *m*
measur|e ['meʒə] *s* medida *f*; cantidad *f*; **beyond ~e** excesivamente; **made to ~e** hecho a la medida; *v/t* medir; **~ement** dimensión *f*
meat [mi:t] carne *f*; **~-ball** albóndiga *f*; **~y** carnudo; *fig* substancioso
mechani|c [mi'kænik] mecánico *m*; **~cal** mecánico; **~cs** mecánica *f*; **~sm** ['mekənizəm] mecanismo *m*; **~ze** *v/t* mecanizar
medal ['medl] medalla *f*
meddle ['medl] *v/i* entremeterse
mediat|e ['mi:dieit] *v/t*, *v/i* mediar; **~ion** mediación *f*
medic|al ['medikəl] *a* médico; **~ament** [mə'dikəmənt] medicamento *m*; **~ine** ['medsin] medicina *f*
mediocre [mi:di'əukə] mediocre
meditat|e ['mediteit] *v/i* meditar; **~ion** meditación *f*; **~ive** ['~ətiv] meditativo
Mediterranean [meditə'reinjən] (**Sea**) (Mar *m*) mediterráneo *m*
medium ['mi:djəm] *a* medio; mediano; *s* medio *m*
medley ['medli] mezcolanza *f*; *mús* potpurrí *m*
meek [mi:k] humilde
meet [mi:t] *v/t* encontrar; hacer frente a; cumplir; satisfacer; **~ with** toparse con; sufrir; **~ing** reunión *f*; junta *f*
melancholy ['melənkəli] melancolía *f*
mellow ['meləu] maduro; tierno
melod|ious [mi'ləudjəs] melodioso; **~y** ['melədi] melodía *f*
melon ['melən] melón *m*; [sandía *f*]
melt [melt] *v/t* derretir; *v/i* fundirse; *fig* ablandarse
member ['membə] miembro *m*; socio *m*; **~ship** calidad *f* de socio
membrane ['membrein] membrana *f*
memo|irs ['memwa:z] *pl* memorias *f/pl*; **~rial** [mi'mɔ:riəl] conmemorativo; **~rize** ['meməraiz] *v/t* memorizar
memory ['meməri] memoria *f*; recuerdo *m*
menace ['menəs] *s* amenaza *f*; *v/t*, *v/i* amenazar

mend [mend] *v/t* componer; remendar; reparar; *v/i* curarse
menial ['mi:njəl] *a* servil
mental ['mentl] mental; intelectual; **~ home** manicomio *m*; **~ity** [~'tæliti] mentalidad *f*
mention ['menʃən] *s* mención *f*; *v/t* mencionar; **don't ~ it!** ¡no hay de qué!
menu ['menju:] menú *m*, minuta *f*
meow [mi:'au] *s* maullido *m*; *v/i* maullar
mercantile ['mə:kəntail] mercantil
mercenary ['məsinəri] *a*, *s* mercenario *m*
merchan|dise ['mə:tʃəndaiz] mercancía *f*; *SA* mercadería *f*; **~t** comerciante *m*; **~tman** buque *m* mercante
merc|iful ['mə:siful] clemente; compasivo; **~iless** despiadado
mercury ['mə:kjuri] mercurio *m*
mercy ['mə:si] misericordia *f*; piedad *f*; **at the ~ of** a la merced de
mere [miə] mero; puro
merge [mə:dʒ] *v/t* unir; *v/i* fundirse; **~r** *for*, *com* fusión *f*
meridian [mə'ridiən] meridiano *m*
merit ['merit] *s* mérito *m*; *v/t* merecer
mermaid ['mə:meid] sirena *f*
merr|iment ['merimənt] regocijo *m*; **~y** alegre; feliz; **to make ~y** divertirse; **~y-go-round** tiovivo *m*
mesh [meʃ] *s* malla *f*; trampa *f*
mess [mes] *s* rancho *m*; *fam* lío *m*; *v/t* dar de comer; **~ up** desordenar
mess|age ['mesidʒ] mensaje *m*; recado *m*; **~enger** mensajero *m*
Messrs. ['mesəz] los señores *m/pl*; *com* Señores
metal ['metl] *s* metal *m*; *a* de metal; **~lic** [mi'tælik] metálico
meteor ['mi:tjə] meteoro *m*; **~ology** [~'rɔlədʒi] meteorología *f*
meter ['mi:tə] contador *m* (*gas, etc*); medidor *m*
method ['meθəd] método *m*; **~ical** [mi'θɔdikəl] metódico
meticulous [mi'tikjuləs] meticuloso
metr|e ['mi:tə] metro *m*; **~ical** ['metrikəl] métrico
metropolitan [metrə'pɔlitən] metropolitano
mew [mju:] *s orn* (*especie de*) gaviota *f*; maullido *m*; *v/i* maullar
Mexic|an ['meksikən] *a*, *s* mejicano(a) *m* (*f*); **~o** ['~əu] Méjico *m*
miaow [mi(:)'au] *s* maullido *m*; *v/i* maullar
micro|phone ['maikrəfəun] micrófono *m*; **~scope** microscopio *m*
mid [mid] medio; **in ~ winter** en pleno invierno; **~day** mediodía *m*

middl|e ['midl] *a* medio; intermedio; **~e-aged** de edad madura; **♀e Ages** *pl* Edad *f* Media; **~e name** segundo nombre *m*; **~e--weight** peso *m* medio; *s* centro *m*; mitad *f*; **~ing** mediano
midget ['midʒit] enanito *m*
midnight ['midnait] medianoche *f*
mid|st [midst] medio *m*; centro *m*; **~way** a mitad del camino
midwife ['midwaif] comadrona *f*
might [mait] poder *m*; poderío *m*; **~y** *a* poderoso; potente; *adv* sumamente
migra|te [mai'greit] *v/i* emigrar; **~tion** migración *f*; **~tory** ['~ətəri] migratorio
mild [maild] suave, benigno, templado; manso; ligero
mildew ['mildju:] moho *m*
mile [mail] milla *f*
mil(e)age ['mailidʒ] millaje *m*; recorrido *m* en millas; gastos *m/pl* de viaje
milestone ['mailstəun] piedra *f* miliaria; hito *m* (*t fig*)
military ['militəri] militar
milk [milk] *s* leche *f*; *v/t* ordeñar; **~man** lechero *m*; **~-shake** batido *m* de leche; **~y** lechoso; **♀y Way** Vía *f* Láctea
mill [mil] *s* molino *m*; fábrica *f* de tejidos; *v/t* moler; desmenuzar; **~er** molinero *m*
millet ['milit] mijo *m*
milliner ['milinə] modista *f* de sombreros
million ['miljən] millón *m*; **~aire** [~'nɛə] millonario *m*
milt [milt] *zool* bazo *m*
mimic ['mimik] *a* mímico; *s* remedador *m*; *v/t* imitar
mince [mins] *v/t* desmenuzar; picar (*carne*); **~meat** carne *f* picada; fruta *f* picada y especias *f/pl*; **~ pie** pastel *m* relleno de fruta y especias
mind [maind] *s* mente *f*; inteligencia *f*; opinión *f*; intención *f*; **out of one's ~** loco, fuera de su juicio; **to bear in ~** tener presente; **to change one's ~** cambiar de opinión; **to have a ~ to** tener ganas de; **to make up one's ~** decidirse; *v/t* fijarse en; cuidar; oponerse a; tener inconveniente en; **~ your own business!** ¡no se meta en cosas ajenas!; **never ~!** ¡no importa!; **~ed** dispuesto; pensado; **~ful** atento; cuidadoso
mine [main] *pron pos* mío, mía, míos, mías, el mío, la mía, los míos, las mías, lo mío
min|e [main] *s* mina *f*; *v/t* minar; extraer (*mineral, etc*); **~er** minero *m*
mineral ['minərəl] mineral *m*; **~ oil** petróleo *m*
mingle ['miŋgl] *v/t, v/i* mezclar(se)
miniature ['minjətʃə] miniatura *f*

minimum ['miniməm] mínimo *m*
mining ['mainiŋ] minería *f*; **~ engineer** ingeniero *m* de minas
miniskirt ['miniskəːt] minifalda *f*
minist|er ['ministə] *s pol*, *igl* ministro *m*; *v/t igl* administrar (*sacramento*); *v/i* ayudar; **~ry** ministerio *m*; *igl* sacerdocio *m*
mink [miŋk] visón *m*
minor ['mainə] menor; inferior; leve; **~ity** [~'nɔriti] menor edad *f*; minoría *f*
minster ['minstə] catedral *f*
minstrel ['minstrəl] trovador *m*
mint [mint] *bot* menta *f*; casa *f* de la moneda
minus ['mainəs] *prep* menos; *a* negativo; *fam* sin, desprovisto de
minute [mai'njuːt] *a* menudo; diminuto; ['minit] *s* minuto *m*; momento *m*; nota *f*; **~ hand** minutero *m*; **~s** *pl* minutas *f/pl*
mirac|le ['mirəkl] milagro *m*; **~ulous** [mi'rækjuləs] milagroso
mirage ['mirɑːʒ] espejismo *m*
mire ['maiə] cenagal *m*
mirror ['mirə] espejo *m*; *v/t* reflejar
mirth [məːθ] regocijo *m*; alegría *f*
misadventure ['misəd'ventʃə] desgracia *f*
misapply ['misə'plai] *v/t* hacer mal uso de
misapprehen|d ['misæpri'hend] *v/t* malentender; **~sion** error *m*
misbehav|e ['misbi'heiv] *v/i* portarse mal; **~iour** mala conducta *f*
miscarr|iage [mis'kæridʒ] aborto *m*; error *m*; fracaso *m*; **~y** *v/i* abortar; frustrarse
miscellaneous [misi'leinjəs] misceláneo
mischie|f ['mistʃif] travesura *f*; daño *m*; **~vous** ['~vəs] travieso; malicioso
misdeed ['mis'diːd] fechoría *f*; delito *m*
misdemeanour [misdi'miːnə] *for* delito *m* menor
miser ['maizə] avaro *m*; **~able** ['mizərəbl] miserable
misfit ['misfit] *v/i* no encajar; *s* malajuste *m*; inadaptado(a) *m* (*f*)
mis|fortune [mis'fɔːtʃən] desgracia *f*; infortunio *m*; percance *m*; **~giving** recelo *m*; desconfianza *f*; **~guided** descaminado, mal aconsejado
mishap ['mishæp] contratiempo *m*; accidente *m*
mislay [mis'lei] *v/t* extraviar; traspapelar
mislead [mis'liːd] *v/t* engañar; despistar
mismanage ['mis'mænidʒ] *v/t* manejar mal; **~ment** desgobierno *m*; mala administración *f*
misprint [mis'print] *s impr* errata *f*; *v/t* imprimir mal, con erratas

misrepresent [ˌmisrepriˈzent] *v/t* tergiversar; desfigurar, falsificar
miss [mis] señorita *f*
miss [mis] *v/t* perder; no acertar; fallar; echar de menos; *v/i* errar el blanco
missile [ˈmisail] proyectil *m*; cohete *m*; **guided ~** cohete *m* teledirigido
missing [ˈmisiŋ] desaparecido; perdido; **to be ~** faltar
mission [ˈmiʃən] *eccl, pol* misión *f*; *mil* tarea *f*; correría *f*; **~ary** [ˈ~ʃnəri] misionero(a) *m* (*f*)
mist [mist] *s* neblina *f*; niebla *f*; vaho *m*; *v/t* empañar
mistake [misˈteik] *s* equivocación *f*; **by ~** por error; *v/t* confundir; *v/i* equivocarse; **~n** erróneo; **to be ~n** estar equivocado
mister [ˈmistə] señor *m*
mistletoe [ˈmisltəu] muérdago *m*
mistress [ˈmistris] maestra *f*; dueña *f*; querida *f*
mistrust [ˈmisˈtrʌst] *s* desconfianza *f*; *v/t* desconfiar de
misty [ˈmisti] nebuloso; [vago]
misunderstand [ˈmisʌndəˈstænd] *v/t* entender mal; **~ing** malentendido *m*; equivocación *f*; desavenencia *f*
misuse [ˈmisˈjuːs] *s* abuso *m*; [ˈ~ˈjuːz] *v/t* abusar de; maltratar
mite [mait] pizca *f*
mitigate [ˈmitigeit] *v/t* mitigar
mitten [ˈmitn] mitón *m*
mix [miks] *v/t* mezclar; **~ up** *fig* confundir; *v/i* mezclarse; asociarse; **~ed** mixto; **~ture** [ˈ~tʃə] mezcla *f*; mescolanza *f*
moan [məun] *s* gemido *m*; *v/i* quejarse; gemir
moat [məut] *fort* foso *m*
mob [mɔb] chusma *f*; gentuza *f*
mobil|e [ˈməubail] móvil; movible; **~ize** [ˈməubilaiz] *v/t* movilizar
mock [mɔk] *a* imitado; fingido; *v/t, v/i* mofarse (de), burlarse (de); **~ery** mofa *f*; burla *f* [nera *f*; modo *m*]
mode [məud] moda *f*; ma-
model [ˈmɔdl] *a* modelo; *s* modelo *m*; patrón *m*; maqueta *f*; *v/t* modelar
moderat|e [ˈmɔdərit] *a* moderado; módico; [ˈmɔdəreit] *v/t* moderar; templar; **~ion** [~ˈreiʃən] templanza *f*; moderación *f*
modern [ˈmɔdən] moderno; **~ize** *v/t* modernizar
modest [ˈmɔdist] modesto; módico; **~y** modestia *f*
modif|ication [mɔdifiˈkeiʃən] modificación *f*; **~y** [ˈ~fai] *v/t* modificar
modul|ate [ˈmɔdjuleit] *v/t* modular; **~e** [ˈ~uːl] módulo *m* (*lunar, etc*)
Mohammedan [məuˈhæmidən] *a, s* mahometano(a) *m* (*f*)

moist [mɔist] húmedo; **~en** ['~sn] *v/t* humedecer; **~ure** ['~stʃə] humedad *f*
molar ['məulə]: **~ teeth** muelas *f/pl*
mole [məul] *zool* topo *m*; lunar *m*; muelle *m*
molecule ['mɔlikju:l] molécula *f*
molest [məu'lest] *v/t* molestar; **~ation** [~'teiʃen] molestia *f*
mollify ['mɔlifai] *v/t* ablandar
moment ['məumənt] momento *m*; instante *m*; importancia *f*; **~ary** momentáneo; **~ous** [məu'mentəs] importante
monarch ['mɔnək] monarca *m*; **~y** monarquía *f*
monastery ['mɔnəstəri] monasterio *m*
Monday ['mʌndi] lunes *m*
monetary ['mʌnitəri] monetario
money ['mʌni] dinero *m*; moneda *f*; **ready ~** fondos *m/pl* disponibles; **~ed** adinerado; **~-lender** prestamista *m*; **~ order** giro *m* postal
monger ['mʌŋgə] tratante *m*; traficante *m*
monk [mʌŋk] monje *m*, fraile *m*
monkey ['mʌŋki] *s* mono *m*; *v/t* remedar; **~ wrench** llave *f* inglesa
monologue ['mɔnələg] monólogo *m*
monopol|ize [mə'nɔpəlaiz] monopolizar (*t fig*); **~y** monopolio *m*
monotonous [mə'nɔtnəs] monótono
monst|er ['mɔnstə] *s* monstruo *m*; *a* monstruoso; enorme; **~rous** monstruoso
month [mʌnθ] mes *m*; **~ly** *a* mensual; *s* revista *f* mensual
monument ['mɔnjumənt] monumento *m*
moo [mu:] *v/i* mugir
mood [mu:d] humor *m*; disposición *f*; **~y** malhumorado; caprichoso
moon [mu:n] luna *f*; **~light** luz *f* de la luna; **~lit** iluminado por la luna
Moor [muə] moro *m*
moor [muə] *s* páramo *m*; brezal *m*; *v/t mar* amarrar; *v/i* atracar; **~ings** *pl* amarra *f*; amarradero *m*
moose [mu:s] alce *m*
mop [mɔp] *s* estropajo *m*; greña *f*; *v/t* enjugar, *SA* trapear
moral ['mɔrəl] *a* virtuoso; moral; recto; *s* moraleja *f*; moralidad *f*; **~e** [mɔ'rɑ:l] moral *f*; estado *m* de ánimo; **~ity** [mə'ræliti] moralidad *f*; **~ize** ['mɔrəlaiz] *v/t*, *v/i* moralizar
morass [mə'ræs] ciénaga *f*
morbid ['mɔ:bid] morboso
more [mɔ:] *a* (*compar de* **much, many**) más; mayor; más numeroso; *adv* más; además; **~ and ~** cada vez más; **the ~ the better**

cuanto más, ... tanto mejor; **~over** además
morgue [mɔːg] depósito *m* de cadáveres
morning ['mɔːniŋ] *s* mañana *f*; **early ~** madrugada *f*; **good ~!** ¡buenos días!; **this ~** esta mañana, hoy en la mañana; **tomorrow ~** mañana por la mañana; *a* matutino; matinal
morose [mə'rəus] malhumorado
morph|ia ['mɔːfjə], **~ine** ['~iːn] morfina *f*
morsel ['mɔːsəl] pedacito *m*, bocado *m*
mortal ['mɔːtl] *a*, *s* mortal *m*; **~ity** [~'tæliti] mortalidad *f*
mortar ['mɔːtə] *arti*, *arq* mortero *m*
mortgage ['mɔːgidʒ] *s* hipoteca *f*; *v/t* hipotecar
mortify ['mɔːtifai] *v/t* mortificar
mortuary ['mɔːtjuəri] depósito *m* de cadáveres
mosaic [məu'zeiik] mosaico *m*
Moslem ['mɔzlem] *a*, *s* } [musulmán *m*]
mosque [mɔsk] mezquita *f*
mosquito [məs'kiːtəu] mosquito *m*
moss [mɔs] musgo *m*; moho *m*; **~y** musgoso; mohoso
most [məust] *a* (*superl de* **much, many**) el, la, los, las más; la mayor parte de; *adv* más; muy; sumamente; **at (the) ~** a lo más; **~ly** principalmente
moth [mɔθ] polilla *f*; **~-eaten** apolillado
mother ['mʌðə] *s* madre *f*; **~ country** madre *f* patria; **~hood** maternidad *f*; **~-in-law** suegra *f*; **~less** huérfano *m* de madre; **~ly** maternal; **~-of-pearl** nácar *m*; **~ tongue** lengua *f* materna
motif [məu'tiːf] motivo *m*
motion ['məuʃən] *s* movimiento *m*; gesto *m*; moción *f*; *v/t* indicar con un gesto, la mano; **~less** inmóvil; **~ picture** película *f*
motiv|ate ['məutiveit] *v/t* motivar; **~e** motivo *m*; **~e power** fuerza *f* motriz
motor ['məutə] *s* motor *m*; automóvil *m*; *v/i* ir en coche; **~-boat** gasolinera *f*; **~-car** automóvil *m*; coche *m*; **~-cycle** motocicleta *f*; **~-cyclist** motociclista *m*, *f*; **~ing** automovilismo *m*; **~ist** automovilista *m*, *f*; **~ize** motorizar; **~ launch** lancha *f* automóvil; **~-lorry** autocamión *m*; **~-way** autopista *f*
motto ['mɔtəu] lema *m*; divisa *f*
mould [məuld] *s* molde *m*; *arq* moldura *f*; moho *m*; *v/t* moldear; amoldar; formar; **~er** *v/i* desmoronarse; **~y** mohoso
mound [maund] montículo *m*
mount [maunt] *s* monte *m*; montura *f*; (*joya*) monta-

dura *f*; *v/t* montar; elevar; subir, escalar; *v/i* subir; crecer; montar a caballo

mountain [ˈmauntin] montaña *f*; **~ chain, ~ range** cordillera *f*; sierra *f*; **~eer** [~ˈniə] alpinista *m*; montañés *m*; **~ous** montañoso

mountebank [ˈmauntibæŋk] charlatán *m*

mourn [mɔːn] *v/t* llorar; lamentar; *v/i* lamentarse; **~er** doliente *m*; plañidera *f*; **~ful** triste; doloroso; **~ing** luto *m*; duelo *m*

mouse [maus] ratón *m*; **~trap** ratonera *f*

moustache [məsˈtɑːʃ] bigote *m*

mouth [mauθ] *s* boca *f*; entrada *f*; abertura *f*; desembocadura *f* (*de río*); *v/t* pronunciar; **~ful** bocado *m*; **~piece** boquilla *f*; portavoz *m*

mov|e [muːv] *s* movimiento *m*; paso *m*; jugada *f*; *v/t* mover; *v/i* moverse; mudarse; **~e on** seguir caminando; **~ement** movimiento *m*; **~ies** *fam* cine *m*; **~ing** *s* mudanza *f*; *a* conmovedor

mow [mau] *v/t* segar; **~er** segador(a) *m* (*f*); segadora *f* mecánica

much [mʌtʃ] *a* mucho; *adv* mucho; muy; **as ~ as** tanto como; **so ~ the better** tanto mejor; **so ~ the worse** tanto peor; **too ~** demasiado; **very ~** muchísimo

mucus [ˈmjuːkəs] moco *m*

mud [mʌd] barro *m*; fango *m*

muddle [ˈmʌdl] *s* embrollo *m*; *v/t* confundir; **~ up** embrollar

mud|dy [ˈmʌdi] lodoso; **~guard** guardabarros *m*

muezzin [mu(ː)ˈezin] almuecín *m*

muff [mʌf] manguito *m*

muffle [ˈmʌfl] *v/t* tapar; embozar; amortiguar (*sonido, etc*); **~r** bufanda *f*; *mec* silenciador *m*

mug [mʌg] cubilete *m*

mulberry [ˈmʌlbəri] mora *f*; moral *m*

mule [mjuːl] mulo *m*; mula *f*; **~teer** [~iˈtiə] arriero *m*

mull [mʌl] *v/t* calentar (*vino*)

mullion [ˈmʌliən] *arq* parteluz *m*

multipl|e [ˈmʌltipl] *a* múltiple; *s* múltiplo *m*; **~ication** [~pliˈkeiʃən] **tables** tablas *f/pl* de multiplicar; **~y** [ˈ~plai] *v/t*, *v/i* multiplicar(se)

multitude [ˈmʌltitjuːd] multitud *f*

mumble [ˈmʌmbl] *v/t*, *v/i* musitar

mummy [ˈmʌmi] momia *f*; mami *f*

mumps [mʌmps] paperas *f/pl*

munch [mʌntʃ] *v/t* mascar enérgicamente

municipal [mju(ː)ˈnisipəl] municipal; **~ity** [~ˈpæliti] municipalidad *f*

mural ['mjuərəl] *a, s* mural *m*
murder ['mə:də] *s* asesinato *m*; *v/t* asesinar; **~er** asesino *m*; **~ous** asesino; devastador
murmur ['mə:mə] *s* murmullo *m*; susurro *m*; murmureo *m*; *v/t, v/i* murmurar; susurrar
musc|le ['mʌsl] músculo *m*; **~le-bound** acalambrado; **~ular** ['~kjulə] musculoso; muscular
muse [mju:z] *v/i* reflexionar; meditar
museum [mju(:)'ziəm] museo *m*
mush [mʌʃ] gachas *f/pl*
mushroom ['mʌʃrum] seta *f*
music ['mju:zik] música *f*; **~al** musical; músico; **~al comedy** zarzuela *f*; **~-hall** teatro *m* de variedades; **~ian** [~'ziʃən] músico *m*
musk [mʌsk] almizcle *m*
musket ['mʌskit] mosquete *m*; **~eer** [~'tiə] mosquetero *m*
Muslim ['mʌslim] *a, s* musulmán *m*
muslin ['mʌslin] muselina *f*
mussel ['mʌsəl] mejillón *m*
must [mʌst] *v defect* deber, tener que, haber de, deber de; **I ~ write** debo escribir; **it ~ be late** debe de ser tarde
must [mʌst] mosto *m*; moho *m*
mustard ['mʌstəd] mostaza *f*
muster ['mʌstə] *v/t* reunir; *v/i* juntarse
musty ['mʌsti] mohoso; rancio
mute [mju:t] silencioso; mudo
mutilate ['mju:tileit] *v/t* mutilar
mutin|eer [mju:ti'niə] amotinado *m*; **~ous** ['~nəs] sedicioso; **~y** ['~ni] motín *m*
mutter ['mʌtə] *v/t, v/i* murmurar; rezongar
mutton ['mʌtn] carnero *m*; **~ chop** costilla *f* de carnero
mutual ['mju:tʃuəl] mutuo
muzzle ['mʌzl] *s* hocico *m*; bozal *m*; boca *f* (*de arma de fuego*); *v/t* embozar; *fig* amordazar
my [mai] *a pos* mi, mis
myrrh [mə:] mirra *f*
myrtle ['mə:tl] mirto *m*
myself [mai'self] *pron* yo mismo; me; mí
myst|erious [mis'tiəriəs] misterioso; **~ery** ['~təri] misterio *m*; **~ify** ['~tifai] *v/t* mistificar; desconcertar
myth [miθ] mito *m*

N

nag [næg] *v/t*, *v/i* regañar
nail [neil] *s* uña *f*; clavo *m*; **to hit the ~ on the head** dar en el clavo; *v/t* clavar
naked ['neikid] desnudo; patente
name [neim] *s* nombre *m*; apellido *m*; título *m*; *v/t* nombrar; apellidar; designar; mencionar; **what's your ~?** ¿cómo se llama Vd?; **~less** sin nombre; anónimo
namely ['neimli] a saber
nanny ['næni] niñera *f*; **~-goat** cabra *f*
nap [næp] sueño *m* ligero; **to take a ~** dormir un rato
nape [neip] nuca *f*
nap|kin ['næpkin] servilleta *f*; pañal *m* (*de bebé*); **~py** *fam* pañal *m*
narcotic [nɑ:'kɔtik] *a*, *s* narcótico *m*
narrat|e [næ'reit] *v/t* narrar; **~ion** narración *f*; **~ive** ['~ətiv] narrativa *f*
narrow ['nærəu] *a* estrecho; limitado; *v/t* estrechar; limitar; *v/i* estrecharse; **~-minded** intolerante, de miras estrechas
nasty ['nɑ:sti] detestable; malicioso; repulsivo; peligroso
nation ['neiʃən] nación *f*; **~al** ['næʃənl] nacional; **~al debt** deuda *f* pública; **~ality** [~'næliti] nacionalidad *f*; **~alize** ['næʃnəlaiz] *v/t* nacionalizar
nativ|e ['neitiv] *a* nativo; *s* aborigen *m*; **~e country** país *m* de origen; **~ity** [nə'tiviti] natividad *f*
natural ['nætʃrəl] natural; nativo; **~ize** *v/t* naturalizar
nature ['neitʃə] naturaleza *f*; carácter *m*; índole *f*
naught [nɔ:t] nada *f*; cero *m*
naughty ['nɔ:ti] travieso; díscolo
nause|a ['nɔ:sjə] náusea *f*; **~ate** ['~ieit] *v/t* dar asco; **~ating** nauseabundo
nautical ['nɔ:tikəl] náutico; **~ mile** milla *f* marina
naval ['neivəl] naval
nave [neiv] *igl* nave *f*
navel ['neivəl] ombligo *m*
naviga|te ['nævigeit] *v/t*, *v/i* navegar; **~tor** navegador *m*; *mar* oficial *m* de derrota; *aer* navegante *m*
navy ['neivi] marina *f*; armada *f*; **~ blue** azul marino
nay [nei] hasta, aun más
near [niə] *prep* cerca de; junto a; próximo a; *adv* cerca; *a* cercano; próximo; contiguo; íntimo; inmediato; *v/i* acercarse a; **~ly** casi; por poco; **~ness** proximidad *f*; inminencia *f*; **~sighted** miope
neat [ni:t] limpio; ordenado; lindo; puro; **~ness** limpieza *f*

necessary ['nesisəri] necesario; preciso
necessit|ate [ni'sesiteit] *v/t* necesitar, requerir; **~y** necesidad *f*
neck [nek] cuello *m*; pescuezo *m*; gollete *m* (*de una botella*); **~lace** ['~lis] collar *m*; **~tie** corbata *f*
née [nei] nacida
need [ni:d] *s* necesidad *f*; carencia *f*; urgencia *f*; pobreza *f*; *v/t* necesitar; precisar
needle ['ni:dl] aguja *f*; **~work** costura *f*
needy ['ni:di] necesitado
negati|on [ni'geiʃən] negación *f*; negativa *f*; **~ve** ['negətiv] *s* negativa *f*; *foto* negativo *m*; *a* negativo; **in the ~ve** negativamente
negl|ect [ni'glekt] *s* descuido *m*; abandono *m*; *v/t* descuidar; abandonar; **~ect one's duties** faltar a sus obligaciones; **~igent** ['neglidʒənt] negligente, descuidado; **~igible** insignificante
negotia|te [ni'gəuʃieit] *v/i* negociar; tratar; *v/t* negociar; tramitar; **~tion** negociación *f*; **~tor** negociador (-a) *m* (*f*)
Negr|ess ['ni:gris] negra *f*; **~o** ['~əu] negro *m*
neigh [nei] *v/i* relinchar
neighbour ['neibə] vecino(a) *m* (*f*); **~hood** vecindad *f*; cercanía *f*; **~ing** cercano, vecino; **~ly** sociable
neither ['naiðə] *a* ningún (*de dos*); *pron* ninguno(a) (*de dos*); ni uno ni otro; *conj* ni; tampoco
neon ['ni:ən] neón *m*; **~ sign** aviso *m* luminoso
nephew ['nevju(:)] sobrino *m*
nerv|e [nə:v] nervio *m*; valor *m*; descaro *m*; **~ous** nervioso
nest [nest] *s* nido *m*; nidada *f*; *v/i* anidar; **~le** ['nesl] *v/i* acurrucarse
net [net] *s* red *f*; redecilla *f* (*para el pelo*); *a* neto; *v/t* coger con la red; *fig* atrapar; **~ profit** ganancia *f* líquida
Netherlands ['neðələndz] Países *m/pl* Bajos
nettle ['netl] ortiga *f*
network ['netwə:k] *radio, t v* cadena *f*
neut|er ['nju:tə] *a* neutro; **~ral** ['~trəl] *a, s* neutral *m, f*; **~rality** [~'træliti] neutralidad *f*
neutron ['nju:trən] *quím* neutrón *m*
never ['nevə] nunca; jamás; **~ more** nunca más; **~theless** no obstante; sin embargo
new [nju:] nuevo; fresco; novicio; reciente; **~born** recién nacido; **~comer** recién llegado *m*; novato *m*; **~ly** nuevamente; **~ness** novedad *f*
news [nju:z] noticia *f*; noticias *f/pl*; **~-agent** vende-

dor *m* de periódicos; **~cast** (*radio, t v*) noticiario *m*; **~-paper** periódico *m*; **~reel** noticiario *m*; actualidades *f/pl*; **~-stand** quiosco *m* de periódicos
new| year ['nju:'jə:] año *m* nuevo; ♀ **Year's Day** día *m* del año nuevo
next [nekst] *a* siguiente, venidero; próximo; **~ day** el día siguiente; **~ door** al lado; **~ time** la próxima vez; **~ to** junto a; *adv* luego; después; en seguida
nibble [nibl] *v/t* mordiscar
nice [nais] agradable; bonito; gentil; delicado; fino; **~ly** muy bien; agradablemente; **~ness** amabilidad *f*; **~ty** ['~iti] finura *f*; exactitud *f*
niche [nitʃ] nicho *m*
nick [nik] *s* mella *f*; *v/t* mellar
nickel ['nikl] níquel *m*; **~--plated** niquelado
nickname ['nikneim] apodo *m*; mote *m*
niece [ni:s] sobrina *f*
niggardly ['nigədli] tacaño
night [nait] noche *f*; **at ~** por la noche; **by ~** de noche; **last ~** anoche; **tomorrow ~** mañana por la noche; **~cap** gorro *m* de dormir; *fam* último trago *m* (*de la noche*); **~dress, ~gown** camisa *f* de noche; **~ingale** ['~iŋgeil] ruiseñor *m*; **~ly** de noche; todas las noches; **~mare** ['~mɛə] pesadilla *f*; **~-school** escuela *f* nocturna
nil [nil] nada
nimble ['nimbl] ágil, ligero; **~ness** agilidad *f*
nip [nip] *s* pellizco *m*; traguito *m*; *v/t* pellizcar
nipple ['nipl] pezón *m*
nit|re ['naitə] nitro *m*; **~rogen** ['~trədʒən] nitrógeno *m*
no [nəu] *adv* no; *s* negación *f*; *a* ninguno; **~ one** nadie
nobility [nəu'biliti] nobleza *f*
nobl|e ['nəubl] noble; imponente, majestuoso; **~eman** noble *m*
nobody ['nəubədi] nadie; **~ else** nadie más
nod [nɔd] *s* seña *f* afirmativa con la cabeza; *v/i* afirmar con la cabeza; inclinar la cabeza; dormitar
nois|e [nɔiz] ruido *m*; **~eless** silencioso; **~y** ruidoso
nomina|l ['nɔminl] nominal; **~te** ['~eit] *v/t* nominar; nombrar, designar; **~tion** nombramiento *m*; **~tive** ['~ətiv] nominativo *m*
non- ['nɔn-] *prefijo* falta de; **~acceptance** falta *f* de aceptación; **~-committal** evasivo; **~descript** ['~dis-kript] indefinido; indescriptible
none [nʌn] nadie, ninguno
non|-existence [nɔnig'zistəns] inexistencia *f*; **~-observance** incumplimiento *m*, violación *f*

nonsense [ˈnɔnsəns] disparate *m*
non|-skid [ˈnɔnˈskid] antideslizante; **~-stop** directo (*tren*); sin escalas
noodle [ˈnu:dl] tallarín *m*
nook [nuk] rincón *m*
noon [nu:n] mediodía *m*
nor [nɔ:] tampoco; ni
norm [nɔ:m] norma *f*; **~al** normal
Norman [ˈnɔ:mən] *a*, *s* normando *m*
north [nɔ:θ] *s* norte *m*; *a* del norte; septentrional; *adv* al norte; **℞ Sea** Mar *m* del Norte; **~ern, ~erly** del norte; **~wards** [ˈ~wədz] al norte, hacia el norte
Norw|ay [ˈnɔ:wei] Noruega *f*; **~egian** [~ˈwi:dʒən] *a*, *s* noruego(a) *m* (*f*)
nose [nəuz] *s* nariz *f*; olfato *m*; *v/i, v/t* oler, husmear; **~-dive** *v/i aer* lanzarse de morro; **~gay** [ˈ~gei] ramillete *m* de flores
nostril [ˈnɔstril] ventana *f* de la nariz
nosy [ˈnəuzi] *fam* curioso
not [nɔt] no; ni; sin; **~ at all** de ninguna manera; en absoluto; **~ yet** aún no; todavía no
notable [ˈnəutəbl] notable
notary [ˈnəutəri] notario *m*
notch [nɔtʃ] *s* muesca *f*; *v/t* mellar
note [nəut] *s* nota *f*; billete *m*; señal *f*; apunte *m*; distinción *f*; *com* vale *m*; *v/t* apuntar; observar, advertir; **~book** libreta *f*; **~case** billetero *m*; **~d** afamado; **~paper** papel *m* de carta; **~worthy** notable
nothing [ˈnʌθiŋ] nada *f*; cero *m*; **for ~** gratis; **~ if not** más que todo; **to say ~ of** sin mencionar
notice [ˈnəutis] *s* aviso *m*; atención *f*; **to give ~** dar aviso (*de despedida, etc*); informar; **short ~** corto plazo *m*; *v/t* notar; advertir; **~able** perceptible; notable
notify [ˈnəutifai] *v/t* notificar
notion [ˈnəuʃən] noción *f*; idea *f*; opinión *f*
notorious [nəuˈtɔ:riəs] notorio
notwithstanding [nɔtwiθˈstændiŋ] *prep* a pesar de; *adv* no obstante
nought [nɔ:t] nada *f*; cero *m*
noun [nəun] nombre *m*, sustantivo *m*
nourish [ˈnʌriʃ] *v/t* nutrir, alimentar; **~ing** alimenticio, nutritivo; **~ment** comida *f*; alimentación *f*
novel [ˈnɔvəl] *a* nuevo; *s* novela *f*; **~ist** novelista *m*; **~ty** novedad *f*
November [nəuˈvembə] noviembre *m*
now [nau] ahora; **just ~** hace un rato; **~ and then** de vez en cuando; **~adays** [ˈ~ədeiz] hoy en día
nowhere [ˈnəuwɛə] en ninguna parte
noxious [ˈnɔkʃəs] nocivo

nozzle ['nɔzl] boquilla *f*; pitón *m*
nucle|ar ['nju:kliə] nuclear; atómico; **~ar fission** fisión *f* nuclear; **~us** ['nju:kliəs] núcleo *m*
nude [nju:d] *a*, *s* desnudo *m*
nudge [nʌdʒ] *s* codazo *m*; *v/t* dar un codazo
nugget ['nʌgit] pepita *f* (de oro)
nuisance ['nju:sns] fastidio *m*; pesado *m*
null [nʌl] nulo; **~ and void** nulo, sin efecto ni valor
numb [nʌm] entumecido; aturdido
number ['nʌmbə] *s* número *m*; **~ plate** *aut* placa *f* de matrícula; *v/t* numerar
numer|al ['nju:mərəl] numeral; **~ous** numeroso
nun [nʌn] monja *f*; **~nery** convento *m* de monjas
nuptials ['nʌpʃəlz] nupcias *f/pl*
nurs|e [nə:s] *s* enfermera *f*; niñera *f*; *v/t* lactar; cuidar; **~ery** cuarto *m* de los niños; **~ery rhyme** verso *m* infantil; **~ery school** jardín *m* de la infancia; **~ing** crianza *f*; cuidado *m*; **~ing home** clínica *f* particular
nut [nʌt] nuez *f*; *mec* tuerca *f*; **~cracker** cascanueces *m*
nylon ['nailən] nailon *m*; **~s** medias *f/pl* de nailon

O

oak [əuk] roble *m*
oar [ɔ:] remo *m*
oasis [əu'eisis] oasis *m*
oat [əut] avena *f*
oath [əuθ] juramento *m*; **to take an ~** prestar juramento
oatmeal ['əut'mi:l] gachas *f/pl* de avena
obedien|ce [ə'bi:djəns] obediencia *f*; sumisión *f*; **~t** obediente; sumiso
obey [ə'bei] *v/t* obedecer, acatar
obituary [ə'bitjuəri] necrología *f*
object ['ɔbdʒikt] *s* objeto *m*; materia *f*; propósito *m*; *gram* complemento *m*; [əb'dʒekt] *v/t* objetar; *v/i* oponerse; **~ion** objeción *f*, reparo *m*; **~ionable** reprensible; **~ive** *a*, *s* objetivo *m*
obligat|ion [ɔbli'geiʃən] obligación *f*; **~ory** [ɔ'bligətəri] obligatorio
oblig|e [ə'blaidʒ] *v/t* obligar; complacer; **much ~ed** muy agradecido; **~ing** servicial
oblique [ə'bli:k] sesgado, soslayo; diagonal; indirecto; **~ly** al soslayo
obliterate [ə'blitəreit] *v/t* obliterar, borrar; aniquilar
oblivi|on [ə'bliviən] olvido *m*; **~ous: to be ~ous of** sin recordar; sin pensar en

oblong ['ɔblɔŋ] *s* cuadrilongo *m*; *a* oblongo
obnoxious [əb'nɔkʃəs] ofensivo, detestable
obscene [əb'si:n] obsceno
obscure [əb'skjuə] *a* obscuro; vago; confuso; *v/t* obscurecer; anublar
obsequies ['ɔbsikwiz] exequias *f/pl*
observan|ce [əb'zə:vəns] acatamiento *m*; **~t** observador; observante
observ|ation [ɔbzə(:)'veiʃən] observación *f*; examen *m*; **~atory** [əb'zəvətri] observatorio *m*; **~e** *v/t* observar; notar; guardar; cumplir; **~er** observador *m*
obsess [əb'ses] *v/t* obsesionar; **~ion** obsesión *f*
obstacle ['ɔbstəkl] obstáculo *m*; inconveniente *m*
obstina|cy ['ɔbstinəsi] terquedad *f*; **~te** [~it] terco; obstinado
obstruct [əb'strʌkt] *v/t* obstruir, obstaculizar, bloquear; **~ion** obstrucción *f*; obstáculo *m*
obtain [əb'tein] *v/t* obtener, conseguir; **~able** asequible
obtrusive [əb'tru:siv] intruso
obvious ['ɔbviəs] obvio; evidente; **~ness** evidencia *f*
occasion [ə'keiʒən] ocasión *f*, oportunidad *f*; acontecimiento *m*; motivo *m*; causa *f*; **on the ~ of** con motivo de; **~al** ocasional, incidental; **~ally** alguna vez
occupant ['ɔkjupənt] ocupante *m*; inquilino *m*
occup|ation [ɔkju'peiʃən] ocupación *f*; toma *f* de posesión; empleo *m*; profesión *f*; tarea *f*; **~y** ['~pai] *v/t* ocupar; vivir en; emplear (*tiempo*)
occur [ə'kə:] *v/i* ocurrir; suceder; **~rence** [ə'kʌrəns] ocurrencia *f*; acontecimiento *m*; lance *m*
ocean ['əuʃən] océano *m*; **~ liner** transatlántico *m*
o'clock [ə'klɔk]: **it is two ~** son las dos
October [ɔk'təubə] octubre *m*
ocul|ar ['ɔkjulə] ocular; **~ist** oculista *m*, oftalmólogo *m*
odd [ɔd] impar; y tanto; suelto; sobrante; raro; extravagante; ocasional; **~ numbers** impares *m/pl*; **thirty ~** treinta y tanto; **an ~ shoe** un zapato solo; **~ity** rareza *f*; **~ly** estrambóticamente; **~s** ventaja *f*; probabilidad *f*; **at ~s** en desacuerdo; **~s and ends** cachivaches *m/pl*; retazos *m/pl*
odorous ['əudərəs] oloroso; fragante
odour ['əudə] olor *m*; **~less** inodoro
of [ɔv, əv] *prep* de; (*expresa posesión, característica, composición, traduciéndose a veces por* a, con, por, para, desde, entre); **its smells ~ fish**

huele a pescado; **I dream ~ you** sueño contigo; **a friend ~ mine** un amigo mío; **~ late** últimamente; **~ course** por supuesto

off [ɔf] *prep* lejos de; fuera de; **~ the road** fuera de la carretera; *adv* lejos; fuera de servicio; **to take ~** *v/t* quitarse; *v/i* despegar (*el avión*); **to go ~** marcharse; dispararse; **~ and on** a intervalos, de vez en cuando; **~ with you!** ¡lárgate!

offen|ce [ə'fens] ofensa *f*; insulto *m*; **to take ~ce** ofenderse; **~d** *v/t* ofender; irritar; *v/i* pecar; delinquir; **~der** ofensor *m*; delincuente *m*; **~sive** *s* ofensiva *f*; *a* ofensivo; insultante; repulsivo

offer ['ɔfə] *s* oferta *f*; propuesta *f*; proposición *f*; *v/t* ofrecer; proponer; *v/i* ofrecerse, presentarse; **~ing** ofrenda *f*; sacrificio *m*

office ['ɔfis] oficina *f*; despacho *m*; oficio *m*; empleo *m*; **~r** oficial *m*; funcionario *m*; policía *m*

official [ə'fiʃəl] *a* oficial; de oficio; *s* funcionario *m*; **~-dom** oficialidad *f*

officious [ə'fiʃəs] oficioso

off-side ['ɔfsaid] *dep* fuera de juego, de posición adelantada

offspring ['ɔfspriŋ] vástago *m*; linaje *m*; hijo *m*

often ['ɔfn] *a* frecuente; *adv* frecuentemente; a menudo

oil [ɔil] *s* aceite *m*; petróleo *m*; *v/t* aceitar, lubri(fi)car; untar; **~cloth** encerado *m*; **~-lamp** quinqué *m*; **~-painting** pintura *f* al óleo; **~skin** impermeable *m*; **~-well** pozo *m* de petróleo; **~y** aceitoso; grasiento; oleaginoso

ointment ['ɔintmənt] ungüento *m*

OK, okay ['əu'kei] *fam* muy bien, correcto

old [əuld] viejo; añejo; **~ age** vejez *f*; **~est** el (la) más viejo(a); **~-fashioned** pasado de moda; **~ maid** solterona *f*; **♀ Testament** Antiguo Testamento *m*

olive ['ɔliv] aceituna *f*; **~-grove** olivar *m*; **~-tree** olivo *m*

Olympic games [əu'limpik] juegos *m/pl* olímpicos

omelet(te) ['ɔmlit] tortilla *f*

ominous ['ɔminəs] ominoso, siniestro, nefasto

omi|ssion [ə'miʃən] omisión *f*; olvido *m*; **~t** *v/t* omitir; pasar por alto

omni|potent [ɔm'nipətənt] omnipotente; **~scient** [~-sient] omnisciente

on [ɔn] *prep* encima de; sobre; en; **~ account of** a causa de; **~ Monday** el lunes; **~ foot** a pie; **~ horseback** a caballo; **~ purpose** a propósito; *adv* adelante; sucesivamente; encima; puesto; encendido

(*gas, luz, etc*); **go ~!** ¡siga!; **come ~!** ¡vamos!; ¡venga!; **and so ~** y así sucesivamente
once [wʌns] una vez; antiguamente; **all at ~** de repente; **at ~** en seguida; **~ more** otra vez; **~ upon a time** en tiempos muy remotos
one [wʌn] *a* un, uno(a); único; cierto; un tal; igual; **~ hundred** ciento, cien; *s, pron* uno *m*; una *f*; la una (hora) *f*; **~ another** el uno al otro; **~ by ~** uno por uno; **~'s** su, sus; **~self** se, sí, sí mismo; **~-armed** manco; **~-eyed** tuerto; **~-sided** parcial; **~-way street** calle *f* de un solo sentido
onion [ˈʌnjən] cebolla *f*
onlooker [ˈɔnlukə] espectador *m*, mirón *m*
only [ˈəunli] *a* único; solo; *adv* solamente, sólo; únicamente; recién; *conj* sólo que; pero
onto [ˈɔntu, ˈ~ə] sobre, a
onward [ˈɔnwəd] *a* progresivo; **~(s)** *adv* adelante, hacia adelante
ooze [uːz] *s* exudación *f*; fango *m*; *v/t* exudar; *v/i* manar
opaque [əuˈpeik] opaco
open [ˈəupən] *a* abierto; libre; franco; manifiesto; descubierto; susceptible de; *com* pendiente; *v/t* abrir; descubrir; dar comienzo a; *s* claro *m*; **in the ~** al aire libre; en alta mar; **~er** abridor *m*; **~ing** abertura *f*; brecha *f*; comienzo *m*; oportunidad *f*; apertura *f*; **~ness** claridad *f*; franqueza *f*
opera [ˈɔpərə] ópera *f*; **~-glasses** gemelos *m/pl* de teatro
operat|e [ˈɔpəreit] *v/t* manejar; *cir* operar; *v/i* operar; obrar, actuar; *cir* operar; *com* especular; **~ion** operación *f*; funcionamiento *m*; **~ive** [ˈ~ətiv] *a* eficaz; activo; **~or** operador *m*; agente *m*
opinion [əˈpinjən] opinión *f*; juicio *m*; parecer *m*; **in my ~** a mi parecer
opponent [əˈpəunənt] antagonista *m*; adversario *m*
opportunity [ɔpəˈtjuːniti] oportunidad *f*; coyuntura *f*
oppos|e [əˈpəuz] *v/t* oponer; resistir; oponerse a; *v/i* oponerse; **~ed** opuesto, contrario; **~ing** contrario; divergente; **~ite** [ˈɔpəzit] de, en frente; opuesto; **~ition** [ɔpəˈziʃən] oposición *f*; resistencia *f*
oppress [əˈpres] *v/t* oprimir; **~ion** opresión *f*; tiranía *f*; **~ive** tiránico; agobiante
optic|(al) [ˈɔptik(əl)] *a* óptico; **~ian** [ɔpˈtiʃən] óptico *m*; **~s** óptica *f*
optimism [ˈɔptimizəm] optimismo *m*

or [ɔ:] *conj* o; u; ~ **else** de otro modo
oral ['ɔ:rəl] oral
orange ['ɔrindʒ] naranja *f*; **~ade** ['~eid] naranjada *f*; **~-blossom** azahar *m*
orat|or ['ɔrətə] orador *m*; **~ory** oratoria *f*; *igl* oratorio *m*
orbit ['ɔ:bit] órbita *f*
orchard ['ɔ:tʃəd] huerto *m*
orchestra ['ɔ:kistrə] orquesta *f*; platea *f*
ordeal [ɔ:'di:l] ordalía *f*; prueba *f* dura
order ['ɔ:də] *s* orden *f*; mandato *m*; orden *m*; arreglo *m*; *com* pedido *m*; orden *f* (*militar o religiosa*); condecoración *f*; **in ~ that** para que; **in ~ to** para (*e infinitivo*); **out of ~** estropeado; fuera de servicio; **to put in ~** arreglar; *v/t* ordenar, mandar; dirigir; *com* pedir; **~ly** *a* ordenado; metódico; *s mil* ordenanza *m*
ordinary ['ɔ:dnri] ordinario; común; corriente
ore [ɔ:] mineral *m* metálico
organ ['ɔ:gən] órgano *m*
organic [ɔ:'gænik] orgánico
organiz|ation [ɔ:gənai'zeiʃən] organización *f*; **~e** ['~aiz] *v/t*, *v/i* organizar(se)
Orient ['ɔ:riənt] Oriente *m*; **≗ate** *v/t* orientar
origin ['ɔridʒin] origen *m*; principio *m*; procedencia *f*; **~al** [ə'ridʒənl] *a* original, primitivo; legítimo; *s* original *m*; prototipo *m*; **~ality** [əridʒi'næliti] originalidad *f*; **~ate** [ə'ridʒineit] *v/t* crear; ocasionar; *v/i* originarse; provenir
orna|ment ['ɔ:nəmənt] *s* ornamento *m*; adorno *m*; [~'ment] *v/t* adornar; decorar; **~mental** ornamental
orphan ['ɔ:fən] huérfano(a) *m* (*f*); **~age** orfanato *m*
oscillat|e ['ɔsileit] *v/i* oscilar; **~ion** oscilación *f*; fluctuación *f*
ostentatious [ɔsten'teiʃəs] ostentativo; aparatoso
ostrich ['ɔstritʃ] avestruz *m*
other ['ʌðə] *a* otro(a, os, as); **~ than** otra cosa que; *pron* el otro, la otra; **~wise** ['~waiz] de otro modo
ought [ɔ:t] *v/aux def que se traduce por formas de* deber; **he ~ to write** él debería escribir
ounce [auns] onza *f*
our ['auə] *a* nuestro(a, os, as); **≗ Father** padrenuestro *m*; **~s** *pron pos* el nuestro, la nuestra, los nuestros, las nuestras; **~selves** nosotros(as) mismos(as)
oust [aust] *v/t* desalojar, expulsar
out [aut] *adv* fuera; afuera; de fuera; ausente; terminado; apagado; de huelga; pasado de moda; al descubierto; a la venta; **~ of danger** fuera de peligro; **to go ~** salir; **way ~** salida *f*
out|bid *v/t* sobrepujar; **~-**

board fuera de borda; **~break** erupción *f*; estallido *m*; **~burst** explosión *f*; **~cast** paria *m*; **~come** resultado *m*; **~do** *v/t* superar, eclipsar; **~doors** al aire libre; **~er** externo; **~fit** *s* equipo *m*; pertrechos *m/pl*; *v/t* equipar; **~flow** efusión *f*; **~going** saliente; **~grow** *v/t* superar; salirse de; **~law** *s* proscrito *m*; *v/t* proscribir; **~lay** gasto *m*; **~let** salida *f*; *com* mercado *m*; **~line** *s* contorno; *v/t* trazar; **~live** *v/t* sobrevivir a; **~look** perspectiva *f*; **~lying** remoto; **~patient** paciente *m*, *f* externo(a); **~post** puesto *m* de avanzada; **~put** producción *f*; **~rage** *s* ultraje *m*; *v/t* ultrajar; **~rageous** [aut'reidʒəs] escandaloso; **~right** ['aut'rait] absoluto; sincero; **~run** *v/t* dejar atrás; **~set** principio *m*; **~side** *a* externo, exterior; *s* exterior *m*; *adv* fuera; *prep* fuera de; **~sider** extraño *m*; persona *f* ajena; **~size** talla *f* extra grande; **~skirts** alrededores *m/pl*; **~spoken** franco; **~spread** extendido; **~standing** destacado; *com* pendiente; **~strip** *v/t* aventajar; **~ward** [~'wəd] *a* exterior; externo; **~wards** *adv* hacia fuera; **~weigh** *v/t* exceder; valer más que; **~wit** *v/t* ser más listo que

oval ['əuvəl] oval, ovalado

oven [ʌvn] horno *m*

over ['əuvə] *prep* sobre; encima de; por encima de; durante; por; *adv* enfrente; allá; más; demasiado; **~ and ~** repetidamente; **~alls** mono *m*; **~bearing** arrogante; **~board** al agua; **~burden** *v/t* sobrecargar; **~cast** anublado; **~charge** *v/t* recargar; cobrar en demasía; **~coat** gabán *m*; **~come** *v/t* vencer; **~crowd** *v/t* atestar; **~do** *v/t* excederse en; exagerar; **~draft** *com* giro *m* en descubierto; **~draw** *v/t* girar en descubierto; **~due** retrasado; **~flow** *v/i* desbordarse; derramarse; **~head** superior; **~heads** *com* gastos *m/pl* generales; **~hear** *v/t* oír por casualidad; **~joyed** contentísimo; **~load** *v/t* sobrecargar; **~look** *v/t* dominar (*con la vista*); pasar por alto; no hacer caso de; **~much** en demasía; **~night** durante la noche; **~pass** *f c* paso *m* superior; **~pay** *v/t* pagar demasiado; **~power** *v/t* subyugar; vencer; **~rate** *v/t* sobrestimar; **~rule** *v/t* *for* denegar; **~run** *v/t* invadir; **~seas** ultramar; **~seer** capataz *m*; superintendente *m*; **~shadow** *v/t* obscurecer; *fig* eclipsar; **~sight** inadvertencia *f*; **~sleep** quedarse dormido; **~state** *v/t* exagerar; **~strung** nervioso; **~take** *v/t* dar al-

cance a; **~throw** *v/t* volcar; derribar; **~time** sobretiempo *m*
overture ['əuvətjuə] *mús* obertura *f*
over|turn [əuvə'tə:n] *v/t* derribar; *v/i* volcarse; **~whelm** [~'welm] *v/t* abrumar; **~work** *v/i* trabajar en exceso
owe [əu] *v/t* deber
owing ['əuiŋ] **to** debido a
owl [aul] búho *m*; lechuza *f*
own [əun] *v/t* poseer; reconocer; *a* propio; **~er** propietario *m*; **~ership** posesión *f*; propiedad *f*
ox [ɔks] buey *m*
ox|ide ['ɔksaid] óxido *m*; **~ygen** ['ɔksidʒən] oxígeno *m*
oyster ['ɔistə] ostra *f*
ozone ['əuzəun] ozono *m*

P

pace [peis] *s* paso *m*; marcha *f*; *v/i* pasear; andar
pacif|ic [pə'sifik] pacífico; apacible; **~ist** ['pæsifist] *a*, *s* pacifista *m*, *f*; **~y** ['~fai] *v/t* pacificar; aplacar
pack [pæk] *s* paquete *m*; fardo *m*; cajetilla *f* (*de cigarrillos*); baraja *f* (*de naipes*); pandilla *f* (*de ladrones*); jauría *f* (*de perros*); manada *f* (*de lobos*); *v/t* empaquetar; embalar; **~ off** despachar; **~ up** liquidar; *v/i* hacer las maletas
pack|age ['pækidʒ] paquete *m*; fardo *m*; **~er** embalador *m*; **~et** ['~it] paquete *m* pequeño; **~ing** embalaje *m*
pact [pækt] pacto *m*
pad [pæd] *s* almohadilla *f*; **~ of paper** bloc *m*; taco *m*; *v/t* forrar; rellenar; **~ding** relleno *m*
paddle ['pædl] *s* paleta *f*; *v/t* remar (*con paleta*)
paddock ['pædək] dehesa *f*
padlock ['pædlɔk] candado *m*
pagan ['peigən] *a*, *s* pagano(a) *m* (*f*); idólatra *m*, *f*
page [peidʒ] *s* página *f* (*de libro*); plana *f* (*de periódico*); paje *m* (*chico*); botones *m*; *v/t* paginar
pageant ['pædʒənt] desfile *m* espectacular; carro *m* alegórico; **~ry** aparato *m*; fausto *m*
pail [peil] cubo *m*
pain [pein] *s* dolor *m*; fatiga *f*; *v/t* doler; dar lástima; **to feel ~** sentir dolor; sufrir; **~ful** doloroso; **~less** sin dolor; **to take ~s** empeñarse; **~staking** esmerado; concienzudo
paint [peint] *s* pintura *f*; color *m*; *v/t* pintar; *v/i* ser pintor; maquillarse; **~er** pintor *m*; **~ing** pintura *f*; cuadro *m*
pair [pɛə] *s* par *m*; pareja *f*; yunta *f* (*de bueyes*); **~ of**

scissors tijeras *f/pl*; ~ **of scales** báscula *f*; balanza *f*; ~ **of glasses** gafas *f/pl*; ~ **of trousers** pantalones *m/pl*; ~ **of shoes** par *m* de zapatos; ~ **off** *v/t* aparear; acoplar
pajamas [pəˈdʒæməz] *Am* pijama *m*, *SA f*
pal [pæl] *fam* compañero *m*, compinche *m*
palace [ˈpælis] palacio *m*
palate [ˈpælit] paladar *m*
pal|e [peil] *a* pálido; descolorido; **to grow** ~**e** palidecer; descolorarse; *s* estaca *f*; ~**ing** estacada *f*; ~**isade** [pæliˈseid] palizada *f*
pallor [ˈpælə] palidez *f*
palm [pɑːm] palma *f*; palmera *f*; ♀ **Sunday** Domingo *m* de Ramos
palpitation [pælpiˈteiʃən] palpitación *f*
pamper [ˈpæmpə] *v/t* mimar
pamphlet [ˈpæmflit] folleto *m*
pan [pæn] cacerola *f*; sartén *f*; ~ **of scales** platillo *m*
pancake [ˈpænkeik] hojuela *f*, *SA* panqueque *m*
pane [pein] cristal *m*; hoja *f* de vidrio
panel [ˈpænl] *s* entrepaño *m*; tablero *m*; panel *m*; *v/t* chapar; cubrir de paneles; ~**ling** empanelado *m*
pang [pæŋ] dolor *m* agudo; angustia *f*; punzada *f* (*de remordimiento*)
panic [ˈpænik] *s* pánico *m*; terror *m*; ~**-stricken** despavorido
pansy [ˈpænzi] pensamiento *m*; trinitaria *f*
pant [pænt] *v/i* jadear; ~ **for** ansiar
panther [ˈpænθə] pantera *f*
panties [ˈpæntiz] *fam* calzones *m/pl*
pantry [ˈpæntri] despensa *f*
pants [ˈpænts] calzoncillos *m/pl*; pantalones *m/pl*; ~ **suit** traje *m* pantalón
panty [ˈpænti] **hose** media *f* pantalón
pap [pæp] papilla *f*
papa [pəˈpɑː] papá *m*
papacy [ˈpeipəsi] papado *m*
paper [ˈpeipə] papel *m*; documento *m*; disertación *f*; ~**back** libro *m* de bolsillo; ~**-hanger** empapelador *m*; ~**-hangings** papel *m* decorado; ~ **money** papel *m* moneda; *v/t* empapelar
parachut|e [ˈpærəʃuːt] *s* paracaídas *m*; *v/i* saltar con paracaídas; ~**ist** paracaidista *m*
parade [pəˈreid] *s* desfile *m*; ostentación *f*; *v/t* ostentar; *v/i* desfilar
paradise [ˈpærədais] paraíso *m*
paragraph [ˈpærəgrɑːf] párrafo *m*
parallel [ˈpærəlel] *a* paralelo; *s* paralela *f*; paralelo *m*
paraly|se [ˈpærəlaiz] *v/t* paralizar; ~**sis** [pəˈrælisis] parálisis *f*; ~**tic** [pærəˈlitik] *a*, *s* paralítico *m*

paramount ['pærəmaunt] sumo; supremo
parasite ['pærəsait] parásito *m*
parcel ['pɑ:sl] paquete *m*; lío *m*; bulto *m*; parcela *f* (*de tierra*); ~ **out** *v/t* parcelar; repartir
parch [pɑ:tʃ] *v/t* (re)secar; agostar; *v/i* resecarse; ~**ment** pergamino *m*
pardon ['pɑ:dn] *s* perdón *m*; indulto *m*; absolución *f*; **I beg your** ~ perdone; ¿cómo dijo?; ~**able** disculpable
pare [pɛə] *v/t* cortar; mondar; pelar
parent ['pɛərənt] padre *m*; madre *f*; ~**age** parentela *f*; ~**s** padres *m/pl*
parings ['pɛəriŋz] peladuras *f/pl*, mondaduras *f/pl*
parish ['pæriʃ] parroquia *f*; ~**ioner** [pə'riʃənə] parroquiano *m*
park [pɑ:k] *s* parque *m*; *v/t*, *v/i* estacionar; ~**ing** estacionamiento *m*; **no** ~**ing** prohibido estacionar; ~**ing meter** parquímetro *m*
Parliament ['pɑ:ləmənt] *Ingl* parlamento *m*; (*España*) Cortes *f/pl*; ~**ary** [~'mentəri] parlamentario
parlour ['pɑ:lə] salón *m*; ~**maid** camarera *f*, *SA* mucama *f*
parquet ['pɑ:kei] parqué *m*
parrot ['pærət] loro *m*; cotorra *f*
parsley ['pɑ:sli] perejil *m*
parson ['pɑ:sn] pastor *m* protestante; clérigo *m*; ~**age** rectoría *f*
part [pɑ:t] *s* parte *f*; porción *f*; trozo *m*; paraje *m*; *teat* papel *m*; interés *m*; **for my** ~ en cuanto a mí; **to take** ~ participar; *v/t* dividir; repartir; *v/i* separarse; partir; ~ **from** despedirse de; ~ **with** privarse de; deshacerse de
partake [pɑ:'teik] *v/i* participar; tomar parte (en)
partial ['pɑ:ʃəl] parcial; ~**ity** [~ʃi'æliti] parcialidad *f*
particip|ant [pɑ:'tisipənt] participante *m*, *f*; ~**ate** [~eit] *v/t* participar; *v/i* tomar parte (en); ~**ation** participación *f*
participle ['pɑ:tisipl] participio *m*
particle ['pɑ:tikl] partícula *f*
particular [pə'tikjulə] particular; especial; quisquilloso; ~**ity** [~'læriti] particularidad *f*; peculiaridad *f*
parting ['pɑ:tiŋ] partida *f*; separación *f*; raya *f* (*del cabello*)
partition [pɑ:'tiʃən] *s* división *f*; *v/t* repartir; dividir; ~**-wall** tabique *m*
partly ['pɑ:tli] en parte
partner ['pɑ:tnə] socio(a) *m* (*f*); ~**ship** asociación *f*; sociedad *f*; **to enter into** ~**ship with** asociarse con
partridge ['pɑ:tridʒ] perdiz *f*

party ['pɑːti] partido *m*; grupo *m*; partida *f*; fiesta *f*
pass [pɑːs] *s* puerto *m* (*de montaña*); *dep* pase *m*; permiso *m*, licencia *f*; *v/t* pasar; traspasar; llevar; superar; aprobar (*examen*); *v/i* pasar; ocurrir; ser aceptable; *dep* hacer un pase; ~ **out** *fam* desmayarse; ~ **through** estar de paso por; ~**able** transitable; tolerable; ~**age** paso *m*; pasaje *m*; travesía *f*; corredor *m*; ~**enger** ['pæsindʒə] pasajero *m*; viajero *m*; ~**er-by** ['pɑːsə'bai] transeúnte *m*; ~**ing** transitorio
passion ['pæʃən] pasión *f*; cólera *f*; ~**ate** ['~it] apasionado; colérico
passiv|e ['pæsiv] *a* pasivo; inactivo; *s* pasivo *m*; ~**ity** [~'siviti] pasividad *f*
pass|port ['pɑːspɔːt] pasaporte *m*; ~**word** contraseña *f*
past [pɑːst] *s* pasado *m*; *a* pasado; último; concluido; *prep* más de, más allá de; **half** ~ **six** las seis y media; ~ **hope** sin esperanza
paste [peist] *s* pasta *f*; engrudo *m*; *v/t* empastar; pegar; ~**board** cartón *m*
pastime ['pɑːstaim] pasatiempo *m*; recreo *m*
pastry ['peistri] pastelería *f*; pastas *f/pl*
pasture ['pɑːstʃə] *s* pasto *m*; dehesa *f*; *v/t* apacentar; *v/i* pacer
pat [pæt] *a* oportuno; propio; *s* palmadita *f*, golpecillo *m* de mano; *v/t* acariciar; dar golpecitos con la mano
patch [pætʃ] *s* remiendo *m*; parche *m*; ~ **of ground** pedazo *m* de tierra; *v/t* remendar; poner parches; ~ **up** reparar; chapucear; ~**work** obra *f* de retacitos; ensaladilla *f*
patent ['peitənt] *a* patente; manifiesto; *s* patente *f* (*de invención*); privilegio *m*; *v/t* patentar; ~ **leather** charol *m*; ~ **medicine** remedio *m* de patente
patern|al [pə'təːnl] paterno; paternal; ~**ity** paternidad *f*
path [pɑːθ] senda *f*, sendero *m*; vía *f*; ruta *f*
pathetic [pə'θetik] patético, conmovedor
patien|ce ['peiʃəns] paciencia *f*; ~**t** *a* paciente; *s* paciente *m*, *f*
patriot ['peitriət] *a*, *s* patriota *m*, *f*; ~**ic** [pætri'ɔtik], ~**ical** patriótico; patriota; ~**ism** ['pætriətizəm] patriotismo *m*
patrol [pə'trəul] *s* patrulla *f*; ronda *f*; *v/t*, *v/i* patrullar; ~ **car** coche *m* patrullero
patron ['peitrən] cliente *m*; patrón *m*; patrocinador *m*; ~**age** ['pætrənidʒ] patrocinio *m*; clientela *f*; *relig* patronato *m*; ~**ize** *v/t* patrocinar; frecuentar

pattern ['pætən] *s* modelo *m*; dibujo *m*; *cost* patrón *m*; *v/t* modelar
paunch [pɔ:ntʃ] panza *f*, barriga *f*
pause [pɔ:z] *s* pausa *f*; *v/i* cesar; pausar; vacilar
pave [peiv] *v/t* pavimentar; **~ment** pavimento *m*
pavilion [pə'viljən] pabellón *m*
paw [pɔ:] *s* pata *f*, zarpa *f*; *v/t* piafar; manosear
pawn [pɔ:n] *s* empeño *m*; (*ajedrez*) peón *m*; *v/t* empeñar; **~broker** prestamista *m*; **~shop** prendería *f*
pay [pei] *s* paga *f*; sueldo *m*; *v/t* pagar; abonar; **~ back** reembolsar; **~ cash** pagar al contado; **~ down** pagar a cuenta; **~ in advance** adelantar; pagar por adelantado; **~ off** amortizar; **~ a visit** hacer una visita; **~able** pagadero; **~ee** [~'i:] tenedor *m*; portador *m*; beneficiario *m*; **~er** pagador *m*; **~-load** carga *f* útil; **~ment** pago *m*; **~-roll** nómina *f*, *SA* planilla *f*
pea [pi:] guisante *m*
peace [pi:s] paz *f*; **~ful** apacible, pacífico; sosegado; **~maker** pacificador *m*
peach [pi:tʃ] melocotón *m*
peacock ['pi:kɔk] pavo *m* real
peak [pi:k] *s* pico *m*; cumbre *f*; *a* máximo; **~ hours** horas *f/pl* de tráfico máximo
peal [pi:l] *v/i* repicar; *s* repique *m* (*de las campanas*)
peanut ['pi:nʌt] cacahuete *m*
pear [pεə] pera *f*; **~-tree** [peral *m*]
pearl [pə:l] perla *f*
peasant ['pezənt] campesino *m*
peat [pi:t] turba *f*
pebble ['pebl] guijarro *m*
peck [pek] *s* picotazo *m*; *v/t*, *v/i* picotear
peculiar [pi'kju:ljə] raro; peculiar; especial; **~ity** [~i'æriti] peculiaridad *f*; singularidad *f*
pedal ['pedl] *s* pedal *m*; *v/i* pedalear
pedestal ['pedistl] pedestal *m*
pedestrian [pi'destriən] *s* peatón *m*; **~ crossing** paso *m* de peatones; **~ zone** zona *f* para peatones
pedigree ['pedigri:] linaje *m*
peel [pi:l] *v/t* pelar; *s* cáscara *f*; corteza *f*
peep [pi:p] *s* pío *m* (*pájaros*); atisbo *m*; *v/i* piar; atisbar; asomarse
peer [piə] *s Ingl* par *m*; *v/t* mirar con ojos de miope; **~age** nobleza *f*
peevish ['pi:viʃ] malhumorado; irritable
peg [peg] *s* clavija *f*; gancho *m*; pretexto *m*; pinzas *f/pl*; *v/t* estaquillar; fijar
pelican ['pelikən] pelícano *m*
pelt [pelt] *v/t* lanzar, arrojar
pen [pen] pluma *f*; corral *m*;

~ (up) *v/t* encerrar; acorralar
penal ['pi:nl] penal; **~ty** ['penlti] pena *f*, castigo *m*; *dep* sanción *f*
penance ['penəns] penitencia *f*
pencil ['pensl] lápiz *m*
pendant ['pendənt] medallón *m*
pending ['pendiŋ] pendiente; colgante; *prep* durante
penetrate ['penitreit] *v/t* penetrar; atravesar; calar; *v/i* penetrar
penguin ['peŋgwin] pingüino *m*
peninsula [pi'ninsjulə] península *f*
peniten|t ['penitənt] *s* penitente *m*; *a* arrepentido; **~tiary** penitenciaría *f*
penknife ['pennaif] cortaplumas *m*
penniless ['penilis] indigente; sin dinero
penny ['peni] penique *m*
pension ['penʃən] *s* pensión *f*; retiro *m*; *v/t* pensionar; **~er** pensionado *m*; pensionista *m*
pensive ['pensiv] pensativo
penthouse ['penthaus] sobradillo *m*; apartamento *m* de azotea
people ['pi:pl] *s* gente *f*; pueblo *m*; parientes *m/pl*; *v/t* poblar
pepper ['pepə] pimienta *f*; **~mint** menta *f*; pastilla *f* de menta
per [pə:] por; a
perambulator ['præmbjuleitə] cochecito *m* de niño
perceive [pə'si:v] *v/t* percibir; comprender
per|cent [pə'sent] por ciento *m*; **~centage** porcentaje *m*
percept|ible [pə'septəbl] perceptible; **~ion** percepción *f*; perspicacia *f*
perch [pə:tʃ] *s* percha *f*; *v/i* posarse
percussion [pe'kʌʃən] percusión *f*; golpe *m*
peremptory [pə'remptəri] perentorio, terminante
perfect ['pə:fikt] *a* perfecto; acabado; [pə'fekt] *v/t* perfeccionar; **~ion** perfección *f*
perforat|e ['pə:fəreit] *v/t* perforar; **~ion** perforación *f*; agujero *m*
perform [pə'fɔ:m] *v/t* ejecutar; llevar a cabo; cumplir; *v/i* actuar, representar; **~ance** ejecución *f*; *teat, mús* función *f*; actuación *f*
perfume ['pə:fju:m] *s* perfume *m*; fragancia *f*; [pə'fju:m] *v/t* perfumar
perhaps [pə'hæps, præps] quizá, quizás
peril ['peril] peligro *m*; riesgo *m*; **~ous** peligroso; arriesgado
period ['piəriəd] período *m*; época *f*; punto *m*; **~ical** [~'ɔdikəl] *a, s* periódico *m*
perish ['periʃ] *v/i* perecer; **~able** perecedero
perjury ['pə:dʒəri] perjurio *m*

perm [pə:m] *fam* permanente *f*; **~anence** ['~ənəns] permanencia *f*; **~anent** permanente, duradero; **~anent wave** ondulación *f* permanente
permeable ['pə:mjəbl] permeable
permi|ssion [pə'miʃən] permisión *f*; venia *f*; **~ssive** tolerante, permisivo; **~t** [~'mit] *v/t* permitir; ['pə:mit] *s* permiso *m*; licencia *f*
perpendicular [pə:pən'dikjulə] perpendicular
perpetual [pə'petʃuəl] perpetuo, continuo
perplex [pə'pleks] *v/t* confundir; **~ity** perplejidad *f*
persecut|e ['pə:sikju:t] *v/t* perseguir; acosar; **~ion** persecución *f*; **~or** perseguidor *m*
persevere [pə:si'viə] *v/i* perseverar, persistir
Persian ['pə:ʃn] *a*, *s* persa *m*, *f*
persist [pə'sist] *v/i* persistir; insistir; **~ence** persistencia *f*, tenacidad *f*; **~ent** persistente, tenaz
person ['pə:sn] persona *f*; individuo *m*; **~age** personaje *m*; **~al** personal; particular; **~ality** [~sə'næliti] personalidad *f*; **~ify** [~'sɔnifai] *v/t* personificar; **~nel** [~sə'nel] personal *m*
perspir|ation [pə:spə'reiʃən] transpiración *f*; sudor *m*; **~e** [pəs'paiə] *v/i* transpirar, sudar
persua|de [pə'sweid] *v/t* persuadir; **~sion** [~ʒən] persuasión *f*; **~sive** [~siv] persuasivo
pert [pə:t] descarado, fresco, respondón
perus|al [pə'ru:zəl] lectura *f* cuidadosa; **~e** *v/t* leer; examinar
pervade [pə:'veid] *v/t* penetrar; saturar
perver|se [pə'və:s] perverso; refractario; **~sion** perversión *f*; corrupción *f*; **~t** ['pə:və:t] *s* pervertido *m*; [pə'və:t] *v/t* pervertir; falsear
pessimism ['pesimizəm] pesimismo *m*
pest [pest] peste *f*; pestilencia *f*; plaga *f*; **~er** *v/t* molestar, fastidiar; **~icide** ['~isaid] insecticida *m*
pet [pet] *s* favorito *m*; animal *m* mimado; *v/t* mimar; acariciar
petal ['petl] pétalo *m*
petition [pi'tiʃən] *s* petición *f*; instancia *f*; ruego *m*; *v/t* suplicar; **~er** suplicante *m*
pet name ['pet'neim] apodo *m* cariñoso
petrify ['petrifai] *v/t*, *v/i* petrificar(se)
petrol ['petrəl] gasolina *f*; **~ station** gasolinera *f*, estación *f* de gasolina
petroleum [pi'trəuljəm] petróleo *m*
petticoat ['petikəut] enagua *f*
petty ['peti] mezquino; in-

significante; ~ **cash** caja *f* chica
pew [pju:] banco *m* de iglesia
pharmacy ['fɑ:məsi] farmacia *f*, botica *f*
phase [feiz] fase *f*
pheasant ['feznt] faisán *m*
philantropist [fi'lænθrəpist] filántropo *m*
philolog|ist [fi'lɔlədʒist] filólogo *m*; **~y** filología *f*
philosoph|er [fi'lɔsəfə] filósofo *m*; **~ize** *v/i* filosofar; **~y** filosofía *f*
phone [fəun] *fam s* teléfono *m*; *v/t*, *v/i* telefonear
phonetic [fəu'netik] fonético; **~s** fonética *f*
photograph ['fəutəgrɑ:f] fotografía *f*; foto *f*; **~er** [fə'tɔgrəfə] fotógrafo *m*; **~y** fotografía *f*
phrase [freiz] frase *f*; locución *f*
physic|al ['fizikəl] físico; **~ian** [fi'ziʃən] médico *m*; **~ist** ['~sist] físico *m*; **~s** física *f*
physique [fi'zi:k] físico *m*; constitución *f* corporal
piano [pi'ænəu] piano *m*
pick [pik] *s* pico *m*; lo mejor; *v/t* picar; coger; seleccionar; ~ **out** escoger; discernir; ~ **up** recoger; trabar amistad con; **to have a bone to ~ with somebody** tener cuentas que ajustar con alguien; **~et** *s* estaca *f*; piquete *m*; *v/t* cercar con estacas; rodear por huelguistas vigilantes
pickle ['pikl] *s* escabeche *m*; *v/t* escabechar; salar
pick|pocket ['pikpɔkit] cortabolsas *m*, ratero *m*; **~-up** fonocaptor *m*; camioneta *f*
picnic ['piknik] jira *f*; merienda *f* campestre
pictorial [pik'tɔ:riəl] *a* pictórico; *s* revista *f* ilustrada
picture ['piktʃə] *s* cuadro *m*; ilustración *f*, grabado *m*; *cine* película *f*; *v/t* describir, pintar, retratar; ~ **postcard** postal *f* ilustrada; **~s** cine *m*
picturesque [piktʃə'resk] pintoresco
picture window ventana *f* panorámica
piece [pi:s] *s* pieza *f*; pedazo *m*; **a ~ of advice** un consejo *m*; **a ~ of news** una noticia *f*; **in ~s** hecho pedazos; *v/t* remendar; juntar; **~work** trabajo *m* a destajo
pier [piə] muelle *m*; desembarcadero *m*
pierc|e [piəs] *v/t* penetrar; taladrar; atravesar; conmover; **~ing** agudo
piety ['paiəti] piedad *f*, devoción *f*
pig [pig] cerdo *m*, puerco *m*, marrano *m*, *SA* chancho *m*
pigeon ['pidʒin] pichón *m*; **~-hole** casilla *f*
pig|headed ['pig'hedid] testarudo; **~sty** ['~stai] pocilga *f*; **~tail** trenza *f* (*de pelo*), coleta *f*
pike [paik] pica *f*; lucio *m*
pile [pail] *s* pila *f*; montón

m; *v/t* ~ **up** amontonar; acumular; *v/i* amontonarse; acumularse
pilfer ['pilfə] *v/t* ratear, hurtar, sisar
pilgrim ['pilgrim] peregrino *m*; **~age** peregrinación *f*; romería *f*
pill [pil] píldora *f*
pillar ['pilə] pilar *m*; columna *f*; *fig* soporte *m*; **~-box** buzón *m* de cartas
pillion ['piljən] asiento *m* trasero [cepo *m*]
pillory ['piləri] picota *f*,
pillow ['piləu] almohada *f*; **~-case, ~-slip** funda *f* de almohada
pilot ['pailət] *s* piloto *m*; *mar* práctico *m*; ~ **light** lámpara *f* indicadora *o* testigo; *v/t* pilotear, pilotar; guiar [barro *m*]
pimple ['pimpl] grano *m*;
pin [pin] *s* alfiler *m*; broche *m*; *mec* pasador *m*; *v/t* prender con alfileres; ~ **up** sujetar; clavar
pincers ['pinsəz] tenazas *f/pl*; pinzas *f*
pinch [pintʃ] *s* pellizco *m*; aprieto *m*; apuro *m*; *v/t* pellizcar; hurtar, birlar; *v/i* economizar; apretar
pine [pain] *s* pino *m*; *v/i* ~ **away** desfallecer; languidecer; ~ **for** ansiar; **~-apple** ananás *m*; piña *f*; **~-cone** piña *f*
pinion ['pinjən] piñón *m*
pink [piŋk] *a* rosado; *s* clavel *m*
pinnacle ['pinəkl] ápice *m*; cima *f*
pint [paint] pinta *f* ($^1/_8$ *de galón*)
pioneer [paiə'niə] *s* explorador *m*; pionero *m*, *mil* zapador *m*; *v/t* explorar; *fig* promover [voto]
pious ['paiəs] piadoso, de-
pip [pip] semilla *f*, pepita *f*
pip|e [paip] *s* tubo *m*, caño *m*; cañería *f*; cañón *m* (*del órgano*); pipa *f* (*de fumar*); **~eline** tubería *f*; oleoducto *m*; **~ing** tubería *f*
pirate ['paiərit] *s* pirata *m*; *v/t* piratear, plagiar
pistol ['pistl] pistola *f*
piston ['pistən] émbolo *m*, pistón *m*
pit [pit] hoyo *m*; pozo *m*; *teat* patio *m*; *Am* hueso *m* (*de frutas*); abismo *m*
pitch [pitʃ] *s* pez *f*; grado *m* de elevación *o* inclinación; puesto *m*; tono *m*; tiro *m*; *mec*, *elec* paso *m*, avance *m*; diapasón *m*; *v/t* tirar; armar, montar; embetunar; graduar; *v/i* caerse; *mar* cabecear; ~ **into** embestir; **~er** cántaro *m*; *dep* lanzador *m*; **~fork** *agr* horca *f*
piteous ['pitiəs] lastimero, lastimoso
pitfall ['pitfɔ:l] trampa *f*
pith [piθ] médula *f*
piti|able ['pitiəbl] lastimoso; **~ful** lastimoso, triste; **~less** despiadado; inhumano
pity ['piti] *s* piedad *f*, lás-

tima *f*, compasión *f*; **it's a ~** es una lástima; *v/t* compadecer
pivot ['pivət] *s* pivote *m*; muñón *m*; *v/i* girar sobre un eje
placard ['plækɑ:d] cartel *m*
place [pleis] *s* lugar *m*; sitio *m*; puesto *m*; *mil* plaza *f*; situación *f*; localidad *f*; región *f*; pasaje *m* (*de libro*); **in ~ of** en lugar de; **to take ~** ocurrir; tener lugar; *v/t* colocar; emplear; recordar
placid ['plæsid] plácido, sosegado
plagiarism ['pleidʒjərizəm] plagio *m*
plague [pleig] *s* peste *f*; plaga *f*; *v/t* atormentar
plaice [pleis] platija *f*
plaid [plæd] manta *f* escocesa
plain [plein] *a* llano, liso; sencillo; corriente; manifiesto; *s* llanura *f*; **~-clothes man** policía *m o* detective *m* vestido de civil; **~ness** llaneza *f*; fealdad *f*
plaint|iff ['pleintif] demandante *m*, *f*; **~ive** plañidero; dolorido
plait [plæt] pliegue *m*; trenza *f* (*de cabello*)
plan [plæn] *s* plan *m*; esquema *m*; plano *m*; proyecto *m*; *v/t* proyectar, planear
plane [plein] *a* llano; *s* plano *m*; *fam* aeroplano *m*; *carp* cepillo *m*; *v/t* allanar, alisar; cepillar
planet ['plænit] planeta *m*
plank [plæŋk] *s* tabla *f*, tablón *m*; *v/t* entarimar; encofrar
plant [plɑ:nt] *s* planta *f*, vegetal *m*; planta *f*, instalación *f* industrial; equipo *m*; *v/t* plantar; fijar, sentar; **~ation** plantío *m*; plantación *f*; **~er** ['plɑ:ntə] cultivador *m*; hacendado *m*
plaque [plɑ:k] placa *f*
plaster ['plɑ:stə] *s* yeso *m*; argamasa *f*, enlucido *m*; *farm* parche *m*; **~ cast** escultura *f* vaciada en yeso; *med* vendaje *m* de yeso; **~ of Paris** yeso *m* blanco; *v/t* enyesar, enlucir; emplastar
plastic ['plæstik] *a*, *s* plástico *m*; **~s** plástica *f*
plate [pleit] *s* plato *m*; plancha *f*, chapa *f*; grabado *m*; *foto* placa *f*; *v/t* platear
platform ['plætfɔ:m] plataforma *f* (*t fig*); *f c* andén *m*; estrado *m*
platinum ['plætinəm] platino *m*
platter ['plætə] plato *m* grande; bandeja *f*
plausible ['plɔ:zəbl] verosímil, plausible
play [plei] *s* juego *m*; *teat* obra *f*; *mec* funcionamiento *m*; *v/t* jugar a (*algún juego*); **~ chess** jugar al ajedrez; *teat* representar; tocar (*música o instrumento*); **~ dead** hacerse el muerto; **~-back** reproducción *f* (*en*

gramófono, etc); **~boy** calavera *m*, hombre *m* de mundo; **~er** jugador *m*; actor *m*, actriz *f*; **~ful** juguetón; festivo; **~mate** compañero *m* de juegos; **~thing** juguete *m*; **~wright** dramaturgo *m*; autor *m*

plea [pli:] argumento *m*; súplica *f*; pretexto *m*; disculpa *f*; *for* alegato *m*

plead [pli:d] *v/t for* defender una causa; alegar; excusarse con; *v/i* razonar; *for* abogar; **~ guilty** confesarse culpable

pleas|ant ['pleznt] agradable; ameno; grato; simpático; **~e** [pliz] *v/t* gustar, complacer; contentar; agradar; *v/i* gustar de; dignarse; **~e!** ¡por favor!; **~ed** satisfecho; **~ing** agradable; placentero; **~ure** ['pleʒə] placer *m*; satisfacción *f*

pleat [pli:t] *s* pliegue *m*; *v/t* plegar, plisar

pledge [pledʒ] *s* prenda *f*; fianza *f*; promesa *f*; *v/t* empeñar; prometer

plent|iful ['plentiful] abundante; **~y** *s* abundancia *f*; profusión *f*; **~y of** mucho, bastante

pliable ['plaiəbl] flexible; dócil

pliers ['plaiəz] alicates *m/pl*

plight [plait] aprieto *m*, apuro *m*

plimsolls ['plimsəlz] zapatillas *f/pl* de gimnasia

plod [plɔd] *v/i* fatigarse; andar laboriosamente

plot [plɔt] *s* solar *m*, parcela *f*; conspiración *f*; *teat* argumento *m*; *v/t* tramar; *v/i* conspirar; **~ter** conspirador *m*

plough [plau] *s* arado *m*; *v/t*, *v/i* arar; **~-share** reja *f* de arado

pluck [plʌk] *s* ánimo *m*; valor *m*; *v/t* sacar, arrancar; desplumar (*aves*); **~ up courage** recobrar ánimo; **~y** animoso, valiente

plug [plʌg] *s* taco *m*; tapón *m*; *v/t* tapar; **~ in** enchufar; **~ up** atorar

plum [plʌm] ciruela *f*; **~-tree** ciruelo *m*

plumage ['plu:midʒ] plumaje *m*

plumb [plʌm] plomo *m*; **~er** fontanero *m*; *SA* gasfitero *m*; **~ing** instalación *f* de cañerías; fontanería *f*

plume [plu:m] pluma *f*; penacho *m*, plumero *m*

plump [plʌmp] *a* rollizo, regordete; *v/t* soltar, dejar caer; *v/i* caer a plomo; engordar

plum pudding ['plʌm 'pudiŋ] budín *m* de ciruelas

plunder ['plʌndə] *s* pillaje *m*; botín *m*; *v/t* saquear, pillar; **~er** saqueador *m*

plunge [plʌndʒ] *s* zambullida *f*; *v/t* sumergir; *v/i* zambullirse, sumergirse; arrojarse; **~r** *mec* émbolo *m*

plunk [plʌŋk] *v/t* puntear (*cuerdas*)
pluperfect [ˈpluːˈpəːfikt] pluscuamperfecto *m*
plural [ˈpluərəl] plural *m*
plus [plʌs] más; *mat* positivo
plush [plʌʃ] felpa *f*; **~y** felpudo
ply [plai] *s* pliegue *m*; doblez *m*; trenza *f* (*del hilado*); chapa *f* (*de madera*); *v/i* hacer servicio regular (*entre puertos, etc*); **~wood** madera *f* laminada
pneumatic [nju(ː)ˈmætik] neumático
pneumonia [nju(ː)ˈməuniə] pulmonía *f*
poach [pəutʃ] *v/t* escalfar (*huevos*); *v/i* cazar clandestinamente; **~er** cazador *m* furtivo
pocket [ˈpɔkit] *s* bolsillo *m*; bolsa *f*; cavidad *f*; *v/t* embolsar; *fig* tragarse (*orgullo, etc*); **~-book** monedero *m*; libro *m* de bolsillo; **~-knife** cortaplumas *m*
pod [pɔd] vaina *f*; cápsula *f*
poem [ˈpəuim] poesía *f*
poet [ˈpəuit] poeta *m*; **~ic** [~ˈetik] poético; **~ry** poesía *f*
poignant [ˈpɔinənt] intenso; agudo, conmovedor
point [pɔint] *s* punto *m*; punta *f*; promontorio *m*; punzón *m*; punto *m* cardinal; **beside the ~** fuera de propósito; **on the ~ of** a punto de; **to come to the ~** venir al caso; **to see the ~** caer en la cuenta; *v/t* apuntar; aguzar; *v/i* **~ at** señalar; **~-blank** *a* directo; categórico; *adv* directamente; **~ed** puntiagudo; evidente; *arq* apuntado; **~er** indicador *m*, índice *m*; manecilla *f*; perro *m* de muestra; **~less** inútil, sin sentido; sin gracia
poise [pɔiz] *s* equilibrio *m*; serenidad *f*; *v/t* equilibrar
poison [ˈpɔizn] *s* veneno *m*; *fig* ponzoña *f*; *v/t* envenenar; **~ing** envenenamiento *m*; **~ous** venenoso
poke [pəuk] *s* empuje *m*; *v/t* atizar (*fuego*); meter; asomar; **~ one's nose into** meter las narices en; **~r** hurgón *m*, atizador *m*; póquer *m*
polar [ˈpəulə] polar; **~ bear** oso *m* blanco; **~ lights** aurora *f* polar
Pol|and [ˈpəulənd] Polonia *f*; **~e** polaco(a) *m* (*f*)
pole [pəul] *s* polo *m*; palo *m*; vara *f*; *dep* garrocha *f*; *v/t* empujar con un palo
police [pəˈliːs] policía *f*; **~man** policía *m*; guardia *m*; **~-station** comisaría *f*; **~-woman** mujer *f* policía
policy [ˈpɔlisi] política *f* (*práctica*); póliza *f* (*de seguros*)
Polish [ˈpəuliʃ] polaco
polish [ˈpɔliʃ] *v/t* pulir, barnizar; lustrar (*zapatos*); *s* pulimento *m*; lustre *m*,

brillo *m*; betún *m* (*de zapatos*); **~ed** pulido; refinado
polite [pə'lait] cortés; atento; **~ness** cortesía *f*
politic|al [pə'litikəl] político; **~al economy** economía *f* política; **~ian** [pɔli'tiʃən] político *m*; **~s** ['pɔlitiks] política *f* (*abstracta*)
poll [pəul] *s* encuesta *f*; votación *f*; escrutinio *m*; *v/i* votar; *v/t* escudriñar; desmochar (*árboles*)
pollut|e [pə'lu:t] *v/t* contaminar, corromper; **~ion** contaminación *f*, corrupción *f*
polyester ['pɔliestə] poliéster *m*
polyp ['pɔlip] pólipo *m*
pomp ['pɔmp] pompa *f*; fa(u)sto *m*; ceremonia *f*; **~ous** pomposo
pond [pɔnd] estanque *m*; charco *m*
ponder ['pɔndə] *v/t* ponderar, examinar; *v/i* reflexionar; **~ous** pesado, laborioso
pontif|f ['pɔntif] pontífice *m*; **~ical** [~'tifikəl] pontifical; **~icate** [~'tifikit] pontificado *m*
pony ['pəuni] jaca *f*
poodle ['pu:dl] perro *m* de lanas
pool [pu:l] *s* charco *m*; piscina *f*; *fig* fondo *m* común; quinielas *f/pl*; *v/t* mancomunar, juntar
poor [puə] pobre; malo; **the ~** los pobres; **~ly** enfermizo; indispuesto
pop [pɔp] *s* taponazo *m*; detonación *f*; bebida *f* gaseosa; música *f* popular; *v/t* disparar; *v/i* saltar; **~ in** visitar de paso
Pope [pəup] papa *m*
poplar ['pɔplə] álamo *m*; **~-grove** alameda *f*
poppy ['pɔpi] amapola *f*
popula|r ['pɔpjulə] popular; **~rity** [~'læriti] popularidad *f*; **~te** ['~eit] *v/t* poblar; **~tion** población *f*
porcelain ['pɔ:səlin] porcelana *f*
porch [pɔ:tʃ] porche *m*
porcupine ['pɔ:kjupain] puerco *m* espín
pore ['pɔ:] *s* poro *m*; *v/i* **~ over** estudiar detenidamente
pork [pɔ:k] carne *f* de cerdo
porous ['pɔ:rəs] poroso
porpoise ['pɔ:pəs] marsopa *f*
porridge ['pɔridʒ] gachas *f/pl* de avena
port [pɔ:t] puerto *m*; *mar* babor *m*
portable ['pɔ:təbl] portátil
porter ['pɔ:tə] portero *m*; conserje *m*; mozo *m* de cuerda; (*especie de*) cerveza *f*
portfolio [pɔ:t'fəuljəu] carpeta *f*; cartera *f*
portion ['pɔ:ʃən] *s* porción *f*; parte *f*; dote *m*; **~ out** *v/t* repartir; distribuir
portly ['pɔ:tli] corpulento
portra|it ['pɔ:trit] retrato *m*; **~yal** [pɔ:'treiəl] representación *f*

Portuguese [pɔ:tju'gi:z] *a, s* portugués(esa) *m* (*f*)
pose [pəuz] *s* postura *f*; afectación *f*; *v/t* poner; plantear (*problema*); *v/i* posar
position [pə'ziʃən] posición *f*; puesto *m*; opinión *f*; **to be in a ~ to** estar en condiciones de
positive ['pɔzətiv] *a* positivo; cierto; absoluto; *s* realidad *f*; *foto* positivo *m*; *gram* grado *m* positivo
possess [pə'zes] *v/t* poseer; **~ed** poseído, poseso; **~ion** posesión *f*; **~ive** caso *m* posesivo; **~or** poseedor *m*
possib|ility [pɔsə'biliti] posibilidad *f*; **~le** ['pɔsəbl] posible; **~ly** posiblemente; quizás, quizá
post [pəust] *s* poste *m*; *mil* plaza *f*; puesto *m*, empleo *m*; correo *m*; **by return of ~** a vuelta de correo; *v/t* echar al correo; situar; contabilizar; **~age** portes *m/pl*; franqueo *m*; **~age stamp** sello *m* de correo, *SA* estampilla *f*; **~card** tarjeta *f* postal; **~ code** número *m* del distrito postal; **~er** cartel *m*; **~erity** [pɔs'teriti] posteridad *f*; **~-free** libre de franqueo; **~humous** ['pɔstjuməs] póstumo; **~man** cartero *m*; **~master** administrador *m* de correos; **~ office** estafeta *f* de correos; **~-office box** apartado *m* de correos; **~-paid** con porte pagado
postpone [pəust'pəun] *v/t* posponer, aplazar; **~ment** aplazamiento *m*, postergación *f*
postscript ['pəusskript] pos(t)data *f*
posture ['pɔstʃə] postura *f*; situación *f*
post-war ['pəust'wɔ:] de pos(t)guerra
posy ['pəuzi] ramillete *m* de flores
pot [pɔt] *s* marmita *f*; olla *f*; maceta *f*, tiesto *m*; *v/t* envasar; plantar en tiestos
potato [pə'teitəu] patata *f*, *SA* papa *f*
potent ['pəutənt] potente; poderoso
potion ['pəuʃən] brebaje *m*
potter ['pɔtə] *s* alfarero *m*; *v/i* **~ about** ocuparse en fruslerías; **~y** alfarería *f*
pouch [pautʃ] saquito *m*; bolsa *f* postal
poulterer ['pəultərə] pollero *m*
poultice ['pəultis] cataplasma *m*
poultry ['pəultri] aves *f/pl* del corral
pounce [pauns] *v/i* lanzarse, saltar; **~ upon** arrojarse sobre
pound [paund] *s* libra *f* (*451 gramos*); **~ sterling** libra esterlina; *v/t* golpear; moler
pour [pɔ:] *v/t* verter; echar; *v/i* fluir, correr
pout [paut] *s* puchero *m*; mueca *f*; *v/i* hacer pucheros

poverty ['pɔvəti] pobreza *f*
powder ['paudə] *s* polvo *m*; pólvora *f*; *v/t* pulverizar; **~-magazine** santabárbara *f*; **~-room** lavabo *m* para damas; **~y** polvoriento; empolvado
power ['pauə] poder *m*; poderío *m*; potencia *f*; facultad *f*; **~ of attorney** poder *m* notarial; **~ful** poderoso; potente; enérgico; **~less** impotente; ineficaz; **~ plant, ~ station** central *f* eléctrica
practi|cable ['præktikəbl] practicable; factible; **~cal** práctico; **~ce** ['~tis] práctica *f*; **~se** *v/t* practicar; ejercitar; ejercer (*profesión*); *v/i* practicar, ejercer; entrenarse; **~tioner** [~'tiʃnə] profesional *m*
prairie ['prɛəri] llanura *f*, pampa *f*, *SA* sabana *f*
praise [preiz] *s* alabanza *f*; *v/t* alabar, loar, elogiar; **~-worthy** loable
pram [præm] cochecillo *m* de niño
prance [prɑ:ns] *v/i* cabriolar
prank [præŋk] travesura *f*
prattle ['prætl] *s* parloteo *m*; *v/i* parlotear
prawn [prɔ:n] camarón *m*
pray [prei] *v/t* rogar; pedir; *v/i* rezar, orar; **~er** [prɛə] oración *f*, rezo *m*; súplica *f*; **~er book** devocionario *m*
preach [pri:tʃ] *v/t*, *v/i* predicar; **~er** predicador *m*
precarious [pri'kɛəriəs] precario
precaution [pri'kɔ:ʃən] precaución *f*
preced|e [pri(:)'si:d] *v/t* preceder, anteceder; **~ent** ['presidənt] precedente *m*
precept ['pri:sept] precepto *m*; mandato *m*
precinct ['pri:siŋkt] recinto *m*; **~s** inmediaciones *f/pl*
precious ['preʃəs] *a* precioso; *adv fam* muy
precipi|ce ['presipis] precipicio *m*; **~tate** [pri'sipitit] *a* precipitado; [~'eit] *v/t*, *v/i* precipitar(se); **~tation** precipitación *f*; **~tous** escarpado
precis|e [pri'sais] preciso, exacto; meticuloso; **~ion** [~'siʒən] precisión *f*, exactitud *f*
precocious [pri'kəuʃəs] precoz; **~ness** precocidad *f*
predatory ['predətəri] rapaz
predecessor ['pri:disesə] predecesor *m*
predica|ment [pri'dikəmənt] apuro *m*; **~te** ['predikit] atributo *m*
predict [pri'dikt] *v/t* pronosticar; **~ion** predicción *f*, pronóstico *m*
predisposition ['pri:dispə'ziʃən] predisposición *f*, propensión *f*
predomina|nt [pri'dɔminənt] predominante; **~te** [~eit] *v/i* prevalecer, predominar

prefabricated [ˈpriːˈfæbrikeitid] prefabricado
preface [ˈprefis] prefacio *m*
prefect [ˈpriːfekt] prefecto *m*
prefer [priˈfəː] *v/t* preferir; **~able** [ˈprefərəbl] preferible; **~ence** [ˈprefərəns] preferencia *f*; **~ential** [prefəˈrenʃəl] preferente; privilegiado; **~ment** [priˈfəːmənt] promoción *f*
prefix [ˈpriːfiks] prefijo *m*
pregnan|cy [ˈpregnənsi] preñez *f*, embarazo *m*; **~t** embarazada, encinta; *fig* fecundo, repleto
prejudice [ˈpredʒudis] *s* prejuicio *m*; *v/t* predisponer, prevenir; perjudicar
preliminary [priˈliminəri] *a, s* preliminar *m*, preparatorio *m*
prelude [ˈpreljuːd] preludio *m*
premature [preməˈtjuə] prematuro
premeditat|e [pri(ː)ˈmediteit] *v/t, v/i* premeditar; **~ion** premeditación *f*
premier [ˈpremjə] primer ministro *m*
premises [ˈpremisiz] local *m*, establecimiento *m*
premium [ˈpriːmjəm] premio *m*
preoccupied [pri(ː)ˈɔkjupaid] preocupado
prepar|ation [prepəˈreiʃən] preparación *f*; preparado *m*; **~e** [priˈpɛə] *v/t* preparar; disponer; confeccionar; *v/i* prepararse
prepay [ˈpriːˈpei] *v/t* pagar por adelantado
preposition [prepəˈziʃən] preposición *f*
prepossess [priːpəˈzes] *v/t* causar buena impresión; preocupar; **~ing** atractivo
preposterous [priˈpɔstərəs] absurdo
prescri|be [prisˈkraib] *v/t* prescribir; ordenar; recetar; **~ption** [~ˈkripʃən] prescripción *f*; receta *f*
presence [ˈprezns] presencia *f*; **~ of mind** presencia *f* de ánimo
present [ˈpreznt] *s* la actualidad; regalo *m*; *v/t* presentar; *a* presente; actual; **at ~** ahora; **to be ~ at** asistir a; **~ation** presentación *f*
presentiment [priˈzentimənt] presentimiento *m*
presently [ˈprezntli] dentro de poco; *Am* ahora, al presente
preserv|ation [prezə(ː)ˈveiʃən] preservación *f*; conservación *f*; **~e** [priˈzəːv] *v/t* preservar; conservar; **~es** conservas *f/pl*
preside [priˈzaid] *v/t* presidir; **~ncy** [ˈprezidənsi] presidencia *f*; **~nt** presidente *m*
press [pres] *s* prensa *f*; imprenta *f*; apretón *m*; *v/t* prensar; planchar (*ropa*); apretar; instar; apremiar; **~ing** *a* urgente; *s* planchado *m* (*de ropa*); **~ure** [ˈ~ʃə] presión *f*; opresión *f*; **~ure**

cooker olla *f* de presión; **~ure gauge** manómetro *m*
prestige [pres'ti:ʒ] prestigio *m*; fama *f*
presum|able [pri'zju:məbl] presumible; **~e** *v/t* presumir, suponer; *v/i* presumir
presumpt|ion [pri'zʌmpʃən] presunción *f*, conjetura *f*; **~uous** presumido; arrogante; **~uousness** presunción *f*; engreimiento *m*
presuppose [pri:sə'pəuz] *v/t* presuponer
preten|ce [pri'tens] pretexto *m*; pretensión *f*; **~d** *v/t* aparentar, fingir; *v/i* simular; **~der** pretendiente *m* (*al trono*); **~sion** pretensión *f*; demanda *f*; **~tious** presuntuoso; afectado
pretext ['pri:tekst] pretexto *m*
pretty ['priti] *a* bonito, lindo; *adv* bastante; algo
prevail [pri'veil] *v/i* prevalecer; estar en boga; tener éxito, resultar efectivo; **~ on** influir sobre; **~ing** general; predominante
prevent [pri'vent] *v/t* prevenir; **~ion** prevención *f*; impedimento *m*; **~ive** preventivo; impeditivo
previous ['pri:vjəs] previo; anterior; **~ly** previamente, con anterioridad
pre-war ['pri:'wɔ:] de preguerra
prey [prei] *s* presa *f*; **bird of ~** ave *f* de rapiña; *v/i* **~ on** pillar; agobiar
price [prais] *s* precio *m*; valor *m*; **fixed ~** precio fijo; **at any ~** cueste lo que cueste; *v/t* valuar, tasar; **~less** inapreciable; **~ list** lista *f* de precios
prick [prik] *s* pinchazo *m*, picadura *f*; puntura *f*; *v/t* picar, pinchar, punzar; **~ one's ears** aguzar las orejas; **~le** aguijón *m*, espina *f*; **~ly** espinoso
pride [praid] *s* orgullo *m*; soberbia *f*; *v/r* **~ oneself on** jactarse de
priest [pri:st] sacerdote *m*
primar|ily ['praimərili] en primer lugar; **~y** primario; **~y colours** colores *m/pl* elementales; **~y school** escuela *f* primaria
prime [praim] principal, primero; primo, selecto; **~ minister** primer ministro *m*; **~r** cartilla *f*
primitive ['primitiv] primitivo
primrose ['primrəuz] primavera *f*, prímula *f*
prince [prins] príncipe *m*; **~ly** regio; magnífico; **~ss** [~'ses] princesa *f*
principal ['prinsəpəl] *a* principal; *s* principal *m*, director *m*; **~ity** [prinsi'pæliti] principado *m*
principle ['prinsəpl] principio *m*; **on ~** por principio
print [print] *s* impresión *f*; grabado *m*; **in ~** impreso; **out of ~** agotado; *v/t* imprimir; escribir con letra

de imprenta; *foto* copiar; **~ed matter** impresos *m/pl*; **~er** impresor *m*; **~ing** impresión *f*; tipografía *f*; **~ing office** imprenta *f*
prior ['praiə] *a* anterior; previo; *s* prior *m*; **~ity** [~'ɔriti] prioridad *f*
prison ['prizn] prisión *f*; cárcel *f*; **~er** preso *m*; prisionero *m*; **to take ~er** apresar
priva|cy ['privəsi] retiro *m*; intimidad *f*; **~te** ['praivit] privado, particular; secreto
privation [prai'veiʃən] privación *f*
privilege ['privilidʒ] privilegio *m*; **~d** privilegiado
prize [praiz] *s* premio *m*; *fig* galardón *m*; presa *f*; *v/t* apreciar; valuar, tasar
probab|ility [prɔbə'biliti] probabilidad *f*; **~le** ['~əbl] probable, verosímil
prob|ation [prə'beiʃən] prueba *f*; *for* libertad *f* condicional; **~e** [prəub] *v/t* sondar; investigar; *s* sonda *f*; tienta *f*
problem ['prɔbləm] problema *m*
proce|dure [prə'si:dʒə] *s* procedimiento *m*; proceder *m*; **~ed** [~'si:d] *v/i* proceder; seguir su curso; **~edings** *for* proceso *m*; actas *f/pl*; **~eds** ['prəusi:dz] producto *m*, rédito *m*
process ['prəuses] *s* proceso *m*; progreso *m*; *v/t* elaborar; *for* procesar; **~ion** [prə'seʃən] procesión *f*, desfile *m*; cortejo *m* (*fúnebre*)
procla|im [prə'kleim] *v/t* proclamar, declarar; **~mation** [prɔklə'meiʃən] proclamación *f*; bando *m*, edicto *m*
procure [prə'kjuə] *v/t* conseguir
prodigal ['prɔdigəl] pródigo; lujuriante
prodig|ious [prə'didʒəs] prodigioso; **~y** ['prɔdidʒi] prodigio *m*; **infant ~y** niño *m* prodigio
produce ['prɔdju:s] *s* producto *m* (*de la tierra*); [prə'dju:s] *v/t* producir; rendir; fabricar; poner en escena (*obra de cine, teatro*); **~r** productor *m*; director *m* (*de obras de teatro o cine*)
product ['prɔdʌkt] producto *m*, resultado *m*; **~ive** [prə'dʌktiv] productivo; fructífero
profane [prə'fein] profano; sacrílego
profess [prə'fes] *v/t* profesar; manifestar; simular; **~ed** declarado; supuesto; **~ion** carrera *f*, profesión *f*; **~ional** profesional; **~or** catedrático *m*; profesor *m*
proficien|cy [prə'fiʃənsi] pericia *f*; habilidad *f*; **~t** experimentado; perito
profile ['prəufail] perfil *m*, silueta *f*
profit ['prɔfit] *s* provecho *m*; ganancia *f*; beneficio *m*; **~ and loss** pérdidas y ganancias; *v/i* aprovechar;

v/t servir; **~able** provechoso
profound [prə'faund] profundo; grande
profusion [prə'fju:ʒən] profusión *f*
prognosis [prɔg'nəusis] pronóstico *m*
programme ['prəugræm] programa *m*
progress ['prəugres] *s* progreso *m*; [~'gres] *v/i* progresar, adelantar; **~ive** progresivo; *pol* progresista
prohibit [prə'hibit] *v/t* prohibir; **~ion** [prəui'biʃən] prohibición *f*; **~ive** [~'hibitiv] prohibitivo
project ['prɔdʒekt] *s* proyecto *m*; plan *m*; [prə'dʒekt] *v/t* proyectar; *v/i* sobresalir; **~ion** proyección *f*; planeamiento *m*; *arq* vuelo *m*; **~or** proyector *m*; proyectista *m* [logo *m*]
prologue ['prəulɔg] pró-
prolong [prəu'lɔŋ] *v/t* extender, prorrogar, prolongar; **~ation** extensión *f*, prórroga *f*
promenade [prɔmi'nɑ:d] *s* paseo *m*; *v/i* pasearse
prominent ['prɔminənt] prominente
promis|e ['prɔmis] *s* promesa *f*; esperanza *f*; *v/t*, *v/i* prometer, dar esperanza; **~ing** prometedor; **~sory** ['~əri] **note** pagaré *m*
promontory ['prɔməntri] promontorio *m*
promot|e [prə'məut] *v/t* promover; fomentar; ascender; **~er** promotor *m*; gestor *m*; **~ion** promoción *f*; *com* fomento *m*; propaganda *f*
prompt [prɔmpt] *a* pronto; rápido; *v/t* incitar; impulsar; **~er** *teat* apuntador *m*
prone [prəun] postrado
prong [prɔŋ] púa *f*, diente *m* (*de tenedor*)
pronoun ['prəunaun] pronombre *m*
pronounc|e [prə'nauns] *v/t* pronunciar; articular; **~ed** marcado; fuerte
pronunciation [prənʌnsi'eiʃən] pronunciación *f*
proof [pru:f] *s* prueba *f*; comprobación *f*; *a* a prueba de; *v/t* probar
prop [prɔp] *s* soporte *m*; puntal *m*; *v/t* apuntalar
propaga|te ['prɔpəgeit] *v/t* propagar; diseminar; **~tion** propagación *f*, divulgación *f*
propel [prə'pel] *v/t* impulsar; **~ler** hélice *f*; impulsor *m*, propulsor *m*
proper ['prɔpə] propio; particular; atinado, correcto; decoroso; **~ty** propiedad *f*
prophe|cy ['prɔfisi] vaticinio *m*, profecía *f*; **~sy** ['~ai] *v/t* profetizar; **~t** ['~fit] profeta *m*
proportion [prə'pɔ:ʃən] *s* proporción *f*; **~s** dimensiones *f/pl*
propos|al [prə'pəuzəl] pro-

puesta *f*, proposición *f*; **~e** *v/t* proponer; *v/i* declararse, pedir la mano; **~ition** [prɔpəˈziʃən] proposición *f*; propuesta *f*; asunto *m*
propriet|ary [prəˈpraiətəri] patentado; **~or, ~ress** [~ris] propietario(a) *m* (*f*)
propulsion [prəˈpʌlʃən] propulsión *f*
prose [prəuz] prosa *f*
prosecut|e [ˈprɔsikjuːt] *v/t* *for* procesar; proseguir; **~ion** prosecución *f*; *for* parte *f* acusadora; **~or** demandante *m*; fiscal *m*
prospect [ˈprɔspekt] *s* perspectiva *f*; expectativa *f*; vista *f*; [prəsˈpekt] *v/i*, *v/t* explorar; **~or** prospector *m*
prospectus [prəsˈpektəs] prospecto *m*
prosper [ˈprɔspə] *v/i* prosperar; **~ity** [~ˈperiti] prosperidad *f*; **~ous** [ˈ~pərəs] próspero
prostitute [ˈprɔstitjuːt] *s* prostituta *f*, ramera *f*; *v/t* prostituir
prostrate [ˈprɔstreit] *a* postrado; [prɔsˈtreit] *v/t* postrar; **~ oneself** postrarse
protect [prəˈtekt] *v/t* proteger, amparar; **~ion** protección *f*, amparo *m*; **~ive** protector; *com* proteccionista
protest [ˈprəutest] *s* protesta *f*; protesto *m* (*de una letra*); [prəˈtest] *v/t* protestar; afirmar; **~ a bill** protestar una letra de cambio; **⁓ant** [ˈprɔtistənt] *a*, *s* protestante *m*, *f*; **~ation** [prəutesˈteiʃən] protestación *f*
protract [prəˈtrækt] *v/t* alargar; prolongar
protrude [prəˈtruːd] *v/i* salir fuera
proud [praud] orgulloso; soberbio
prove [pruːv] *v/t* probar; *v/i* resultar
proverb [ˈprɔvəːb] refrán *m*; proverbio *m*; **~ial** [prəˈvəːbjəl] proverbial
provide [prəˈvaid] *v/t* proveer; abastecer; proporcionar; *v/i* **~ against** precaverse de; prepararse para; **~d (that)** con tal que, siempre que
providence [ˈprɔvidəns] providencia *f*
provinc|e [ˈprɔvins] provincia *f*; **~ial** [prəˈvinʃəl] provincial
provision [prəˈviʒən] provisión *f*; disposición *f*, medida *f*; **~al** provisional; **~s** provisiones *f/pl*
provo|cation [prɔvəˈkeiʃən] provocación *f*; **~cative** [prəˈvɔkətiv] provocativo, provocador; **~ke** [~ˈvəuk] *v/t* provocar
prow [prau] *mar* proa *f*
prowl [praul] *v/i* rondar
proximity [prɔkˈsimiti] proximidad *f*
proxy [ˈprɔksi] procuración *f*, poder *m*; apoderado *m*
prud|e [pruːd] mojigato(a) *m* (*f*); **~ence** prudencia *f*;

discreción *f*; **~ent** prudente, discreto; **~ish** gazmoño
prune [pruːn] *s* ciruela *f* pasa; *v/t, v/i* podar
psalm [sɑːm] salmo *m*
pseudonym [ˈpsjuːdənim] seudónimo *m*
psychiatr|ist [saiˈkaiətrist] psiquiatra *m*; **~y** psiquiatría *f*
psych|ological [saikəˈlɔdʒikəl] psicológico; **~ological warfare** guerra *f* psicológica; **~ologist** [saiˈkɔlədʒist] psicólogo *m*; **~ology** [~ˈkɔlədʒi] psicología *f*
pub [pʌb] *fam* taberna *f*, cantina *f*, bar *m*
puberty [ˈpjuːbəti] pubertad *f*
publi|c [ˈpʌblik] *a* público; **~c debt** deuda *f* del Estado; **~c-house** taberna *f*, bar *m*; **~c prosecutor** fiscal *m*; **~c school** escuela *f* particular; **~c welfare** salud *f* pública; *s* público *m*; **in ~c** públicamente; **~cation** publicación *f*; **~city** [~ˈlisiti] publicidad *f*; **~sh** [ˈpʌbliʃ] *v/t* publicar; editar; **~shing house** casa *f* editorial
pudding [ˈpudiŋ] budín *m*
puddle [ˈpʌdl] charco *m*
puff [pʌf] *s* soplo *m*; bocanada *f*; borla *f*; *coc* bollo *m*; **~ of wind** soplido *m* de aire; *v/t* soplar; fumar; *v/i* resoplar, jadear; *fig* hincharse; **~ paste** hojaldre *m*; **~y** hinchado; jadeante
pull [pul] *v/t* tirar (de); sacar; arrastrar; **~ down** demoler; **~ out** arrancar; **~ up** detener, parar; *s* tirón *m*; tirador *m*; trago *m*; **~er** tirador *m*
pulley [ˈpuli] polea *f*; garrucha *f*
pull-over [ˈpuləuvə] jersey *m*, *SA* pulóver *m*
pulp [pʌlp] pulpa *f*
pulpit [ˈpulpit] púlpito *m*
puls|ate [pʌlˈseit] *v/i* latir; **~ation** latido *m*, pulsación *f*; **~e** pulso *m*
pulverize [ˈpʌlvəraiz] *v/t* pulverizar; triturar
pump [pʌmp] *s* bomba *f*; *v/t* bombear; sonsacar; tantear
pumpkin [ˈpʌmpkin] calabaza *f*
pun [pʌn] retruécano *m*
punch [pʌntʃ] *s* puñetazo *m*; punzón *m*; ponche *m*; *v/t* dar puñetazos; punzar
Punch [pʌntʃ] Pulchinela *m*; **~ and Judy** [ˈdʒuːdi] **show** teatro *m* de títeres
punctual [ˈpʌŋktjuəl] puntual
punctua|te [ˈpʌŋktjueit] *v/t* puntuar; **~tion** puntuación *f*; **~tion mark** signo *m* de puntuación
puncture [ˈpʌŋktʃə] *s* pinchazo *m*; puntura *f*; *v/t* pinchar; punzar
pungent [ˈpʌndʒənt] picante; mordaz
punish [ˈpʌniʃ] *v/t* castigar; **~ment** castigo *m*

punt [pʌnt] *s* batea *f*; *v/i* ir en batea

puny ['pju:ni] diminuto; [débil]

pupil ['pju:pl] pupilo(a) *m* (*f*); *anat* pupila *f*

puppet ['pʌpit] títere *m*

puppy ['pʌpi] cachorro *m*

purchas|e ['pə:tʃəs] *s* compra *f*; *v/t* comprar; **~ing power** poder *m* adquisitivo

pure [pjuə] puro; **~ly** puramente

purg|ative ['pə:gətiv] purgante; **~atory** purgatorio *m*; **~e** [pə:dʒ] *s med* purgante *m*; *pol* purga *f*; depuración *f*; *v/t med* purgar; *pol* depurar

purify ['pjuərifai] *v/t* purificar, depurar

purity ['pjuəriti] pureza *f*

purple ['pə:pl] *a* purpúreo; morado; *s* púrpura *f*

purpose ['pə:pəs] *s* propósito *m*; resolución *f*; **on ~** de propósito, adrede; **to no ~** en vano; *v/t*, *v/i* proponer(se); **~ful** resuelto; **~ly** de propósito

purr [pə:] *v/i* ronronear

purse [pə:s] *s* portamonedas *m*; *v/t* fruncir; **~r** *mar* sobrecargo *m*

pursu|e [pə'sju:] *v/t* perseguir; proseguir; ejercer; **~er** perseguidor *m*; **~it** [~u:t] persecución *f*; prosecución *f*; ocupación *f*, actividad *f*

purveyor [pə:'veiə] proveedor *m*

pus [pʌs] pus *m*

push [puʃ] *s* empujón *m*; impulso *m*; empuje *m*, brío *m*; *v/t* empujar, impeler; **~ back** echar atrás; rechazar; *v/i* pujar

puss [pus], **pussy(-cat)** minino *m*, michino *m*

put [put] *v/t* poner, colocar; echar; exponer; presentar; **~ down** apuntar; reprimir; atribuir; **~ off** aplazar; **~ on** ponerse (*ropa, etc*); encender; **~ out** poner afuera; extender; apagar; irritar; desconcertar; **~ through** *tel* comunicar; **~ up** hospedar; montar (*una máquina*); elevar; *v/i* **~ up with** aguantar

putrefy ['pju:trifai] *v/i* pudrirse

putrid ['pju:trid] podrido, putrefacto

putty ['pʌti] masilla *f*

puzzle ['pʌzl] *s* rompecabezas *m*; problema *m*; *v/t* embrollar, confundir; *v/i* estar intrigado

pyjamas [pə'dʒɑ:məs] pijama *m*

pyramid ['pirəmid] pirámide *f*

Q

quack [kwæk] *s* curandero *m*; *v/i* graznar; **~ery** curandería *f*
quadrangle ['kwɔdræŋgl] cuadrángulo *m*; patio *m*
quadruped ['kwɔdruped] cuadrúpedo *m*
quadruple ['kwɔdrupl] cuádruplo; **~ts** ['~lits] cuatrillizos *m/pl*
quail [kweil] *s orn* codorniz *f*; *v/i* acobardarse
quaint [kweint] raro, extraño; exótico
quake [kweik] *s* temblor *m*; *v/i* temblar; trepidar
qualif|ication [kwɔlifi'keiʃən] calificación *f*; idoneidad *f*; requisito *m*; **~ied** ['~faid] calificado; capacitado; apto; limitado, condicional; **~y** ['~fai] *v/t* calificar, habilitar; *v/i* ser apto; ser aprobado
quality ['kwɔliti] cualidad *f*; calidad *f*, clase *f*
qualm [kwɑ:m] náusea *f*; escrúpulo *m*
quandary ['kwɔndəri] apuro *m*, dilema *m*
quantity ['kwɔntiti] cantidad *f*; cuantía *f*
quarantine ['kwɔrənti:n] *s* cuarentena *f*; *v/t* poner en cuarentena
quarrel ['kwɔrəl] *s* disputa *f*, querella *f*, riña *f*, reyerta *f*; *v/i* disputarse; pelear, reñir; **~some** pendenciero, reñidor
quarry ['kwɔri] cantera *f*; presa *f*
quarter ['kwɔ:tə] *s* cuarta *f*; cuarta parte *f*; cuarto *m*; *mil* cuartel *m*; barrio *m* (*de ciudad*); **a ~ to, past** un cuarto para (la hora), (la hora) y cuarto; *v/t* hospedar; *mil* acuartelar; **~ly** *a* trimestral; *s* publicación *f* trimestral; **~s** alojamiento *m*; morada *f*; *mil* cuartel *m*
quartet(te) [kwɔ:'tet] *mús* cuarteto *m*
quaver ['kweivə] *v/i* hablar en tono trémulo
quay [ki:] muelle *m*, (des-) embarcadero *m*
queen [kwi:n] reina *f*
queer [kwiə] raro, extraño; indispuesto
quench [kwentʃ] *v/t* apagar (*fuego*); calmar (*sed*)
querulous ['kweruləs] quejumbroso; irritable
query ['kwiəri] *s* pregunta *f*; cuestión *f*; *v/t* inquirir; poner en duda
quest [kwest] búsqueda *f*; indagación *f*
question ['kwestʃən] *s* pregunta *f*; cuestión *f*; asunto *m*; **out of the ~** imposible; *v/t*, *v/i* interrogar; preguntar; dudar de; **~able** discutible; dudoso; **~naire** [~stiə'nɛə] cuestionario *m*

queue [kjuː] cola *f*; *v/i* ~ **up** hacer cola
quick [kwik] rápido; ágil; vivo; agudo; **to be** ~ darse prisa; **~en** *v/t* avivar; acelerar; **~ness** rapidez *f*; viveza *f*; **~sand** arena *f* movediza; **~set** seto *m* vivo; **~silver** mercurio *m*; **~-witted** listo, despierto
quid [kwid] *fam* libra *f* esterlina
quiet [ˈkwaiət] *a* quieto; silencioso; *s* sosiego *m*; calma *f*; silencio *m*; *v/t* calmar, aquietar; **~ness, ~ude** [ˈ~itjuːd] quietud *f*; silencio *m*; tranquilidad *f*
quill [kwil] cañón *m* de la pluma; púa *f*; *tecn* canilla *f*
quilt [kwilt] colcha *f*
quince [kwins] membrillo *m*
quinine [kwiˈniːn] quinina *f*
quintuple [ˈkwintjupl] quíntuple; *v/t*, *v/i* quintuplicar(se); **~ts** [ˈ~lits] quintillizos *m/pl*
quit [kwit] *v/t* dejar; abandonar; *v/i* desistir, cesar
quite [kwait] totalmente; bastante, muy; ~ **so!** ¡de acuerdo!
quiver [ˈkwivə] *s* aljaba *f*; temblor *m*; *v/i* temblar; estremecerse
quiz [kwiz] *s* enigma *m*; serie *f* de preguntas; *t v* programa *m* de preguntas; *v/t* examinar
quota [ˈkwəutə] cuota *f*
quot|ation [kwəuˈteiʃən] *lit* cita *f*, citación *f*; *com* cotización *f*; precio *m*; **~ation marks** comillas *f/pl*; **~e** *v/t* citar; cotizar
quotient [ˈkwəuʃənt] c(u)ociente *m*

R

rabbi [ˈræbai] rabino *m*
rabbit [ˈræbit] conejo *m*
rabble [ˈræbl] chusma *f*
rabi|d [ˈræbid] rabioso; **~es** [ˈreibiːz] rabia *f*, hidrofobia *f*.
race [reis] *s* raza *f*, casta *f*; carrera *f* (*de caballos, coches*); *v/i.* correr de prisa; competir; **~course** hipódromo *m*; **~r** caballo *m* de carreras
racial [ˈreiʃəl] racial
rack [ræk] *s* colgadero *m*; percha *f*; rejilla *f*; potro *m* de tormento; pesebre *m*; *v/t* torturar; ~ **one's brains** devanarse los sesos
racket [ˈrækit] raqueta *f*; alboroto *m*; *fam* estafa *f*
racoon [rəˈkuːn] mapache *m*
racy [ˈreisi] vigoroso; picante; atrevido
radar [ˈreidə] radar *m*
radian|ce [ˈreidjəns] brillo *m*, resplandor *m*; **~t** brillante, resplandeciente
radi|ate [ˈreidieit] *v/t* radiar; emitir; **~ation** radiación *f*; irradiación *f*; **~a-**

tor radiador *m*; **~o** ['reidiəu] radio *f* (*emisión*); radio *f*, *SA* *m* (*aparato*); **~o(-)active** radiactivo; **~o-set** aparato *m* de radio
radish ['rædiʃ] rábano *m*
radius ['reidjəs] radio *m*
raffle ['ræfl] *s* rifa *f*; lotería *f*; *v/i* rifar; sortear
raft [rɑ:ft] balsa *f*
rag [ræg] trapo *m*
rag|e [reidʒ] *s* rabia *f*; furia *f*; *v/i* rabiar; **~ing** violento
raid [reid] *s* incursión *f*; ataque *m*; *v/t* atacar; invadir
rail [reil] baranda *f*; *f c* riel *m*, carril *m*; **by ~** por ferrocarril; **~ings** barandilla *f*; balaustrada *f*; **~road** *Am* = **railway**; **~way** ferrocarril *m*; **~wayman** ferroviario *m*
rain [rein] *s* lluvia *f*; *v/i* llover; **~ cats and dogs** llover a cántaros; **~bow** ['~bəu] arco *m* iris; **~coat** impermeable *m*; **~y** lluvioso; **a ~y day** *fig* tiempos *m/pl* de necesidad
raise [reiz] *v/t* levantar; elevar; criar, educar (*niños*); formular (*preguntas, etc*); subir (*precio*); juntar (*dinero*); **~ one's glass to** brindar por
raisin ['reizn] pasa *f*
rake [reik] *s* rastrillo *m*; libertino *m*; *v/t* rastrillar; barrer
rally ['ræli] *s* reunión *f* popular; *v/t* reunir; *v/i* congregarse; reanimarse
ram [ræm] *s* *zool* morueco *m*; carnero *m*; *tecn* ariete *m* hidráulico; martinete *m*; pisón *m*; *v/t* apisonar, pisonear
ramble ['ræmbl] *s* paseo *m*; *v/t* vagar; divagar; **~r** vagabundo *m*
ramp [ræmp] rampa *f*; **~art** ['~ɑ:t] terraplén *m*; muralla *f*.
ranch [rɑ:ntʃ] estancia *f*; hacienda *f*; *SA* rancho *m*; **~er** ganadero *m*, hacendado *m*; *SA* ranchero *m*
rancid ['rænsid] rancio
rancour ['ræŋkə] rencor *m*
random ['rændəm]: **at ~** a la ventura; al azar
range [reindʒ] *s* extensión *f*; alcance *m*; fila *f*; orden *m*; pradera *f*; **within ~ of** al alcance de; *v/t* arreglar; clasificar; *v/i* vagar; variar, fluctuar; **~r** guardia *m* montado; *mil* comando *m*
rank [ræŋk] *s* línea *f*; *mil* fila *f*; grado *m*, rango *m*; calidad *f*; *v/t* clasificar; ordenar; *v/i* tener un grado; *a* exuberante; espeso; de mal olor; acabado.
ransack ['rænsæk] *v/t* saquear
ransom ['rænsəm] *s* rescate *m*; *v/t* rescatar
rap [ræp] *v/t* golpear; *v/i* dar golpes; *s* golpe *m* seco
rapacious [rə'peiʃəs] rapaz
rape [reip] *s* estupro *m*; ultraje *m*; *v/t* violar, estuprar
rapid ['ræpid] rápido; **~ity**

[rə'piditi] rapidez *f*; velocidad *f*

rapt [ræpt] transportado, extasiado; **~ure** rapto *m*, éxtasis *m*

rar|e [rɛə] raro; precioso; **~ity** rareza *f*; singularidad *f*

rascal ['rɑːskəl] pícaro *m*; bellaco *m*; granuja *m*; **~ly** bajo, rastrero

rash [ræʃ] *a* temerario; imprudente; *s* salpullido *m*

rasher ['ræʃə] lonja *f* de tocino

rasp [rɑːsp] *s* raspador *m*; rallo *m*; sonido *m* estridente; *v/t* raspar; rallar; **~berry** ['rɑːzbəri] frambuesa *f*

rat [ræt] *zool* rata *f*; *fam* esquirol *m*; **to smell a ~** haber gato encerrado; *v/t* cazar ratas

rate [reit] *s* tasa *f*; proporción *f*, razón *f*; tipo *m*; valor *m*; clase *f*; velocidad *f*; **at any ~** de todos modos; **~ of exchange** tipo *m* de cambio; *v/t* tasar; clasificar; estimar

rather ['rɑːðə] más bien; antes; mejor dicho; bastante, algo; **I would ~** prefiero

ratify ['rætifai] *v/t* ratificar; confirmar

ration ['ræʃən] *s* ración *f*; *v/t* racionar; **~ing** racionamiento *m*

rational ['ræʃənl] racional; razonable; **~ize** ['~ʃnəlaiz] *v/t* racionalizar

rattle ['rætl] *s* matraca *f*, cascabel *m*; cascabeleo *m*, traqueteo *m*; *v/t* sacudir con ruido; *v/i* matraquear; **~snake** culebra *f* de cascabel

ravage ['rævidʒ] *v/t* devastar, asolar; *s* devastación *f*, estrago *m*

rave [reiv] *v/i* delirar; rabiar

raven ['reivn] *orn* cuervo *m*; **~ous** ['rævənəs] voraz, rapaz; famélico

ravine [rə'viːn] barranca *f*; hoz *f*

ravings ['reiviŋz] delirio *m*; devaneos *m/pl*

ravish ['ræviʃ] *v/t* arrebatar, encantar

raw [rɔː] crudo; pelado; novato; rudo; *com* en bruto; **~ cotton** algodón *m* en rama; **~ flesh** carne *f* viva; **~ material** materia *f* prima; **~ silk** seda *f* cruda

ray [rei] rayo *m*; *ict* raya *f*

rayon ['reiɔn] rayón *m*

razor ['reizə] navaja *f* de afeitar

reach [riːtʃ] *s* alcance *m*; extensión *f*; facultad *f*; **within ~ of** al alcance de; *v/t* alcanzar; llegar a; tocar; *v/i* extenderse; llegar; **~ out one's hand** tender la mano

react [ri(ː)'ækt] *v/i* reaccionar; **~ion** reacción *f*; **~ionary** [~ʃnəri] reaccionario *m*; **~or** reactor *m* (*nuclear*)

read [riːd] *v/t* leer; interpretar; registrar; *v/i* rezar; (saber) leer; **~ aloud** leer

en voz alta; **~able** legible; leíble; **~er** lector *m*
readi|ly ['redili] prontamente; fácilmente; **~ness** disposición *f* favorable; estado *m* de alerta
reading ['ri:diŋ] lectura *f*; interpretación *f*
readjust ['ri:ə'dʒʌst] *v/t* reajustar
ready ['redi] listo, preparado, dispuesto; **~-made** hecho; **~ money** dinero *m* disponible
real [riəl] real, verdadero; genuino; **~ estate, ~ property** bienes *m/pl* raíces; inmuebles *m/pl*; **~ism** realismo *m*; **~ist** realista *m*; **~istic** realista; **~ity** [ri:'æliti] realidad *f*; **~ize** *v/t com* realizar; darse cuenta de; hacerse cargo de; **~ly** realmente, efectivamente
realm [relm] reino *m*
realtor ['riəltə] *Am* corredor *m* de bienes raíces
reap [ri:p] *v/t* segar; cosechar; **~er** segador *m*; segadora *f* mecánica
reappear ['ri:ə'piə] *v/i* reaparecer; **~ance** reaparición *f*
rear [riə] *a* trasero; posterior; *s* fondo *m*; *v/t* levantar; construir; criar; **~-admiral** contraalmirante *m*; **~-guard** retaguardia *f*
rearm ['ri:'ɑ:m] *v/t* rearmar; **~ament** rearme *m*
reason ['ri:zn] *s* razón *f*, motivo *m*; sensatez *f*; **by ~ of** a causa de; *v/t* razonar; argüir; *v/i* discutir; **~able** razonable, justo; módico (*precio*); **~ing** razonamiento *m*
reassure [ri:ə'ʃuə] *v/t* tranquilizar, satisfacer; *com* reasegurar
rebate ['ri:beit] *s* descuento *m*; disminución *f*; *v/t*, *v/i* rebajar, descontar
rebel ['rebl] *a*, *s* rebelde *m*; insurrecto *m*; [ri'bel] *v/i* sublevarse; rebelarse; **~lion** [~'beljən] rebelión *f*; sublevación *f*; **~lious** [~'beljəs] rebelde; faccioso
rebound [ri'baund] *v/i* rebotar; repercutir
rebuff [ri'bʌf] *s* repulsa *f*; desaire *m*; *v/t* rechazar; desairar
rebuild ['ri:'bi:ld] *v/t* reconstruir
rebuke [ri'bju:k] *s* reproche *m*; repulsa *f*; *v/t* reprender; censurar; reprochar
recall [ri'kɔ:l] *s* revocación *f*; recordación *f*; retirada *f*; **beyond ~** irrevocable; *v/t* revocar; retirar; recordar
recapture ['ri:'kæptʃə] *s* represa *f*; *v/t* volver a tomar; recobrar
recede [ri(:)'si:d] *v/i* retroceder, retirarse
receipt [ri'si:t] *s* recepción *f*; recibo *m*; receta *f*; **~s** entradas *f/pl*, ingresos *m/pl*
receive [ri'si:v] *v/t* recibir, cobrar; aceptar, admitir; acoger; **~r** recibidor *m*;

(*radio, teléfono*) auricular *m*; *for* síndico *m*
recent ['ri:snt] reciente; **~ly married** recién casados
reception [ri'sepʃən] recepción *f*; acogida *f*; **~ist** recibidor(a) *m*(*f*), *SA* recepcionista *m*, *f*
receptive [ri'septiv] receptivo
recess [ri'ses] nicho *m*; retiro *m*; **~ion** recesión *f* (*económica*)
recipe ['resipi] receta *f* (*de guisar*)
recipient [ri'sipiənt] recipiente *m*; recibidor *m*
reciprocal [ri'siprəkəl] recíproco; mutuo
recit|al [ri'saitl] narración *f*; *mús, teat* recital *m*; **~e** *v/t* recitar, declamar; narrar
reckless ['reklis] temerario, imprudente
reckon ['rekən] *v/t* contar; considerar; **~ with** tomar en cuenta; **~ing** ['~niŋ] cálculo *m*; cómputo *m*
reclaim [ri'kleim] *v/t* reclamar
recline [ri'klain] *v/t* reclinar; *v/i* recostarse
recogni|tion [rekəg'niʃən] reconocimiento *m*; **~ze** ['rekəgnaiz] *v/t* reconocer; admitir
recoil [ri'kɔil] *v/i* retroceder; disgustarse
recollect [rekə'lekt] *v/t* recordar, acordarse de; **~ion** recuerdo *m*
recommend [rekə'mend] *v/t* recomendar; proponer; **~ation** recomendación *f*; sugerencia *f*
recompense ['rekəmpens] *s* recompensa *f*; compensación *f*; *v/t* recompensar
reconcil|e ['rekənsail] *v/t* (re)conciliar; **~iation** [~sili'eiʃən] (re)conciliación *f*
reconsider ['ri:kən'sidə] *v/t* volver a considerar
reconstruct ['ri:kəns'trʌkt] *v/t* reconstruir; reedificar
record ['rekɔ:d] *s* registro *m*; acta *f*, documento *m*; relación *f*; *dep* récord *m*; disco *m*; **on ~** registrado; **off the ~** confidencialmente; inoficial; [ri'kɔ:d] *v/t* registrar; relatar; marcar; grabar (*discos o cintas*); **~er** registrador *m*; (*máquina*) grabadora *f*; *for* juez *m* municipal; *mec* contador *m*; **~ing** grabación *f*; **~-player** tocadiscos *m*
recourse [ri'kɔ:s] recurso *m*; expediente *m*; **to take ~ to** recurrir a
recover [ri'kʌvə] *v/t* recuperar, recobrar; *v/i* reponerse; **~y** recuperación *f*; restablecimiento *m*
recreation [rekri'eiʃən] recreación *f*; recreo *m*
recruit [ri'kru:t] *s* recluta *m*; *v/t*, *v/i* reclutar
rectify ['rektifai] *v/t* rectificar
rector ['rektə] rector *m*; cura *m*; **~y** rectoría *f*
recumbent [ri'kʌmbənt] reclinado

recur [ri'kə:] *v/i* repetirse; volver (*enfermedad, etc*); **~rent** [ri'kʌrənt] periódico; recurrente
red [red] rojo; encarnado; colorado; (*vino*) tinto; **~den** *v/i* ruborizarse; **~dish** rojizo
rede|em [ri'di:m] *v/t* redimir, rescatar; compensar; **~emer** redentor *m*; salvador *m*; **~mption** [ri'dempʃən] redención *f*
red|-haired ['redhɛəd] pelirrojo; **~-handed** en flagrante; **♀ Indian** piel *f* roja; **~ pepper** pimentón *m*; **~ tape** papeleo *m*, trámites *m/pl* burocráticos
redouble [ri'dʌbl] *v/t, v/i* redoblar(se)
reduc|e [ri'dju:s] *v/t* reducir, disminuir; abreviar; transformar; degradar; **~tion** [~'dʌkʃən] reducción *f*; rebaja *f*
reed [ri:d] caña *f*; *mús* lengüeta *f*
reef [ri:f] *s* arrecife *m*; *v/t mar* arrizar
reek [ri:k] *v/i* heder; oler mal; **~ of** oler a
reel [ri:l] *s* carrete *m*, broca *f*; *v/t* devanar; *v/i* tambalear, bambolear
re|-enter ['ri:'entə] *v/i* reingresar; **~-establish** *v/t* restablecer
refer [ri'fə:] *v/t* referir, remitir; *v/i* referirse a; **~ee** [refə'ri:] árbitro *m*; **~ence** ['refrəns] referencia *f*; alusión *f*; certificado *m*; **~ence book** libro *m* de consulta; **~endum** [refə'rendəm] plebiscito *m*
refill ['ri:fil] *s* recambio *m*; ['ri:'fil] *v/t* rellenar, volver a llenar
refine [ri'fain] *v/t* refinar, purificar; *fig* pulir; *v/i* refinarse; **~d** refinado; *fig* fino; **~ment** refinamiento *m*; urbanidad *f*; **~ry** refinería *f*
reflect [ri'flekt] *v/t, v/i* reflejar, reflectar; reflexionar; **~ion** reflexión *f*; reflejo *m*; meditación *f*; reproche *m*
reflex ['ri:fleks] *a, s* reflejo *m*; **~ive** [ri'fleksiv] reflexivo
reform [ri'fɔ:m] *s* reforma *f*; reformación *f*; *v/t* reformar; **♀ation** [refə'meiʃən] Reforma *f*; **~er** reformador *m*
refract [ri'frækt] *v/t* refractar; **~ory** refractorio
refrain [ri'frein] *v/i* abstenerse
refresh [ri'freʃ] *v/t* refrescar; **~ment** refresco *m*
refrigerator [ri'fridʒəreitə] refrigerador *m*, nevera *f*, heladera *f*; **~ car** vagón *m* frigorífico
refuel ['ri:'fjuəl] *v/t, v/i* reabastecer(se) de combustible
refuge ['refju:dʒ] *s* refugio *m*; asilo *m*; **~e** [~u(:)'dʒi:] refugiado *m*; fugitivo *m*
refund [ri:'fʌnd] *s* re(e)m-

bolso; *v/t* re(e)mbolsar; reintegrar
refus|al [ri'fju:zəl] negativa *f*, denegación *f*; **~e** [ri'fju:z] *v/t* denegar; rehusar; ['refju:s] *s* desperdicios *m/pl*; basura *f*
refute [ri'fju:t] *v/t* refutar
regain [ri'gein] *v/t* recuperar, recobrar
regard [ri'gɑ:d] consideración *f*; atención *f*; respeto *m*; mirada *f*; **with ~ to** en cuanto a; *v/t* mirar; considerar; **~ing** con respecto a; **~less** descuidado; **~less of** sin tomar en consideración; **~s** recuerdos *m/pl*, saludos *m/pl*
regent ['ri:dʒənt] regente [*m*, *f*]
regiment ['redʒimənt] regimiento *m*
region ['ri:dʒən] región *f*; [comarca *f*]
regist|er ['redʒistə] *s* registro *m*; inscripción *f*; asiento *m*; *v/t* registrar; inscribir; (*correo*) certificar; **~rar** [~'rɑ:] registrador *m*; archivero *m*; **~ration** registro *m*; inscripción *f*; empadronamiento *m*
regret [ri'gret] *s* sentimiento *m*, pesar *m*; remordimiento *m*; *v/t* sentir, lamentar; **~s** excusas *f/pl*; **~table** lamentable
regula|r ['regjulə] regular; corriente; metódico; **~rity** [~'læriti] regularidad *f*; método *m*; orden *m*; **~rize** ['regjuləraiz] *v/t* regularizar; **~te** *v/t* regular; **~tion** regulación *f*; reglamento *m*; orden *f*; **~tor** regulador *m*
rehears|al [ri'hə:səl] *teat*, *mús* ensayo *m*; **~e** *v/t*, *v/i* ensayar
reign [rein] *v/i* reinar; prevalecer; *s* reinado *m*; régimen *m*; **~ing** reinante; prevaleciente
reimburse [ri:im'bə:s] *v/t* re(e)mbolsar; **~ment** re(e)mbolso *m*
rein [rein] rienda *f*; **to give ~ to** dar rienda suelta a
reindeer ['reindiə] *zool* reno *m*
reinforce [ri:in'fɔ:s] *v/t* reforzar; (*cemento*) armar
reject [ri'dʒekt] *v/t* rechazar, rehusar, desechar; **~ion** rechazo *m*
rejoic|e [ri'dʒɔis] *v/t*, *v/i* regocijar(se), alegrar(se); **~ing** regocijo *m*; alegría *f*; **~ings** festividades *f/pl*
rejoin ['ri:'dʒɔin] *v/t* reunirse con
relapse [ri'læps] *s med* recaída *f*; reincidencia *f*; *v/i* recaer; reincidir
relat|e [ri'leit] *v/t* relatar, narrar; relacionar; *v/i* referirse; **~ion** relación *f*; relato *m*; pariente *m*; **~ive** ['relətiv] *a* relativo; *s* pariente(a) *m* (*f*); **~ively** relativamente
relax [ri'læks] *v/t* relajar; reflojar; *v/i* relajarse; descansar; **~ation** [ri:læk'seiʃən] relajamiento *m*; descanso *m*; esparcimiento *m*

relay ['ri:'lei] *s* relevo *m*; *elec* relé *m*, relevador *m*; (*radio*) transmisión *f*; *v/t* transmitir, pasar; (*radio*) (re)transmitir; **~-race** carrera *f* de relevos

release [ri'li:s] *s* liberación *f*; exoneración *f*; publicación *f*; *for* descargo *m*, finiquito *m*; *mec* disparador *m*; *v/t* soltar; libertar; eximir; permitir la publicación de; divulgar

relent [ri'lent] *v/i* ablandarse; **~less** inexorable

relevant ['relivənt] pertinente; a propósito

reliab|ility [rilaiə'biliti] formalidad *f*; seguridad *f* de funcionamiento; **~le** fidedigno, de confianza; de funcionamiento seguro

reliance [ri'laiəns] confianza *f*, seguridad *f*

relic ['relik] reliquia *f*

relief [ri'li:f] alivio *m*; descanso *m*; socorro *m*; *mil* relevo *m*; *for* desagravio *m*; *b a* relieve *m*

relieve [ri'li:v] *v/t* aliviar; socorrer; relevar; **~ one's feelings** desahogarse

religio|n [ri'lidʒən] religión *f*; **~us** religioso; devoto

relinquish [ri'liŋkwiʃ] *v/t* renunciar a; abandonar

relish ['reliʃ] *s* gusto *m*; sabor *m*; apetito *m*; goce *m*; *v/t* saborear; gustar de; *v/i* saber (a)

reluctan|ce [ri'lʌktəns] desgana *f*; renuencia *f*; **~t** renuente; **~tly** de mala gana, a regañadientes, a contrapelo

rely [ri'lai]: **~ on** *v/i* confiar en; fiarse de; contar con

remain [ri'mein] *v/i* quedar; permanecer; quedarse; **~der** resto *m*; sobras *f/pl*; **~ing** demás, restante; (**mortal**) **~s** restos *m/pl* mortales

remand [ri'mɑ:nd] *v/t for* reencarcelar

remark [ri'mɑ:k] *s* observación *f*; *v/t*, *v/i* observar; **~able** notable

remedy ['remidi] *s* remedio *m*; *v/t* remediar

rememb|er [ri'membə] *v/t* recordar; acordarse de; dar recuerdos; *v/i* acordarse; **~rance** recuerdo *m*, memoria *f*

remind [ri'maind] *v/t* recordar; **~er** recordatorio *m*; señal *f* [recordativo]

reminiscent [remi'nisnt]

remiss [ri'mis] negligente; **~ion** [~'miʃən] perdón *m*

remit [ri'mit] *v/t* remitir; *com* remesar; **~tance** *com* remesa *f*

remnant ['remnənt] resto *m*; residuo *m*; retazo *m*

remodel ['ri:'mɔdl] *v/t* remodelar; reformar

remonstrate ['remənstreit] *v/i* protestar

remorse [ri'mɔ:s] remordimiento *m*; **~ful** arrepentido; **~less** despiadado

remov|al [ri'mu:vəl] deposición *f*; eliminación *f*; traslado *m*; mudanza *f*; **~al van** camión *m* de mudanzas; **~e** *v/t* quitar; eliminar; trasladar; deponer

Renaissance [rə'neisəns] Renacimiento *m*

rend [rend] *v/t* desgarrar

render ['rendə] *v/t* rendir; dar; prestar (*servicios*); presentar; convertir; *mús, teat* representar, interpretar

renew [ri'nju:] *v/t* renovar; extender; prorrogar; **~al** renovación *f*; prórroga *f*

renounce [ri'nauns] *v/t* renunciar; abandonar

renown [ri'naun] fama *f*; **~ed** renombrado, famoso

rent [rent] *s* alquiler *m*; *com* renta *f*; *v/t* alquilar, arrendar

repair [ri'pɛə] *v/t* reparar; componer; remendar; *s* reparación *f*; compostura *f*; estado *m*; **~ shop** taller *m* de reparaciones

reparation [repə'reiʃən] reparación *f*; compensación *f*, satisfacción *f*

repartee [repɑ:'ti:] réplica *f* aguda

repay [ri:'pei] *v/t* re(e)mbolsar; desquitarse de; **~ment** re(e)mbolso *m*

repeat [ri'pi:t] *v/t* repetir; reiterar; **~edly** repetidamente

repel [ri'pel] *v/t* repeler; rechazar; repugnar

repent [ri'pent] *v/i, v/t* arrepentirse (de); sentir; **~ance** arrepentimiento *m*; **~ant** arrepentido

repetition [repi'tiʃən] repetición *f*; reiteración *f*

replace [ri'pleis] *v/t* re(e)mplazar; sustituir; **~ment** sustitución *f*; re(e)mplazo *m*; repuesto *m*

replenish [ri'pleniʃ] *v/t* rellenar

reply [ri'plai] *s* respuesta *f*, contestación *f*; *v/t, v/i* contestar

report [ri'pɔ:t] *s* relato *m*; parte *f*; informe *m*; (*arma*) estampido *m*; libreta *f* de notas; *v/t* relatar; denunciar; *v/i* presentar informe; presentarse; **~er** reportero *m*; periodista *m*

repose [ri'pəuz] *s* descanso *m*; tranquilidad *f*; *v/i* descansar

represent [repri'zent] *v/t* representar; simbolizar; **~ation** [~'teiʃən] representación *f*; **~ative** *a* representativo; *s* representante *m*

repress [ri'pres] *v/t* reprimir; sofocar; **~ion** represión *f*

reprieve [ri'pri:v] *s* suspensión *f*; respiro *m*; *v/t* aplazar; suspender

reprimand ['reprimɑ:nd] *s* reprimenda *f*; *v/t* reprender

reprisal [ri'praizəl] represalia *f*

reproach [ri'prəutʃ] *s* reproche *m*; *v/t* reprochar

reproduc|e [ri:prəˈdju:s] *v/t* reproducir; **~tion** [~ˈdʌkʃən] reproducción *f*, copia *f*
repro|of [riˈpru:f] reproche *m*; **~ve** [riˈpru:v] *v/t* reprochar
reptile [ˈreptail] reptil *m*
republic [riˈpʌblik] república *f*; **~an** *a*, *s* republicano *m*
repugnan|ce [riˈpʌgnəns] repugnancia *f*; **~t** repugnante, repulsivo
repuls|e [riˈpʌls] repulsa *f*; rechazo *m*; *v/t* repulsar, rechazar; **~ion** [~ˈpʌlʃən] repulsión *f*; aversión *f*, repugnancia *f*; **~ive** repulsivo, repugnante
reput|able [ˈrepjutəbl] respetable; honrado; **~ation** reputación *f*; renombre *m*; **~e** [riˈpju:t] *s* reputación *f*; *v/t* reputar; estimar; **to be ~ed** pasar por; tener fama de; **~edly** según se cree
request [riˈkwest] *s* ruego *m*, petición *f*, instancia *f*; *v/t* solicitar; pedir; suplicar; **~ stop** parada *f* condicional
requi|re [riˈkwaiə] *v/t* necesitar; requerir; exigir; **~red** necesario; **~rement** necesidad *f*; requerimiento *m*; exigencia *f*; **~site** [ˈrekwizit] *a* necesario; *s* requisito *m*; **~sition** [~ˈziʃən] requisición *f*
requite [riˈkwait] *v/t* corresponder a; compensar
reredos [ˈriədɔs] *arq* retablo *m*
rescue [ˈreskju:] *s* salvamento *m*; salvación *f*; liberación *f*; *v/t* salvar; liberar; rescatar
research [riˈsə:tʃ] *v/t*, *v/i* investigar; *s* investigación *f*; **~er** investigador(a) *m* (*f*)
resembl|ance [riˈzembləns] parecido *m*, semejanza *f*; **~e** *v/t* parecerse a
resent [riˈzent] *v/t* resentirse de; **~ful** resentido; **~ment** resentimiento *m*
reserv|ation [rezəˈveiʃən] reservación *f*; reserva *f*, salvedad *f*; **~e** [riˈzə:v] *s* reserva *f*; **~e fund** fondo *m* de reserva; *v/t* reservar; guardar
reservoir [ˈrezəvwɑ:] depósito *m*; represa *f*
reside [riˈzaid] *v/i* residir, vivir; **~nce** [ˈrezidəns] residencia *f*; domicilio *m*; **~nt** *a*, *s* residente *m*, *f*
residue [ˈrezidju:] residuo *m*; resto *m*
resign [riˈzain] *v/t* dimitir, renunciar; *v/r* resignarse; someterse; **~ation** [rezigˈneiʃən] dimisión *f*; resignación *f*; **~ed** resignado
resin [ˈrezin] resina *f*
resist [riˈzist] *v/t*, *v/i* resistir; combatir; impedir; **~ance** resistencia *f*; **~ant** resistente
resolut|e [ˈrezəlu:t] resuelto; firme; **~ion** [~ˈlu:ʃən] resolución *f*; firmeza *f*; acuerdo *m*

resolve [ri'zɔlv] *s* determinación *f*; propósito *m*; *v/t* resolver; decidir; determinar; solucionar; *v/i* decidirse
resonance ['reznəns] resonancia *f*
resort [ri'zɔ:t] *s* recurso *m*; medio *m*; concurrencia *f*; punto *m* de reunión; lugar *m* de temporada; *v/i* ~ **to** acudir a; echar mano de; recurrir a
resound [ri'zaund] *v/i* resonar; *v/t fig* cantar; celebrar
resource [ri'sɔ:s] recurso *m*; expediente *m*; **~ful** ingenioso; **~s** recursos *m/pl*, riquezas *f/pl* naturales
respect [ris'pekt] respeto *m*; consideración *f*; respecto *m*; aspecto *m*; **with ~ to** con respecto a; **in every ~** en todo concepto; **~able** respetable; **~ful** respetuoso; **~ive** respectivo, relativo; **~s** recuerdos *m/pl*
respiration [respə'reiʃən] respiración *f*
respite ['respait] *s* respiro *m*, pausa *f*; tregua *f*; *v/t for* suspender
resplendent [ris'plendənt] resplandeciente
respon|d [ris'pɔnd] *v/i* responder, contestar; **~dent** respondedor(a) *m (f)*; *for* demandado(a) *m (f)*; **~se** [~ns] respuesta *f*; contestación *f*; *fig* reacción *f*; **~sibility** [rispɔnsə'biliti] responsabilidad *f*; **~sible** [~'pɔnsəbl] responsable; de responsabilidad
rest [rest] *s* descanso *m*; resto *m*; apoyo *m*; pausa *f*; *v/i* descansar, reposar; ~ **(up)on** apoyarse en; *v/t* dejar descansar; apoyar
restaurant ['restərɔnt] restaurante *m*
rest|ful ['restful] descansado; sosegado; **~ive** inquieto; **~less** intranquilo; agitado; **~lessness** inquietud *f*; agitación *f*
restor|ation [restə'reiʃən] restauración *f*; renovación *f*; restitución *f*; **~e** [ris'tɔ:] *v/t* restaurar; restituir
restrain [ris'trein] *v/t* refrenar, reprimir; *for* prohibir; **~t** moderación *f*; restricción *f*; prohibición *f*
restrict [ris'trikt] *v/t* restringir; **~ion** restricción *f*
result [ri'zʌlt] *s* resultado *m*; efecto *m*; *v/i* resultar
resum|e [ri'zju:m] *v/t* reanudar; reasumir; **~ption** [~'zʌmpʃən] reanudación *f*
resurrection [rezə'rekʃən] resurrección *f*
retail ['ri:teil] *s* venta *f o* comercio *m* al por menor; [ri:'teil] *v/t* vender al por menor; **~er** detallista *m*
retain [ri'tein] *v/t* retener; guardar; contratar; **~er** partidario(a) *m (f)*; criado(a) *m (f)*, dependiente *m*, *f*; *for* anticipo *m*
retaliat|e [ri'tælieit] *v/i* to-

mar represalias; **~ion** represalias *f/pl*; desquite *m*
retenti|on [ri'tenʃən] retención *f*; conservación *f*
retinue ['retinju:] comitiva *f*
retir|e [ri'taiə] *v/t* retirar, jubilar; *v/i* retirarse; jubilarse; **~ed** retirado; jubilado; **~ement** retiro *m*; retraimiento *m*; jubilación *f*
retort [ri'tɔ:t] *s* réplica *f*; *quím* retorta *f*; *v/t* replicar
retrace [ri'treis] *v/t* seguir (*las huellas*); desandar; volver a trazar; **~ one's steps** volver sobre sus pasos
retract [ri'trækt] *v/t* retractar; revocar; *v/i* retractarse, desdecirse
retreat [ri'tri:t] *s* retiro *m*, refugio *m*; retirada *f*; *v/i* retroceder; retirarse; refugiarse
retribution [retri'bju:ʃən] justo castigo *m*
retrieve [ri'tri:v] *v/t* recuperar; recoger (*la caza*)
retrospect ['retrəuspekt] retrospección *f*
return [ri'tə:n] *s* vuelta *f*; regreso *m*; devolución *f*, retorno *m*; recompensa *f*; respuesta *f*; *com* utilidad *f*, ganancia *f*; relación *f*; **by ~ mail** a vuelta de correo; **in ~ (for)** a cambio (de); *v/t* devolver; restituir; corresponder; producir; elegir; *v/i* volver, regresar; contestar; **~s** informe *m* oficial; declaración *f* (de impuestos); *com* devoluciones *f/pl*; **~ ticket** billete *m* de ida y vuelta
reunion ['ri:'ju:njən] reunión *f*
revaluation [ri:vælju'eiʃən] revaluación *f*
reveal [ri'vi:l] *v/t* revelar; descubrir
revel ['revl] *s* jarana *f*; *v/i* **~ in** deleitarse en
revelation [revi'leiʃən] revelación *f*
revenge [ri'vendʒ] *s* venganza *f*; *v/t* vengarse de, vengar; vindicar; **~ful** vindicativo
revenue ['revinju:] ingresos *m/pl* del Erario; *com* renta *f*; **~ stamp** timbre *m* fiscal
revere [ri'viə] *v/t* reverenciar, venerar; **~nce** ['revərəns] *s* reverencia *f*; *v/t* reverenciar; **~nd** reverendo; **Ɽnd** *igl* Reverendo *m*
reverse [ri'və:s] *s* lo contrario; revés *m*; desgracia *f*; reverso *m*; *mec* contramarcha *f*; *v/t* volver al revés; invertir, trastornar; cambiar (*opinión, etc*); *a* inverso; opuesto; **~ gear** engranaje *m* de contramarcha
review [ri'vju:] *s* repaso *m*; reexaminación *f*; reseña *f*; revista *f*; *for* revisión *f*; *v/t* reexaminar, repasar; reseñar; *mil* pasar revista a; **~er** crítico *m*
revis|e [ri'vaiz] *v/t* revisar; corregir; refundir; **~er** revisor(a) *m* (*f*); **~ion** [~iʒən]

revisión *f*; repaso *m*; corrección *f*
reviv|al [ri'vaivəl] renacimiento *m*, restauración *f*; *teat* reposición *f*; **~e** *v/t* reanimar; restablecer; resucitar; *v/i* reanimarse; volver en sí
revoke [ri'vəuk] *v/t* revocar
revolt [ri'vəult] *s* revuelta *f*, rebelión *f*, sublevación *f*; *v/i* rebelarse, sublevarse; **~ing** repugnante
revolution [revə'luːʃən] revolución *f*; **~ary** [~ʃnəri] *a*, *s* revolucionario *m*; **~ize** [~ʃnaiz] *v/t* revolucionar
revolv|e [ri'vɔlv] *v/i* revolver, girar; rodar; dar vueltas; *v/t* hacer girar *o* rodar; revolver; **~er** revólver *m*; **~ving** giratorio
revue [ri'vjuː] *teat* revista *f*
reward [ri'wɔːd] *s* recompensa *f*; premio *m*; *v/t* recompensar; gratificar
rheumatism ['ruːmətizəm] reumatismo *m*
rhubarb ['ruːbɑːb] ruibarbo *m*
rhyme [raim] *s* rima *f*; *v/t*, *v/i* rimar
rhythm ['riðəm] ritmo *m*; **~ic, ~ical** rítmico
rib [rib] *anat* costilla *f*; *arq* nervio *m*; arista *f*; *mar* cuaderna *f*; varilla *f* (*de paraguas*)
ribbon ['ribən] cinta *f*
rice [rais] arroz *m*; **~ field** arrozal *m*
rich [ritʃ] rico, adinerado; precioso; fértil (*tierra*); grasoso, sustancioso (*comida*); **~es** riqueza *f*; **~ness** riqueza *f*, opulencia *f*
rick [rik] almiar *m*
ricket|s ['rikits] raquitismo *m*; **~y** desvencijado; raquítico
rid [rid] *v/t* desembarazar, librar; **to get ~ of** librarse de
riddle ['ridl] *s* adivinanza *f*, enigma *m*; criba *f*; *v/t* cribar; acribillar
rid|e [raid] *s* paseo *m* a caballo *o* en vehículo; *v/i* cabalgar; ir en coche; **~e at anchor** estar fondeado; *v/t* montar; **~er** jinete *m*
ridge [ridʒ] lomo *m*; loma *f*, cresta *f*; *arq* caballete *m*
ridicul|e ['ridikjuːl] *s* ridículo *m*, mofa *f*; *v/t* ridiculizar; burlarse de; **~ous** [~'dikjuləs] ridículo
riding ['raidiŋ] *a* de montar; de equitación *f*; *s* cabalgata *f*
rifle ['raifl] *s* rifle *m*, fusil *m*; *v/t* robar; pillar
rift [rift] hendedura *f*; grieta *f*
right [rait] *s* derecho *m*; razón *f*; justicia *f*; derecha *f*; *a* correcto; recto, derecho; justo; **to be ~** tener razón; **to set ~** arreglar; *adv* directamente; bien; *v/t* enderezar; rectificar; **all ~!** ¡muy bien!; **~ angle** ángulo *m* recto; **~ and left** a diestro y siniestro; **~ away** ahora mismo; **~eous** ['~ʃəs] honrado, virtuoso; **~ful**

legítimo; **~ly** con razón; justamente
rigid ['ridʒid] rígido; riguroso
rigor ['rigə] rigor *m*; **~ous** riguroso; severo; duro
rim [rim] canto *m*; borde *m*
rind [raind] corteza *f* (*de queso*); pellejo *m*
ring [riŋ] *s* anillo *m*; círculo *m* (*de gente*); aro *m*; *dep* cuadrilátero *m*; cerco *m* (*de montañas*); sonido *m* (*de timbre*); repique *m* (*de campanas*); ojera *f* (*bajo los ojos*); **to give someone a ~** llamar alguien por teléfono; *v/t* cercar; tocar; **~ the bell** tocar el timbre; **~ up** telefonear, llamar; *v/i* sonar; resonar; repicar; zumbar (*oídos*); **~-leader** cabecilla *m*; **~let** bucle *m*, rizo *m*
rink [riŋk] pista *f* de patinar
rinse [rins] *v/t* enjuagar; aclarar
riot ['raiət] *s* motín *m*; tumulto *m*; *v/i* amotinarse; alborotarse; **~ous** sedicioso; licencioso
rip [rip] *s* rasgón *m*, rasgadura *f*; *v/t* rasgar; descoser
ripe [raip] maduro; **~n** *v/t*, *v/i* madurar; **~ness** madurez *f*, sazón *f*
ripple ['ripl] *s* rizo *m*; ondita *f*; *v/t*, *v/i* rizar(se)
rise [raiz] *s* subida *f*; *com* alza *f*; cuesta *f*; elevación *f*; altura *f*; **to give ~ to** causar; *v/i* subir, ascender; elevarse; ponerse de pie; surgir; sublevarse; salir (*el sol*); **~ early** madrugar
rising ['raiziŋ] levantamiento *m*; salida *f* (*del sol*)
risk [risk] *s* riesgo *m*; peligro *m*; *v/t* arriesgar; **~y** arriesgado; aventurado
rite [rait] rito *m*; **funeral ~s** exequias *f/pl*
rival ['raivəl] *a*, *s* rival *m*; competidor *m*; *v/t* rivalizar; competir con; **~ry** rivalidad *f*; competencia *f*
river ['rivə] río *m*; **~-basin** cuenca *f* de río; **~-bed** lecho *m* fluvial; **~side** orilla *f*, ribera *f*
rivet ['rivit] *s* remache *m*; *v/t* remachar
rivulet ['rivjulit] riachuelo *m*; arroyo *m*
road [rəud] camino *m*; carretera *f*; vía *f*; *fig* senda *f*; **~ map** mapa *m* de carreteras; **~ sign** señal *f* de tráfico; **~ster** coche *m* de turismo
roam [rəum] *v/i* vagar; errar
roar [rɔː] *s* rugido *m*; grito *m*; *v/i* rugir; gritar
roast [rəust] *a*, *s* asado *m*; *v/t*, *v/i* asar; tostar; **~ beef** rosbif *m*
rob [rɔb] *v/t* robar, hurtar; **~ber** ladrón *m*; bandido *m*; salteador *m*; **~bery** robo *m*, hurto *m*, latrocinio *m*
robe [rəub] *s* túnica *f*; toga *f*; manto *m*; *v/t*, *v/i* vestir
robin ['rɔbin] *orn* petirrojo *m*

robot ['rəubət] robot *m*, autómata *m*
robust [rəu'bʌst] robusto; vigoroso
rock [rɔk] *s* roca *f*; peñasco *m*, peña *f*; *v/t* mecer; balancear; *v/i* mecerse; **~-crystal** cristal *m* de roca
rocket ['rɔkit] cohete *m*; **~-powered** propulsado por cohete(s); **~ry** cohetería *f*
rocking-chair ['rɔkiŋ'tʃɛə] mecedora *f*
rocky ['rɔki] rocoso
rod [rɔd] vara *f*; varilla *f*
rodent ['rəudənt] *zool a, s* roedor *m*
roe [rəu] hueva *f* (*de pescado*); *zool* corzo *m*
rogu|e [rəug] pícaro *m*, bribón *m*; **~ish** pícaro, bellaco
role [rəul] papel *m*; **to play a ~** desempeñar un papel
roll [rəul] *s* rollo *m*; bollo *m*, panecillo *m*; lista *f*; redoble *m*, retumbo *m*; *fam* fajo *m* (*de dinero*); *v/t* rodar, girar; enrollar; liar (*cigarrillo*); *metal* laminar; vibrar (*la lengua*); **~ up** envolver; arremangar; *v/i* rodar, dar vueltas; revolverse; bambolearse; balancearse; **~er** rodillo *m*, cilindro *m*; laminador *m*; aplanadora *f*; **~er-skate** patín *m* de ruedas; **~ film** película *f* en carrete; **~ing-mill** laminador *m*; **~ing-stock** material *m* rodante
Roman ['rəumən] *a, s* romano(a) *m* (*f*)
roman|ce [rəu'mæns] aventura *f o* novela *f* romántica; ideas *f/pl* románticas; romance *m*; **~tic** romántico
rompers ['rɔmpəz] mameluco *m* (*para niños*).
roof [ru:f] *s* techo *m*; techumbre *f*; azotea *f*; *v/t* techar; tejar
rook [ruk] grajo *m*; (*ajedrez*) torre *f*
room [rum] cuarto *m*, pieza *f*; habitación *f*; sala *f*; espacio *m*, sitio *m*, cabida *f*; **to make ~** hacer sitio; **~y** espacioso
roost [ru:st] percha *f* de gallinero; **~er** gallo *m*
root [ru:t] *s* raíz *f*; origen *m*; base *f*; *v/t*, *v/i* arraigar; **~ out** extirpar
rope [rəup] cuerda *f*; soga *f*; cable *m*
ros|e [rəuz] *s* rosa *f*; roseta *f* (*de ducha, etc*); *a* color *m* de rosa; **~ebush** rosal *m*; **~emary** romero *m*; **~y** sonrosado; rosado
rot [rɔt] *s* putrefacción *f*; corrupción *f*; *v/i* pudrirse; echarse a perder; *v/t* pudrir
rota|ry ['rəutəri] rotatorio; **~te** [~'teit] *v/t*, *v/i* (hacer) girar; **~tion** rotación *f*
rotor ['rəutə] *aer* rotor *m*
rotten ['rɔtn] podrido; corrompido; *fam* pésimo
rough [rʌf] áspero; tosco; quebrado; crudo; rudo;

aproximado; **~ly** ásperamente; aproximadamente; **~ness** aspereza *f*; crudeza *f*; grosería *f*
round [raund] *a* redondo; rotundo; lleno; *s* esfera *f*; curvatura *f*; redondez *f*; vuelta *f*; *mil* ronda *f*; circuito *m*; *adv* alrededor; **to go ~** dar vueltas; **all the year ~** todo el año; *prep* alrededor de; a la vuelta de; *v/t* redondear; **~ up** recoger; **~about** *a* indirecto; *s* tiovivo *m*; **~ly** completamente; rotundamente
rouse [rauz] *v/t* despertar; excitar; levantar; **~ oneself** animarse
rout|e [ru:t] ruta *f*; itinerario *m*; rumbo *m*; **~ine** [~'ti:n] rutina *f*
rov|e [rəuv] *v/i* vagar; **~er** vagabundo *m*; **~ing** ambulante
row [rau] *s* alboroto *m*; tumulto *m*; disputa *f*; *v/i* pelearse
row [rəu] *s* hilera *f*; fila *f*; *v/i* remar; **~-boat** bote *m* de remos
royal ['rɔiəl] real; **~ty** realeza *f*; derecho *m* de autor; regalía *f*
rub [rʌb] *s* frotación *f*; roce *m*; *v/t* frotar; restregar
rubber ['rʌbə] caucho *m*, goma *f*; *SA* jebe *m*, hule *m*; **~-boots** botas *f/pl* de goma
rubbish ['rʌbiʃ] basura *f*; desperdicios *m/pl*; *fam* tontería *f*; disparates *m/pl*
rubble ['rʌbl] ripio *m*, escombros *m/pl*
ruby ['ru:bi] rubí *m*
rucksack ['ruksæk] morral *m*; mochila *f*
rudder ['rʌdə] timón *m*
ruddy ['rʌdi] rojizo
rude [ru:d] grosero; tosco; **~ness** grosería *f*; rudeza *f*
ruffian ['rʌfjən] bellaco *m*, rufián *m*
ruffle ['rʌfl] *s* frunce *m*; *v/t* fruncir; erizar; arrugar; irritar
rug [rʌg] alfombra *f*; manta *f*; **~ged** áspero; abrupto; rudo; robusto
ruin [ruin] *s* ruina *f*; *v/t* arruinar; estropear; **~ous** ruinoso; funesto
rul|e [ru:l] *s* gobierno *m*; regla *f*; reglamento *m*; **as a ~e** generalmente; *v/t* gobernar, mandar; **~e out** descartar, excluir; *v/i* gobernar; prevalecer; **~er** gobernador *m*; gobernante *m*; regla *f* (*para trazar líneas*)
rum [rʌm] ron *m*
Rumanian [ru'meinjən] *a*, *s* rumano(a) *m* (*f*)
rumble ['rʌmbl] *v/i* retumbar; *s* retumbo *m*
rumina|nt ['ru:minənt] *a*, *s* rumiante *m*; **~te** ['~eit] *v/t*, *v/i* rumiar
rummage ['rʌmidʒ] *v/t*, *v/i* revolver, hurgar, registrar
rumour ['ru:mə] rumor *m*; **it is ~ed** se dice
rump [rʌmp] cuarto *m* trasero; anca *f*; retazo *m*

rumple ['rʌmpl] *v/t* arrugar (*ropa*); desgreñar (*cabellos*)
run [rʌn] *s* carrera *f*; curso *m*; serie *f*, racha *f*; demanda *f* general; **in the long** ~ a la larga; *v/t* explotar; manejar; llevar; *v/i* correr; funcionar; fluir; ~ **down** quedarse sin cuerda (*reloj*); debilitarse; ~ **on** hablar sin cesar; ~ **out** agotarse; ~ **over** derramarse
rung [rʌŋ] peldaño *m*
runner ['rʌnə] corredor *m*; cuchilla *f* (*del patín*); *bot* trepadora *f*; ~**-up** *dep* (el) segundo *m*; subcampeón *m*
running ['rʌniŋ] dirección *f*, manejo *m*; corrida *f*; ~**-board** estribo *m*
runway ['rʌnwei] *aer* pista *f* de despegue *o* de aterrizaje
rupture ['rʌptʃə] *s* ruptura *f*, rotura *f*; *v/t* romper; quebrar
rural ['ruərəl] rural, rústico
rush [rʌʃ] *s bot* junco *m*; acometida *f*; prisa *f*, precipitación *f*; ajetreo *m*; ~ **hours** horas *f/pl* de mayor afluencia; *v/t* apremiar; *v/i* precipitarse; correr de prisa
Russian ['rʌʃən] *a*, *s* ruso(a) *m* (*f*)
rust [rʌst] *s* herrumbre *f*; *v/i* oxidarse
rustic ['rʌstik] rústico
rustle ['rʌsl] *s* crujido *m*; *v/i* crujir; susurrar
rusty ['rʌsti] mohoso, oxidado
rut [rʌt] rodada *f*; carril *m*; celo *m* (*de animales*); *fig* rutina *f*
ruthless ['ru:θlis] inexorable, cruel
rutted ['rʌtid] lleno de rodadas
rye [rai] centeno *m*

S

sable ['seibl] *zool* marta *f* cebellina
sabotage ['sæbətɑ:ʒ] sabotaje *m*; *v/t* sabotear
sack [sæk] *s* saco *m*; talego *m*; **to give the** ~ **to somebody** *fam* despedir a alguien; **to get the** ~ ser despedido; *v/t* saquear; *fam* despedir, echar
sacrament ['sækrəmənt] sacramento *m*
sacred ['seikrid] sagrado, } [sacro]
sacrifice ['sækrifais] *s* sacrificio *m*; *v/t*, *v/i* sacrificar; abandonar
sad [sæd] triste; melancólico; ~**den** *v/t* entristecer
saddle ['sædl] *s* silla *f* (*de montar*); sillín *m* (*de bicicleta*); collado *m* (*de monte*); *v/t* ensillar; ~**-bag** alforja *f*
sadness ['sædnis] tristeza *f*
safe [seif] *a* seguro; salvo; ileso; *s* caja *f* fuerte; *v/t* salvaguardar; proteger; ~ **and**

sound sano y salvo; **~-conduct** salvoconducto *m*; **~guard** salvaguardia *f*; garantía *f*; **~ly** con seguridad; sin exagerar; **~ty** seguridad *f*; **~ty-belt** cinturón *m* de seguridad; **~ty-pin** imperdible *m*; **~ty-razor** maquinilla *f* de afeitar; **~ty valve** válvula *f* de seguridad
sag [sæg] *s* hundimiento *m*; comba *f*; *v/i* combarse; hundirse; *fig* decaer
sagacity [sə'gæsiti] sagacidad *f*; perspicacia *f*
sage [seidʒ] *s* sabio *m*; *bot* salvia *f*; *a* sabio
said [sed] mencionado; dicho; *for* citado
sail [seil] *s mar* vela *f*; *v/i* navegar; darse a la vela; **~ing-boat** velero *m*; **~or** marinero *m*, marino *m*
saint [seint] *s* santo *m*; *a* santo; San (*delante de nombres masculinos no empezando con t o d*)
sake [seik] causa *f*; razón *f*; respeto *m*; **for God's ~!** ¡por amor de Dios!; **for the ~ of** por; por respeto a
salad ['sæləd] ensalada *f*; **~-bowl** ensaladera *f*
salary ['sæləri] salario *m*
sale [seil] venta *f*; **for ~** de venta; **~sman** vendedor *m*; viajante *m* de comercio; **~s manager** gerente *m* de ventas
saliva [sə'laivə] saliva *f*
sallow ['sæləu] pálido; amarillento
sally ['sæli] *m* salida *f*; paseo *m*; arranque *m*
salmon ['sæmən] salmón *m*
saloon [sə'lu:n] sala *f* grande; *Am* bar *m*, taberna *f*
salt [sɔ:lt] sal *f*; *fig* agudeza *f*; **~-cellar** salero *m*; **~-petre** ['~pi:tə] salitre *m*; **~-works** salinas *f/pl*; **~y** salado
salu|brious [sə'lu:briəs], **~tary** ['sæljutəri] salubre, saludable
salut|ation [sælju(:)'teiʃən] salutación *f*; saludo *m*; **~e** [sə'lu:t] *s* saludo; *v/t, v/i* saludar
salvation [sæl'veiʃən] salvación *f*
salve [sɑ:v] ungüento *m*; *fig* bálsamo *m*
same [seim] mismo, idéntico; **all the ~** a pesar de todo; **it is all the ~ to me** a mí me da lo mismo
sample ['sɑ:mpl] *s* muestra *f*; patrón *m*; *v/t* probar; catar
sanatorium [sænə'tɔ:riəm] sanatorio *m*
sancti|fy ['sæŋktifai] *v/t* santificar; **~on** *s* sanción *f*; ratificación *f*; *v/t* sancionar
sanctuary ['sæŋktjuəri] santuario *m*; asilo *m*
sand [sænd] *s* arena *f*; *v/t* (en)arenar
sandal ['sændl] sandalia *f*
sand|paper papel *m* de lija; **~stone** piedra *f* arenisca

sandwich ['sænwidʒ] emparedado *m*; sandwich *m*
sandy ['sændi] arenoso
sane [sein] cuerdo, sensato
sanita|ry ['sænitəri] sanitario; **~ry napkin** *o* **towel** paño *m* higiénico; **~tion** medidas *f/pl* sanitarias; saneamiento *m*
sanity ['sæniti] cordura *f*, sensatez *f*
Santa Claus [sæntə'klɔ:z] San Nicolás
sap [sæp] *s* savia *f*; vitalidad *f*; *fort* zapa *f*; *v/i* zapar; minar; *v/t* socavar; **~per** zapador *m*
sarcasm ['sɑ:kæzəm] sarcasmo *m*
sardine [sɑ:'di:n] sardina *f*
sash [sæʃ] faja *f*; banda *f*; **~ window** ventana *f* de guillotina
Satan ['seitən] Satanás *m*; **ℒic** [sə'tænik] satánico
satchel ['sætʃəl] cartapacio *m*; bolso *m*
satellite ['sætəlait] satélite *m*
satin ['sætin] raso *m*, satén *m*
satir|e ['sætaiə] sátira *f*; **~ize** ['~əraiz] *v/t* satirizar
satisf|action [sætis'fækʃən] satisfacción *f*; **~actory** satisfactorio; **~y** ['~fai] *v/t* satisfacer; **~y oneself** convencerse
Saturday ['sætədi] sábado *m*
sauc|e [sɔ:s] salsa *f*; **~epan** cacerola *f*; **~er** platillo *m*; **flying ~er** platillo *m* volador; **~y** fresco, insolente
saunter ['sɔntə] *v/i* deambular
sausage ['sɔsidʒ] salchicha *f*; embutido *m*
savage ['sævidʒ] salvaje *m, f*
sav|e [seiv] *prep* salvo; excepto; *conj* a menos que; *v/t* salvar; ahorrar (*dinero*); evitar; **~ings** ahorros *m/pl*; **~ings bank** caja *f* de ahorros
saviour ['seivjə] salvador *m*; **ℒ** *eccl* Redentor *m*, Salvador *m*
savour ['seivə] *s* gusto *m*; sabor *m*; *v/t* saborear; **~y** sabroso, apetitoso
saw [sɔ:] *s* sierra *f*; refrán *m*; *v/t* serrar; **~dust** serrín *m*; **~mill** aserradero *m*
Saxon ['sæksn] *a, s* sajón(ona) *m (f)*
say [sei] *v/t, v/i* decir; recitar; **they ~** dicen; **I ~** ¡oiga!; **that is to ~** es decir; **~ing** dicho *m*; refrán *m*
scab [skæb] *cir* costra *f*; *vet* roña *f*; **~by** sarnoso
scaffold ['skæfəld] andamio *m*; patíbulo *m*; **~ing** andamiaje *m*
scald [skɔ:ld] *s* quemadura *f*; *v/t* escaldar
scale [skeil] *s* escala *f*; gama *f*; escama *f* (*de pez*); *v/t* escamar (*pescado*); escalar; **~s** balanza *f*
scalp [skælp] *s* cuero *m* cabelludo; *v/t* escalpar
scan [skæn] *v/t* escudriñar
scandal ['skændl] escándalo *m*; **~ize** *v/t* escandalizar; **~ous** escandaloso

Scandinavian [skændi-ˈneivjən] *a, s* escandinavo(a) *m (f)* [magro]
scant [skænt], **~y** escaso;
scapegoat [ˈskeipgəut] cabeza *f* de turco
scar [skɑ:] *s* cicatriz *f*; *v/i* cicatrizar(se)
scarc|e [skɛəs] escaso; **~ely** apenas; **~ity** escasez *f*
scare [skɛə] *s* espanto *m*; *v/t* espantar; **~crow** espantapájaros *m*
scarf [skɑ:f] bufanda *f*; *SA* chalina *f*
scarlet [ˈskɑ:lit] *s* escarlata *f*; *a* de color escarlata; **~ fever** escarlatina *f*
scathing [ˈskeiðiŋ] *fig* devastador, severísimo
scatter [ˈskætə] *v/t* esparcir; desparramar; dispersar
scavenge [ˈskævindʒ] *v/t* barrer, limpiar (*calles, etc*)
scene [si:n] escena *f*; paisaje *m*; **~ry** escenario *m*; *teat* decorado *m*
scent [sent] *s* perfume *m*; olor *m*; olfato *m*; rastro *m*; *v/t* perfumar; *v/i* olfatear; husmear
sceptic [ˈskeptik] *s, a* escéptico(a) *m (f)*; **~al** escéptico; **~ism** [ˈ~sizəm] escepticismo *m*
schedule [ˈʃedju:l] *s* lista *f*; programa *m*; horario *m*; *v/t* fijar el tiempo para; catalogar
scheme [ski:m] *s* esquema *m*; proyecto *m*; intriga *f*; *v/t* proyectar; idear; tramar
schola|r [ˈskɔlə] estudiante *m, f*; erudito(a) *m (f)*; **~rly** erudito; **~rship** beca *f*; erudición *f*; **~stic** [skəˈlæstik] escolar
school [sku:l] *s* escuela *f*; *v/t* instruir; entrenar; **at ~** en la escuela; **~boy** colegial *m*; **~girl** colegiala *f*; **~ing** enseñanza *f*; **~mate** condiscípulo(a) *m (f)*; **~-teacher** maestro(a) *m (f)*; profesor(a) *m (f)*
schooner [ˈsku:nə] goleta *f*
scien|ce [ˈsaiəns] ciencia *f*; **~ces** ciencias *pl* naturales; **~tific** [~ˈtifik] científico; **~tist** [ˈ~tist] científico *m*
scissors [ˈsizəz] tijeras *f/pl*
scoff [skɔf] *s* mofa *f*; *v/i* burlarse
scold [skəuld] *v/t* regañar, reprender
scone [skɔn] bollo *m* suizo
scoop [sku:p] pala *f*; cucharón *m*
scooter [ˈsku:tə] patineta *f*; motoneta *f*
scope [skəup] alcance *m*; campo *m* de acción
scorch [skɔ:tʃ] *v/t* chamuscar; tostar
score [skɔ:] *s* marca *f*; raya *f*; cuenta *f*; veintena *f*; *dep* tanteo *m*; *v/t* marcar; rayar; apuntar; *v/i* tantear; marcar un tanto, golear
scorn [skɔ:n] *s* desprecio *m*; *v/t* despreciar; **~ful** desdeñoso
Scot [skɔt] escocés(esa) *m (f)*
Scotch [skɔtʃ], **Scottish** es-

cocés; ~**man**, ~**woman** escocés(esa) *m* (*f*)
scot-free ['skɔt'fri:] impune
scoundrel ['skaundrəl] pícaro *m*
scour [skauə] fregar; limpiar
scout [skaut] *s* (niño *m*) explorador *m*; *v/t*, *v/i* explorar; reconocer
scowl [skaul] *s* ceño *m*; *v/i* mirar con ceño
scramble ['skræmbl] *s* rebatiña *f*; *v/i* trepar; ~**d eggs** huevos *m/pl* revueltos
scrap [skræp] *s* pedazo *m*; fragmento *m*; ~**s** desperdicios *m/pl*; *v/t* desmontar; *fig* desechar; ~**-book** álbum *m* de recortes
scrap|e [skreip] *s* raspadura *f*; apuro *m*; *v/t* raspar; ~**e together** reunir a duras penas; ~**er** raspador *m*
scrap-iron ['skræp'aiən] chatarra *f*
scratch [skrætʃ] *s* rasguño *m*; arañazo *m*; *v/t* rascar; arañar; ~ **out** borrar
scrawl [skrɔ:l] *s* garabato *m*; *v/t*, *v/i* garabatear
scream [skri:m] *s* chillido *m*, grito *m*; *v/i* gritar, chillar
screech [skri:tʃ] chillido *m*
screen [skri:n] *s* biombo *m*; pantalla *f* (*de cine*; *radiología*); tabique *m*; *v/t* abrigar, ocultar; filmar; investigar (*personas*)
screw [skru:] *s* tornillo *m*; *v/t* atornillar; ~**-driver** destornillador *m*
scribble ['skribl] *s* garabato *m*; *v/t*, *v/i* escribir mal; garabatear
script [skript] escritura *f*; guión *m* (*de película*); ♀**ure** Escritura *f*
scroll [skrəul] rollo *m* de papel *o* de pergamino
scrub [skrʌb] *s* maleza *f*; *v/t* fregar
scrup|le ['skru:pl] escrúpulo *m*; ~**ulous** ['~pjuləs] escrupuloso
scrutin|ize ['skru:tinaiz] *v/t* escudriñar; ~**y** escrutinio *m*
scuffle ['skʌfl] *s* refriega *f*; *v/i* pelear
sculpt|or ['skʌlptə], ~**ress** escultor(a) *m* (*f*); ~**ure** *s* escultura *f*; *v/t*, *v/i* esculpir; tallar
scum [skʌm] espuma *f*; *fig* hez *f*
scurf [skə:f] caspa *f*
scurvy ['skə:vi] escorbuto *m*
scuttle ['skʌtl] cubo *m*
scythe [saið] guadaña *f*
sea [si:] mar *m*, *f*; **at** ~ en el mar; **on the high** ~**s** en alta mar; **to go to** ~ hacerse marinero; ~ **food** mariscos *m/pl*; ~**gull** gaviota *f*
seal [si:l] *s zool* foca *f*; sello *m*; *v/t* sellar; ~ **up** encerrar herméticamente
sea level ['si:'levl] nivel *m* del mar
seam [si:m] *s* costura *f*; *mec* juntura *f*; *cir* sutura *f*; *min* filón *m*; veta *f*; *v/t* arrugar; *v/i* resquebrajarse

sea|man ['si:mən] marinero *m*; **~plane** hidroavión *m*; **~port** puerto *m* de mar; **~-power** poderío *m* naval
search [sə:tʃ] *s* busca *f*, búsqueda *f*; registro *m*; *v/t*, *v/i* investigar; buscar; explorar; registrar
sea|shore ['si:'ʃɔ:] litoral *m*; **~sick** mareado
season ['si:zn] *s* estación *f* (*del año*); temporada *f*; tiempo *m*; sazón *f*; *v/t* condimentar; madurar, curar; **~able** oportuno; **~ing** condimento *m*; **~-ticket** abono *m*
seat [si:t] *s* asiento *m*; localidad *f*; silla *f*; sede *f*; fondillos *m/pl* (*de calzones*); **to take a ~** tomar asiento; *v/t* sentar; colocar; tener asientos para; **be ~ed!** ¡siéntese!; **~-belt** *aut*, *aer* cinturón *m* de seguridad
sea|weed ['si:wi:d] alga *f* marina; **~worthy** marinero
secession [si'seʃən] secesión *f*
seclu|de [si'klu:d] *v/t* recluir; aislar; **~ded** apartado; retirado; **~sion** [~ʒən] retiro *m*; soledad *f*
second ['sekənd] *a* segundo; otro; *s* segundo *m*; ayudante *m*; padrino *m*; *v/t* apoyar; secundar; **~ary** secundario; **~-class** de segunda clase, inferior; **~-hand** de segunda mano; **~ly** en segundo lugar; **~ thoughts** reflexión *f*
secre|cy ['si:krisi] secreto *m*; discreción *f*; **~t** ['~it] *a* secreto; oculto; *s* secreto *m*
secretary ['sekrətri] secretario(a) *m* (*f*)
secret|e [si'kri:t] *v/t med* secretar; esconder; **~ion** secreción *f*; ocultación *f*; **~ive** reservado; callado
sect|ion ['sekʃən] sección *f*; parte *f*; **~or** sector *m*
secular ['sekjulə] seglar, secular; **~ize** ['~raiz] *v/t* secularizar
secur|e [si'kjuə] *a* seguro; cierto; firme; *v/t* asegurar; afirmar; conseguir; **~ity** seguridad *f*; firmeza *f*; protección *f*; *com* fianza *f*; **~ities** valores *m/pl*
sedan [si'dæn] sedán *m*
sedative ['sedətiv] *a*, *s* sedativo *m*
sediment ['sedimənt] *s* sedimento *m*; poso *m*; hez *f*; *geol* sedimento *m*
seduc|e [si'dju:s] *v/t* seducir; **~er** seductor *m*; **~tion** [~'dʌkʃən] seducción *f*
see [si:] *v/t*, *v/i* ver; observar; comprender; acompañar; **~ off** ir a despedir; **~ to** atender a
seed [si:d] *s* semilla *f*; simiente *f*; progenie *f*; *v/t* sembrar; **~y** *fam* destartalado
seek [si:k] *v/t* buscar; anhelar; procurar
seem [si:m] *v/i* parecer; **~ing** aparente; **~ly** agradable; decoroso

seep [siːp] *v/i* filtrarse
seesaw ['siːsɔː] balancín *m*, *SA* subibaja *f*
segment ['segmənt] segmento *m*
segregat|e ['segrigeit] *v/t*, *v/i* segregar(se); **~ion** segregación *f*
seiz|e [siːz] *v/t* asir, agarrar, prender; capturar; *fig* comprender; *for* embargar; **~ure** ['~ʒə] asimiento *m*; *med* ataque *m* apoplético; *for* embargo *m*
seldom ['seldəm] rara vez; raramente
select [si'lekt] *a* selecto; *v/t* escoger; seleccionar; **~ion** selección *f*; surtido *m*
self [self] *a* propio; *s* (*pl* **selves**) uno mismo; naturaleza *f* (propia); *pron pers* se; sí mismo; **~-centred** egocéntrico; **~-conscious** cohibido; **~-defence** defensa *f* propia; **~-denial** abnegación *f*; **~-government** autonomía *f*, gobierno *m* propio; **~ish** egoísta; **~-made man** hombre que debe su posición a sí mismo; **~-possessed** sereno; **~-respect** amor *m* propio; **~-sacrifice** abnegación *f*; **~-service** autoservicio *m*; **~-willed** obstinado
sell [sel] *v/t* vender; *v/i* venderse; **~ out** liquidar las existencias; **~er** vendedor(a) *m* (*f*)
semblance ['sembləns] parecido *m*; semejanza *f*
semicolon ['semi'kəulən] punto y coma
senat|e ['senit] senado *m*; **~or** ['~ətə] senador *m*
send [send] *v/t* enviar, mandar; despachar; (*radio*) transmitir; **~ back** devolver; **~ on** reexpedir; **~ word** avisar; *v/i* **~ for** enviar por; **~er** remitente *m*
senior ['siːnjə] *a* mayor (de edad); más antiguo; *s* persona *f* mayor; oficial *m* más antiguo
sensation [sen'seiʃən] sensación *f*; **~al** sensacional
sens|e [sens] *v/t* percibir; *s* sentido *m*; juicio *m*; significado *m*; **in a ~e** en cierto sentido; **to be out of one's ~es** haber perdido el juicio; **~eless** sin sentido, disparatado; **~ibility** [sensi'biliti] sensibilidad *f*; discernimiento *m*; **~ible** sensato, prudente (*juicio*); sensible; sensitivo; **~itive** ['sensitiv] sensitivo; **~ual** ['~juəl] sensual
sentence ['sentəns] *s* oración *f*; frase *f*; *for* sentencia *f*; fallo *m*; *v/t* sentenciar; condenar
sentiment ['sentimənt] sentimiento *m*; **~al** [~'mentl] sentimental; **~ality** [~men'tæliti] sentimentalismo *m*
sentry ['sentri] *mil* centinela *m*, *f*
separat|e ['sepəreit] *v/t*, *v/i* separar(se); *a* ['seprit] separado; privado; **~ely** por

separado; **~ion** [~'reiʃən] separación *f*
September [sep'tembə] se(p)tiembre *m*
septic ['septik] séptico
sepulchre ['sepəlkə] sepulcro *m*
seque|l ['si:kwəl] secuela *f*; continuación *f*; resultado *m*; **~nce** ['~wəns] serie *f*; sucesión *f*
seren|e [si'ri:n] sereno, sosegado; **~ity** serenidad *f*, calma *f*
sergeant ['sɑ:dʒənt] sargento *m*
seri|al ['siəriəl] *a* consecutivo; *s* novela *f* por entregas; *radio, t v* serial *m*; **~es** ['~iz] serie *f*; ciclo *m*
serious ['siəriəs] serio; grave; **~ly** seriamente; gravemente
sermon ['sə:mən] sermón *m*
serpent ['sə:pənt] serpiente *f*; sierpe *f*
serum ['siərəm] suero *m*
serv|ant ['sə:vənt] criado(a) *m* (*f*); sirviente *m*, *f*; **~e** *v/t* servir; trabajar para; *v/i* servir; ser criado; *dep* sacar; **~ice** ['~vis] servicio *m*; *relig* oficio; **~iceable** servible; útil; **~ice-station** estación *f* de servicio
session ['seʃən] sesión *f*
set [set] *s* juego *m*, serie *f*; tendencia *f*; aparato *m* (*de radio*); puesta *f* (*del sol*); *v/t* poner, colocar; montar; armar; **~ aside** reservar; desechar; **~ down** sentar; **~ eyes on** avistar; **~ on fire** pegar fuego a; **~ up** establecer; *v/i* ponerse (*el sol*); cuajar; fraguar (*cemento*); **~ about** empezar; **~ off** partir; **~back** revés *m*
settee [se'ti:] canapé *m*
setting ['setiŋ] montadura *f*; ambiente *m*; puesta *f*
settle ['setl] *v/t* arreglar; colocar; *com* saldar; ajustar (*cuentas*); resolver; *v/i* posarse, asentarse; instalarse; radicarse; **~ment** arreglo *m*, ajuste *m*; establecimiento *m*; colonia *f*; poblado *m*; pago *m*; **~r** colono *m*
sever ['sevə] *v/t* separar; cortar; *v/i* separarse
several ['sevrəl] varios; diversos
sever|e [si'viə] severo, riguroso; grave; duro; **~ity** [~'veriti] severidad *f*; rigor *m*; gravedad *f*
sew [səu] *v/t*, *v/i* coser
sew|age ['sju(:)idʒ] aguas *f/pl* negras; **~er** alcantarilla *f*; **~erage** alcantarillado *m*
sewing ['səuiŋ] costura *f*; **~ machine** máquina *f* de coser
sex [seks] sexo *m*; **~-appeal** atracción *f* sexual
sexton ['sekstən] sacristán *m*
sexual ['seksjuəl] sexual
shabby ['ʃæbi] gastado
shack [ʃæk] choza *f*
shad|e [ʃeid] *s* sombra *f*; matiz *m*; celosía *f*; pantalla *f* (*de lámpara*); *v/t* sombrear; matizar; **~ow** ['ʃædəu] *s* sombra *f*; vestigio *m*; *v/t*

oscurecer; sombrear; seguir de cerca; **~owy** umbroso; vago; **~y** [ˈʃeidi] sombreado; *fig* sospechoso
shaft [ʃɑːft] flecha *f*; caña *f*, vara *f*; mango *m*; eje *m*; pozo *m*
shaggy [ˈʃægi] peludo
shak|e [ʃeik] *s* sacudida *f*; meneo *m*; vibración *f*; *v/t* sacudir; debilitar (*fe, etc*); **~e hands** estrecharse las manos; *v/i* temblar; **~y** trémulo, tembloroso
shall [ʃæl] *v/aux para el futuro y para expresar una orden o promesa*; **we ~ read** leeremos; **he ~ go** él debe ir; **you ~ have it** lo tendrás
shallow [ˈʃæləu] poco profundo; *fig* superficial; **~s** bajío *m*
sham [ʃæm] *a* fingido; falso; *v/i* simular, fingir
shame [ʃeim] *s* vergüenza *f*; ignominia *f*; *v/t* avergonzar; **~faced** avergonzado; **~ful** vergonzoso; escandaloso; **~less** desvergonzado; descarado
shampoo [ʃæmˈpuː] *s* champú *m*; *v/t* lavar (*la cabeza*)
shank [ʃæŋk] zanca *f*; mango *m*
shape [ʃeip] *s* forma *f*; figura *f*; condición *f*; *v/t* formar; moldear; *fig* idear; **~less** deforme; **~ly** bien formado
share [ʃɛə] *s* porción *f*; participación *f*; parte *f*; *com* acción *f*; *v/t* compartir; **~ out** repartir; **~holder** accionista *m*
shark [ʃɑːk] tiburón *m*; petardista *m*; estafador *m*
sharp [ʃɑːp] *a* agudo; afilado; distinto; mordaz; penetrante; fino; picante; *mús* sostenido; *adv* en punto; **four o'clock ~** las 4 en punto; **~en** *v/t* afilar; aguzar; **~ener** afilador *m*; sacapuntas *m*; **~ness** agudeza *f*; nitidez *f*
shatter [ˈʃætə] *v/t* estrellar; destrozar; *v/i* destrozarse
shav|e [ʃeiv] *v/t* afeitar; *carp* acepillar; *v/i* afeitarse; **~ing** afeitado *m*; viruta *f* (*de madera*)
shawl [ʃɔːl] mantón *m*
she [ʃiː] *pron f* ella; *s* hembra *f*; mujer *f*; **~-cat** gata *f*
sheaf [ʃiːf] gavilla *f*; haz *f*
shear [ʃiə] *v/t* esquilar, trasquilar; tonsurar; tundir (*paño*)
sheath [ʃiːθ] vaina *f*; estuche *m*; **~e** *v/t* envainar; aforrar
shed [ʃed] *s* cobertizo *m*; tinglado *m*; *v/t* verter; quitarse (*ropa*); dejar caer (*hojas*)
sheep [ʃiːp] oveja(s) *f*(*pl*); carnero *m*; **~-dog** perro *m* pastor; **~ish** avergonzado; tímido; **~'s eyes** mirada *f* amorosa
sheer [ʃiə] mero; transparente
sheet [ʃiːt] sábana *f*; hoja *f* (*de metal, papel*); lámina *f*; *mar* escota *f*; **~-iron** hierro *m* laminado

shelf [ʃelf] anaquel *m*, estante *m*, repisa *f* (*de la pared*); *mar* zócalo *m*
shell [ʃel] cáscara *f* (*de nuez, huevo, etc*); vaina *f* (*de legumbres*); *zool* concha *f*; armazón *m*; *arti* granada *f*; cápsula *f* (*para cartuchos*); casco *m* (*de barco*)
shell-fish [ˈʃelfiʃ] marisco *m*
shelter [ˈʃeltə] *s* refugio *m*; asilo *m*; *v/t* abrigar; amparar; *v/i* refugiarse
shepherd [ˈʃepəd] *s* pastor *m*
shield [ʃi:ld] *s* escudo *m* (*t fig*); *v/t* proteger
shift [ʃift] *s* cambio *m*; recurso *m*; maña *f*, evasión *f*; turno *m*, tanda *f* (*de obreros*); camisa *f* (*de mujer*); *v/t* cambiar; desplazar; *v/i* cambiar; ingeniárselas; **~y** furtivo, taimado
shilling [ˈʃiliŋ] chelín *m*
shin [ʃin] espinilla *f*; *v/t*, *v/i* trepar; **~(-bone)** tibia *f*
shine [ʃain] *s* lustre *m*; brillo *m*; *v/i* resplandecer; brillar (*t fig*); *v/t* sacar lustre a (*zapatos*)
shingle [ˈʃiŋgl] *s* cascajo *m* (*playa*); tabla *f* de ripia; *v/t* cubrir con ripia
shiny [ˈʃaini] brillante
ship [ʃip] *s* buque *m*, barco *m*; navío *m*; nave *f*; *v/t* embarcar; despachar; **~ment** embarque *m*; cargamento *m*; **~owner** naviero *m*, armador *m*; **~ping** embarque *m*; **~ping company** compañía *f* naviera; **~wreck** naufragio *m*; **~wrecked** *a*, *s* náufrago *m*; **~yard** astillero *m*
shire [ˈʃaiə] condado *m*
shirk [ʃə:k] *v/t* evadir, eludir
shirt [ʃə:t] camisa *f*; **~-sleeve** manga *f* de camisa
shiver [ˈʃivə] *s* escalofrío *m*; temblor *m*; *v/i* tiritar; temblar; tener escalofríos
shock [ʃɔk] *s* choque *m*; sacudida *f*; golpe *m*; *v/t* chocar; sacudir; disgustar; escandalizar; **~-absorber** amortiguador *m* de choque; **~ing** chocante; escandaloso
shoe [ʃu:] *s* zapato *m*, calzado *m*; *v/t* calzar; herrar (*caballo*); **~black** limpiabotas *m*, *SA* lustrabotas *m*; **~-lace** cordón *m* de zapato; **~maker** zapatero *m*; **~-shop** zapatería *f*
shoot [ʃu:t] *s bot* vástago *m*; retoño *m*; *v/t* disparar; tirar; matar *o* herir a tiros; filmar, rodar (*una película*); *mil* fusilar; *v/i* tirar; germinar, brotar (*planta*); **~er** tirador *m*; **~ing** tiro *m*; caza *f* con escopeta; **~ing star** estrella *f* fugaz
shop [ʃɔp] tienda *f*; almacén *m*; taller *m*; **~-assistant** dependiente *m*; **~keeper** tendero *m*; **~-lifter** mechero *m*; **~ping** compras *f/pl*; **to go ~ping** ir de compras; **~ping centre** centro *m* comercial; **~-steward** dirigente *m* obre-

ro; **~walker** vigilante *m* de tienda; **~-window** escaparate *m*
shore [ʃɔː] costa *f*; playa *f*
short [ʃɔːt] corto; breve; bajo (*de estatura*); falto; escaso; **in ~** en suma; **to cut ~** interrumpir; abreviar; **to run ~** escasear; **~age** escasez *f*; falta *f*; **~-circuit** cortocircuito *m*; **~coming** defecto *m*; **~-cut** atajo *m*; **~en** *v/t* acortar; abreviar; **~hand** taquigrafía *f*; **~hand typist** taquimecanógrafa *f*; **~ly** dentro de poco; **~ness** brevedad *f*; deficiencia *f*; **~s** pantalones *m/pl* cortos; **~-sighted** miope; **~-tempered** de mal genio; malhumorado; **~-term** a corto plazo
shot [ʃɔt] tiro *m*, disparo *m*; balazo *m*; tirador(a) *m* (*f*) (*persona*); *foto, cine* toma *f*
should [ʃud] *v/aux para formar el condicional de los verbos* (*t con el significado de obligación*) **I ~ go** iría; debería irme
shoulder [ˈʃəuldə] *s* hombro *m*; *v/t* llevar a hombros; *fig* cargar con; **~-blade** omóplato *m*
shout [ʃaut] *s* grito *m*; *v/t*, *v/i* gritar; **~ing** vocerío *m*
shove [ʃʌv] *s* empujón *m*; *v/t*, *v/i* empujar
shovel [ˈʃʌvl] pala *f*
show [ʃəu] *s* exposición *f*; espectáculo *m*; *teat* función *f*; ostentación *f*; *v/t* mostrar; enseñar; exhibir; proyectar (*una película*); *v/i* parecer; **~ off** alardear; **~ up** asistir; presentarse; **~ business** (la) farándula *f*; **~-case** vitrina *f*
shower [ˈʃauə] *s* chaparrón *m*; ducha *f*; *v/t* llover; regar; *v/i* llover; ducharse
showy [ˈʃəui] vistoso; ostentoso
shred [ʃred] *s* tira *f*; fragmento *m*; *v/t* desmenuzar; picar
shrew [ʃruː] arpía *f*; mujer *f* de mal genio
shrewd [ʃruːd] astuto
shriek [ʃriːk] *s* chillido *m*; *v/i* chillar
shrill [ʃril] estridente; penetrante
shrimp [ʃrimp] *zool* camarón *m*
shrine [ʃrain] santuario *m*
shrink [ʃriŋk] *v/i* encogerse; disminuir; **~ from** evadir; aborrecer
shrivel [ˈʃrivl] *v/t*, *v/i* arrugar(se); avellanarse
Shrove [ʃrəuv] **Tuesday** martes *m* de carnaval
shrub [ʃrʌb] arbusto *m*; **~bery** maleza *f*
shrug [ʃrʌg] *s* encogimiento *m* de hombros; *v/i* encogerse de hombros
shudder [ˈʃʌdə] *s* estremecimiento *m*; *v/i* estremecerse
shuffle [ˈʃʌfl] *s* barajadura (*de naipes*); *v/t*, *v/i* barajar (*naipes*); arrastrar los pies
shun [ʃʌn] *v/t*, *v/i* esquivar

shut [ʃʌt] *v/t* cerrar; encerrar; *v/i* ~ **up** callarse la boca; **~down** cierre *m*, suspensión *f* del trabajo; **~ter** contraventana *f*; cierre *m*; cerrador *m*; *foto* obturador *m*
shy [ʃai] tímido; **~ness** timidez *f*
sick [sik] enfermo; basqueado; **the** ~ los enfermos; ~ **of** harto de; **to be** ~ tener náuseas; vomitar; ~ **benefit** prestación *f* por enfermedad; **~en** *v/t* enfermar; dar asco; *v/i* enfermarse; hartarse
sickle ['sikl] hoz *f*
sick|-leave ['sikli:v] licencia *f* por enfermedad; **~ly** enfermizo; **~ness** enfermedad *f*; náuseas *f/pl*
sid|e [said] *s* lado *m*; costado *m*; ladera *f*; **~e by ~e** lado a lado; *v/t*, *v/i* **to ~e (with)** tomar parte por; **~eboard** aparador *m*; **~eways** de lado; **~ing** *f c* apartadero *m*
siege [si:dʒ] sitio *m*; **to lay ~ to** sitiar
sieve [siv] *s* criba *f*; tamiz *m*; *v/t* tamizar
sift [sift] *v/t* tamizar; cribar; *fig* escudriñar
sigh [sai] *s* suspiro *m*; *v/i* suspirar; ~ **for** añorar
sight [sait] *s* vista *f*; visión *f*; espectáculo *m*; lugar *m* de interés; mira *f*; **at first ~** a primera vista; **by ~** de vista; **in ~** visible; **to catch ~ of** avistar; *v/t* ver; descubrir; **~seeing** visita *f* a puntos de interés; **~seer** turista *m*, *f*
sign [sain] *s* signo *m*; seña *f*, señal *f*; indicio *m*; letrero *m*; *v/t* firmar; señalar
signal ['signl] *s* señal *f*; *v/t*, *v/i* indicar; hacer señales
signature ['signitʃə] firma *f*
signboard ['sainbɔ:d] letrero *m*
signet ['signit] sello *m*
signif|icance [sig'nifikəns] significación *f*; **~icant** significante; significativo; **~y** ['signifai] *v/t* dar a entender; *v/i* significar
signpost ['sainpəust] poste *m* indicador
silen|ce ['sailəns] *s* silencio *m*; *v/t* hacer callar; **~cer** *mec* silenciador *m*; **~t** silencioso; callado; mudo (*filme*); **~t partner** *com* socio *m* comanditario
silk [silk] seda *f*; **~en** sedoso; ~ **hat** sombrero *m* de copa; **~y** sedoso; suave
sill [sil] antepecho *m* (*de la ventana*)
silly ['sili] tonto; necio; simple
silver ['silvə] *s* plata *f*; **~smith** platero *m*; ~ **wedding** bodas *f/pl* de plata; **~y** plateado; argentino (*tono, etc*)
similar ['similə] parecido, semejante; **~ity** [~'læriti] semejanza *f*; parecido *m*; **~ly** igualmente; del mismo modo
simmer ['simə] *v/i* hervir a fuego lento

simpl|e ['simpl] simple; mero; sencillo; tonto; **~icity** [sim'plisiti] simplicidad *f*; simpleza *f*; **~ification** simplificación *f*; **~ify** *v/t* simplificar
simulate ['simjuleit] *v/t* simular, fingir
simultaneous [siməl'teinjəs] simultáneo
sin [sin] *s* pecado *m*; *v/i* pecar
since [sins] *adv* desde entonces; hace; **long ~** hace mucho; *conj* ya que; puesto que; *prep* desde; después de
sincer|e [sin'siə] sincero; **~ity** [~'seriti] sinceridad *f*
sinew ['sinju:] tendón *m*; *fig* fibra *f*; **~y** fibroso; *fig* fuerte
sing [siŋ] *v/t*, *v/i* cantar; silbar (*pájaros*)
singe [sindʒ] *v/t* chamuscar; quemar (*las puntas del pelo*)
singer ['siŋə] cantante *m*, *f*
single ['siŋgl] *a* solo; único; soltero; *v/t* **~ out** escoger, separar; *s* billete *m* de ida; *dep* juego *m* de simples; **~-eyed** tuerto; **~-handed** solo, sin ayuda; **~-minded** sincero
singular ['siŋgjulə] singular; extraño; **~ity** [~'læriti] singularidad *f*; rareza *f*
sinister ['sinistə] siniestro
sink [siŋk] *s* pila *f* de cocina; vertedero *m*; *v/t* sumergir; hundir; bajar; *v/i* hundirse; **~ing** hundimiento *m*
sinner ['sinə] pecador(a) *m* (*f*)
sip [sip] *s* sorbo *m*; *v/t* sorber
sir [sə:] señor *m*; caballero *m*; *Ingl* ♀ (*título*) Sir
siren ['saiərən] sirena *f*
sirloin ['sə:lɔin] solomillo *m*
sister ['sistə] hermana *f*; monja *f*; *igl* sor *f*; **~-in-law** cuñada *f*
sit [sit] *v/i* estar sentado; reunirse; sentar (*ropa*); **~ down** sentarse; **~ for** posar para; **~ up** velar; enderezarse; prestar atención; *v/t* sentar; dar asiento
site [sait] sitio *m*
sitting ['sitiŋ] *a* sentado; *s* sesión *f*; **~-room** sala *f* de estar
situat|ed ['sitjueitid] *a* situado; **~ion** situación *f*; posición *f*; puesto *m*, empleo *m*
size [saiz] *s* tamaño *m*; *v/t* clasificar por tamaño; *pint* encolar
sizzle ['sizl] *v/t*, *v/i* chisporrotear, chirriar
skat|e [skeit] *s* patín *m*; *v/i* patinar; **~er** patinador(a) *m* (*f*); **~ing rink** pista *f* de patinaje
skeleton ['skelitn] esqueleto *m*; *fig* armadura *f*; **~-key** ganzúa *f*
sketch [sketʃ] *s* bosquejo *m*, boceto *m*; *teat* pieza *f* corta; *v/t* bosquejar, trazar; **~y** superficial, incompleto
ski [ski:] *s* esquí *m*; *v/i* esquiar

skid [skid] *s* patinazo *m*, resbalón *m*; *v/i* patinar, resbalar
ski|er ['skiːə] esquiador *m*; **~ing** deporte *m* de esquiar
skil|ful ['skilful] hábil, diestro; **~l** habilidad *f*, destreza *f*; **~led** experto; **~led worker** obrero *m* calificado
skim [skim] *v/t* desnatar (*leche*); espumar; **~ through** examinar superficialmente
skin [skin] *s* piel *f*; cutis *m*, *f*; pellejo *m*; cuero *m*; corteza *f*; *v/t* desollar, pelar; **~-deep** superficial; **~ny** flaco, magro
skip [skip] *s* brinco *m*; *v/i* brincar
skipper ['skipə] capitán *m*; patrón *m*
skirt [skəːt] *s* falda *f*; faldón *m*; borde *m*; *v/t* bordear; moverse por el borde de
skittles ['skitlz] juego *m* de bolos [vera *f*
skull [skʌl] cráneo *m*; cala-
sky [skai] cielo *m*; **~jack** ['~dʒæk] *v/t* secuestrar en vuelo; **~lark** alondra *f*; **~light** tragaluz *m*; claraboya *f*; **~scraper** rascacielos *m*
slab [slæb] losa *f*; plancha *f*
slack [slæk] *a* flojo; negligente; *s* cisco *m* (*de carbón*); *v/i* holgazanear; **~en** *v/t* aflojar; apagar (*la cal*); *v/i* ceder; aflojarse; **~s** pantalones *m/pl* flojos
slake [sleik] *v/t* apagar
slam [slæm] *s* golpe *m*; portazo *m*; capote *m* (*de naipes*); *v/t* cerrar de golpe
slander ['slɑːndə] *s* calumnia *f*; *v/t* calumniar
slang [slæŋ] jerga *f*
slant [slɑːnt] *s* inclinación *f*; *v/t*, *v/i* inclinar(se)
slap [slæp] *s* manotazo *m*; bofetada *f*; *v/t* pegar; abofetear; **~stick comedy** *teat* comedia *f* burda
slash [slæʃ] *s* cuchillada *f*; *v/t* acuchillar
slate [sleit] *s* pizarra *f*; *v/t* nominar; reprender
slattern ['slætə(ː)n] mujer *f* desaliñada
slaughter ['slɔːtə] *s* matanza *f*; *v/t* matar; pasar a cuchillo; *Am* masacrar; **~-house** matadero *m*
slav|e [sleiv] *s* esclavo(a) *m* (*f*); siervo(a) *m* (*f*); *v/i* trabajar como esclavo; **~e-driver** capataz *m* de esclavos; **~ery** ['~əri] esclavitud *f*; **~ish** servil
slay [slei] *v/t* matar; **~er** asesino *m*
sledge [sledʒ] trineo *m*; **~(-hammer)** acotillo *m*
sleek [sliːk] *a* alisado; bruñido; *fig* blando; *v/t* alisar
sleep [sliːp] *s* sueño *m*; **to go to ~** dormirse; *v/t*, *v/i* dormir; **~ soundly** dormir a pierna suelta; **~er** *f c* coche *m* cama; *f c* traviesa *f*; **~ing partner** socio *m* secreto; **~less** desvelado; **~-walker** somnámbulo(a) *m* (*f*); **~y** soñoliento

sleet [sliːt] aguanieve *f*
sleeve [sliːv] manga *f*; envoltura *f*; *mec* manguito *m*; **to have something up one's ~** tener preparado en secreto; **to wear one's heart upon one's ~** llevar el corazón en la mano
sleigh [slei] trineo *m*
slender ['slendə] delgado; *fig* escaso, débil
slice [slais] *s* rebanada *f* (*de pan*); *v/t* cortar en tajadas
slick [slik] liso; *fam* ingenioso; tramposo
slide [slaid] *s* tapa *f* corrediza; deslizadero *m*; alud *m*; *foto* diapositiva *f*; *v/i* resbalar; deslizarse; **~-rule** regla *f* de cálculo
slight [slait] *a* leve, ligero; escaso; pequeño; *v/t* despreciar; **~ly** un poco
slim [slim] *a* delgado; esbelto; escaso; *v/i* adelgazar
slim|e [slaim] limo *m*; cieno *m*; babaza *f*; **~y** viscoso; ·baboso; limoso
sling [sliŋ] *s* honda *f*; *med* cabestrillo *m*; *v/t* arrojar, tirar
slip [slip] *s* papeleta *f*; tira *f*; funda *f*; enaguas *f/pl*; resbalón *m*; *fig* desliz *m*; *v/i* deslizarse, resbalarse; **~ away** escabullirse; **~ up** equivocarse; *v/t* hacer deslizar; **~per** zapatilla *f*; **~pery** resbaladizo
slit [slit] *s* hendedura *f*; *v/t* hender, rajar
slobber ['slɔbə] *s* babeo *m*; *v/i* babear
slogan ['sləugən] lema *m*; refrán *m* (publicitario)
sloop [sluːp] chalupa *f*
slop [slɔp] *s* líquido *m* derramado; agua *f* sucia; *v/t*, *v/i* derramar(se)
slope [sləup] *s* cuesta *f*; inclinación *f*; *v/i* inclinarse
sloppy ['slɔpi] lodoso; *fig* descuidado; *fam* empalagoso
slot [slɔt] muesca *f*; ranura *f*
sloth [sləuθ] pereza *f*; *zool* perezoso *m*
slot-machine ['slɔtmə'ʃiːn] tragamonedas *m*, tragaperras *m*
slough [slau] *s* fangal *m*
sloven ['slʌvn] *s* persona *f* desaseada; **~ly** desaseado, descuidado
slow [sləu] *a* lento; atrasado (*reloj*); *v/t*, *v/i* **~ down** aflojar el paso; **~ly** despacio; **~-motion** cámara *f* lenta; **~ness** lentitud *f*; torpeza *f*
sluggish ['slʌgiʃ] perezoso
sluice [sluːs] esclusa *f*
slum [slʌm] barrio *m* bajo, *SA* barriada *f*
slumber ['slʌmbə] *s* sueño *m*; *v/i* dormitar
slush [slʌʃ] fango *m*; nieve *f* acuosa
slut [slʌt] suripanta *f*
sly [slai] disimulado; solapado; astuto
smack [smæk] *s* dejo *m*; palmada *f*; beso *m* sonoro;

v/t dar una palmada a; *v/i* ~ **of** saber a
small [smɔ:l] pequeño; menudo; reducido; poco; insignificante; ~ **change** cambio *m*; *SA* sencillo *m*; ~ **fry** pececillos *m/pl*; *fig* gente *f* menuda; ~ **hours** primeras horas *f/pl* de la madrugada; ~**ness** pequeñez *f*; ~**pox** viruela *f*; ~**s** ropa *f* interior; ~ **talk** palique *m*
smart [smɑ:t] *a* listo *m*, astuto, vivo; elegante; alerto; brioso; *v/i* escocer; doler
smash [smæʃ] *s* destrozo *m*; colisión *f* violenta; *v/t*, *v/i* romper; destrozar; ~**ing** *a* extraordinario; impresionante
smattering ['smætəriŋ] tintura *f*
smear [smiə] *s* mancha *f*; *v/t* ensuciar; embadurnar
smell [smel] *s* olor *m*; aroma *m*; hedor *m* (*malo*); olfato *m* (*sentido*); *v/t* oler; olfatear; husmear; *v/i* oler; despedir olor; heder (*mal*)
smelt *v/t* fundir; ~**ing** fundición *f*
smil|e [smail] *s* sonrisa *f*; *v/i* sonreír(se); ~**ing** risueño
smith [smiθ] herrero *m*; ~**y** ['~ði] herrería *f*
smok|e [sməuk] *s* humo *m*; *v/t* ahumar; fumar; *v/i* echar humo; fumar; ~**er** fumador *m*; *f c* coche *m* de fumadores; ~**e-screen** cortina *f* de humo
smock [smɔk] bata *f*; camisa *f* de mujer
smog [smɔg] humo *m* mezclado con niebla
smok|ing ['sməukiŋ] el fumar *m*; **no** ~**ing** prohibido fumar; ~**y** humeante; ahumado
smooth [smu:ð] *a* liso; suave; llano; *v/t* alisar; suavizar; ~ **down** tranquilizar
smother ['smʌðə] *v/t* sofocar, apagar; encubrir
smoulder ['sməuldə] *v/i* arder en rescoldo; *fig* estar latente
smudge [smʌdʒ] *s* tiznón *m*; *v/t* ensuciar
smuggl|e ['smʌgl] *v/i* contrabandear; *v/t* pasar de contrabando; ~**er** contrabandista *m*; ~**ing** contrabando *m*
smut [smʌt] *s* tizne *m*; obscenidad *f*; *v/t* tiznar; ~**ty** tiznado; sucio; *fig* obsceno
snack [snæk] piscolabis *m*; ~ **bar** cantina *f*, merendero *m*
snail [sneil] caracol *m*; **at a** ~**'s pace** a paso de tortuga
snake [sneik] serpiente *f*; sierpe *f*
snap [snæp] *s* castañetazo *m* (*de dedos*); chasquido *m* (*ruido*); cierre *m* de resorte; *v/t* mordisquear; hacer crujir; *foto* tomar una instantánea de; *v/i* replicar con irritación; romperse

con un chasquido; **~-fastener** corchete *m* de presión; **~pish** regañón, arisco; **~shot** *foto* instantánea *f*
snare [snɛə] lazo *m*; trampa *f*
snarl [snɑːl] *s* gruñido *m* agresivo; *v/i* gruñir
snatch [snætʃ] *s* arrebatamiento *m*; trozo *m*; *v/t* arrebatar
sneak [sniːk] *v/i* ir a hurtadillas; **~ers** zapatillas *f/pl* ligeras de gimnasia
sneer [sniə] *s* risa *f* de desprecio; mofa *f*; *v/i* mofarse (de)
sneeze [sniːz] *s* estornudo *m*; *v/i* estornudar
sniff [snif] *s* husmeo *m*; *v/t* husmear; *v/i* **~ at** oliscar; *fig* despreciar
snip [snip] *s* recorte *m*; pedacito *m*; *v/i* tijeretear
snipe [snaip] *orn* agachadiza *f*; **~r** tirador *m* emboscado
snivel ['snivl] *v/i* lloriquear
snoop [snuːp] *v/i* curiosear, husmear
snooze [snuːz] *v/i* dormitar
snore [snɔː] *s* ronquido *m*; *v/i* roncar
snort [snɔːt] *v/i* bufar; soltar risotadas
snout [snaut] hocico *m*
snow [snəu] *s* nieve *f*; *v/i* nevar; **~ball** bola *f* de nieve; **~-capped, ~-clad** coronado de nieve; **~-drift** ventisquero *m*; **~drop** campanilla *f* de invierno; **~-fall** nevada *f*; **~flake** copo *m* de nieve; **~-plough** quitanieves *m*; **~-storm** ventisca *f*; **~y** nevoso; *fig* puro
snub [snʌb] *a* romo; chato; *v/t* repulsar; desairar; **~-nosed** romo, de nariz chata
snuff [snʌf] *s* rapé *m*, tabaco *m* en polvo; *v/t* husmear; **~ out** apagar
snug [snʌg] cómodo; abrigado; **~gle** *v/i* arrimarse
so [səu] *adv, pron* así; de este modo; tan; **~ far** hasta ahora; **~ long** tanto tiempo; ¡hasta luego!; **~ much** tanto; **I think ~** creo que sí; **Mr. 2-and2** don Fulano de tal; *conj* con tal que
soak [səuk] *s* remojo *m*; *v/t* remojar; empapar; **~ up** absorber
soap [səup] *s* jabón *m*; *v/t* enjabonar
soar [sɔː] *v/i* encumbrarse
sob [sɔb] *s* sollozo *m*; *v/i* sollozar
sob|er ['səubə] *a* sobrio; grave, serio; apagado (*color*); *v/i* **~er down** calmarse; **~erness, ~riety** [~'braiəti] sobriedad *f*
so-called ['səu'kɔːld] llamado, supuesto
sociable ['səuʃəbl] sociable
socia|l ['səuʃəl] social; **~lism** socialismo *m*; **~list** *a, s* socialista *m, f*; **~lize** *v/t* socializar
society [sə'saiəti] sociedad *f*; asociación *f*; compañía *f*

sock [sɔk] calcetín *m*
socket ['sɔkit] cuenca *f* (*del ojo*); *mec* casquillo *m*; *elec* enchufe *m* [tepe *m*}
sod [sɔd] terrón *m* herboso;}
sofa ['səufə] sofá *m*
soft [sɔft] blando; muelle; suave; no alcohólico; *fam* bobo; ~ **coal** carbón *m* graso; ~ **iron** hierro *m* dulce; **~en** ['sɔfn] *v/t, v/i* ablandar(se)
soil [sɔil] *s* tierra *f*; suelo *m*; *v/t* ensuciar
sojourn ['sɔdʒə:n] *s* permanencia *f*; *v/i* permanecer; morar
solder ['sɔldə] *v/t* soldar; **~ing** soldadura *f*
soldier ['səuldʒə] soldado *m*, militar *m*
sole [səul] *s* planta *f* (del pie); suela *f* (del zapato); *ict* lenguado *m*; *v/t* echar suela; *a* único, solo, exclusivo
solemn ['sɔləm] solemne; grave
solicit [sə'lisit] *v/t* demandar, reclamar; **~or** abogado *m*; **~ous** solícito
solid ['sɔlid] sólido; macizo; bien fundado; **~arity** [sɔli'dæriti] solidaridad *f*; **~ity** [sə'liditi] solidez *f*
soliloquy [sə'liləkwi] soliloquio *m*, monólogo *m*
solit|ary ['sɔlitəri] solitario; solo; **~ude** ['~tju:d] soledad *f*
solo ['səuləu] solo *m*; **~ist** solista *m, f*
solu|ble ['sɔljubl] soluble; **~tion** solución *f*
solve [sɔlv] *v/t* resolver; **~nt** *a* solvente; disolutivo; *s* solvente *m* [triste}
sombre ['sɔmbə] sombrío;}
some [sʌm, səm] *a* un poco de; algo de; algún; unos pocos; algunos; *pron* algunos(as); unos; algo; **~body** ['sʌmbədi], **~one** alguien; alguno; **~body else** algún otro; **~how** de algún modo
some|thing ['sʌmθiŋ] algo; **~time** algún día; **~times** a veces; **~what** algo; un tanto; **~where** en alguna parte
somersault ['sʌməsɔ:lt] salto *m* mortal, voltereta *f*
son [sʌn] hijo *m*
song [sɔŋ] canción *f*, canto *m*, cantar *m*; **~-bird** pájaro *m* cantor; **~-book** cancionero *m*
sonic ['sɔnik] sónico
son-in-law ['sʌninlɔ:] yerno *m*
sonnet ['sɔnit] soneto *m*
soon [su:n] pronto; **as ~ as** tan pronto como; **~er** más pronto; **no ~er ... than** apenas ... cuando; **~er or later** tarde o temprano
soot [sut] hollín *m*
soothe [su:ð] *v/t* calmar
sophisticated [sə'fistikeitid] sofisticado
soporific [sɔpə'rifik] soporífico *m*; narcótico *m*
sorcer|er ['sɔ:sərə] brujo *m*; **~y** hechicería *f*; brujería *f*

sordid ['sɔːdid] sórdido; mezquino
sore [sɔː] *a* dolorido; inflamado; disgustado; **~ throat** dolor *m* de garganta; *s* llaga *f*
sorrow ['sɔrəu] *s* dolor *m*; pesar *m*; **~ful** pesaroso
sorry ['sɔri] pesaroso; arrepentido; triste; **to be ~** sentir; **to be ~ for (someone)** compadecerse de (alguien)
sort [sɔːt] *s* clase *f*; *v/t* clasificar; arreglar
soul [səul] alma *f*, espíritu *m*
sound [saund] *a* sano; ileso; correcto; profundo (*sueño*); *com* solvente; *s* sonido *m*; **~ barrier** barrera *f* sónica; *v/t* sonar; tocar; *med* auscultar; sondear; *v/i* sonar; resonar; **~ing** sondeo *m*; **~less** silencioso *m*; **~-proof** insonoro; **~-track** *cine* pista *f* sonora; **~-wave** onda *f* acústica
soup [suːp] sopa *f*
sour ['sauə] *a* agrio, ácido; *fig* desabrido; *v/t*, *v/i* agriar(se)
source [sɔːs] fuente *f*; origen *m*
south [sauθ] *s* sur *m*; *a* meridional; **~erly** ['sʌðəli], **~ern** meridional; austral; **~ward(s)** ['sauθwəd(z)] hacia el sur
souvenir ['suːvəniə] recuerdo *m*
sow [sau] puerca *f*, cerda *f*
sow [səu] *v/t*, *v/i* sembrar; esparcir; diseminar; **~ one's wild oats** correr sus mocedades
Soviet ['səuviet] *a* soviético; *s* soviet *m*
spa [spɑː] balneario *m*
space [speis] *s* espacio *m*; intervalo *m*; *v/t* espaciar; **~-craft, ~-ship** nave *f* espacial; **~-suit** escafandra *f* espacial
spacious ['speiʃəs] espacioso, amplio
spade [speid] laya *f*; pala *f*; (*naipes*) espada *f*
Spain [spein] España *f*
span [spæn] palmo *m* (*de la mano*); luz *f* (*del puente*); *arq* tramo *m*; *aer* envergadura *f*; lapso *m*; *v/t* medir; extender sobre; comprender
spangle ['spæŋgl] lentejuela *f*
Spaniard ['spænjəd] español(a) *m* (*f*)
spaniel ['spænjəl] perro *m* de aguas
Spanish ['spæniʃ] *a*, *s* español(a) *m* (*f*); hispánico
spank [spæŋk] *v/t* zurrar
spanner ['spænə] llave *f* de tuercas
spar|e [spɛə] *a* de repuesto; disponible; libre; enjuto; frugal; **~e parts** piezas *f/pl* de recambio; **~e time** tiempo *m* libre; *v/t* escatimar; ahorrar; evitar; privarse de; **~ing** frugal; escaso
spark [spɑːk] *s* chispa *f*; *v/i* chispear; **~ plug** bujía *f*;

~le *v/i* centellear; **~ling** brillante
sparrow ['spærəu] *orn* gorrión *m*
sparse [spɑːs] esparcido
spasm ['spæzəm] espasmo *m*; **~odic** [~'mɔdik] espasmódico
spatter ['spætə] *s* salpicadura *f*; *v/t*, *v/i* salpicar
spawn [spɔːn] *s ict* huevas *f/pl*; *v/t*, *v/i ict* desovar
speak [spiːk] *v/t*, *v/i* hablar; expresar; **~ one's mind** hablar en plata; **~ up** hablar en alta voz; hablar claro; **~er** orador *m*; presidente *m* de un cuerpo legislativo; **~ing** habla *f*; discurso *m*
spear [spiə] lanza *f*; **~head** punta *f* de lanza
special ['speʃəl] especial; particular; **~ist** especialista *m*, *f*; **~ity** [~i'æliti] especialidad *f*; **~ize** *v/i* especializarse; **~ly** especialmente; sobre todo
species ['spiːʃiːz] especie *f*
speci|fic [spi'sifik] específico; **~fy** ['spesifai] *v/t* especificar
specimen ['spesimin] muestra *f*
speck [spek] manchita *f*; **~le** *v/t* motear; manchar
specta|cle ['spektəkl] espectáculo *m*; **~cles** gafas *f/pl*; **~cular** [~'tækjulə] espectacular, aparatoso; **~tor** [~'teitə] espectador(a) *m* (*f*)
speculat|e ['spekjuleit] *v/t*, *v/i* especular; **~ion** especulación *f*; **~or** especulador (-a) *m* (*f*)
speech [spiːtʃ] discurso *m*; habla *f*; **~-day** clausura *f* (*en escuela*); **~less** mudo
speed [spiːd] *s* velocidad *f*; rapidez *f*; **at full ~** a toda velocidad; *v/t* **~ up** acelerar; **~-limit** velocidad *f* máxima permitida; **~ometer** [spi'dɔmitə] indicador *m* de velocidad; **~y** rápido
spell [spel] *s* hechizo *m*, encanto *m*; turno *m*; rato *m*; *v/t*, *v/i* deletrear; **~ing** ortografía *f*
spen|d [spend] *v/t* gastar (*dinero*); emplear, pasar (*tiempo*); **~dthrift** derrochador; **~t** gastado; agotado
sperm [spəːm] esperma *m*
spher|e [sfiə] esfera *f*; **~ical** ['sferikəl] esférico
spic|e [spais] *s* especia *f*; *v/t* condimentar; **~y** picante; sabroso
spider ['spaidə] araña *f*; **~'s web** telaraña *f*
spike [spaik] púa *f*; escarpia *f*; *v/t* clavar, escarpiar
spill [spil] *s fam* vuelco *m*; *v/t*, *v/i* derramar(se)
spin [spin] *s* vuelta *f*; giro *m*; *v/t*, *v/i* hilar; girar
spinach ['spinidʒ] espinaca *f*
spinal ['spainl] espinal; **~ column** espina *f* dorsal; **~ cord** médula *f* espinal
spindle ['spindl] huso *m*

spine [spain] espina *f* dorsal; **~less** sin energía; servil
spinster ['spinstə] solterona *f*
spiny ['spaini] espinoso
spiral ['spaiərəl] *a, s* espiral *f*
spire ['spaiə] aguja *f* (*de iglesia*)
spirit ['spirit] *s* espíritu *m*; ánimo *m*; humor *m*; alcohol *m*; **high ~s** animación *f*; **low ~s** abatimiento *m*; *v/t* **~ away** llevarse en secreto; **~ed** vivo; brioso; **~ual** ['~tjuəl] espiritual
spit [spit] *s coc* asador *m*; saliva *f*; *v/t, v/i* escupir
spite [spait] rencor *m*; **in ~ of** a pesar de; **~ful** rencoroso
spitt|le ['spitl] saliva *f*; **~oon** [~'tu:n] escupidera *f*
splash [splæʃ] *s* salpicadura *f*; *v/t* rociar; salpicar; **~-down** descenso *m* en el mar (*de la cápsula espacial*)
spleen [spli:n] *anat* bazo *m*; melancolía *f*; esplín *m*
splend|id ['splendid] espléndido; **~our** pompa *f*; esplendor *m*
splint [splint] *med s* tablilla *f*; *v/t* entablillar; **~er** *s* astilla *f*; *v/t* astillar
split [split] *s* hendidura *f*; raja *f*; *fig* cisma *m, f*; *v/t* hender; rajar; **~ting** violento (*dolor*)
splutter ['splʌtə] *s* farfulla *f*; *v/t, v/i* farfullar; chisporrotear
spoil [spɔil] *v/t* estropear; mimar; *v/i* echarse a perder; **~sport** aguafiestas *m*; **~t child** niño *m* consentido; **~s** *s/pl* despojo *m*, botín *m*
spoke [spəuk] rayo *m* (*de rueda*)
spokesman portavoz *m*
spong|e [spʌndʒ] *s* esponja *f*; *v/i* gorrear; **~e-cake** bizcochuelo *m*; **~er** gorrista *m, f*; **~y** esponjoso
sponsor ['spɔnsə] *s* patrocinador *m*; *v/t* patrocinar
spontaneous [spɔn'teinjəs] espontáneo
spook [spu:k] espectro *m*
spool [spu:l] carrete *m*
spoon [spu:n] cuchara *f*; **~ful** cucharada *f*
spore [spɔ:] *bot* esporo *m*
sport [spɔ:t] *s* deporte *m*; diversión *f*; *v/t* ostentar; *v/i* jugar; divertirse; **~ing** deportivo; **~sman, ~swoman** deportista *m, f*
spot [spɔt] *s* lugar *m*; sitio *m*; punto *m*; tacha *f*; *v/t* descubrir, encontrar; manchar; **~less** inmaculado; **~light** proyector *m*; **~ test** prueba *f* selectiva
spout [spaut] *s* pitón *m*; pico *m* (*de cafetera*); *v/t, v/i* arrojar
sprain [sprein] *s* torcedura *f*; *v/t* torcer
sprat [spræt] sardineta *f*
sprawl [sprɔ:l] *v/t, v/i* tender(se); arrellanarse
spray [sprei] *s* rociada *f*; *v/t, v/i* pulverizar; rociar; **~-**

-gun pistola *f* pulverizadora
spread [spred] *s* extensión *f*; expansión *f*; propagación *f*; cobertor *m*; *v/t* extender; divulgar; desplegar; untar
sprig [sprig] ramita *f*
spring [spriŋ] *s* primavera *f*; fuente *f* (*de agua*); *mec* resorte *m*; muelle *m*; salto *m*; *v/i* saltar, brincar; brotar; nacer; surgir; **~-board** trampolín *m*; **~iness** elasticidad *f*; **~y** elástico
sprinkle ['spriŋkl] *v/t* rociar; **~r** rociador *m*; regadera *f* rotativa
sprint [sprint] *s* corrida *f*; *v/i* correr a toda carrera
sprout [spraut] *s* vástago *m*; *v/i* brotar
spruce [spru:s] *a* pulcro, galano; *s* abeto *m*
spur [spə:] *s* espuela *f* (*t fig*); *v/t* **~ on** *fig* espolear
spy [spai] *s* espía *m*, *f*; *v/t*, *v/i* espiar
squabble ['skwɔbl] *v/i* reñir
squad [skwɔd] pelotón *m*; **~ron** ['~rən] *mar mil* escuadra *f*
squall [skwɔ:l] ráfaga *f*
squander ['skwɔndə] *v/t*, *v/i* derrochar; malgastar
square [skwεə] *a* cuadrado; honesto; *fam* abundante; *dep* igualado; *s* plaza *f*; cuadrado *m*; *v/t* cuadrar; arreglar, saldar (*cuentas*); **~ly** honradamente
squash [skwɔʃ] *s* aplastamiento *m*; jugo *m*; *v/t* aplastar
squat [skwɔt] *v/i* agacharse
squeak [skwi:k] *s* chirrido *m*; *v/i* chirriar
squeal [skwi:l] *v/i* chillar
squeamish ['skwi:miʃ] escrupuloso
squeeze [skwi:z] *s* estrujón *m*; *v/t* estrujar; **~r** exprimidera *f*
squid [skwid] calamar *m*
squint [skwint] *s* mirada *f* bizca; *v/t*, *v/i* bizquear
squire ['skwaiə] hacendado *m*, terrateniente *m*
squirm [skwə:m] *v/i* retorcerse
squirrel ['skwirəl] ardilla *f*
squirt [skwə:t] *s* chorretada *f*; *v/t*, *v/i* (hacer) salir a chorros
stab [stæb] *s* puñalada *f*; *v/t* apuñalar
stab|ility [stə'biliti] estabilidad *f*; solidez *f*; **~ilize** ['steibilaiz] *v/t* estabilizar
stable ['steibl] *s* cuadra *f*; establo *m*; *a* estable; *v/t* poner en establo; **~-boy** mozo *m* de cuadra
stack [stæk] *s* niara *f*; pila *f*; *v/t* apilar
stadium ['steidjəm] estadio *m*
staff [sta:f] *s* palo *m*; vara *f*; apoyo *m*; personal *m*; *mil* estado *m* mayor; *v/t* dotar de personal
stag [stæg] ciervo *m*
stage [steidʒ] *s* escena *f*; plataforma *f*; escenario *m*;

etapa *f*; ~ **fright** trac *m*; ~ **manager** director *m* de escena; *v/t* representar en escena, escenificar
stagger ['stægə] *s* tambaleo *m*; *v/i* tambalear; vacilar; *v/t* asombrar; hacer tambalear
stagnant ['stægnənt] estancado; estático
stain [stein] *s* mancha *f*; *v/t*, *v/i* manchar; **~ed glass** vidrio *m* de color; **~less** limpio; inoxidable
stair [stɛə] escalón *m*; **~s** escalera *f*
stake [steik] *s* estaca *f*; posta *f*; *com* interés *m*; **at ~** en juego; *v/t* estacar; arriesgar
stale [steil] viejo; viciado; rancio; *fig* trillado
stalk [stɔ:k] *s bot* tallo *m*; paso *m* majestuoso; *v/i* andar majestuosamente; *v/t* cazar al acecho
stall [stɔ:l] *s* pesebre *m*; casilla *f*; puesto *m* (*en el mercado*); *teat* butaca *f*; *v/t* meter en establo; atascar; *v/i* atascarse; ahogarse (*motor*)
stallion ['stæljən] caballo *m* padre
stalwart ['stɔ:lwət] forzudo; *pol* leal
stamina ['stæminə] nervio *m*; fibra *f*
stammer ['stæmə] *s* balbuceo *m*; *v/t*, *v/i* tartamudear, balbucear
stamp [stæmp] *s* sello *m*, *SA* estampilla *f*; estampado *m*, marca *f*; impresión *f*; *v/t* sellar; marcar; **~ out** extirpar; *v/i* patear
stand [stænd] *s* puesto *m*; posición *f*; pedestal *m*; estrado *m*, tribuna *f*; resistencia *f*; *v/t* resistir; aguantar, tolerar; colocar; *v/i* estar de pie; erguirse; **~ by** alistarse; **~ off** apartarse; **~ out** destacarse; **~ up** ponerse en pie; **~ up for** apoyar
standard ['stændəd] *a* normal; *s* norma *f*; patrón *m*; tipo *m*; estandarte *m*; **~ize** *v/t* normalizar; uniformar
standing ['stændiŋ] *s* reputación *f*; duración *f*; *a* de pie, derecho, *SA* parado; **~ room** *teat* entrada *f* general
stand|-offish ['stænd'ɔfiʃ] reservado, inamistoso; **~-point** punto *m* de vista; **~still** parada *f*
star [stɑ:] *s* estrella *f*; *v/t* marcar con estrellas; marcar con asterisco; *v/i teat*, *cine* figurar como estrella
starboard ['stɑ:bəd] estribor *m*
starch [stɑ:tʃ] *s* almidón *m*; fécula *f*; *v/t* almidonar
stare [stɛə] *s* mirada *f* fija; *v/i* abrir grandes ojos; mirar fijamente
stark [stɑ:k] *a* rígido; severo; *adv* completamente; **~ naked** en cueros
star|ling ['stɑ:liŋ] estornino *m*; **~lit** iluminado por las estrellas; **~ry** estrellado;

rutilante; **~-spangled** estrellado, tachonado de estrellas
start [stɑːt] *s* comienzo *m*, principio *m*; salida *f*; sobresalto *m*; *v/i* arrancar; empezar; *v/t* comenzar; iniciar; **~er** *aut* arranque *m*; *dep* competidor *m*
startl|e [ˈstɑːtl] *v/t* asustar; **~ing** alarmante
starv|ation [stɑːˈveiʃən] inanición *f*; hambre *f*; **~e** *v/i* hambrear; morir de hambre; *v/t* matar de hambre; **~ing** famélico
state [steit] *s* estado *m*; condición *f*; **in ~** de gran ceremonia; **to lie in ~** estar de cuerpo presente; *v/t, v/i* declarar; manifestar; afirmar; **~ly** majestuoso; imponente; **~ment** declaración *f*; relato *m*; *com* estado *m* de cuenta; **~room** camarote *m*; **~sman** hombre *m* de estado; estadista *m*
static [ˈstætik] estático; **~s** estática *f*
station [ˈsteiʃən] *s* estación *f*; puesto *m*; *v/t* colocar; **~ary** fijo; **~er's** papelería *f*; **~ery** útiles *m/pl* de escritorio; **~-master** jefe *m* de estación; **~-wagon** rubia *f*
statistics [stəˈtistiks] estadística *f*
statue [ˈstætʃuː] estatua *f*
statute [ˈstætjuːt] estatuto *m*
staunch [stɔːntʃ] *a* firme; leal; *v/t* restañar (*la sangre*)
stay [stei] *s* estancia *f*, permanencia *f*; soporte *m*; *v/i* quedarse; hospedarse; **~ away** ausentarse; **~ up** velar
stead [sted]: **in his ~** en su lugar; **~fast** [ˈ~fəst] firme; constante; **~y** seguro; uniforme; firme [da *f*
steak [steik] biftec *m*; taja-
steal [stiːl] *v/t, v/i* hurtar; robar; **~thy** [ˈstelθi] furtivo
steam [stiːm] *s* vapor *m*; vaho *m*; *v/i* emitir vapor; navegar a vapor; **~ up** empañarse (*vidrio*); cocer al vapor; **~boat, ~er, ~ship** (buque *m* de) vapor *m*
steel [stiːl] *s* acero *m*; *a* de acero; *v/t* acerar; fortalecer; **~works** fábrica *f* de acero
steep [stiːp] *a* empinado; *s* precipicio *m*; *v/t* remojar, empapar
steeple [ˈstiːpl] campanario *m*; **~chase** carrera *f* de obstáculos
steer [stiə] *s* novillo *m*; *v/t* dirigir; gobernar; *v/i* navegar; **~age** dirección *f*; **~ing wheel** volante *m*; *mar* rueda *f* del timón
stem [stem] *bot* tallo *m*; caña *f*; *mar* roda *f*; **from ~ to stern** de proa a popa; *v/t* contener; *v/i* **~ from** provenir de
stench [stentʃ] hedor *m*
stenograph|er [stəˈnɔgrəfə] taquígrafo(a) *m* (*f*); **~y** taquigrafía *f*

step [step] *s* paso *m*; escalón *m*; grado *m*; **to take ~s** tomar medidas; *v/i* dar un paso; andar; **~ in** entrar; **~brother** hermanastro *m*; **~father** padrastro *m*; **~-mother** madrastra *f*; **~-sister** hermanastra *f*; **~son** hijastro *m*
stereo ['stiəriəu] aparato *m* estereofónico; estereofonía *f*
steril|e ['sterail] estéril; **~ity** [~'riliti] esterilidad *f*; **~ize** ['~ilaiz] *v/t* esterilizar
sterling ['stə:liŋ] *s* libra *f* esterlina; *a* genuino; de ley
stern [stə:n] *a* austero, severo; *s* popa *f*
stew [stju:] *s* estofado *m*; *v/t*, *v/i* estofar
steward [stjuəd] mayordomo *m*; administrador *m*; camarero *m* (*del buque*); **~ess** administradora *f*; camarera *f*; azafata *f*, aeromoza *f*
stick [stik] *s* palo *m*; barra *f*; *v/t* clavar, picar; pegar; fijar; *v/i* quedar pegado; adherirse; perseverar; **~ out** sobresalir; **~iness** viscosidad *f*; **~ing-plaster** esparadrapo *m*; **~y** pegajoso, viscoso
stiff [stif] tieso, rígido; espeso; fuerte (*bebida*); difícil; **~en** *v/t* atiesar; endurecer; *v/i* endurecerse
stifle ['staifl] *v/t* sofocar
still [stil] *a* inmóvil; quieto; silencioso; *adv* aún, todavía; *conj* no obstante; *s* quietud *f*; silencio *m*; *v/t* calmar; **~-born** nacido muerto; **~ness** sosiego *m*; calma *f*
stilt [stilt] zanco *m*; **~ed** pomposo
stimul|ant ['stimjulənt] *a*, *s* estimulante *m*; **~ate** ['~eit] *v/t* estimular; **~ating** estimulante; **~ation** estímulo *m*; excitación *f*; **~us** ['~əs] estímulo *m*; incentivo *m*
sting [stiŋ] *s* aguijón *m*; picadura *f*; *v/t* picar; herir
stingy ['stindʒi] tacaño
stink [stiŋk] *s* hedor *m*; *v/i* apestar, heder; **~ing** hediondo
stipulat|e ['stipjuleit] *v/t* estipular; **~ion** estipulación *f*
stir [stə:] *s* conmoción *f*; *v/t* remover; revolver; **~ up** agitar; fomentar
stirrup ['stirəp] estribo *m*
stitch [stitʃ] *s* puntada *f*; *v/t* coser; **~ up** remendar
stock [stɔk] *s* linaje *m*; raza *f*; ganado *m*; mango *m*; *com* existencias *f/pl*, capital *m*; acciones *f/pl*; **in ~** en existencia; **out of ~** agotado; **to take ~ of** inventariar; *v/t* proveer; almacenar; **~-breeder** ganadero *m*; **~broker** corredor *m* de bolsa; **~-exchange** bolsa *f* (*de valores o de comercio*); **~holder** accionista *m*
stocking ['stɔkiŋ] media *f*
stocktaking ['stɔk'teikiŋ] inventario *m*

stocky ['stɔki] rechoncho

stomach ['stʌmək] *s* estómago *m*; *fig* apetito *m*; *v/t fig* tragar

ston|e [stəun] *s* piedra *f*; *med* cálculo *m*; hueso *m* (*de fruta*); *v/t* apedrear; deshuesar; **~eware** gres *m*; **~y** pedregoso; pétreo

stool [stu:l] taburete *m*; *med* cámara *f*

stoop [stu:p] *s* inclinación *f* de hombros; *v/i* encorvarse; inclinarse

stop [stɔp] *s* alto *m*, parada *f*; pausa *f*; fin *m*; paradero *m*; *mec* retén *m*; *v/t* detener; parar; **~ up** atascar, obturar; *v/i* pararse; cesar; **~page** interrupción *f*; suspensión *f*; *tecn* obturación *f*; **~per** tapón *m*; **~ping** *med* empaste *m*

stor|age ['stɔ:ridʒ] almacenaje *m*; **~e** [stɔ:] *s* provisión *f*; tienda *f*; almacén *m*; *v/t* almacenar; surtir; **~ehouse** depósito *m*, almacén *m*

storey ['stɔ:ri] piso *m*; planta *f*

stork [stɔ:k] cigüeña *f*

storm [stɔ:m] *s* tempestad *f*; *v/t* asaltar; tomar por asalto; *v/i* rabiar; **~y** borrascoso, tempestuoso; violento

story ['stɔ:ri] cuento *m*; *arq* piso *m*, planta *f*

stout [staut] *a* fuerte; sólido; *s* cerveza *f* de malta

stove [stəuv] estufa *f*; hornillo *m*

stow [stəu] *v/t* acomodar; *mar* arrumar; **~away** polizón *m*

straggling ['stræɡliŋ] disperso

straight [streit] *a* derecho; recto; puro; *adv* directamente; correctamente; **~ ahead** en frente; **~ away** *u* **off** sin vacilar, en seguida; **~en** *v/t* enderezar; arreglar; **~forward** franco; recto; **~ness** rectitud *f*

strain [strein] *s* tensión *f*; esfuerzo *m*; *med* relajación *f*, distensión *f*; raza *f*; *v/t* forzar; estirar; filtrar; *v/i* esforzarse; **~er** colador *m*

strait [streit] *a* estrecho; **~s** *geog* estrecho *m*

strand [strænd] *s* playa *f*; ribera *f*; *v/t* varar; *fig* abandonar

strange [streindʒ] extraño; raro; ajeno; **~r** forastero(a) *m* (*f*)

strang|le ['stræŋgl] *v/t* estrangular; **~ulation** [~ju'leiʃən] estrangulación *f*

strap [stræp] tira *f*; correa *f*; **~ping** robusto

strat|egic [strə'ti:dʒik] estratégico; **~egy** ['strætidʒi] estrategia *f*

straw [strɔ:] paja *f*; **~berry** fresa *f*

stray [strei] *a* extraviado; perdido; *v/i* errar; extraviarse

streak [stri:k] *s* raya *f*; vena *f*; *fig* rasgo *m*; **~ of lightning** relámpago *m*; *v/t* rayar; **~y** rayado; entreverado (*tocino*)

stream [striːm] *s* arroyo *m*, corriente *f*; río *m*; flujo *m*; *v/t*, *v/i* correr; manar; **~-lined** aerodinámico
street [striːt] calle *f*; **~-car** *Am* tranvía *m*; **~-cleaner** barrendero *m*
strength [streŋθ] fuerza *f*; resistencia *f*; **~en** *v/t* fortalecer; robustecer
strenuous ['strenjuəs] vigoroso; arduo
stress [stres] *s* esfuerzo *m*; tensión *f*; acento *m*; *v/t* acentuar; someter a esfuerzo
stretch [stretʃ] *s* estiramiento *m*; alcance *m*; trecho *m*; *v/t* extender; estirar; *v/i* extenderse; desperezarse; **~er** andas *f/pl*; camilla *f*
strew [struː] *v/t* esparcir
stricken ['strikən] herido; afectado
strict [strikt] estricto
stride [straid] *s* tranco *m*; zancada *f*; *v/i* andar a trancos [lucha *f*]
strife [straif] contienda *f*;
strik|e [straik] *s* golpe *m*; huelga *f*; hallazgo *m*; *mil* ataque *m*; *v/t* pegar; golpear; dar contra; encender (*cerilla*); dar (*la hora*); hallar; arriar (*bandera, etc*); parecer a; *v/i* golpear; sonar (*campana*); declararse en huelga (*obreros*); **~er** huelguista *m*; **~ing** llamativo; sorprendente
string [striŋ] *s* cuerda *f*; hilera *f*; sarta *f*; *v/t* ensartar; encordar; **~y** fibroso; correoso
strip [strip] *s* tira *f*; faja *f*; *v/t*, *v/i* despojar(se); desnudar(se)
stripe [straip] raya *f*; lista *f*; *mil* galón *m*; **~d** listado, rayado
strive [straiv] *v/i* esforzarse; disputar
stroke [strəuk] golpe *m*; *med* ataque *m* (*de apoplejía*); *dep* brazada *f*, remada *f*; **~ of luck** golpe *m* de fortuna
stroll [strəul] *s* paseo *m*; *v/i* pasear, vagar; **~er** paseante *m*
strong [strɔŋ] fuerte; robusto; bueno (*ojos, etc*); *com* en alza; **~hold** fuerte *m*; fortaleza *f*; **~-room** bóveda *f* de seguridad
structure ['strʌktʃə] estructura *f*
struggle ['strʌgl] *s* lucha *f*; *v/i* luchar [guear]
strum [strʌm] *v/t*, *v/i* ras-
strut [strʌt] *s* *arq* riostra *f*; *v/i* pavonearse
stub [stʌb] tocón *m*; colilla *f* (*de cigarro*), *SA* pucho *m*
stubble ['stʌbl] rastrojo *m*
stubborn ['stʌbən] terco, testarudo
stud [stʌd] *s* tachón *m*; botón *m* de cuello; caballeriza *f*; *v/t* tachonar
stud|ent ['stjuːdənt] estudiante *m*, *f*; **~io** ['~diəu] estudio *m*, taller *m*; **~io couch** diván *m* convertible;

~ious ['~djəs] estudioso; esmerado; **~y** ['stʌdi] *s* estudio *m*; *v/i, v/t* estudiar
stuff [stʌf] *s* materia *f*; material *m*; paño *m*; *fig* tontería *f*; *v/t* henchir; atestar; disecar; **~ing** relleno *m*; **~y** mal ventilado
stumble ['stʌmbl] *v/i* tropezar
stump [stʌmp] tocón *m*; muñón *m*; troncho *m*
stun [stʌn] *v/t* aturdir; **~ning** asombroso; *fam* magnífico
stunt [stʌnt] truco *m*; *aer* acrobacia *f*; ardid *m* publicitario
stupefy ['stju:pifai] *v/t* atolondrar
stupid ['stju:pid] estúpido; tonto; **~ity** [~'piditi] estupidez *f*
sturdy ['stə:di] fuerte, robusto
stutter ['stʌtə] *v/i* tartamudear
sty [stai] pocilga *f*
styl|e [stail] estilo *m*; **~ish** elegante, de moda
suave [swɑ:v] suave, afable; cortés
subdue [səb'dju:] *v/t* sojuzgar; suavizar; amortiguar
subject ['sʌbdʒikt] *a* sujeto; **~ to** sujeto a; expuesto a; *s* asunto *m*; tema *m*; súbdito *m*; [səb'dʒekt] *v/t* someter; exponer; **~ion** sujeción *f*; **~ive** subjetivo
subjunctive [səb'dʒʌŋktiv] subjuntivo *m*
sublime [sə'blaim] sublime, exaltado
submachine-gun ['sʌbmə'ʃi:ngʌn] metralleta *f*
submarine [sʌbmə'ri:n] *a*, *s* submarino *m*
submerge [səb'mə:dʒ] *v/t*, *v/i* sumergir(se)
submi|ssion [səb'miʃən] sumisión *f*; **~ssive** sumiso; **~t** [~'mit] *v/t* someter; *v/i* someterse; conformarse
subordinate [sə'bɔ:dnit] *a*, *s* subalterno *m*, subordinado *m*
subscri|be [səb'skraib] *v/t*, *v/i* suscribir; abonarse; **~be for** suscribirse a (*libro, acciones*); **~be to** abonarse a (*periódico, etc*); **~ber** *a*, *s* abonado(a) *m* (*f*); **~ption** [~'skripʃən] suscripción *f*; abono *m*
subsequent ['sʌbsikwənt] subsiguiente; **~ly** posteriormente, seguido
subside [səb'said] *v/i* sumirse; amainarse
subsid|iary [səb'sidjəri] subsidiario; auxiliar **~ize** ['sʌbsidaiz] *v/t* subvencionar; **~y** ['~sidi] subsidio *m*, subvención *f*
subsist [səb'sist] *v/t* subsistir, existir
substan|ce ['sʌbstəns] sustancia *f*; esencia *f*; riqueza *f*; **~tial** [səb'stænʃəl] sustancial; sustancioso; considerable
substantive ['sʌbstəntiv] sustantivo *m*
substitute ['sʌbstitju:t] *s* sustituto *m*; *v/t* sustituir

subtitle ['sʌbtaitl] subtítulo *m*; *cine* leyenda *f*
subtle ['sʌtl] sutil; fino
subtract [səb'trækt] *v/t, v/i* restar
suburb ['sʌbə:b] suburbio *m*; **~an** [sə'bə:bən] suburbano
subway ['sʌbwei] pasaje *m* subterráneo; *Am* ferrocarril *m* subterráneo, metropolitano *m*
succ|eed [sək'si:d] *v/i* tener éxito; **~eed in** lograr; **~eed to** suceder; **~ess** [~'ses] éxito *m*; **~essful** exitoso; próspero; **~essive** sucesivo; **~essor** sucesor *m*
succulent ['sʌkjulənt] suculento
succumb [sə'kʌm] *v/i* sucumbir
such [sʌtʃ] *a* tal; semejante; **~ as** tal como; *pron* tal
suck [sʌk] *v/t, v/i* chupar; **~le** *v/t* amamantar; **~ling** mamón *m*; **~ling pig** lechón *m*
sudden ['sʌdn] repentino; súbito; **~ly** de repente; repentinamente
suds [sʌdz] jabonaduras *f/pl*
sue [sju:] *v/t, v/i* demandar
suède [sweid] ante *m*
suet ['sjuit] sebo *m*
suffer ['sʌfə] *v/t, v/i* sufrir; padecer; soportar; **~er** víctima *f*; **~ing** sufrimiento *m*
suffic|e [sə'fais] *v/t, v/i* bastar; **~iency** [~'fiʃənsi] cantidad *f* suficiente; suficiencia *f*; **~cient** bastante, suficiente
suffix ['sʌfiks] sufijo *m*
suffocate ['sʌfəkeit] *v/t, v/i* sofocar(se); asfixiar(se)
sugar ['ʃugə] *s* azúcar *m*; *v/t* azucarar; **~-beet** remolacha *f*; **~-cane** caña *f* de azúcar; **~y** azucarado
suggest [sə'dʒest] *v/t* sugerir; evocar; **~ion** sugestión *f*; **~ive** sugestivo; significante
suicide ['sjuisaid] suicidio *m*; suicida *m, f*
suit [sju:t] *s* traje *m*; (*naipes*) palo *m*; *for* pleito *m*; *v/t* adaptar; ajustar; convenir; **~ oneself** hacer como guste; *v/i* **~ with** convenir; ir bien con; **~able** conveniente; propio; apropiado; **~-case** maleta *f*
suite [swi:t] séquito *m*; serie *f* (*de muebles; habitaciones*); piso *m*
suitor ['sju:tə] galán *m*; *for* demandante *m*
sulk [sʌlk] *v/i* amorrar(se); **~y** malhumorado
sullen ['sʌlən] hosco; murrio
sulphur ['sʌlfə] azufre *m*
sultry ['sʌltri] bochornoso; sensual
sum [sʌm] *s* suma *f*; **to do ~s** hacer cálculos; *v/t, v/i* **~ up** resumir; compendiar
summar|ize ['sʌməraiz] *v/t* resumir, compendiar; **~y** resumen *m*, sumario *m*
summer ['sʌmə] verano *m*; **~ resort** lugar *m* de vera-

neo; ~ **school** escuela *f* de verano
summit ['sʌmit] cima *f*; cumbre *f*; ~ **meeting** reunión *f* en la cumbre
summon ['sʌmən] *v/t* citar; convocar; ~**s** requerimiento *m*; *for* citación *f*
sun [sʌn] sol *m*; ~**bathe** *v/i* tomar el sol; ~**beam** rayo *m* de sol; ~**burnt** tostado
Sunday ['sʌndi] domingo *m*
sun-dial ['sʌndaiəl] reloj *m* de sol
sundries ['sʌndriz] *com* géneros *m/pl* diversos
sunken ['sʌŋkən] hundido
sun|ny ['sʌni] soleado; ~**rise** salida *f* del sol; ~**set** puesta *f* del sol; ~**shade** parasol *m*; ~**shine** sol *m*; ~**stroke** insolación *f*
superb [sju(:)'pə:b] soberbio
super|fluous [sju:'pə:fluəs] superfluo; ~**heat** ['~hi:t] *v/t* recalentar; ~**human** sobrehumano
superintend [sju:pərin'tend] *v/t* vigilar; ~**ent** inspector *m*; capataz *m*
superior [sju(:)'piəriə] superior; sereno; altivo; ~**ity** [~'ɔriti] superioridad *f*
superlative [sju(:)'pə:lətiv] *a*, *s* superlativo *m*
super|man ['sju:pə'mən] superhombre *m*; ~**market** supermercado *m*; ~**natural** sobrenatural; ~**scription** sobrescrito *m*; ~**sonic** supersónico; ~**stition** [~'stiʃən] superstición *f*; ~**stitious** supersticioso; ~**vise** ['~vaiz] *v/t* supervisar; controlar; ~**visor** supervisor *m*; inspector *m*; sobrestante *m*
supper ['sʌpə] cena *f*
supple ['sʌpl] flexible
supplement ['sʌplimənt] *s* suplemento *m*; *v/t* ['~ment] suplir, complementar
supplication [sʌpli'keiʃən] súplica *f*
suppl|ier [sə'plaiə] proveedor *m*, suministrador(a) *m* (*f*); ~**y** [~ai] *s* abasto *m*; provisiones *f/pl*; *com* oferta *f*; *v/t* suministrar; abastecer
support [sə'pɔ:t] *s* apoyo *m*; *v/t* mantener; sostener; apoyar
suppos|e [sə'pəuz] *v/t* suponer; presumir; ~**edly** [~idli] presuntamente; ~**ition** [sʌpə'ziʃən] suposición *f*; supuesto *m*
suppress [sə'pres] *v/t* suprimir; ~**ion** supresión *f*
suppurate ['sʌpjuəreit] *v/i* supurar
suprem|acy [sju'preməsi] supremacía *f*; ~**e** [~'pri:m] supremo
surcharge ['sə:tʃɑ:dʒ] sobreprecio *m*; sobrecarga *f* (*en sellos*); resello *m* (*en billetes*)
sure [ʃuə] seguro; firme; ~ **enough** efectivamente; **to make** ~ **of** asegurarse de;

~ly seguramente; **~ness** seguridad *f*; **~ty** garantía *f*
surf [sə:f] oleaje *m*
surface ['sə:fis] *s* superficie *f*; *v/i* emerger
surge [sə:dʒ] *s* oleada *f*; *v/i* agitarse
surg|eon ['sə:dʒən] cirujano *m*; **~ery** gabinete *m* de cirujano; cirugía *f*; **~ical** quirúrgico
surly ['sə:li] áspero, hosco
surmise ['sə:maiz] *s* conjetura *f*; [~'maiz] *v/t* conjeturar
surmount [sə:'maunt] *v/t* superar
surname ['sə:neim] apellido *m*
surpass [sə:'pɑ:s] *v/t* aventajar; exceder; **~ing** sobresaliente
surplus ['sə:pləs] *a, s* sobrante *m*; *com* superávit *m*
surprise [sə'praiz] *s* sorpresa *f*; *v/t* sorprender
surrender [sə'rendə] *s* abandono *m*; entrega *f*; rendición *f*; *v/t, v/i* entregar(se)
surround [sə'raund] *v/t* circundar; cercar; **~ings** ambiente *m*; alrededores *m/pl*
survey [sə:'vei] *s* examen *m*; escrutinio *m*; *v/t* inspeccionar; estudiar; **~or** topógrafo *m*; inspector *m*
surviv|al [sə'vaivəl] supervivencia *f*; **~e** *v/t, v/i* sobrevivir; **~or** sobreviviente *m,f*
susceptible [sə'septəbl] susceptible; sensitivo
suspect [səs'pekt] *a* sospechoso; *v/t, v/i* sospechar
suspen|d [səs'pend] *v/t* suspender; **~ders** ligas *f/pl* (*de medias*), *Am* tirantes *m/pl*; **~sion** suspensión *f*; aplazamiento *m*; **~sion bridge** puente *m* colgante
suspicio|n [səs'piʃən] sospecha *f*; **~us** sospechoso
sustain [səs'tein] *v/t* sostener; mantener
sustenance ['sʌstinəns] sustento *m*, alimento *m*
swab [swɔb] estropajo *m*; *med* torunda *f*
swaddl|e ['swɔdl] empañar (*criatura*); **~ing-clothes** pañales *m/pl*
swagger ['swægə] *v/i* pavonearse
swallow ['swɔləu] *s* trago *m*; *orn* golondrina *f*; *v/t* tragar
swamp [swɔmp] pantano *m*; **~y** pantanoso
swan [swɔn] cisne *m*
swarm [swɔ:m] *s* enjambre *m*; *v/t, v/i* enjambrar; pulular
swarthy ['swɔ:ði] moreno
swathe [sweið] *v/t* fajar, vendar
sway [swei] *s* balanceo *m*; dominio *m*; *v/i* tambalear; oscilar
swear [swɛə] *v/t, v/i* jurar; blasfemar
sweat [swet] *s* sudor *m*; *v/i* sudar; **~er** suéter *m*, *SA* chompa *f*; **~y** sudoroso; sudado
Swed|e [swi:d] sueco(a) *m* (*f*); **~ish** sueco

sweep [swi:p] *s* barrido *m*; extensión *f*; *v/t*, *v/i* barrer; pasar (por); pasar la vista (sobre); **~er** barredor *m*; escoba *f* mecánica; **~ing** extenso; comprensivo; **~ings** barreduras *f/pl*

sweet [swi:t] *a* dulce; *s* dulce *m*; bombón *m*; **my ~** mi amor; **~en** *v/t* endulzar; **~heart** enamorado(a) *m* (*f*); **~ness** dulzura *f*; suavidad *f*; **~ pea** guisante *m* de olor

swell [swel] *a* elegante; *s* marejada *f*; *v/i* hincharse; **~ing** hinchazón *f*

swerve [swə:v] *s* desviación *f*; *v/t*, *v/i* desviar(se)

swift [swift] rápido; veloz; **~ness** rapidez *f*

swim [swim] *v/i* nadar; dar vueltas (*la cabeza*); *s* **to take a ~** ir a nadar; **~mer** nadador(a) *m* (*f*); **~ming** nado *m*; natación *f*; **~ming pool** piscina *f*; **~-suit** traje *m* de baño

swindle ['swindl] *s* estafa *f*; *v/t* estafar; **~r** estafador *m*

swine [swain] cerdo *m*; puerco *m*; *fig* canalla *m*

swing [swiŋ] *s* balanceo *m*; columpio *m*; **in full ~** en plena marcha; *v/t* balancear; *v/i* oscilar; mecerse; **~ door** puerta *f* giratoria

swirl [swə:l] *s* remolino *m*; *v/t*, *v/i* arremolinar(se)

Swiss [swis] *a*, *s* suizo(a) *m* (*f*)

switch [switʃ] *s* agujas *f/pl* (*de ferrocarril*); *elec* interruptor *m*; *v/t*, *v/i* desviar (-se); cambiar(se); **~ on** poner (*la luz*); **~ off** desconectar; apagar (*la luz*); **~-board** cuadro *m* de distribución [do}

swollen ['swəulən] hincha-}

swoon [swu:n] *s* desmayo *m*; *v/i* desmayarse

swoop [swu:p] *v/i*: **~ down on** abatirse sobre

swop [swɔp] *fam* cambalache *m*

sword [sɔ:d] espada *f*

syllable ['siləbl] sílaba *f*

syllabus ['siləbəs] programa *m* de estudios

symbol ['simbəl] símbolo *m*; **~ic, ~ical** [~'bɔlik(əl)] simbólico

symmetr|ic(al) [si'metrik(əl)] simétrico; **~y** ['simitri] simetría *f*

sympath|etic [simpə'θetik] compasivo; **~y** ['simpəθi] compasión *f*; simpatía *f*

symphony ['simfəni] sinfonía *f* [toma *m*}

symptom ['simptəm] sín-}

synchronize ['siŋkrənaiz] *v/t* sincronizar

synonym ['sinənim] sinónimo *m*; **~ous** [si'nɔniməs] sinónimo

syntax ['sintæks] sintaxis *f*

synthe|sis ['sinθisis] síntesis *f*; **~tic** [~'θetik] sintético

syringe ['sirindʒ] jeringa *f*

syrup ['sirəp] almíbar *m*

system ['sistim] sistema *m*; método *m*; **~atic** [~'mætik] sistemático

T

tab [tæb] lengüeta *f*; oreja *f* de zapato
table ['teibl] mesa *f*; tabla *f*; **~cloth** mantel *m*; **~land** meseta *f*; **~-spoon** cuchara *f*; **~-spoonful** cucharada *f*
tablet ['tæblit] tableta *f*; pastilla *f*, comprimido *m*
tacit ['tæsit] tácito; **~urn** ['~ə:n] taciturno
tack [tæk] *s* tachuela *f*; *v/t* clavar con tachuelas; hilvanar; **~le** ['tækl] *s* avíos *m/pl*; *mar* aparejo *m*; *v/t* abordar (*problema, etc*)
tact [tækt] tacto *m*; acierto *m*; **~ful** discreto
tactics ['tæktiks] táctica *f*
tactless ['tæktlis] indiscreto; falto de tacto
tadpole ['tædpəul] renacuajo *m*
tag [tæg] *s* herrete *m*; rabito *m*; *v/t* marcar con rótulo
tail [teil] cola *f*, rabo *m*; cabo *m*; **~-coat** frac *m*; **~-light** luz *f* de cola; **~s** cruz *f* (*de moneda*); *fam* frac *m*
tailor ['teilə] sastre *m*; **~ing** sastrería *f*
taint [teint] *s* corrupción *f*; *v/t* corromper
take [teik] *v/t* tomar; coger; asir; llevar; recibir; **~ advantage of** aprovecharse de; **~ along** llevar consigo; **~ away** quitar; **~ in** admitir; arrestar; *cost* embeber; comprender; *fam* engañar; **~ out** sacar; **~ over** encargarse de; **~ pains** esmerarse; **~ place** ocurrir; **~ to heart** tomar a pecho; **~ up** recoger; empezar algo; *v/i* tener efecto; arraigar; **~ off** marcharse; *aer* despegar; **~ to** aficionarse a; *s* presa *f*; *cine* toma *f*; **~-off** *aer* despegue *m*
taking ['teikiŋ] atractivo
tale [teil] cuento *m*; fábula *f*
talent ['tælənt] talento *m*; capacidad *f*; **~ed** talentoso
talk [tɔ:k] *s* conversación *f*; charla *f*; conferencia *f*, discurso *m*; rumor *m*; *v/t* decir; hablar de; *v/i* hablar; charlar; **~ to** hablar a; **~ative** ['~ətiv] hablador; **~er** conversador *m*
tall [tɔ:l] alto; grande
tallow ['tæləu] sebo *m*
talon ['tælən] garra *f*
tame [teim] *a* manso; sumiso; *v/t* domar; domesticar; **~r** domador *m*
tamper ['tæmpə] **with** *v/i* manipular indebidamente
tan [tæn] *s* color *m* de canela; *v/t* curtir; tostar
tangent ['tændʒənt] tangente *f*
tangerine [tændʒə'ri:n] mandarina *f*
tangible ['tændʒəbl] tangible
tangle ['tæŋgl] *s* enredo *m*;

embrollo *m*; *v/t* enredar; embrollar
tank [tæŋk] tanque *m*; depósito *m*
tankard ['tæŋkəd] pichel *m*
tanner ['tænə] curtidor *m*
tantalizing ['tæntəlaiziŋ] tentador
tantrum ['tæntrəm] rabieta *f*
tap [tæp] *s* palmadita *f*; golpecito *m*; llave *f* (*de agua*); espita *f* (*del barril*); *v/t* tocar; espitar (*barril*); utilizar
tape [teip] cinta *f*; **~-measure** cinta *f* métrica
taper ['teipə] *s* cirio *m*; *v/i* ahusarse
tape|-recorder ['teipri'kɔ:də] grabadora *f*; **~-recording** grabación *f* (*de cinta*)
tapestry ['tæpistri] tapiz *m*; tapicería *f*
tapeworm ['teipwə:m] solitaria *f*
tar [tɑ:] *s* alquitrán *m*; brea *f* líquida; *v/t* alquitranar
tare [tɛə] *com* tara *f*
target ['tɑ:git] blanco *m*; objetivo *m*
tariff ['tærif] tarifa *f*; arancel *m*
tarnish ['tɑ:niʃ] *v/t*, *v/i* empañar(se); deslustrar(se)
tart [tɑ:t] *a* ácido; seco; *s* tarta *f*
tartan ['tɑ:tən] tartán *m*
task [tɑ:sk] tarea *f*
tassel ['tæsəl] borla *f*
tast|e [teist] *s* gusto *m*; sabor *m*; *v/t* gustar; saborear; *v/i* tener sabor; **~eful** de buen gusto; **~eless** insípido; **~y** sabroso
ta-ta ['tæ'tɑ:] *fam* ¡hasta luego!
tattoo [tə'tu:] tatuaje *m*; *mil* retreta *f*
taunt [tɔ:nt] mofa *f*
tavern ['tævən] taberna *f*; tasca *f*
tax [tæks] *s* impuesto *m*; *v/t* gravar; tasar; **~ation** tributación *f*; **~-collector** recaudador *m* de impuestos
taxi ['tæksi] taxi *m*; **~-driver** taxista *m*; **~-rank** parada *f* de taxis
tax|payer ['tækspeiə] contribuyente *m*; **~-return** declaración *f* de impuestos
tea [ti:] té *m*
teach [ti:tʃ] *v/t*, *v/i* enseñar; **~er** maestro(a) *m* (*f*); profesor(a) *m* (*f*); **~ing** enseñanza *f*
tea|cup ['ti:cʌp] taza *f* de té; **~-kettle** tetera *f*
team [ti:m] *s* equipo *m*; tiro *m* (*de caballos*); yunta *f* (*de bueyes*); *v/i* **~ up** asociarse con; **~work** trabajo *m* colectivo
teapot ['ti:pɔt] tetera *f*
tear [tɛə] *s* rasgón *m*; *v/t* rasgar; romper; **~ off** arrancar; **~ up** romper; desarraigar; *v/i* rasgarse
tear [tiə] lágrima *f*; **~ful** lacrimoso; lloroso
tearoom ['ti:ru:m] salón *m* de té
tease [ti:z] *v/t* *fam* tomar el pelo a; fastidiar

tea|-spoon ['ti:spu:n] cucharilla *f* de té; **~-spoonful** cucharadita *f*
teat [ti:t] teta *f*
techn|ical ['teknikəl] técnico; **~ician** [~'niʃən] técnico *m*; **~ique** [~'ni:k] técnica *f*; **~ologist** [~'nɔlədʒist] tecnólogo *m*; **~ology** tecnología *f*
tedious ['ti:djəs] aburrido
teen|ager ['ti:neidʒə] adolescente *m, f*; **~s** años desde 13 a 19
teeny ['ti:ni] chiquitín
teethe [ti:θ] *v/i* endentecer
teetotaller [ti:'toutlə] abstemio *m*
telegra|m ['teligræm] telegrama *m*; **~ph** ['~grɑ:f] telégrafo *m*; **~phic** [~'græfik] telegráfico; **~phy** [ti'legrəfi] telegrafía *f*
telephone ['telifəun] *s* teléfono *m*; *v/t, v/i* telefonear; **~ exchange** central *f* telefónica; **~ kiosk** ['~'ki:ɔsk] cabina *f* de teléfono
tele|printer ['teliprintə] teletipo *m*; **~scope** [~'skəup] telescopio *m*
televiewer ['telivju:ə] televidente *m*
televis|e ['telivaiz] *v/t* televisar; transmitir por televisión; **~ion** ['~viʒən] televisión *f*; **to watch ~ion** ver (por) televisión; **~ion set** aparato *m* de televisión, televisor *m*
telex ['teleks] télex *m*
tell [tel] *v/t, v/i* contar; informar; **~er** pagador *m*, recibidor *m* (*en bancos*); **~tale** delator *m*
temper ['tempə] *s* humor *m*; mal genio *m*; temple *m* (*metal*); **to lose one's ~** perder la paciencia; *v/t* templar (*metal*); moderar; **~ament** temperamento *m*; **~ance** templanza *f*; **~ate** ['~rit] templado; **~ature** ['~pritʃə] temperatura *f*; fiebre *f*
tempest ['tempist] tempestad *f*; tormenta *f*; **~uous** [~'pestjuəs] tempestuoso; tormentoso
temple ['templ] templo *m*; *anat* sien *f*
tempora|l ['tempərəl] temporal; **~ry** temporáneo
tempt [tempt] *v/t* tentar; seducir; **~ation** tentación *f*; **~ing** tentador, seductor
tenacious [ti'neiʃəs] tenaz
tenant ['tenənt] arrendatario *m*; inquilino *m*
tend [tend] *v/t* cuidar; atender; *v/i* tender a; **~ency** tendencia *f*
tender ['tendə] *a* tierno; *s* oferta *f*; *v/t* ofrecer; presentar; **~loin** ['~lɔin] filete *m* de solomillo, lomo *m*; **~ness** ternura *f*
tendon ['tendən] tendón *m*
tendril ['tendril] zarcillo *m*
tenement-house ['teniməntháus] casa *f* de vecindad, *SA* conventillo *m*
tennis ['tenis] tenis *m*; **~-**

-court pista *f* (*SA* cancha *f*) de tenis
tense [tens] *a* tieso; tenso; *s gram* tiempo *m*; **~ness** tirantez *f*; tensión *f*
tent [tent] tienda *f* de campaña, *SA* carpa *f*
tentacle ['tentəkl] tentáculo *m*
tepid ['tepid] tibio
term [tə:m] *s* término *m*; plazo *m*; período *m* académico; *for* sesiones *f/pl*; *v/t* nombrar; llamar; **~s** condiciones *f/pl*; **to be on good ~s with** estar en buenas relaciones con; **to come to ~s** llegar a un acuerdo
termina|l ['tə:minl] estación *f* terminal; **~te** ['~eit] *v/t* terminar; **~tion** terminación *f*
terminus ['tə:minəs] estación *f* terminal
terrace ['terəs] terraza *f*; terraplén *m*
terrible ['terəbl] terrible, aterrador
terrif|ic [tə'rifik] terrífico; tremendo; **~y** ['terifai] *v/t* aterrar
territor|ial [teri'tɔ:riəl] territorial; **~y** ['~təri] territorio *m*
terror ['terə] terror *m*; espanto *m*; **~ism** terrorismo *m*; **~ist** terrorista *m, f*; **~ize** *v/t* aterrorizar
test [test] *s* prueba *f*, ensayo *m*, experimento *m*; *v/t* ensayar; probar; examinar
testament ['testəmənt] testamento *m*
testify ['testifai] *v/t, v/i* atestiguar
testimon|ial [testi'məunjəl] certificado *m*; testimonial *m*; **~y** ['~məni] testimonio *m*; atestación *f*
testy ['testi] irritable, quisquilloso
text [tekst] texto *m*; **~book** libro *m* de texto, *SA* texto *m*
textile ['tekstail] textil; **~s** productos *m/pl* textiles
texture ['tekstʃə] textura *f*; tejido *m*; estructura *f*
than [ðæn, ðən] *conj* que (*después del comparativo*); de (*después de números*); **there are more ~ ten** hay más de diez
thank [θæŋk] *v/t* agradecer; dar las gracias; **~ful** agradecido; **~less** ingrato; **~s** gracias *f/pl*
that [ðæt, ðət] *a* ese, esa; aquel, aquella; *pron dem* ése, ésa, eso; aquél, aquélla, aquello; *pron rel* que; quien; el cual, la cual, lo cual; **~ which** el que, la que, lo que
thatch [θætʃ] barda *f*; **~ed roof** techumbre *f* de paja
thaw [θɔ:] *s* deshielo *m*; *v/t, v/i* deshelar(se)
the [ðə, ð, ði:] *art* el, la, lo; los, las; *adv* (*con comparativo*) cuanto... tanto, mientras más ... tanto más; **~ sooner ~ better** mientras más pronto, tanto mejor
theatr|e ['θiətə] teatro *m*;

arte *m* dramático; **~ical** [θi'ætrikəl] teatral
theft [θeft] hurto *m*, robo *m*
their [ðɛə] *pron pos* su, sus; suyo(a, os, as); **~s** el suyo, la suya, los suyos, las suyas
them [ðem, ðəm] *pron* los, las, les; *con prep* ellos, ellas
theme [θi:m] tema *m*
themselves [ðem'selvz] *pron pl* ellos mismos; ellas mismas
then [ðen] *adv* entonces; luego; en otro tiempo; en tal caso; pues; por consiguiente; *s* aquel tiempo; **by ~** para entonces
theolog|ian [θiə'ləudʒjən] teólogo *m*; **~y** [θi'ɔlədʒi] teología *f*
theor|etical [θiə'retikəl] teórico; **~y** ['~ri] teoría *f*
therapy ['θerəpi] terapia *f*
there [ðɛə] *adv* ahí, allí, allá; **~ is, ~ are** hay; **~ was, ~ were** había; hubo; *interj* ¡mira!; **~about(s)** por ahí; aproximadamente; **~after** después de eso; **~by** con eso; **~fore** por lo tanto; **~upon** luego; **~with** con eso
thermal ['θə:məl] termal; térmico; **~ barrier** *aer* muro *m* térmico
thermo|meter [θə'mɔmitə] termómetro *m*; **~s (flask)** termos *m*
these [ði:z] *a* estos, estas; *pron* éstos, éstas
thesis ['θi:sis] tesis *f*
they [ðei] *pron* ellos, ellas
thick [θik] espeso; grueso; tupido; denso; **~en** *v/t, v/i* espesar(se); **~et** ['~it] matorral *m*; **~ness** espesor *m*; densidad *f*; espesura *f*
thief [θi:f] ladrón(ona) *m* (*f*); ratero(a) *m* (*f*)
thigh [θai] muslo *m*
thimble ['θimbl] dedal *m*
thin [θin] *a* delgado; fino; ralo (*líquido*); raro (*aire*); *v/t, v/i* enrarecer(se); adelgazar
thing [θiŋ] cosa *f*; asunto *m*; [objeto *m*]
think [θiŋk] *v/t, v/i* pensar; reflexionar; creer; **~ of** pensar en; acordarse de; idear; **~er** pensador(a) *m* (*f*); **~ing** pensamiento *m*
third-party insurance ['θə:d'pɑ:ti] seguro *m* de responsabilidad civil
thirst [θə:st] sed *f*; **~y** sediento
this [ðis] *a* este, esta; *pron* éste, ésta, esto
thistle ['θisl] cardo *m*
thorn [θɔ:n] espina *f*
thorough ['θʌrə] completo; cabal; perfecto; minucioso; **~bred** ['~bred] caballo *m* de pura sangre; **~fare** paso *m*; pasaje *m*; camino *m* público; **~ly** a fondo; **~ness** minuciosidad *f*
those [ðəuz] *a* esos, esas; aquellos, aquellas; *pron* ésos, ésas; aquéllos, aquéllas
though [ðəu] *conj* aunque; *adv* sin embargo

thought [θɔ:t] pensamiento *m*; idea *f*; **~ful** pensativo; atento; **~less** descuidado; desatento
thrash [θræʃ] *v/t* trillar; apalear; **~ing** paliza *f*
thread [θred] *s* hilo *m*; *tecn* rosca *f*; *v/t* enhebrar; **~-bare** raído
threat [θret] amenaza *f*; **~en** *v/t*, *v/i* amenazar; **~ening** amenazador
thresh [θreʃ] *v/t* trillar; **~er** (máquina) trilladora *f*
threshold ['θreʃhəuld] umbral *m*
thrice [θrais] tres veces
thrift [θrift] economía *f*, frugalidad *f*; **~less** derrochador; **~y** económico, ahorrativo; próspero
thrill [θril] *s* emoción *f*; *v/t* emocionar; **~er** novela *f* sensacional; **~ing** emocionante, excitante
thriv|e [θraiv] *v/i* prosperar; **~ing** floreciente, próspero
throat [θrəut] garganta *f*
throb [θrɔb] *v/i* latir
throne [θrəun] trono *m*
throng [θrɔŋ] *s* muchedumbre *f*; *v/t* atestar; *v/i* apiñarse
throttle ['θrɔtl] *s aut* válvula *f* de estrangulación, obturador *m*; *v/t* ahogar; estrangular
through [θru:] *a* que va hasta el final; continuo; **~ train** tren *m* directo; *adv* a través; de un extremo a otro; *prep* por; a través de; **~out** [~'aut] *prep* por todo; *adv* por todas partes
throw [θrəu] *v/t*, *v/i* echar; tirar; lanzar; **~ away** arrojar, *SA* botar; **~ out** echar fuera; expeler; *SA* botar; **~ up** vomitar; *s* tiro *m*, tirada *f*; lance *m*
thrush [θrʌʃ] tordo *m*
thrust [θrʌst] *s* empuje *m*; empujón *m*; estocada *f*; arremetida *f*; *tecn* empuje *m* axial; *v/t* empujar; meter
thud [θʌd] *s* golpe *m* sordo, baque *m*; *v/i* dar un golpe sordo
thumb [θʌm] pulgar *m*
thump [θʌmp] *s* porrazo *m*; baque *m*; *v/t*, *v/i* aporrear
thunder ['θʌndə] *s* trueno *m*; *v/i* tronar; **~bolt** rayo *m*; **~storm** tronada *f*; **~-struck** atónito, turulato
Thursday ['θə:zdi] jueves *m*
thus [ðʌs] así, de este modo; por consiguiente
thwart [θwɔ:t] *v/t* frustrar
tick [tik] *s* garrapata *f*; funda *f*; contramarca *f*; *v/i* hacer tictac; *v/t* contramarcar
ticket ['tikit] billete *m*, *SA* boleto *m*; papeleta *f*; entrada *f*; **~ office** taquilla *f* de billetes, *SA* boletería *f*
tickl|e ['tikl] *v/t* hacer cosquillas a; **~ish** cosquilloso (*t fig*)
tid|al ['taidl] **wave** ola *f* de marejada; **~e** [taid] *s* marea *f*; *fig* corriente *f*
tidings ['taidiŋz] noticias *f/pl*; nuevas *f/pl*

tidy ['taidi] *a* arreglado; limpio; *v/t, v/i* poner en orden
tie [tai] *s* corbata *f*; lazo *m*; *dep* empate *m*; *v/t* atar
tier [tiə] hilera *f*; *teat* fila *f*
tiger ['taigə] tigre *m*
tight [tait] apretado; ajustado, ceñido; estrecho; impermeable; *fam* achispado; **~en** *v/t, v/i* apretar(se); estrechar(se); **~rope** cuerda *f* floja
tigress ['taigris] tigresa *f*
tile [tail] *s* teja *f* (*de tejado*); baldosa *f* (*de piso*); azulejo *m* (*de color*); *v/t* tejar; (en-)losar
till [til] *v/t* labrar; cultivar; *s* caja *f* (*de tienda*); *prep* hasta; *conj* hasta que
tilt [tilt] *s* inclinación *f*; *v/t, v/i* inclinar(se)
timber ['timbə] madera *f* de construcción; viga *f*, madero *m*
time [taim] *s* tiempo *m*; vez *f*; estación *f*; ocasión *f*; **for the ~ being** por lo pronto; **in ~** a tiempo; **in no ~** en seguida; **to have a good ~** divertirse; **what is the ~?** ¿qué hora es?; **three ~s** tres veces; *v/t* fijar para el momento oportuno; regular; **~ly** puntual; **~-table** horario *m*
tim|id ['timid] tímido; **~orous** ['~ərəs] miedoso
tin [tin] *s* estaño *m*; lata *f*; *v/t* estañar; envasar en lata; **~-foil** papel *m* de estaño, *SA* platina *f*
tincture ['tiŋktʃə] tintura *f*
tinge [tindʒ] *v/t* teñir; *fig* matizar; *s* tinte *m*; matiz *m*
tingle ['tiŋgl] *v/i* hormiguear
tinkle ['tiŋkl] *v/i* tintinear
tin|ned [tind] en lata; **~-opener** abrelatas *m*; **~-plate** hojalata *f*
tint [tint] *v/t* teñir; *s* matiz *m*, tinte *m*
tiny ['taini] diminuto
tip [tip] *s* punta *f*; boquilla *f*; propina *f*; aviso *m* confidencial; *v/t* volcar, *SA* voltear; dar un golpecito a; dar una propina a
tipsy ['tipsi] alegre, achispado
tiptoe ['tiptəu] *v/i* andar de puntillas
tire ['taiə] (**tyre**) neumático *m*, *SA* llanta *f*
tir|e ['taiə] *v/t* cansar; **~ed** cansado; **~edness** cansancio *m*; **~esome** cansado; aburrido; latoso
tissue ['tiʃu:] tejido *m*; **~-paper** papel *m* de seda
tit [tit] *orn* paro *m*, herrerillo *m*
titbit ['titbit] golosina *f*, bocado *m* predilecto
titillate ['titileit] *v/t* cosquillear
title ['taitl] título *m*; *for* título *m*, derecho *m*; **~ page** portada *f*
to [tu:, tu, tə] *prep* para; a; hasta; hacia; menos (*de la hora*); **it is five minutes ~**

ten son las diez menos cinco; ~ **and fro** de un lado para otro; **to have** ~ tener que
toad [təud] sapo *m*
toast [təust] *s* tostada *f*; brindis *m*; *v/t* tostar; brindar por
tobacco [tə'bækəu] tabaco *m*; ~**nist** [~ənist] estanquero *m*
toboggan [tə'bɔgən] tobogán *m*
today [tə'dei] hoy
toddle ['tɔdl] *v/i* hacer pinitos; andar tambaleando
toe [təu] *s* dedo *m* del pie; punta *f* (*de media, etc*)
toff|ee, ~**y** ['tɔfi] caramelo *m*
together [tə'geðə] *a* juntos; *adv* juntamente; junto; a la vez
toil [tɔil] *s* trabajo *m* duro; *v/i* afanarse; trabajar como una mula
toilet ['tɔilit] *m* tocado *m*; excusado *m*; ~**-paper** papel *m* higiénico
toils [tɔilz] *fig* red *f*, trampa *f*
token ['təukən] señal *f*; prenda *f*
tolera|ble ['tɔlərəbl] tolerable; ~**nce** tolerancia *f*; ~**nt** tolerante; ~**te** ['~eit] tolerar; aguantar; ~**tion** tolerancia *f*
toll [təul] *s* peaje *m*; *v/i* doblar (*campanas*)
tomato [tə'mɑːtəu] tomate *m*
tomb [tuːm] tumba *f*; ~**-stone** lápida *f* sepulcral
tomcat ['tɔm'kæt] gato *m*
tomorrow [tə'mɔrəu] *s, adv* mañana *f*; ~ **night** mañana por la noche; **the day after** ~ pasado mañana
ton [tʌn] tonelada *f*
tone [təun] *s* tono *m*; *v/t* modificar el tono de
tongs [tɔŋz] tenacillas *f/pl*
tongue [tʌŋ] lengua *f*; **to hold one's** ~ callarse
tonic ['tɔnik] tónico *m*; *mús* tónica *f*
tonight [tə'nait] esta noche
tonnage ['tʌnidʒ] tonelaje *m*
tonsil ['tɔnsl] amígdala *f*; ~**litis** [~si'laitis] amigdalitis *f*
too [tuː] *adv* demasiado; también; ~ **many** demasiados(as); ~ **much** demasiado
tool [tuːl] herramienta *f*
tooth [tuːθ] diente *m*; ~**ache** dolor *m* de muelas; ~**brush** cepillo *m* de dientes; ~**-paste** pasta *f* dentífrica
top [tɔp] *s* cima *f*, cumbre *f*; cabeza *f*; tapa *f*; *aut* capota *f*; **at the** ~ **of** a la cabeza de; **from** ~ **to bottom** de arriba abajo; **on** ~ **of** además de; *v/t* coronar; superar; llenar al tope; ~**-coat** sobretodo *m*; ~ **hat** *fam* sombrero *m* de copa
topic ['tɔpik] asunto *m*; tema *m*
topsyturvy ['tɔpsi'təːvi] trastornado
torch [tɔːtʃ] linterna *f*; antorcha *f*
torment ['tɔːment] *s* tor-

mento *m*; suplicio *m*; [tɔːˈment] *v/t* atormentar
tornado [tɔːˈneidəu] tornado *m*
torpedo [tɔːˈpiːdəu] torpedo *m*
torrent [ˈtɔrənt] torrente *m*; *fig* raudal *m*
tortoise [ˈtɔːtəs] tortuga *f*
torture [ˈtɔːtʃə] *s* tortura *f*; *v/t* torturar; atormentar; *fig* tergiversar
toss [tɔs] *s* echada *f*; sacudida *f*; *v/t* tirar; lanzar; agitar
total [ˈtəutl] *a* total; completo; entero; *v/t* sumar; **~itarian** [~tæliˈtɛəriən] totalitario; **~ity** [~ˈtæliti] totalidad *f*
totter [ˈtɔtə] *v/i* tambalear; bambolear
touch [tʌtʃ] *s* toque *m*; contacto *m*; tacto *m*; rasgo *m*; *v/t* tocar; alcanzar; conmover, afectar; concernir; *v/i* tocar(se); **~ down** *aer* aterrizar; **~ing** conmovedor; patético; **~y** susceptible; quisquilloso; irritable
tough [tʌf] fuerte, resistente; duro; rudo; vulgar; **~en** *v/t, v/i* endurecer(se); **~ness** tenacidad *f*; dureza *f*
tour [tuə] *s* excursión *f*; *v/t* viajar por; **~ist** turista *m*; **~ist office** oficina *f* de turismo
tournament [ˈtuənəmənt] } [torneo *m*]
tousle [ˈtauzl] despeinar, desgreñar
tow [təu] *s* estopa *f*; remolque *m*; *v/t* remolcar; atoar
toward(s) [təˈwɔːd(z)] hacia; para
towel [ˈtauəl] toalla *f*
tower [ˈtauə] *s* torre *f*; fortaleza *f*; *v/i* elevarse; descollar
town [taun] ciudad *f*; villa *f*; población *f*; **~ council** concejo *m* municipal; **~ councel(l)or** concejal *m*; **~ hall** casa *f* de ayuntamiento, *SA* municipalidad *f*
tow-rope [ˈtəurəup] maroma *f* de remolque
toy [tɔi] *s* juguete *m*; *v/i* jugar; juguetear
trace [treis] *s* rastro *m*; huella *f*; señal *f*; *v/t* trazar; delinear; seguir la pista de; reconstruir; investigar
track [træk] *s* huella *f*, pisada *f*; vía *f* férrea; trocha *f*; ruta *f*; vereda *f*; *dep* pista *f*; *v/t* rastrear; seguir la pista de; **~-and-field events** pruebas *f/pl* de campo y pista
tract|ion [ˈtrækʃən] tracción *f*; arrastre *m*; **~ion-engine** locomotora *f* de arrastre; **~or** tractor *m*
trade [treid] *s* comercio *m*; negocio *m*; ramo *m*; oficio *m*; *v/i* comerciar; traficar; *v/t* trocar; vender; **~ agreement** tratado *m* comercial; **~-mark** marca *f* de fábrica; **~ union** sindicato *m*; gremio *m* de obreros; **~ unionist** sindicalista *m*
tradition [trəˈdiʃən] tradición *f*; **~al** tradicional

traffic ['træfik] *s* tráfico *m*, tránsito *m*, circulación *f*; *v/i* comerciar; traficar; **~ jam** embotellamiento *m* del tráfico; **~ lights** luces *f/pl* del tráfico; **~ violation** infracción *f* de las reglas de tráfico

trag|edy ['trædʒidi] tragedia *f*; **~ical** trágico

trail [treil] *s* rastro *m*; pista *f*; sendero *m*; *v/t* arrastrar; *v/i* rezagarse; **~er** remolque *m*; *cine* avance *m* publicitario, tráiler *m*

train [trein] tren *m*; séquito *m*; serie *f*; cola *f*; *v/t*, *v/i* disciplinar; entrenar; **~er** entrenador *m*; **~ing** entrenamiento *m*

trait [trei] rasgo *m*

traitor ['treitə] traidor *m*

tram|car ['træmkɑ:], **~way** ['~wei] tranvía *m*

tramp [træmp] *s* marcha *f* pesada; caminata *f*; vagabundo *m*; *v/t*, *v/i* vagabundear; marchar; pisar con fuerza; patullar; **~le** *v/t* pisar; hollar

tranquil ['træŋkwil] tranquilo; **~lity** [~'kwiliti] tranquilidad *f*; **~lize** *v/t*, *v/i* tranquilizar(se)

transact [træn'zækt] *v/t* negociar, despachar; **~ion** transacción *f*

transatlantic ['trænzət'læntik] transatlántico

transcend [træn'send] *v/i* transcender; **~ent** sobresaliente

transcri|be [træns'kraib] *v/t* transcribir; **~cript** ['trænskript] trasunto *m*, copia *f*; **~ption** transcripción *f*

transfer ['trænsfə:] *s* transferencia *f*; traspaso *m*; [træns'fə:] *v/t* transferir; transbordar; **~able** [~'fə:rəbl] transferible

transform [træns'fɔ:m] *v/t* transformar; **~ation** transformación *f*; **~er** transformador *m*

transfus|e [træns'fju:z] *v/t* transfundir; *med* hacer una transfusión; **~ion** [~ʒən] transfusión *f* (*de sangre*)

transgress [træns'gres] *v/t* transgredir, violar; **~ion** transgresión *f*

transient ['trænziənt] pasajero; transitorio

transistor [træn'sistə] transistor *m*

transit ['trænsit] tránsito *m*; **~ion** [~'siʒən] transición *f*; paso *m*; **~ive** *gram* transitivo; **~ory** transitorio

translat|e [træns'leit] *v/t* traducir; **~ion** traducción *f*; **~or** traductor *m*

translucent [trænz'lu:snt] translucido

transmi|ssion [træns'miʃən] transmisión *f*; **~t** *v/t* transmitir; **~tter** transmisor(a) *m* (*f*)

transparent [træns'pεərənt] transparente

transpire [træns'paiə] *v/t*

transpirar; *v/i* traslucirse; revelarse
transplant [træns'plɑ:nt] *v/t* trasplantar; **~ation** trasplante *m*
transport [træns'pɔ:t] *s* transporte *m*; *v/t* transportar
trap [træp] trampa *f*; lazo *m*; *v/t* atrapar; aprisionar; **~door** trampa *f*; *teat* escotillón *m*
trapeze [trə'pi:z] trapecio *m*
trap|per ['træpə] cazador *m* de pieles; **~pings** arreos *m/pl*
trash [træʃ] *s* hojarasca *f*; cosas *f/pl* sin valor; basura *f*
travel ['trævl] *s* viaje *m*; *v/t*, *v/i* viajar (por); **~ agency** agencia *f* de viajes; **~ler** viajero *m*; **~ler's cheque** cheque *m* para viajeros; **~ling bag** maletín *m* (*de viaje*)
traverse ['trævə(:)s] *v/t* cruzar, atravesar
trawl [trɔ:l] *v/i* pescar a la rastra; **~er** jábega *f*
tray [trei] bandeja *f*
treacherous ['tretʃərəs] traicionero, traidor
treacle ['tri:kl] melaza *f*
tread [tred] *s* paso *m*; pisada *f*; *v/t*, *v/i* andar; pisar; **~le** pedal *m*
treason ['tri:zn] traición *f*
treasur|e ['treʒə] *s* tesoro *m*; *v/t* atesorar; **~er** tesorero *m*; **~y** tesoro *m*; **♀y** ministerio *m* de hacienda
treat [tri:t] *s* convite *m*; placer *m*; *v/t*, *v/i* tratar; convidar; **~ise** ['~iz] tratado *m*; **~ment** trato *m*; **~y** tratado *m*, pacto *m*
treble ['trebl] *a* triple; *s* tiple *m* (*voz*); *v/t*, *v/i* triplicar (-se)
tree [tri:] árbol *m*
trefoil ['trefɔil] trébol *m*
tremble ['trembl] *v/i* temblar
tremendous [tri'mendəs] tremendo; formidable
trem|or ['tremə] vibración *f*; temblor *m*; **~ulous** ['~juləs] trémulo
trench [trentʃ] trinchera *f*
trend [trend] tendencia *f*
trespass ['trespəs] *s* intrusión *f*; transgresión *f*; *v/i* violar; infringir; **~er** transgresor *m*
tress [tres] trenza *f*
trestle ['tresl] caballete *m*
trial ['traiəl] prueba *f*; ensayo *m*; *for* vista *f*, proceso *m*; **on ~** *com* a prueba
triang|le ['traiæŋgl] triángulo *m*; **~ular** [~'æŋgjulə] triangular
tribe [traib] tribu *f*
tribun|al [trai'bju:nl] tribunal *m*; **~e** ['tribju:n] tribuno *m*; tribuna *f*
tribut|ary ['tribjutəri] *a*, *s* tributario *m*; **~e** ['~u:t] tributo *m*
trick [trik] *s* ardid *m*; truco *m*; *v/t* engañar; **~ery** trampería *f*
trickle ['trikl] *v/i*, *v/t* (hacer) gotear

tricycle ['traisikl] triciclo *m*
trident ['traidənt] fisga *f*
trifl|e ['traifl] *s* friolera *f*; bagatela *f*; postre *m* (*de bizcocho, fruta, helado y nata*); **a ~e** un poquito; *v/i* jugar; chancear; **~ing** baladí, insignificante
trigger ['trigə] gatillo *m*
trill [tril] *v/i* gorjear; *s mús* trino *m*
trim [trim] *a* pulcro; arreglado; *v/t* arreglar; recortar; podar; afinar; **~mings** guarnición *f*; aderezos *m/pl*; accesorios *m/pl*
Trinity ['triniti] *eccl* Trinidad *f*
trinket ['triŋkit] joya *f*
trip [trip] *s* excursión *f*; viaje *m*; *v/t* echar la zancadilla a; *mec* soltar; *v/i* tropezar; brincar
tripe [traip] *coc* callos *m/pl*
triple ['tripl] *a* triple; *v/t* triplicar; **~ts** ['~its] trillizos *m/pl*
tripod ['traipɔd] trípode *m*
triumph ['traiəmf] *s* triunfo *m*; *v/i* triunfar; **~ant** [~'ʌmfənt] triunfante, victorioso
trivial ['triviəl] trivial, común, insignificante
trolley ['trɔli] trole *m*; carretilla *f*
trombone [trɔm'bəun] trombón *m*
troop [tru:p] tropa *f*; banda *f*; **~er** soldado *m* de caballería
trophy ['trəufi] trofeo *m*
tropic ['trɔpik], **~al** trópico; **~s** países *m/pl* tropicales
trot [trɔt] *s* trote *m*; *v/i* trotar
trouble ['trʌbl] *s* molestia *f*; dificultad *f*; **to take the ~** tomarse la molestia; **what's the ~?** ¿qué pasa?; *v/t* molestar; preocupar; inquietar; **~d** inquieto; turbio; **~some** molesto; dificultoso
trough [trɔf] artesa *f*
trousers ['trauzəz] pantalones *m/pl*
trousseau ['tru:səu] ajuar *m*
trout [traut] trucha *f*
truant [tru(:)ənt] *a* holgazán; *s* tunante *m*; **to play ~** hacer novillos
truce [tru:s] tregua *f*
truck [trʌk] camión *m*; vagón *m*
trudge [trʌdʒ] *v/i* caminar cansadamente
tru|e [tru:] *a* verdadero; legítimo; verídico; **to come ~e** realizarse; **~ism** truismo *m*, perogrullada *f*
truly ['tru:li] verdaderamente; sinceramente; **Yours ~** su seguro servidor
trump [trʌmp] triunfo *m*
trumpet ['trʌmpit] trompeta *f*; **~er** trompetero *m*
truncheon ['trʌntʃən] vara *f*; porra *f*
trunk [trʌŋk] tronco *m*; baúl *m*; **~-call** llamada *f* de larga distancia
trust [trʌst] *s* confianza *f*; *com* trust *m*; *for* fideicomiso

m; **~ee** [~ˈiː] fideicomisario *m*; **~ful, ~ing** confiado; **~worthy** confiable, fidedigno; **~y** leal, fidedigno
truth [truːθ] verdad *f*; **~ful** verídico, veraz
try [trai] *s* tentativa *f*; prueba *f*; *v/t*, *v/i* probar; ensayar; tratar; **~ on** probarse (*ropa*); **~ing** difícil, penoso
tub [tʌb] cuba *f*; tina *f*
tube [tjuːb] tubo *m*; *fam* metro *m*
tuberculosis [tju(ː)bəːkjuˈləusis] tuberculosis *f*
tuck [tʌk] *v/t* alforzar; recoger; **~ up** arropar; arremangar [*m*]
Tuesday [ˈtjuːzdi] martes
tuft [tʌft] tupé *m*; mechón *m* (de pelo)
tug [tʌg] *s* tirón *m*; remolcador *m*; *v/t* remolcar; tirar de [ñanza *f*]
tuition [tju(ː)ˈiʃən] enseñanza
tulip [ˈtjuːlip] tulipán *m*
tumble [ˈtʌmbl] *s* caída *f*; vuelco *m*; *v/i* tumbar, caer; revolcarse; *v/t* tumbar; **~r** vaso *m* [guita *f*]
tummy [ˈtʌmi] *fam* barriguita
tumour [ˈtjuːmə] tumor *m*
tumult [ˈtjuːmʌlt] tumulto *m*; **~uous** [~ˈmʌltjuəs] tumultuoso
tuna [ˈtuːnə] atún *m*
tune [tjuːn] *s* tonada *f*; *v/t* sintonizar; afinar; *v/i* armonizar
tunnel [ˈtʌnl] *s* túnel *m*; *v/t* construir un túnel a través de
tunny [ˈtʌni] atún *m*
turbine [ˈtəːbin] turbina *f*
turbulent [ˈtəːbjulənt] turbulento
turf [təːf] *s* césped *m*; *v/t* encespedar
Turk [təːk] turco(a) *m* (*f*)
turkey [ˈtəːki] pavo *m*
Turkish [ˈtəːkiʃ] turco
turmoil [ˈtəːmɔil] desorden *m*, disturbio *m*
turn [təːn] *s* turno *m*; vuelta *f*; giro *m*; cambio *m*; favor *m*; **by ~s** por turnos; **it is your ~** es su turno; *v/t* volver; dar vuelta a; girar; convertir; **~ off** cerrar (*luz, agua*); **~ on** poner (*radio*); **~ out** echar; **~ over** volcar; entregar; *v/i* dar la vuelta; girar; revolver; ponerse (*agrio, triste, etc*); **~ in** acostarse; **~ out** resultar; **~ up** llegar, aparecer; **~coat** *pol* renegado *m*; **~ing** vuelta *f*; ángulo *m*
turnip [ˈtəːnip] nabo *m*
turn|-out [ˈtəːnaut] producción *f* (total); **~over** *com* volumen *m* de negocios; **~stile** [ˈ~stail] torniquete *m*
turret [ˈtʌrit] torrecilla *f*
turtle [ˈtəːtl] tortuga *f* (de mar); **~-dove** tórtola *f*
tusk [tʌsk] colmillo *m*
tutor [ˈtjuːtə] preceptor *m*; *for* tutor *m*
TV [ˈtiːˈviː] tevé *m*, televisión *f*
tweed [twiːd] paño *m* de lana

tweet [twi:t] *v/i* gorjear
tweezers ['twi:zəz] tenacillas *f/pl*
twice [twais] dos veces
twig [twig] ramita *f*
twilight ['twailait] crepúsculo *m*
twin [twin] *a, s* gemelo *m*
twine [twain] *s* guita *f*; *v/t* (re)torcer
twin-engined ['twin-'endʒind] bimotor
twinkle ['twiŋkl] *s* centelleo *m*; parpadeo *m*; *v/t, v/i* (hacer) centellear; (hacer) parpadear
twirl [twə:l] *s* rotación *f*; remolino *m*; *v/t, v/i* (hacer) girar
twist [twist] torcedura *f*, torsión *f*; torcimiento *m*; *v/t, v/i* torcer(se)
twitch [twitʃ] sacudida *f*; crispadura *f*
twitter ['twitə] *s* gorjeo *m*; *v/i* gorjear (*pájaros*)
two [tu:] dos; **to put ~ and ~ together** atar cabos; **~-way** de doble sentido
typ|e [taip] *s* tipo *m*; *v/t, v/i* escribir a máquina; **~ewriter** máquina *f* de escribir
typhoid (fever) ['taifɔid] fiebre *f* tifoidea
typhoon [tai'fu:n] tifón *m*
typhus ['taifəs] tifus *m*
typical ['tipikəl] típico
typist ['taipist] mecanógrafo(a) *m* (*f*)
tyrann|ical [ti'rænikəl] tiránico; **~ize** ['tirənaiz] *v/t* tiranizar; **~y** tiranía *f*
tyre ['taiə] neumático *m*, *SA* llanta *f*

U

udder ['ʌdə] teta *f*; ubre *f*
ugly ['ʌgli] feo; repugnante
ulcer ['ʌlsə] úlcera *f*
ultimate ['ʌltimit] último; final
ultimatum [ʌlti'meitəm] ultimátum *m*
umbrella [ʌm'brelə] paraguas *m*
umpire ['ʌmpaiə] *s* árbitro *m*; *v/t, v/i* arbitrar
unabated ['ʌnə'beitid] no disminuido
unable ['ʌn'eibl] incapaz
unacceptable ['ʌnək'septəbl] inaceptable
unaccountable ['ʌnə'kauntəbl] inexplicable
unaccustomed ['ʌnə'kʌstəmd] insólito
unacquainted ['ʌnə'kweintid]: **~ with** no versado en
unaffected [ʌnə'fektid] natural; sincero
unalterable [ʌn'ɔ:ltərəbl] inalterable
unanimous [ju(:)'næniməs] unánime
unapproachable [ʌnə'prəutʃəbl] inasequible; inaccesible

unashamed [ˈʌnəˈʃeimd] desvergonzado; insolente
unasked [ˈʌnˈɑːskt] no solicitado
unassuming [ˈʌnəˈsjuːmiŋ] modesto
unattainable [ˈʌnəˈteinəbl] inasequible
unavailing [ˈʌnəˈveiliŋ] inútil
unavoidable [ʌnəˈvɔidəbl] inevitable
unaware [ˈʌnəˈwɛə] ignorante; inconsciente
unbalanced [ˈʌnˈbælənst] desequilibrado
unbearable [ʌnˈbɛərəbl] insoportable; inaguantable
unbecoming [ˈʌnbiˈkʌmiŋ] impropio
unbelievable [ʌnbiˈliːvəbl] increíble
unbending [ˈʌnˈbendiŋ] inflexible
unbia(s)sed [ˈʌnˈbaiəst] imparcial
unborn [ˈʌnˈbɔːn] nonato; venidero
unbounded [ʌnˈbaundid] ilimitado
unbroken [ˈʌnˈbrəukən] intacto; indómito
unburden [ʌnˈbəːdn] *v/t* descargar; aliviar
unbutton [ˈʌnˈbʌtn] *v/t* desabotonar
uncalled-for [ʌnˈkɔːldfɔː] inapropiado; innecesario
uncanny [ʌnˈkæni] misterioso
uncared-for [ˈʌnˈkɛədfɔː] desamparado
unceasing [ʌnˈsiːsiŋ] incesante
uncertain [ʌnˈsəːtn] incierto; dudoso
unchallenged [ˈʌnˈtʃælindʒd] incontestado
unchangeable [ʌnˈtʃeindʒəbl] inmutable; invariable
unchecked [ˈʌnˈtʃekt] desenfrenado
uncivil [ˈʌnˈsivl] descortés; **~ized** bárbaro
unclaimed [ˈʌnˈkleimd] no reclamado
uncle [ˈʌŋkl] tío *m*
unclean [ˈʌnˈkliːn] sucio, desaseado
uncomfortable [ʌnˈkʌmfətəbl] incómodo; molesto
uncommon [ʌnˈkɔmən] raro; extraño
uncompromising [ʌnˈkɔmprəmaiziŋ] intransigente
unconcern [ˈʌnkənˈsəːn] desinterés *m*; despreocupación *f*
unconditional [ˈʌnkənˈdiʃənl] incondicional
unconfirmed [ˈʌnkənˈfəːmd] no confirmado
unconquerable [ʌnˈkɔŋkərəbl] inconquistable, invencible
unconscious [ʌnˈkɔnʃəs] inconsciente; **~ness** inconsciencia *f*; insensibilidad *f*
uncontrollable [ʌnkənˈtrəuləbl] ingobernable; indomable
unconventional [ˈʌnkənˈvenʃənl] original; despreocupado

uncouth [ʌn'ku:θ] grosero; tosco
uncover [ʌn'kʌvə] *v/t* descubrir; destapar
uncultivated ['ʌn'kʌltiveitid] inculto, yermo
undamaged ['ʌn'dæmidʒd] indemne; ileso
undated ['ʌndeitid] sin fecha
undaunted [ʌn'dɔ:ntid] impávido
indecided ['ʌndi'saidid] indeciso
undeniable [ʌndi'naiəbl] innegable; incontestable
under ['ʌndə] debajo de; bajo; menos de; en virtud de; **~ age** menor de edad; **~ way** en camino
undercarriage ['ʌndəkæridʒ] *aer* tren *m* de aterrizaje
underclothing ['ʌndəklәuðiŋ] ropa *f* interior
underdone ['ʌndə'dʌn] soasado
underdeveloped ['ʌndədi'veləpt] subdesarrollado; en desarrollo
underestimate ['ʌndə'estimeit] *v/t* subestimar
underfed ['ʌndə'fed] desnutrido
undergo [ʌndə'gəu] *v/t* sufrir; sostener
undergraduate [ʌndə'grædjuit] estudiante *m, f* (*universitario*)
underground ['ʌndəgraund] *a* subterráneo; *s* metro *m*
undergrowth ['ʌndəgrəuθ] maleza *f*
underline ['ʌndəlain] *v/t* subrayar
undermine [ʌndə'main] *v/t* socavar; minar
undermost ['ʌndəməust] ínfimo
underneath [ʌndə'ni:θ] *adv* abajo; *prep* bajo; debajo de
underpaid ['ʌndə'peid] mal pagado
underprivileged ['ʌndə'privilidʒd] desvalido; menesteroso
undershirt ['ʌndəʃə:t] camiseta *f*
undersigned [ʌndə'saind] infrascrito *m*
understaffed ['ʌndə'stɑ:ft] corto de personal
understand [ʌndə'stænd] *v/t, v/i* entender; comprender; **~able** comprensible; **~ing** *a* inteligente; comprensivo; *s* entendimiento *m*; inteligencia *f*; comprensión *f*
undertak|e [ʌndə'teik] *v/t, v/i* emprender; encargarse de; comprometerse a; **~er** empresario *m* de pompas fúnebres; **~ing** empresa *f*
undervalue ['ʌndə'vælju:] *v/t* despreciar; menospreciar
underwear ['ʌndəwεə] ropa *f* interior
underwood ['ʌndəwud] [maleza *f*]
underworld ['ʌndəwə:ld] infiernos *m/pl*; hampa *f*

undeserved ['ʌndi'zə:vd] inmerecido
undesirable ['ʌndi'zaiər-əbl] indeseable
undiminished ['ʌndi'min-iʃt] constante
undisputed ['ʌndis'pju:tid] incontestable
undisturbed ['ʌndis'tə:bd] imperturbado; inalterado
undo ['ʌn'du:] *v/t* deshacer; desatar
undoubted [ʌn'dautid] indudable
undress ['ʌn'dres] *v/t, v/i* desvestir(se), desnudarse
undue ['ʌn'dju:] indebido
undulate ['ʌndjuleit] *v/t* ondular; fluctuar
unearth ['ʌn'ə:θ] *v/t* desenterrar
uneasy [ʌn'i:zi] inquieto
uneducated ['ʌn'edjukeit-id] ignorante
unemploy|ed ['ʌnim'plɔid] desocupado; parado; **~ment** desempleo *m*
unequal ['ʌn'i:kwəl] desigual; dispar; **~led** incomparable; sin par
unerring ['ʌn'ə:riŋ] infalible; seguro
uneven ['ʌn'i:vən] desigual; desnivelado
uneventful ['ʌni'ventful] sin novedad
unexpected ['ʌniks'pektid] inesperado
unfading [ʌn'feidiŋ] inmarcesible
unfailing [ʌn'feiliŋ] infalible; indefectible; incansable
unfair ['ʌn'fɛə] injusto; desleal
infaithful ['ʌn'feiθful] infiel; **~ness** infidelidad *f*
unfamiliar ['ʌnfə'miljə] poco común; desconocido
unfashionable ['ʌn'fæʃn-əbl] fuera de moda, inelegante
unfathomable [ʌn'fæθəm-əbl] insondable; sin fondo
unfavourable ['ʌn'feivər-əbl] desfavorable
unfeeling [ʌn'fi:liŋ] insensible, impasible
unfinished ['ʌn'finiʃt] imperfecto; inconcluso; incompleto
unfit ['ʌn'fit] impropio; incapaz; inepto; **~ness** ineptitud *f*; impropiedad *f*
unfold ['ʌn'fəuld, *fig* ʌn-'fəuld] *v/t* desdoblar; desplegar; desarrollar
unforeseen ['ʌn-fɔ:'si:n] imprevisto
unforgettable ['ʌn-fə'gət-əbl] inolvidable
unforgiving ['ʌn-fə'giviŋ] implacable
unfortunate [ʌn'fɔ:tʃnit] desgraciado; desafortunado; **~ly** desgraciadamente
unfounded ['ʌn'faundid] infundado
unfrequented ['ʌn-fri-'kwentid] solitario; poco frecuentado
unfriendly ['ʌn'frendli] desfavorable; hostil
unfurnished ['ʌn'fə:niʃt] sin amueblar

ungenerous [ˈʌnˈdʒenərəs] poco generoso; mezquino
ungovernable [ʌnˈgʌvənəbl] ingobernable
ungraceful [ˈʌnˈgreisful] desgarbado; torpe
ungracious [ˈʌnˈgreiʃəs] desagradable; descortés
ungrateful [ʌnˈgreitful] desagradecido; ingrato
unguarded [ˈʌnˈgɑːdid] desguarnecido; desprevenido
unhappy [ʌnˈhæpi] infeliz, desdichado
unharmed [ˈʌnˈhɑːmd] ileso; sano y salvo
unhealthy [ʌnˈhelθi] enfermizo; insalubre
unheard-of [ʌnˈhəːdɔv] inaudito
unheed|ed [ˈʌnˈhiːdid] desatendido; **~ing** desatento
unhesitating [ʌnˈhesiteitiŋ] sin vacilar
unhook [ˈʌnˈhuk] *v/t* desenganchar; desabrochar; descolgar
unhoped-for [ʌnˈhəuptfɔː] inesperado
unhurt [ˈʌnˈhəːt] ileso; indemne
unification [juːnifiˈkeiʃən] unificación *f*
uniform [ˈjuːnifɔːm] *a* uniforme; invariable; constante; *s* uniforme *m*
unify [ˈjuːnifai] *v/t* unificar
unimaginable [ʌniˈmædʒinəbl] inimaginable
unimportant [ˈʌnimˈpɔːtənt] sin importancia, insignificante
uninhabit|able [ˈʌninˈhæbitəbl] inhabitable; **~ed** inhabitado; despoblado
uninjured [ˈʌnˈindʒəd] ileso; incólume
unintellig|ent [ˈʌninˈtelidʒənt] falto de inteligencia
unintentional [ˈʌninˈtenʃənl] involuntario
uninteresting [ˈʌnˈintristiŋ] falto de interés
uninterrupted [ˈʌnintəˈrʌptid] ininterrumpido, continuo
uninvit|ed [ˈʌninˈvaitid] no invitado; **~ing** poco atractivo; desagradable
union [ˈjuːnjən] unión *f*; sindicato *m*, gremio *m* (*de obreros*)
unique [juːˈniːk] único
unison [ˈjuːnizn] *s* unisonancia *f*; **in ~** al unísono; *a* unísono
unit [ˈjuːnit] unidad *f*; **~e** [~ˈnait] *v/t* unir; unificar; *v/i* unirse; juntarse; **℞ed Nations** Naciones *f/pl* Unidas; **~y** unidad *f*
univers|al [juːniˈvəːsəl] universal; **~e** [ˈ~vəːs] universo *m*; **~ity** [~ˈvəːsiti] universidad *f*
unjust [ˈʌnˈdʒʌst] injusto
unkempt [ˈʌnˈkempt] desgreñado; desarreglado
unkind [ʌnˈkaind] duro
unknown [ˈʌnˈnəun] desconocido
unlace [ˈʌnˈleis] *v/t* desatar
unlawful [ˈʌnˈlɔːful] ilícito

unlearn ['ʌn'lə:n] *v/t* olvidar, desaprender
unless [ən'les] *conj* a menos que
unlike ['ʌn'laik] diferente; distinto; **~ly** improbable; inverosímil
unlimited [ʌn'limitid] ilimitado
unload ['ʌn'ləud] *v/t* descargar
unlock ['ʌn'lɔk] *v/t* abrir con llave
unlucky [ʌn'lʌki] desafortunado; **to be ~** tener mala suerte
unmanageable [ʌn'mænidʒəbl] inmanejable
unmarried ['ʌn'mærid] soltero, célibe
unmask ['ʌn'mɑ:sk] *v/t* desenmascarar
unmistakable ['ʌnmis'teikəbl] inconfundible; claro
unmoved ['ʌn'mu:vd] inalterado, impasible
unnatural [ʌn'nætʃrəl] antinatural; innatural; desnaturalizado; inhumano
unnecessary [ʌn'nesisəri] innecesario
unnoticed ['ʌn'nəutist], **unobserved** ['ʌnəb'zə:vd] inadvertido
unobtrusive ['ʌnəb'tru:siv] discreto, moderado
unoccupied ['ʌn'ɔkjupaid] desocupado
unofficial ['ʌnə'fiʃəl] inoficial
unpack ['ʌn'pæk] *v/t* desempaquetar; desembalar; deshacer las maletas
unpaid ['ʌn'peid] pendiente de pago, *SA* impago; irremunerado
unparalleled [ʌn'pærəleld] único; inigualado
unpardonable [ʌn'pɑ:dnəbl] imperdonable
unperturbed ['ʌn-pə(:)'tə:bd] inalterado
unpleasant [ʌn'pleznt] desagradable; **~ness** desavenencia *f*; disgusto *m*
unpolished ['ʌn'pɔliʃt] sin pulir; *fig* grosero
unpopular ['ʌn'pɔpjulə] impopular
unpractical ['ʌn'præktikəl] impráctico
unprecedented [ʌn'presidəntid] sin precedente, nunca visto
unprejudiced [ʌn'predʒudist] imparcial
unpremeditated ['ʌn-pri'mediteitid] impremeditado
unprepared ['ʌn-pri'pɛəd] sin preparar; desprevenido
unproductive ['ʌn-prə'dʌktiv] improductivo
unprofitable [ʌn'prɔfitəbl] improductivo; inútil
unprovided ['ʌn-prə'vaidid] desprovisto
unpublished ['ʌn'pʌbliʃt] inédito; no publicado
unqualified ['ʌn'kwɔlifaid] incapaz, incompetente; incondicional; desautorizado
unquestionable [ʌn'kwestʃənəbl] indiscutible

unreal [ˈʌnˈriəl] irreal; ilusorio
unreasonable [ʌnˈriːznəbl] irrazonable
unrefined [ˈʌnriˈfaind] no refinado
unreliable [ˈʌnriˈlaiəbl] indigno de confianza
unreserved [ˈʌnriˈzəːvd] no reservado; franco
unresisting [ˈʌnriˈzistiŋ] que no ofrece resistencia
unrest [ˈʌnˈrest] inquietud *f*; disturbio *m*
unrestrained [ˈʌnriˈstreind] desenfrenado; libre
unrestricted [ˈʌnrisˈtriktid] sin restricción
unripe [ˈʌnˈraip] verde; crudo
unrivalled [ʌnˈraivəld] sin rival; incomparable
unruffled [ˈʌnˈrʌfld] impasible; sereno
unruly [ʌnˈruːli] intratable
unsafe [ˈʌnˈseif] inseguro; peligroso
unsatisfactory [ˈʌnsætisˈfæktəri] insatisfactorio
unsavoury [ˈʌnˈseivəri] ofensivo; escandaloso
unscrew [ˈʌnˈskruː] *v/t* desatornillar
unscrupulous [ʌnˈskruːpjuləs] sin escrúpulo
unseemly [ʌnˈsiːmli] indecoroso
unseen [ˈʌnˈsiːn] inadvertido
unselfish [ˈʌnˈselfiʃ] altruista; desinteresado; abnegado
unsettled [ˈʌnˈsetld] inestable; pendiente; desequilibrado; despoblado; *com* por pagar
unshaven [ˈʌnˈʃeivn] sin afeitar
unsheathe [ˈʌnˈʃiːð] *v/t* desenvainar
unshrink|able [ˈʌnˈʃriŋkəbl] que no encoge; **~ing** intrépido
unskilled [ˈʌnˈskild] inexperto; **~ labour** mano *m* de obra no calificada
unsoci|able [ʌnˈsəuʃəbl] insociable; reservado; **~al** antisocial
unsold [ˈʌnˈsəuld] sin vender
unsolved [ˈʌnˈsɔlvd] sin resolver
unsound [ˈʌnˈsaund] defectuoso; enfermizo; inseguro; malo
unspeakable [ʌnˈspiːkəbl] indecible
unspoilt [ˈʌnˈspɔilt] no corrompido, intacto; (*niño*) no mimado
unstable [ˈʌnˈsteibl] inestable
unsteady [ˈʌnˈstedi] inestable; inconstante; irregular
unsuccessful [ˈʌnsəkˈsesful] sin éxito; fracasado
unsuitable [ˈʌnˈsjuːtəbl] impropio
unsuspect|ed [ˈʌn-səsˈpektid] insospechado; **~ing** confiado
unthankful [ˈʌnˈθæŋkful] ingrato, *SA* malagradecido; no reconocido (*trabajo, etc*)

unthink|able [ʌn'θiŋkəbl] inimaginable; **~ing** irreflexivo
untidy [ʌn'taidi] desordenado; desarreglado
untie ['ʌn'tai] *v/t* desatar
until [ən'til] hasta
untimely [ʌn'taimli] intempestivo; prematuro; **at an ~ hour** a deshora
untiring [ʌn'taiəriŋ] incansable
untouched ['ʌn'tʌtʃt] intacto
untried ['ʌn'traid] no probado
untroubled ['ʌn'trʌbld] tranquilo
untru|e ['ʌn'tru:] falso; ficticio; **~th** [~'tru:θ] falsedad *f*; **~thful** mentiroso; falso
unused ['ʌn'ju:zd] no usado; ['ʌn'ju:st] no acostumbrado
unusual [ʌn'ju:ʒuəl] inusitado, extraordinario
unutterable [ʌn'ʌtərəbl] inexpresable
unvarying [ʌn'vεəriiŋ] invariable
unveil [ʌn'veil] *v/t* descubrir; quitar el velo a
unvoiced ['ʌn'vɔist] *gram* sordo
unwarranted [ʌn'wɔrəntid] injustificado; ['~'wɔrəntid] no garantizado
unwelcome [ʌn'welkəm] mal acogido; inoportuno
unwell [ʌn'wel] indispuesto, enfermizo; **to feel ~** sentirse mal
unwholesome ['ʌn'həulsəm] insalubre; dañino
unwilling ['ʌn'wiliŋ] maldispuesto; **~ly** de mala gana
unwind ['ʌn'waind] *v/t* desenvolver; desenredar
unwise ['ʌn'waiz] indiscreto, imprudente
unworthy [ʌn'wə:ði] indigno
unwrap ['ʌn'ræp] *v/t* desenvolver; desempaquetar
unyielding [ʌn'ji:ldiŋ] obstinado, inflexible; rígido
up [ʌp] *a* inclinado; ascendente; *adv* arriba; hacia arriba; en pie, levantado; *s* altura *f*; prosperidad *f*; **~ and about** restablecido; **~ and down** de arriba abajo; de un lado a otro; **~ to now** hasta ahora; **what's ~?** ¿qué pasa?; **the ~s and downs** los altibajos *m/pl* (*de la vida*)
upbringing ['ʌpbriŋiŋ] crianza *f*
upheaval [ʌp'hi:vəl] trastorno *m*; revuelta *f*
uphill ['ʌp'hil] *a* ascendente; *fig* laborioso; *adv* cuesta arriba
upholster [ʌp'həulstə] *v/t* tapizar; **~er** tapicero *m*; **~y** tapizado *m*
upkeep ['ʌpki:p] mantenimiento *m*
upland ['ʌplænd] tierra *f* alta; altiplano *m*; meseta *f*
upon [ə'pɔn] sobre; encima de

upper ['ʌpə] superior; más elevado; ♀ **House** *Ingl* Cámara *f* Alta; **~most** más alto
upright ['ʌp'rait] vertical; derecho; recto
uprising [ʌp'raiziŋ] sublevación *f*
uproar ['ʌprɔ:] alboroto *m*
uproot [ʌp'ru:t] *v/t* desarraigar
upset [ʌp'set] *s* vuelco *m*; trastorno *m*; *v/t* volcar; desarreglar; trastornar; revolver (*el estómago*); *a* perturbado; enfadado
upside-down ['ʌpsaid'daun] al revés
upstairs ['ʌp'stɛəz] arriba
upstart ['ʌpstɑ:t] *a*, *s* advenedizo *m*
upstream ['ʌp'stri:m] aguas arriba
up|-to-date [ʌptə'deit] al día; moderno; **~ train** tren *m* ascendente; tren *m* a Londres
upward(s) ['ʌpwəd(z)] ascendente; hacia arriba
uranium [ju'reinjəm] uranio *m*
urchin ['ə:tʃin] golfillo *m*
urge [ə:dʒ] *s* impulso *m*; *v/t* instar; impulsar; incitar; **~nt** urgente
urine ['juərin] orina *f*
urn [ə:n] urna *f*
us [ʌs, əs] *pron* nos; (*después de preposiciones*) nosotros (-as)
us|age ['ju:zidʒ] uso *m*; trato *m*; **~e** [ju:s] *s* empleo *m*, aplicación *f*; utilidad *f*; **it is no ~e** de nada vale; **what is the ~e of?** ¿para qué sirve?; *v/t* usar; emplear; utilizar; **~e up** consumir; *v/i* acostumbrar a; **~ed** [~sd] gastado; usado; de ocasión; [~st] acostumbrado; **~ed to (do)** solía (hacer); **to get ~ed to** acostumbarse a; **~eful** útil; **~eless** inútil; inservible
usher ['ʌʃə] ujier *m*; **~ette** [~'ret] acomodadora *f*
usual ['ju:ʒuəl] acostumbrado; usual; **as ~** como de costumbre
usur|er ['ju:ʒərə] usurero *m*; **~y** ['~ʒuri] usura *f*
utensil [ju(:)'tensl] utensilio *m*
utili|ty [ju(:)'tiliti] utilidad *f*; **public ~ties** servicios *m/pl* públicos; **~ze** ['ju:tilaiz] *v/t* utilizar
utmost ['ʌtməust] extremo; último
utter ['ʌtə] *a* completo, total; absoluto; *v/t* proferir; pronunciar; **~ance** pronunciación *f*; expresión *f*; **~ly** totalmente

V

vaca|ncy ['veikənsi] vacío *m*; vacancia *f*; **~nt** vacante; vacío; desocupado; **~te** [və'keit] *v/t* dejar; desocupar; **~tion** vacaciones *f/pl* (*escolares*); *Am* permiso *m*, vacaciones *f/pl* (del trabajo)
vaccin|ate ['væksineit] *v/t* vacunar; **~ation** vacuna *f*; vacunación *f*; **~e** ['~i:n] vacuna *f*
vacuum ['vækjuəm] vacío *m*; **~ bottle** termo *m*; **~ cleaner** aspiradora *f*
vagabond ['vægəbɔnd] *a*, *s* vagabundo(a) *m* (*f*)
vagary ['veigəri] capricho *m*
vague [veig] vago; incierto; **~ness** vaguedad *f*
vain [vein] vano; **in ~** en vano
valet ['vælit] criado *m*
valiant ['væljənt] valiente
valid ['vælid] válido; **~ity** [və'liditi] validez *f*
valley ['væli] valle *m*
valour ['vælə] valor *m*, valentía *f*
valu|able ['væljuəbl] valioso; precioso; **~ables** objetos *m/pl* de valor; **~ation** valuación *f*; valoración *f*; tasa *f*; **~e** ['~ju:] *s* valor *m*; precio *m*; **~e added tax** impuesto *m* sobre el valor; impuesto al valor añadido; *v/t* valorar; tasar; **~eless** sin valor
valve [vælv] válvula *f*
van [væn] camión *m*; *Ingl f c* furgón *m*; *mil* vanguardia *f*
vane [vein] veleta *f*
vanilla [və'nilə] vainilla *f*
vanish ['væniʃ] *v/t* desvanecerse; desaparecer
vanity ['væniti] vanidad *f*; engreimiento *m*; **~-case** polvera *f*; neceser *m*
vantage ['vɑ:ntidʒ] ventaja *f*
vapor|ize ['veipəraiz] *v/t* vaporizar; **~ous** vaporoso
vapour ['veipə] vapor *m*
varia|ble ['vɛəriəbl] variable; **~nce** desacuerdo *m*; diferencia *f*; **~nt** variante *f*; **~tion** variación *f*; cambio *m*
varicose ['værikəus] varicoso
var|iety [və'raiəti] variedad *f*; surtido *m*; **~iety show** función *f* de variedades; **~ious** ['vɛəriəs] vario; diverso; varios
varnish ['vɑ:niʃ] *s* barniz *m*; *v/t* barnizar
vary ['vɛəri] *v/t*, *v/i* variar
vase [vɑ:z] florero *m*, vaso *m*; jarrón *m*
vast [vɑ:st] vasto; inmenso
vat [væt] tina *f*, cuba *f*
vault [vɔ:lt] *s* bóveda *f*; cueva *f*; salto *m*; *v/t*, *v/i* saltar
veal [vi:l] carne *f* de ternera
vegeta|ble ['vedʒitəbl] verdura *f*; legumbre *f*; **~rian** [~'tɛəriən] vegetariano(a)

m (*f*); **~te** ['~eit] *v/i* vegetar; **~tion** vegetación *f*
vehemen|ce ['vi:iməns] vehemencia *f*; **~t** vehemente, impetuoso
vehicle ['vi:ikl] vehículo *m*
veil [veil] *s* velo *m*; *v/t* encubrir
vein [vein] vena *f*
velocity [vi'lɔsiti] velocidad *f*
velvet ['velvit] terciopelo *m*
venal ['vi:nl] venal
vend [vend] *v/t* vender; **~ing machine** distribuidor *m* automático, tragaperras *m*; *SA* tragamonedas *m*
venera|ble ['venərəbl] venerable; **~te** ['~eit] *v/t* venerar
venereal [vi'niəriəl] venéreo
Venetian [vi'ni:ʃən] *a*, *s* veneciano(a) *m* (*f*); **~ blind** persiana *f*
vengeance ['vendʒəns] venganza *f*; **with a ~** *fam* con creces
venison ['venzn] venado *m*
venom ['venəm] veneno *m* (*t fig*); **~ous** venenoso
vent [vent] *s* respiradero *m*; agujero *m*; salida *f*; *v/t* desahogar; **~ilate** *v/t* ventilar; **~ilation** ventilación *f*; **~ilator** ventilador *m*
ventriloquist [ven'triləkwist] ventrílocuo *m*
venture ['ventʃə] *s* empresa *f*; negocio *m* arriesgado; *v/i* atreverse; arriesgarse
verandah [və'rændə] pórtico *m*
verb [və:b] verbo *m*; **~ose** [~'bəus] verboso
verdict ['və:dikt] veredicto *m*; fallo *m*; dictamen *m*
verge [və:dʒ] *s* borde *m*; margen *m*, *f*; vara *f*; **on the ~ of** al borde de; *v/i* **~ on** rayar en
verify ['verifai] *v/t* verificar
vermicelli [və:mi'seli] fideos *m/pl*
vermin ['və:min] bichos *m/pl*; sabandijas *f/pl*
vernacular [və'nækjulə] habla *f* local
versatile ['və:sətail] adaptable
vers|e [və:s] verso *m*; **~ed** versado; **~ion** ['~ʃən] versión *f*
vertebra ['və:tibrə] vértebra *f*
vertical ['və:tikəl] vertical
very ['veri] *a* mismo; verdadero; preciso; mero, solo; *adv* mucho; muy
vessel ['vesl] vasija *f*; *mar* barco *m*
vest [vest] *s* camiseta *f*; *v/t* invertir; investir
vestry ['vestri] sacristía *f*
vet [vet] *fam* veterinario *m*
veteran ['vetərən] *a*, *s* veterano *m*
veterinary (surgeon) ['vetərinəri] veterinario *m*
veto ['vi:təu] *s* veto *m*; *v/t* vetar
vex [veks] *v/t* fastidiar; irritar; **~ation** enojo *m*; fastidio *m*; **~atious** fastidioso
vibrat|e [vai'breit] *v/t*, *v/i* vibrar; **~ion** vibración *f*

vicar ['vikə] vicario *m*; párroco *m*; **~age** vicaría *f*
vice [vais] vicio *m*
vice [vais] (*prefijo*) vice-; **~-president** vicepresidente *m*; **~roy** ['~rɔi] virrey *m*
vicinity [vi'siniti] vecindad *f*
vicious ['viʃəs] vicioso; nocivo
victim ['viktim] víctima *f*; **~ize** *v/t* hacer víctima, victimar
victor ['viktə] vencedor *m*; **~ious** [~'tɔ:riəs] victorioso; **~y** ['~təri] victoria *f*
victuals ['vitlz] víveres *m/pl*
Viennese [viə'ni:z] *a, s* vienés(esa) *m* (*f*)
view [vju:] *s* vista *f*; perspectiva *f*; panorama *m*; opinión *f*; **in ~** a la vista; **in ~ of** en vista de; **on ~** expuesto; *v/t* contemplar; considerar; **~er** espectador *m*; *foto* visor *m*; **~point** punto *m* de vista
vigil ['vidʒil] vela *f*; vigilia *f*; **~ance** vigilancia *f*; **~ant** vigilante
vigo|rous ['vigərəs] vigoroso; **~ur** vigor *m*
vile [vail] vil; odioso
village ['vilidʒ] aldea *f*; pueblo *m*; **~ green** campo *m* comunal; **~r** aldeano(a) *m* (*f*)
villain ['vilən] malvado *m*; **~y** vileza *f*
vindicat|e ['vindikeit] *v/t* vindicar; justificar; **~ion** vindicación *f*; justificación *f*
vindictive [vin'diktiv] vengativo
vine [vain] *bot* enredadera *f*; parra *f*; vid *f*; **~gar** ['vinigə] vinagre *m*; **~-stock** cepa *f*; **~yard** ['vinjəd] viñedo *m*
vintage ['vintidʒ] vendimia *f*
viol|ate ['vaiəleit] *v/t* violar; **~ation** violación *f*
violen|ce ['vaiələns] violencia *f*; **~t** violento
violet ['vaiəlit] *s* color *m* violado; violeta *f*; *a* violado
violin [vaiə'lin] violín *m*
VIP ['vi:ai'pi:] persona *f* muy importante
viper ['vaipə] víbora *f*
virgin ['və:dʒin] virgen *f*; **~ity** [~'dʒiniti] virginidad *f*
viril|e ['virail] viril; **~ity** [~'riliti] virilidad *f*
virtu|al ['və:tʃuəl] virtual; **~e** ['~ju:, '~ʃu:] virtud *f*; **~ous** ['~ʃuəs] virtuoso
virus ['vaiərəs] virus *m*
visa ['vi:zə] visado *m*
visib|ility [vizi'biliti] visibilidad *f*; **~le** ['vizəbl] visible; manifiesto
vision ['viʒən] visión *f*
visit ['vizit] *s* visita *f*; *v/t* visitar; **~or** visitante *m, f*
visual ['vizjuəl] visual; **~ize** *v/t, v/i* imaginar(se)
vital ['vaitl] vital; **~ity** [~'tæliti] vitalidad *f*; **~ize** ['~laiz] *v/t* vitalizar; **~s** partes *f/pl* vitales
vitamin ['vitəmin] vitamina *f*
vivaci|ous [vi'veiʃəs] vivaracho, vivaz; **~ty** [~'væsiti] vivacidad *f*

vivi|d ['vivid] vivo; **~dness** claridad *f*; **~fy** ['~fai] *v/t* vivificar
vixen ['viksn] *zool* zorra *f*; *fig* mujer *f* colérica
voca|bulary [vəu'kæbjuləri] vocabulario *m*; **~l** ['vəukəl] vocal *f*; **~lize** *v/t* vocalizar
vocation [vəu'keiʃən] vocación *f*
vogue [vəug] moda *f*; **in ~** en boga
voice [vɔis] *s* voz *f*; *v/t* expresar, manifestar; **~d** [~t] *gram* sonoro
void [vɔid] *a* vacío; *for* nulo; *v/t* invalidar; desocupar
volatil|e ['vɔlətail] volátil; **~ize** *v/t* volatilizar
volcano [vɔl'keinəu] volcán *m*
volley ['vɔli] *s mil* descarga *f*; salva *f*; voleo *m* (*tenis*); *v/t*, *v/i dep* volear
volt [vəult] voltio *m*; **~age** voltaje *m*; **~meter** voltímetro *m*
voluble ['vɔljubl] locuaz
volum|e ['vɔljum] tomo *m*; volumen *m*; **~inous** [və'lju:minəs] voluminoso
volunt|ary ['vɔləntəri] voluntario; **~eer** [~'tiə] *s* voluntario *m*; *v/i* ofrecerse como voluntario
voluptuous [və'lʌptʃuəs] voluptuoso; **~ness** voluptuosidad *f*
vomit ['vɔmit] *s* vómito *m*; *v/t*, *v/i* vomitar
voraci|ous [və'reiʃəs] voraz; **~ty** [~'ræsiti] voracidad *f*
vot|e [vəut] *s* voto *m*; sufragio *m*; *v/t*, *v/i* votar; **~ing** votación *f*
vouch [vautʃ] *v/t* atestiguar; **~ for** responder de; **~er** comprobante *m*; fiador *m*; **~safe** [~'seif] *v/t* conceder
vow [vau] *s* voto *m*; *v/t* hacer voto de; aseverar
vowel ['vauəl] vocal *f*
voyage ['vɔiidʒ] *s* viaje *m* marítimo; travesía *f*; *v/i* viajar
vulgar ['vʌlgə] vulgar; grosero; cursi; ordinario; **~ism** vulgarismo *m*; **~ity** [~'gæriti] vulgaridad *f*
vulnerable ['vʌlnərəbl] vulnerable
vulture ['vʌltʃə] buitre *m*

W

wad [wɔd] *s* fajo *m*; *arti* taco *m*; *v/t cost* acolchar
waddle ['wɔdl] *v/i* anadear
wade [weid] *v/t*, *v/i* vadear
wafer ['weifə] barquillo *m*; *eccl* hostia *f*
waffle ['wɔfl] (*especie de*) panqueque *m*, *SA* wafle *m*
waft [wɑ:ft] soplo *m*; *v/i* flotar
wag [wæg] *s* meneo *m*; *v/t* menear; mover (*el rabo*); *v/i* oscilar

wage [weidʒ] salario *m*; sueldo *m*; **~-earner** asalariado(a) *m* (*f*)
wager [ˈweidʒə] *s* apuesta *f*; *v/t*, *v/i* apostar
waggon [ˈwægən] carro *m*; *f c* vagón *m* de carga
wail [weil] *s* lamento *m*; lamentación *f*; *v/t*, *v/i* lamentarse; gemir
wainscot [ˈweinskət] friso *m* (*de madera*)
waist [weist] *anat* cintura *f*; **~coat** [ˈweiskəut] chaleco *m*; **~-line** talle *m*
wait [weit] *s* espera *f*; *v/t*, *v/i* esperar; **~ at table** servir a la mesa; **~ for** aguardar; **~er** camarero *m*; **~ing** espera *f*; **~ing-room** sala *f* de espera; **~ress** camarera *f*
wake [weik] *s* estela *f* (*del barco*); *v/t* (**up**) *v/i* despertar(se); **~ful** insomne; *fig* despierto; **~n** *v/t*, *v/i* despertar(se)
walk [wɔ:k] *s* paseo *m*; avenida *f*; **to go for a ~, to take a ~** dar un paseo; *v/i* andar; pasear; **~ in** entrar; **~ out** salir; *fam* declararse en huelga; *v/t* recorrer
walkie-talkie [ˈwɔ:kiˈtɔ:ki] transceptor *m* portátil
walking| papers [ˈwɔ:kiŋ ˈpeipəs] *fam* carta *f* de despido; **~-stick** bastón *m*; **~-tour** excursión *f* a pie
walk-out [ˈwɔ:kaut] *fam* huelga *f*
wall [wɔ:l] pared *f*; muro *m*
wallet [ˈwɔlit] cartera *f*
wallpaper [ˈwɔ:lpeipə] empapelado *m*
walnut [ˈwɔ:lnʌt] (nuez *f* de) nogal *m*
walrus [ˈwɔ:lrəs] morsa *f*
waltz [wɔ:ls] *s* vals *m*; *v/i* valsar
wan [wɔn] pálido; descolorido
wand [wɔnd] vasilla *f* (mágica)
wander [ˈwɔndə] *v/i* vagar, errar; **~er** vagabundo *m*; peregrino *m*; **~ing** errante; nómado
wane [wein] *s* cuarto *m* menguante (*de la luna*); mengua *f*; *v/i* menguar
want [wɔnt] *s* falta *f*; necesidad *f*; *v/t* querer; desear; necesitar; **~ed** se busca; se necesita; *v/i* faltar, estar falto (de)
war [wɔ:] *s* guerra *f*; *v/i* hacer guerra
ward [wɔ:d] *s* pupilo *m*; sala *f*; pabellón *m* (*de hospital*); *v/t* resguardar; **~ off** desviar; **~en** guardián *m*; carcelero *m*; **~er** carcelero *m*; **~robe** guardarropa *m*, *f*; ropero *m*; vestidos *m/pl*; trajes *m/pl*
ware|s [wεəz] mercancías *f/pl*; **~house** almacén *m*; depósito *m*
warm [wɔ:m] *a* caliente; *v/t* calentar; **~ up** recalentar; **~th** [~θ] calor *m*
warn [wɔ:n] *v/t* avisar; poner en guardia; amonestar; **~ing** *s* aviso *m*; advertencia *f*; *a* de aviso

warp [wɔ:p] *s* urdimbre *f*; *v/t* urdir; *v/i* torcerse; alabearse

warrant ['wɔrənt] *s* garantía *f*; *for* orden *f* de detención; *v/t* autorizar; garantizar

war|rior ['wɔriə] guerrero *m*; **~ship** buque *m* de guerra

wart [wɔ:t] verruga *f*

wary ['wɛəri] cauteloso

wash [wɔʃ] *v/t*, *v/i* lavar(se); **~ up** lavar los platos; **~ and wear** de lavar y poner; **~er** (*persona*) lavandero(a) *m* (*f*); *mec* arandela *f*; **~ing** lavado *m*; **~ing machine** lavadora *f*; **~stand** lavabo *m*

wasp [wɔsp] avispa *f*

waste [weist] *s* desperdicios *m/pl*; desperdicio *m*; desierto *m*; demacración *f*; *a* desechado; superfluo; desolado; *v/t* malgastar; devastar; debilitar; *v/i* **~ away** consumirse; menguar; **~ful** pródigo; derrochador; **~-paper basket** cesto *m* de papeles; **~-pipe** tubo *m* de desagüe

watch [wɔtʃ] *s* guardia *m*; vigilancia *f*; reloj *m*; **to be on the ~** estar alerta; **to keep ~** estar de guardia; *v/t* mirar; observar; vigilar; *v/i* velar; **~ for** esperar; **~ out** tener cuidado; **~band** correa *f* de reloj; **~dog** perro *m* guardián; **~ful** vigilante; **~maker** relojero *m*; **~man** vigilante *m*, sereno *m*; **~word** contraseña *f*; consigna *f*

water ['wɔ:tə] *a* acuático; *s* agua *f*; *v/t* regar; abrevar (*ganado*); mojar; **~ down** suavizar; *v/i* hacerse agua; *mar* tomar agua; **my mouth ~s** se me hace la boca agua; **~-bottle** garrafa *f*; cantimplora *f*; **~-closet** inodoro *m*; **~-colour** acuarela *f*; **~fall** salto *m* de agua; **~ing** riego *m*; **~ing-can** regadera *f*; **~ing place** balneario *m*; abrevadero *m*; **~-level** nivel *m* de agua; **~mark** marca *f* de agua; **~-power** fuerza *f* hidráulica; **~proof** impermeable; **~spout** tromba *f* marina; **~-tank** cisterna *f*; depósito *m* de agua; **~tight** estanco; sin escapatoria; **~wheel** rueda *f* hidráulica; **~works** planta *f* de agua potable; **~y** acuoso; aguado

watt [wɔt] vatio *m*

wave [weiv] *s* ola *f*; onda *f*; ondulación *f*; *v/t*, *v/i* agitar (-se); hacer señales; ondear; **~-length** longitud *f* de onda

waver ['weivə] *v/i* vacilar; titubear

wax [wæks] *s* cera *f*; *v/t* encerar

way [wei] camino *m*; vía *f*; rumbo *m*; medio *m*; modo *m*; **by the ~** a propósito; **by ~ of** por modo de, a título de; **on the ~** de paso;

out of the ~ lejano; escondido; **this ~** por acá; **to be in the ~** estorbar; **to give ~** ceder; **to lead the ~** enseñar el camino; **to make one's ~** abrirse paso; **~ in** entrada *f*; **~ out** salida *f*; **which ~?** ¿por dónde?
we [wi:, wi] *pron pers* nosotros(as)
weak [wi:k] débil; flojo; **~en** *v/t*, *v/i* debilitar(se), atenuar(se); **~ling** canijo *m*; **~-minded** pobre de espíritu; **~ness** debilidad *f*; flaqueza *f*
wealth [welθ] riqueza *f*; opulencia *f*; **~y** rico; próspero; abundante
wean [wi:n] *v/t* destetar
weapon ['wepən] arma *f*
wear [wɛə] *s* uso *m*; **~ and tear** desgaste *m*; *v/t* llevar puesto; calzar; vestir de; desgastar; cansar; *v/i* durar, resistir el uso; conservarse; **~ away, ~ out** gastarse
wear|iness ['wiərinis] cansancio *m*; **~isome** fastidioso; **~y** *a* cansado; fatigado; *v/t* fatigar; cansar
weasel ['wi:zl] comadreja *f*
weather ['weðə] *s* tiempo *m*; intemperie *f*; *v/t* resistir a; aguantar; **~-beaten** afectado por la intemperie; **~-chart** mapa *m* meteorológico; **~-forecast** pronóstico *m* del tiempo
weav|e [wi:v] *v/t* tejer; **~er** tejedor *m*
web [web] tela *f*; red *f*, malla *f*; *fig* enredo *m*; alma *f* (*de riel*); *zool* membrana *f*
wed [wed] *v/t* casar; casarse con; *v/i* casarse; **~ding** boda *f*; casamiento *m*; **~ding-ring** anillo *m* de boda
wedge [wedʒ] *s* cuña *f*; calce *m*; *v/t* acuñar; calzar
Wednesday ['wenzdi] miércoles *m*
weed [wi:d] *s* mala hierba *f*; *v/t* escardar; **~ out** extirpar; **~-killer** herbicida *m*; **~y** infestado de malas hierbas
week [wi:k] semana *f*; **today ~** hoy hace ocho días; **~day** día *m* útil, día *m* de trabajo; *SA* día *m* de semana; **~end** fin *m* de semana; **~ly** *a* semanal; *s* semanario *m*
weep [wi:p] *v/t*, *v/i* llorar; **~ing** llanto *m*; **~ing willow** sauce *m* llorón
weigh [wei] *v/t*, *v/i* pesar; **~t** *s* peso *m*; pesa *f*; *v/t* cargar; **~tless** sin peso; **~t-lifting** *dep* levantamiento *m* de pesas; **~ty** pesado
weir [wiə] presa *f*
weird [wiəd] sobrenatural, misterioso; fantástico
welcome ['welkəm] *a* bienvenido; grato; *s* bienvenida *f*; *v/t* dar la bienvenida; acoger; (**you are**) **~!** ¡no hay de qué!
weld [weld] *s* soldadura *f*; *v/t* soldar; **~ing** soldadura *f*
welfare ['welfɛə] bienestar *m*; prosperidad *f*; **~ state**

pol estado *m* benefactor; ~ **work** obra *f* de asistencia social

well [wel] *s* pozo *m* (*agua, petróleo*); *arq* caja *f* de la escalera

well [wel] *a* bien; bueno; sano; **to be** *o* **feel** ~ sentirse bien; *adv* bien; muy, mucho; **as** ~ también, a la vez; **as** ~ **as** así como también; *interj* pues; bueno; ¡vaya!; ~**-being** bienestar *m*; ~**-known** consabido; muy conocido; ~**-nigh** casi; ~**-off** en buena situación; ~**-timed** oportuno; ~**-to-do** acomodado, rico; ~**-worn** gastado; trillado

Welsh [welʃ] *a* galés; *s* idioma *m* galés; **the** ~ los galeses; ~ **rabbit,** ~ **rarebit** [~'rɛəbit] queso *m* derretido sobre tostadas

wench [wentʃ] moza *f*

west [west] *a* occidental; *s* oeste *m*, occidente *m*; poniente *m*; ~**erly,** ~**ern** occidental

wet [wet] *a* mojado; húmedo; *v/t* mojar; ~**ness** humedad *f*; ~**-nurse** ama *f* de leche

whack [wæk] *s* golpe *m* fuerte; *v/t* vapulear

whale [weil] ballena *f*; ~**r** buque *m* ballenero

wharf [wɔ:f] muelle *m*; descargadero *m*

what [wɔt] *pron* qué; cómo; el que, la que; ~ **about?** ¿qué te parece?; ¿qué se sabe de?; ~ **for?** ¿para qué?; **so** ~? ¿y qué?; *interj* ~ **a**! ¡qué!; *a interrog y rel* qué; ~**ever** cualquier; todo lo que, que sea; ~**soever** *pron, a* cualquier(a) que; cualesquiera que; cuanto; todo lo que

wheat [wi:t] trigo *m*

wheel [wi:l] *s* rueda *f*; volante *m* (*auto*); *v/t* hacer rodar; *v/i* girar; rodar; ~**-barrow** carretilla *f*

whelp [welp] cachorro *m*

when [wen] *adv* cuándo; *conj* cuando; si

whenever [wen'evə] cuando quiera que

where [wɛə] *adv* dónde; adónde; por dónde; *conj* donde, adonde; ~ **abouts** paradero *m*

where|as ['wɛə'æz] por cuanto, visto que; mientras que; ~**by** por el cual; ~**fore** por lo que; ~**in** en que; ~**on** en que, sobre que; ~**ver** dondequiera.

whet [wet] *v/t* afilar; *fig* abrir (*el apetito*)

whether ['weðə] si; sea que

which [witʃ] *pron rel e interrog* que; el, la, los, las que; lo que; el, la cual; lo cual; cuál; cuáles; qué; *a interrog y rel* qué, cuál; cuyo; el, la cual

whiff [wif] soplo *m*; vaharada *f*

while [wail] *s* rato *m*; tiempo *m*; **for a** ~ por algún tiempo; *conj* mientras;

mientras que; aun cuando; aunque; *v/t* ~ **away** pasar, entretener (*el tiempo*)
whim [wim] antojo *m*; capricho *m*
whimper ['wimpə] *v/i* lloriquear; gimotear
whims|ical ['wimzikəl] caprichoso; extraño; **~y** capricho *m*, extravagancia *f*
whine [wain] *s* quejido *m*; gemido *m*; *v/i* quejarse; gemir
whinny ['wini] *v/i* relinchar
whip [wip] *s* fusta *f*; látigo *m*; azote *m*; *v/t* dar latigazos a; azotar; **~ped cream** crema *f* chantillí; **~ping** azotamiento *m*, paliza *f*, vapuleo *m*
whir [wə:] *s* zumbido *m*; *v/t*, *v/i* zumbar; rehilar
whirl [wə:l] *s* remolino *m*; *v/t*, *v/i* girar; **~pool** remolino *m*; **~wind** torbellino *m*
whisk [wisk] *s* escobilla *f*; cepillo *m*; movimiento *m* rápido; *v/t* barrer; cepillar; ~ **away** arrebatar; *v/i* pasar de prisa
whiskers ['wiskəz] patillas *f/pl*
whisk(e)y ['wiski] whisky *m*
whisper ['wispə] *s* susurro *m*; cuchicheo *m*; murmullo *m*; *v/t*, *v/i* cuchichear; susurrar
whistle ['wisl] *s* pito *m*; silbato *m*; *v/t*, *v/i* silbar
white [wait] *a* blanco; pálido; *s* blanco *m*; color *m* blanco; **~-collar worker** oficinista *m*; ~ **lie** mentirilla *f*; **~n** *v/t* blanquear; **~ness** blancura *f*; palidez *f*; **~wash** *s* blanqueo *m*; *v/t* enlucir; blanquear; *fig* encubrir
Whitsuntide ['witsntaid] Pentecostés *m*
whizz [wiz] *s* silbido *m*; *v/i* silbar; ~ **by** rehilar
who [hu:, hu] *pron interrog y rel* quien(es); el, la, lo, los, las que; el, la, los, las cual(es); quién; **~ever** quienquiera; cualquiera que
whol|e [həul] *a* todo; entero; íntegro; intacto; total; *s* todo *m*; totalidad *f*; conjunto *m*; **on the ~e** en general; **~e-hearted** sincero; **~esale** *com* al por mayor; *fig* en masa; **~esaler** mayorista *m*; **~esome** salubre; **~ly** ['həuli] enteramente; íntegramente
whom [hu:m] *pron* a quién (-es), a quien(es), al que, al cual
whoop [hu:p] *s* grito *m*; *v/i* gritar; **~ing-cough** tos *f* ferina
whore [hɔ:] puta *f*
whose [hu:z] *pron y a rel* cuyo, cuya; cuyos, cuyas; de quien; de quienes; *a interrog* de quién; de quiénes
why [wai] *adv* por qué; para qué; *conj* porque; por lo cual; *s* porqué *m*; *interj* pues; ¡toma!
wick [wik] mecha *f*
wicked ['wikid] malo; perverso; malvado

wicker ['wikə] mimbre *m*
wicket ['wikit] portezuela *f*; ventanilla *f*; *dep* meta *f* (*en criquet*)
wide [waid] ancho; extenso; vasto; **~-awake** despabilado; muy despierto; **~ly** muy, mucho; **~n** *v/t* ensanchar; extender; **~spread** difundido
widow ['widəu] viuda *f*; **~er** viudo *m*; **~hood** viudez *f*
width [widθ] anchura *f*
wife [waif] esposa *f*
wig [wig] peluca *f*
wild [waild] *a* salvaje; silvestre; inculto; feroz; bravo; desenfrenado; **~cat strike** huelga *f* salvaje (*no autorizada*); **~erness** ['wildənis] desierto *m*; **like ~fire** como un reguero de pólvora; **~ly** desatinadamente; ferozmente
wil(l)ful ['wilful] premeditado; testarudo
will [wil] *s* voluntad *f*; intención *f*; testamento *m*; **at ~** a discreción; *v/t* querer; *for* legar; **~ing** voluntario; dispuesto; **~ingness** buena voluntad *f*
willow ['wiləu] sauce *m*
wilt [wilt] *v/t*, *v/i* marchitar (-se)
win [win] *v/t*, *v/i* ganar; conquistar; lograr; **to ~ the favour of** caer en gracia a; *s dep* triunfo *m*
wince [wins] *v/i* hacer mueca de dolor; recular
winch [wintʃ] cigüeña *f*; torno *m*
wind [wind] viento *m*; aliento *m*; **to get ~ of** enterarse de
wind [waind] *v/t* seguir las vueltas; enrollar; **~ up** dar cuerda (*al reloj*); concluir; *v/i* serpentear
wind|ed ['windid] falto de aliento; **~fall** cosa *f* caída del cielo; **~ing** ['waindiŋ] tortuoso; en espiral; **~ing staircase** escalera *f* de caracol
windlass ['windləs] *mec* torno *m*
windmill ['windmil] molino *m* de viento
window ['windəu] ventana *f*; **~-pane** cristal *m* de ventana; **~-shopping: to go ~-shopping** mirar los escaparates sin querer comprar; **~sill** apoyo *m* de la ventana
wind|pipe ['windpaip] *anat* tráquea *f*; **~-screen** parabrisas *m*; **~-screen wiper** limpiaparabrisas *m*; **~ward** de barlovento; **~y** ventoso
wine [wain] vino *m*; **~-grower** viticultor *m*
wing [wiŋ] ala *f*; hoja *f* (de puerta); *teat* bastidor *m*; *dep* alero *m*; **on the ~** al vuelo
wink [wiŋk] *s* guiño *m*; *v/i* guiñar; centellear
winn|er ['winə] ganador(a) *m* (*f*); **~ing** ganador, vencedor; *fig* cautivador; **~ing-**

-post poste *m* de llegada; **~ings** ganancias *f/pl*
wint|er ['wintə] *s* invierno *m*; *a* invernal; *v/i* invernar; **~ry** ['~tri] invernizo; *fig* frío
wipe [waip] *v/t* limpiar; enjugar; **~ off** borrar; **~ out** *fig* aniquilar; borrar con
wir|e [waiə] *s* alambre *m*; hilo *m*; telegrama *m*; *v/t* instalar alambres en; telegrafiar; **~e fencing** alambrado *m*; **~eless** *a* inalámbrico; *s* radio *f*; **~eless set** aparato *m* de radio; **~e-pulling** intriga *f*; **~y** ['~ri] de alambre; fuerte
wis|dom ['wizdəm] sabiduría *f*; juicio *m*; **~e** [waiz] sabio; prudente; juicioso; **~ecrack** *fam* agudeza *f*
wish [wiʃ] *s* deseo *m*; anhelo *m*; *v/t*, *v/i* desear; anhelar; **~ful** deseoso
wistful ['wistful] añorante; pensativo
wit [wit] ingenio *m*; sal *f*; agudeza *f*
witch [witʃ] bruja *f*; **~craft** brujería *f*; embrujo *m*
with [wið] con; a, entre; por; de; para
withdraw [wið'drɔ:] *v/t* retirar; retractar; *v/i* retirarse; **~al** retirada *f*
wither ['wiðə] *v/t*, *v/i* marchitar(se)
withhold [wið'həuld] *v/t* negar; retener
with|in [wi'ðin] dentro de; al alcance de; **~out** [~'ðaut] *prep* sin; fuera de; **to do ~out** pasarse sin; *adv* fuera; afuera
withstand [wið'stænd] *v/t* resistir a
witness ['witnis] *s* testigo *m*; testimonio *m*; *v/t* atestiguar; presenciar; **~-box** banquillo *m* de los testigos
witty ['witi] ingenioso; gracioso
wizard ['wizəd] brujo *m*; [mago *m*]
wobble ['wɔbl] *v/i* tambalear(se); vacilar
woe [wəu] dolor *m*; aflicción *f*
wolf [wulf] *s* lobo *m*; *v/t* *fam* engullir
woman ['wumən] mujer *f*; **~hood** feminidad *f*; las mujeres *f/pl*; **~ly** mujeril, femenino
womb [wu:m] *anat* matriz *f*; *fig* seno *m*
wonder ['wʌndə] *s* maravilla *f*; milagro *m*; *v/i* admirarse; *v/t* preguntarse; **~ful** maravilloso
wont [wəunt] costumbre *f*
woo [wu:] *v/t*, *v/i* cortejar
wood [wud] madera *f*; bosque *m*; leña *f*; **~cut** grabado *m* en madera; **~cutter** leñador *m*; **~ed** arbolado; **~en** de madera; rígido; **~-pecker** pájaro *m* carpintero; **~winds** *mús* maderas *f/pl*; **~work** obra *f* de carpintería
wool [wul] lana *f*; **~len** de lana; **~ly** lanoso

word [wə:d] *s* palabra *f*; voz *f*; noticia *f*; *v/t* expresar; **~ing** expresión *f*; formulación *f*; texto *m*; **~y** verboso
work [wə:k] *s* trabajo *m*; obra *f*; empleo *m*; **at ~** trabajando; en juego; **out of ~** sin trabajo; *v/t* labrar, trabajar; **~ out** resolver; *v/i* trabajar; funcionar; surtir efecto; **~able** practicable; **~day** día *m* laborable; jornada *f* de trabajo; **~er** trabajador(a) *m* (*f*), obrero(a) *m* (*f*); **~ing** trabajador; laboral; suficiente; **~ing class** clase *f* obrera; **~man** trabajador *m*, obrero *m*; **~manship** hechura *f*, confección *f*; pericia *f*; **~ of art** obra *f* de arte; **~s** fábrica *f*; mecanismo *m*; **~shop** taller *m*
world [wə:ld] mundo *m*; **~ly** mundano; **~ power** potencia *f* mundical; **~ war** guerra *f* mundial; **~-wide** mundial
worm [wə:m] gusano *m*; lombriz *f*; *mec* tornillo *m* sin fin; **~-eaten** carcomido; apolillado
worn-out ['wɔ:n'aut] gastado; raído; agotado
worr|ied ['wʌrid] preocupado, inquieto; **~y** *s* inquietud *f*; preocupación *f*; *v/i* inquietarse; *v/t* preocupar
worse [wə:s] *a*, *adv* peor; **~n** *v/t*, *v/i* empeorar(se)
worship ['wə:ʃip] *s* adoración *f*; culto *m*; *v/t* adorar
worst [wə:st] *a* peor; pésimo; *adv* pésimamente; *s* lo peor, lo más malo
worsted ['wustid] estambre *m*
worth [wə:θ] *s* valor *m*; mérito *m*; precio *m*; *a* de valor; **to be ~** valer; merecer; valer la pena; **~less** sin valor; inútil; despreciable; **to be ~ while** valer la pena; **~y** ['~ði] digno
wound [wu:nd] *s* herida *f*; *v/t* herir
wrangle ['ræŋgl] disputa *f*; riña *f*
wrap [ræp] *v/t* envolver; cubrir; *v/i* envolverse; **~per** cubierta *f*; sobrecubierta *f* (*de libro*); **~ping** envoltura *f*
wrath [rɔθ] cólera *f*; ira *f*
wreath [ri:θ] guirnalda *f*; corona *f*
wreck [rek] *s* naufragio *m*; destrozos *m/pl*; *v/t* arruinar; **~age** ruinas *f/pl*; despojos *m/pl*
wrench [rentʃ] *s* arranque; *med* distensión *f*; *mec* llave *f* (de tuerca); *v/t* arrancar
wrest [rest] **(from)** *v/t* arrebatar; **~le** ['resl] *s* lucha *f*; *v/t* luchar con
wretch [retʃ] *s* infeliz *m*, desgraciado *m*; sinvergüenza *m*, *f*; **~ed** ['~id] miserable; desgraciado
wriggle ['rigl] *v/i* culebrear, serpentear
wring [riŋ] *v/t* torcer; estrujar
wrinkle ['riŋkl] *s* arruga *f*;

v/t arrugar; **~ one's brows** fruncir el ceño; *v/i* arrugarse
wrist [rist] *anat* muñeca *f*; **~ watch** reloj *m* de pulsera
writ [rit] escritura *f*; orden *f*; mandato *m*
writ|e [rait] *v/t*, *v/i* escribir; **~e down** apuntar; **~e off** *com* castigar; *fig* dar por perdido; **~e out** escribir en forma completa; extender (*cheque, etc*); **~er** escritor(a) *m* (*f*); autor(a) *m* (*f*)
writhe [raið] *v/i* retorcerse
writing ['raitiŋ] letra *f*; escritura *f*; escrito *m*; **in ~** por escrito; **~-desk** escritorio *m*; **~-paper** papel *m* de cartas
written ['ritn] escrito
wrong [rɔŋ] *a* falso; equivocado; malo; injusto; inexacto; **to be ~** equivocarse; no tener razón; andar mal (*reloj*); *adv* mal; al revés; *s* mal *m*; injusticia *f*; perjuicio *m*; agravio *m*; *v/t* injuriar; ofender; agraviar; **~fully** injustamente
wrought [rɔ:t] forjado; labrado; **~-up** sobreexcitado
wry [rai] torcido, doblado; tergiversado; **~ face** mueca *f*

X

Xmas ['krisməs] = **Christmas**
X-ray ['eks'rei] *v/t* hacer una radiografía; *s* rayo *m* X; radiografía *f*
xylophone ['zailəfəun] xilófono *m*

Y

yacht [jɔt] yate *m*
yap [jæp] *v/i* ladrar
yard [jɑ:d] yarda *f* (*91,44 cm*); patio *m*
yarn [jɑ:n] hilo *m*; *fam* cuento *m*, andaluzada *f*
yawl [jɔ:l] yola *f*
yawn [jɔ:n] *s* bostezo *m*; *v/i* bostezar
yea [jei] sí
year [jə:] año *m*; **~ly** anual
yearn [jə:n] (**for**) *v/i* anhelar; **~ing** anhelo *m*
yeast [ji:st] levadura *f*
yell [jel] *s* grito *m*; *v/t*, *v/i* gritar; chillar
yellow ['jeləu] amarillo; **~ish** amarillento
yelp [jelp] *v/i* gañir; *s* gañido *m*
yeoman ['jəumən] *Ingl* pequeño terrateniente *m*
yes [jes] sí
yesterday ['jestədi] ayer; **the day before ~** anteayer
yet [jet] *conj* sin embargo; no obstante; *adv* ya (*en la pregunta*); aún, todavía; **as ~** hasta ahora; **not ~** aún no; todavía no
yew [ju:] tejo *m*

yield [ji:ld] *s* rendimiento *m*; *com* producto *m*; *v/t* producir, rendir; admitir; ceder; *v/i* rendirse; ceder; consentir; **~ing** flexible; complaciente
yoke [jəuk] *s* yugo *m*; *v/t* acoplar
yolk [jəuk] yema *f*
yonder ['jɔndə] *adv* allá; allí; *a* aquel; aquella
you [ju:, ju] tú; vosotros(as); usted; ustedes
young [jʌŋ] *a* joven; fresco; *s* jóvenes *m/pl*; cría *f* (*de animales*); **~er** más joven; menor; **~ girl** joven *f*; **~ lady** señorita *f*; **~ster** ['~stə] jovencito *m*
your [jɔ:] *a pos* tu, tus, su, sus; vuestro(a, os, as); de usted(es)
yours [jɔ:z] *pron pos* tuyo(a), tuyos(as); el (la) tuyo(a); lo tuyo, los (las) tuyos(as); suyo(a); suyos(as); el (la) suyo(a), lo suyo; los (las) suyos(as); vuestro(a), vuestros(as); el (la) vuestro(a), los (las) vuestros(as); el, la, lo, los, las de usted(es)
yourself [jɔ:'self] *pron pers sing* tú mismo(a); usted mismo(a); **by ~** solo
yourselves [jɔ:'selvz] *pron pers pl* ustedes mismos(as); vosotros(as) mismos(as)
youth [ju:θ] juventud *f*; joven *m*; **~ful** joven; juvenil; **~ hostel** albergue *m* para jóvenes

Z

zeal [zi:l] celo *m*, ardor *m*; ahínco *m*; **~ous** ['zeləs] celoso; acucioso; fervoroso
zebra ['zi:brə] cebra *f*; **~ crossing** (cruce *m*) cebra
zenith ['zeniθ] cenit *m* (*t fig*)
zero ['ziərəu] cero *m*; **below ~** bajo cero
zest [zest] deleite *m*; gusto *m*
Zionism ['zaiənizəm] sionismo *m*
zip|-fastener ['zip-], **~per** cremallera *f*, *SA* cierre *m* relámpago
zodiac ['zəudiæk] zodiaco *m*
zone [zəun] zona *f*
zoo [zu:] parque *m* zoológico
zoolog|ical [zəuə'lɔdʒikəl] zoológico; **~y** [~'ɔlədʒi] zoología *f*
zoom [zu:m] *v/i* volar zumbando; **~ lens** *foto* objetivo *m* zoom (*de foco variable*)

Vocabulario Español-Inglés

A

a to; towards (*with verbs expressing movement*); at; on, by, in (*with verbs expressing state or position*); **~ mano** at hand; by hand; **poco ~ poco** little by little; **~ pie** on foot; **~ mediodía** at noon; **~ las seis** at six o'clock; **voy ~ Londres** I am going to London; **sabe ~ limón** it tastes of lemon; **la mantequilla está ~ 200 pesetas el kilo** the butter is at 200 pesetas a kilo

abad *m* abbot; **~esa** *f* abbess; **~ía** *f* abbey

abajo *adv.* underneath; below; *interj.* down with!

abalanzar *v/t* to balance; **~se sobre** to rush upon

abandon|ado negligent; **~ar** *v/t* to abandon; to neglect; **~o** *m* abandon; slovenliness

abani|car *v/t* to fan; **~co** *m* fan; **~queo** *m* fanning

abaratar *v/t* to cheapen

abarca *f* wooden sandal

abarca|dura *f*, **~miento** *m* embracing, inclusion; **~r** *v/t* to embrace; to comprise

abasta|miento *m* supplying; **~r** *v/t* to supply; to provide with

abastec|edor *m* supplier; **~er** *v/t* to supply; to provide with; **~imiento** *m* supply; provisions; stores, stock

abasto *m* supplying; **~s** supplies, provisions

abat|ido dejected, depressed; discouraged; dismayed; *com.* depreciated; **~imiento** *m* depression; **~ir** *v/t* to knock down; to pull down; to lower; to depress; **~irse** to loose heart; to become depressed; **~irse sobre** to swoop down on

abdica|ción *f* abdication; **~r** *v/t* to abdicate

abdomen *m* abdomen

abecedario *m* alphabet

abedul *m* birch-tree

abej|a *f* bee; **~arrón** *m* bumblebee; **~ón** *m* drone

abertura *f* aperture; opening; crack

abeto *m* fir

abierto open, clear, frank

abigarrado variegated; mottled; motley

abism|al abysmal; **~ar** *v/t* to baffle; to depress; **~o** *m* abyss

abjurar *v/t* abjure, disavow
ablandar *v/t*, *v/i* to soften; to mollify; to mitigate; to calm down
abnega|ción *f* abnegation; **~r** *v/t* to renounce; **~rse** to deny oneself
abofetear *v/t* to slap
aboga|cía *f* legal profession; **~do(a)** *m* (*f*) lawyer, barrister; **~r por** *v/i* to defend; to plead
abolengo *m* ancestry; *for* inheritance
aboli|ción *f* abolition; **~r** *v/t* abolish
abolsado baggy
abolla|dura *f* dent; **~r** *v/t* to dent; to emboss
abomina|ble abominable; **~ción** *f* abomination; horror; **~r** *v/t* to abominate
abon|ado *m* subscriber; holder of a season ticket; **~ar** *v/t* to guarantee; to assure; *com* to pay; to credit; *agr* to fertilize; **~arse** to subscribe; **~aré** *m* promissory note; **~o** *m* payment; subscription; season ticket; *agr* manure
abordar *v/t naut* to board (*a ship*); to approach, to tackle (*a person*, *a subject*); *v/i* to put into port
aborigen *m* native
aborrec|er *v/t* to hate, to abhor; **~imiento** *m* abhorrence, hatred
aborto *m* abortion, miscarriage; monstrosity.
abotonar *v/t* to button; *v/i* to bud
abovedar *v/t* to vault
abrasar *v/t* to burn; to parch; **~se (de, en)** *fig* to burn (with)
abraz|adera *f* clamp, clasp; **~ar** *v/t* to clasp; to embrace; to comprise; **~o** *m* embrace, hug
abrelatas *m* can-opener
abreva|dero *m* watering place; **~r** *v/t* to water (*cattle*)
abrevia|ción *f* abbreviation; shortening; **~r** *v/t* to abbreviate; to shorten; **~tura** *f* abbreviation; summary
abridor *m* (*tin*, *etc*) opener
abrig|ar *v/t* to shelter, to harbour; to wrap up; to keep warm; *fig* to cherish; **~o** *m* shelter; protection; wrap; overcoat
abril *m* April
abrir *v/t* to open; to whet (*the appetite*); *v/i* to open
abrochar *v/t* to fasten; to buckle; to button
abrogar *v/t* to abrogate
abrumar *v/t* to oppress; to weigh down; to overwhelm
abrupto rugged; abrupt
absceso *m* abscess
absentismo *m* absenteeism
ábside *m or f* apse
absolu|ción *f* absolution; acquittal; **~tismo** *m* absolutism; **~to** absolute; **en ~to** absolutely; not at all (*in negative sentences*)

absor|ber *v/t* to absorb; **~ción** *f* absorption
abstemio(a) *m (f)* teetotaller; *a* abstemious
abstención *f* forbearance
abstenerse to abstain, to refrain
abstinente abstinent
abstra|cción *f* abstraction; **~cto** abstract; **~er** *v/t* to abstract; **~er de** *v/i* to do without; **~erse** to be lost in thought
absurdo absurd
abuel|a *f* grandmother; *fig* old woman; **~ita** *f fam* granny, grandma; **~ito** *m fam* grandpa; **~o** *m* grandfather; *fig* old man; **~os** *m/pl* grandparents; ancestors
abulta|do bulky; **~r** *v/t* to enlarge; *v/i* to be bulky
abunda|ncia *f* abundance, plenty; **~nte** abundant, plentiful; **~r** *v/i* to abound
aburri|do boring, tiresome; **~miento** *m* boredom; annoyance; **~r** *v/t* to bore; to annoy; **~rse** to be bored
abus|ar de *v/i* to abuse; **~ivo** improper, abusive; *SA* cruel, brutal; **~o** *m* abuse
acá here; hither
acaba|do *m* finish; *a* perfect; finished; **~r** *v/t*, *v/i* to finish, to complete; to end; **~r con** to put an end to; **~r de** to have just; **él ~ de llegar** he has just arrived; **~rse** to run out of
academia *f* academy
académico(a) *m (f)* academic(ian)
acaec|er *v/i* to happen; to occur; **~imiento** *m* event
acalora|miento *m* ardour; excitement; **~r** *v/t* to warm; to heat; **~rse** to grow excited
acallar *v/t* to silence; to calm down
acampar *v/t* to encamp
acanala|do fluted; corrugated; **~r** *v/t* to groove, to flute; to channel
acantilado *m* escarpment
acantona|miento *m* billet; **~r** *mil v/t* to quarter; to billet
acapara|dor(a) *m (f)* hoarder; monopolizer; **~miento** *m* hoarding; **~r** *v/t* to hoard, to buy up; to monopolize
acariciar *v/t* to caress
acarre|ar *v/t* to cart, to convey; to entail; **~o** *m* carting, carriage; transport
acaso *m* chance; *adv* by chance; perhaps; **por si ~** just in case
acata|miento *m* observance; **~r** *v/t* to respect, to obey
acaudala|do wealthy; **~r** *v/t* to amass (*fortune, etc*)
acaudillar *v/t* to lead
acce|der *v/t* to accede; **~sible** accessible; **~sión** *f* accession; **~so** *m* access;

entry; fit; attack; **~sorio** accessory
accident|ado troubled; rugged; **~al** accidental; **~almente** accidentally; **~e** *m* accident; fit
acción *f* action; act; gesture; *com* share
accion|ar *v/t* to set in motion; to drive; **~ista** *m, f* shareholder
acebo *m* holly
acech|ar *v/t* to spy upon; to ambush; **~o** *m* spying; prying
aceit|e *m* oil; **~e de ricino** castor oil; **~era** *f* oil cruet; *mech* oiler; **~oso** oily; **~una** *f* olive
acelera|ción *f* acceleration; **~dor** *m* accelerator; **~r** *v/t* to accelerate; to hasten
acent|o *m* accent; **~uar** *v/t* to stress
acepción *f gram* acceptation, meaning
acepillar *v/t* to plane; to brush
acepta|ble acceptable; **~ción** *f* acceptance; approbation; **~dor(a)** *m (f) com* acceptor; **~r** *v/t* to accept; to approve of
acequia *f* irrigation ditch; *SA* gutter
acera *f* sidewalk
acerbo harsh; sour, bitter
acerca de about; with regard to
acerca|miento *m* approximation; **~r** *v/t* to bring near; **~rse** to approach; to come near to
acero *m* steel; **~ damasquino** damask steel
acerolo *m* hawthorn
acerta|do proper, correct; **~r** *v/t* to hit the mark; *v/i* to succeed
acertijo *m* riddle
acidez *f* acidity
ácido *m* acid; *a* acid; sour; tart; harsh
acierto *m* good shot; success; skill
aclama|ción *f* acclamation; **~r** *v/t* to acclaim
aclara|ción *f* explanation; **~r** *v/t* to make clear; to explain; *v/i* to clear up (*weather*)
aclimata|ción *f* acclimatization; **~r** *v/t* to acclimatize
acobardar *v/t* to intimidate; **~se** to become frightened; to flinch
acodado bent
acoge|dor(a) *a* welcoming, inviting; *m (f)* harbourer; protector; **~r** *v/t* to receive; to welcome; **~rse a** to take refuge in
acogi|da *f*, **~miento** *m* reception
acolchar *v/t* to quilt
acomet|edor *a* aggressive; *m* aggressor; **~er** *v/t* to attack; to undertake; **~ida** *f* attack; assault
acomod|ación *f* accommodation; adaptation; settlement; **~adizo** accommodating; **~ado** wealthy,

well-to-do; **~ador(a)** *m (f)* usher, usherette; **~amiento** *m* agreement; accomodation, lodging; **~ar** *v/t* to accommodate; to adapt; to arrange; *v/i* to suit; **~arse** to adapt oneself; **~o** *m* employment

acompaña|miento *m* company; accompaniment; attendance; **~r** *v/t* to accompany

acondiciona|do in (good or bad) condition; **~r** *v/t* to condition

aconseja|ble advisable; **~r** *v/t* to advise; **~rse** to take advice

acontec|er *v/i* to happen; **~imiento** *m* event

acopi|ar *v/t* to store; **~o** *m* quantity; storing

acopla|dura *f*, **~miento** *m* connexion; coupling; **~r** *v/t* to connect; to joint; to join; to mate (*of animals*); **~rse** to come to an agreement

acorazado *m* battleship

acorazonado heart-shaped

acord|ar *v/t* to decide; to agree upon; *v/i* to agree; **~arse de** to remember; **~e** *a* agreed; *m mus* chord

acordeón *m* accordion

acorralar *v/t* to pen up (*cattle*); *fig* to corner

acortar *v/t* to abridge; to shorten

acosar *v/t* to persecute; to harass

acostar *v/t* to put to bed; **~se** to go to bed; to lie down

acostumbrar *v/t* to accustom; *v/i* to be in the habit of; **~se** to become accustomed

acotar *v/t* to assess

acre *a* acrid (*t fig*); sharp; sour; *m* acre

acrecentar *v/t* to promote; to increase

acrecer *v/t* to increase

acreditar *v/t* to accredit; *com* to credit; to answer for; to guarantee

acreedor *m* creditor

acribillar *v/t* to riddle (*with bullets, etc*); to molest

acróbata *m* acrobat

acta *f* record

actitud *f* attitude

activ|ar *v/t* to hasten; to expedite; **~idad** *f* activity; **~o** *a* active; *m com* assets

act|o *m* act; **~ual** present; **~ualidad** *f* present time; current topic; **~ualmente** at present; presently; **~uar** *v/i* to act

acuar|ela *f* water-colour; **~io** *m* aquarium

acuartelar *v/t mil* to quarter

acuático aquatic

acuciar *v/t* to urge

acuclillarse to squat

acuchillar *v/t* to knife; to stab

acudir *v/i* to go; **~ a** to attend; to frequent

acuerdo *m* agreement; accord; resolution; **de ~** in

agreement; **tomar un ~** to pass a resolution
acumula|dor *m* accumulator; **~r** *v/t* to accumulate; **~rse** *com* to accrue
acuñar *v/t* to mint; to coin; to wedge
acuoso watery
acurrucarse to huddle up, to nestle
acusa|ción *f* accusation; **~dor(a)** *m* (*f*) accuser; **~r** *v/t* to accuse; to acknowledge (*receipt*); to show; **~tivo** *m gram* accusative
acústica *f* acoustics
acha|car *v/t* to impute; **~que** *m* indisposition
achicar *v/t* to reduce; to dwarf
achicharrar *v/t* to burn; to overheat
achispado *fam* tipsy, tight
adalid *m* leader; chieftain
adapta|ción *f* adaptation; **~r** *v/t* to adapt
adecuado adequate
adelant|ado *m* governor; *a* advanced; fast (*watch*); **~ar** *v/t*, *v/i* to advance; to progress; **~arse** to take the lead; **~e** forward; ahead; **en ~e** henceforward; **~o** *m* progress; advance, advance payment
adelgazar *v/t* to make slender
ademán *m* gesture; *pl* manners
además moreover; besides
adentro within; inside
adepto *m* follower; partisan
aderezar *v/t* to season; to dress; to adorn
adeudar *v/t* to debit; to charge; **~se** to get into debt
adhe|rencia *f* adhesion; **~rir(se)** *v/i* to adhere; **~sivo** adhesive
adición *f* addition; *SA* check (*in restaurant, etc*)
adicion|al additional; **~ar** *v/t* to add; to augment
adicto *a* addicted; devoted; *m* (drug) addict; follower
adiestra|miento *m* training; instruction; **~r** *v/t* to train; to instruct
adinerado wealthy, moneyed
adivin|anza *f* riddle; puzzle; **~ar** *v/t* to guess; **~o** *m* diviner; fortune-teller
adjudicar *v/t* to adjudicate; **~se** to appropriate
adjunto *a* adjoining; enclosed; *m* partner
administra|ción *f* administration; **~ción pública** civil service; **~dor** *m* administrator; manager; **~r** *v/t* to administer; **~tivo** administrative
admira|ble admirable; **~ción** *f* admiration; **~r** *v/t* to admire; **~rse de** to be surprised at
admi|sión *f* admission; entrance; acceptance; **~tir** *v/t* to admit; to accept
adob|ar *v/t* to pickle; to prepare; to season; **~e** *m* adobe
adolecer *v/i* to fall ill; to be ill
adolescen|cia *f* adoles-

cence; **~te** *m, f, a* adolescent

adonde where; whither; **~quiera** anywhere; wherever

adop|ción *f* adoption; **~tar** *v/t* to adopt; **~tivo** adoptive; adopted

adoqu|ín *m* paving stone; **~inado** *m* paved floor

adora|ble adorable; **~ción** *f* adoration; worship; **~r** *v/t* to worship; to adore

adorm|ecer *v/t* to put to sleep; to lull; to calm; **~idera** *f* poppy

adorn|ar *v/t* to adorn; **~o** *m* adornment; decoration

adqui|rir *v/t* to acquire; to buy; **~sición** *f* acquisition; purchase; **poder** *m* **~sitivo** purchasing power

adrede on purpose

adscribir *v/t* to ascribe

aduan|a *f* custom-house; **~ero** *m* custom-house officer

aducir *v/t* to adduce

adueñarse to take possession

adul|ación *f* flattery; **~ar** *v/t* to flatter; **~ón** *a* cringing; *m* toad-eater

adulter|ación *f* adulteration; **~ar** *v/t* to adulterate; *v/i* to commit adultery

adúltero(a) *m (f)* adulterer (-ess); *a* adulterous

adulto(a) *a, m (f)* adult

adven|edizo *a* foreign; newly arrived; *m* stranger; new-comer; upstart; **~ir** *v/i* to arrive

advers|ario *m* adversary, opponent; **~idad** *f* adversity; **~o** adverse

advert|encia *f* advice; warning; **~ir** *v/t* to notice; to advise; to warn

adyacente adjacent

aéreo aerial

aerodeslizador *m* hovercraft

aerodinámico aerodynamic; streamlined

aeródromo *m* airfield

aero|moza *f* air hostess, stewardess; **~náutica** *f* aeronautics; **~nave** *f* airship; **~puerto** *m* airport

afable affable; complaisant

afamado famous

afán *m* anxiety; eagerness

afan|ar *v/t* to press; **~arse** to work eagerly; **~oso** arduous, difficult

afec|ción *f* affection; **~tación** *f* affectation; **~tar** *v/t* to affect; to feign; to concern

afeitar *v/t* to shave; to embellish

afeminado effeminate

aferrar *v/t* to grasp; **~se a, en** to persist obstinately in

afianzar *v/t* to guarantee

afición *f* enthusiasm

aficion|ado *a* fond of; *m* fan; **~arse a** to take a fancy to; to become fond of

afila|dor *m* sharpener; **~r** *v/t* to sharpen, to whet; to grind

afín akin; similar

afin|ar *v/t* to perfect; to tune; **~idad** *f* affinity
afirma|ción *f* affirmation; **~r** *v/t* to affirm; **~tiva** *f* affirmative; **~tivo** affirmative
afligir *v/t* to afflict, to distress; **~se** to grieve
aflojar *v/t* to loosen; to slacken; *v/i* to weaken; to diminish
aflu|encia *f* affluence; crowd; **~ente** *m* tributary; affluent; *a* affluent; abundant; **~ir** *v/i* to flow into; to congregate
aforo *m* gauging; appraisal
aforr|ar *v/t* to line (*clothes*); **~o** *m* lining; *naut* sheathing
afortunado lucky; fortunate
afrenta *f* affront; insult; **~r** *v/t* to insult
afrontar *v/t* to confront; to face, to defy
afuera *adv* outside; outward; **~s** *f/pl* suburbs; surroundings; outskirts
agachadiza *f orn* snipe
agacharse to stoop; to squat; to crouch
agalla *f bot* gall; **~s** *pl* guts, courage
agarra|dero *m* handle; *naut* anchorage; **~r** *v/t* to grasp; to seize; **~rse** to grapple
agasaj|ar *v/t* to entertain; to regale; **~o** *m* reception, banquet; esteem
agen|cia *f* agency; **~cia de viajes** travel agency; **~te** *m* agent; **~te de bolsa** stockbroker; **~te de policía** policeman
ágil nimble; ready; light
agilidad *f* nimbleness; lightness
agio *m com* agio, premium; stock-jobbing
agita|ción *f* agitation; disturbance; **~r** *v/t* to agitate; to ruffle; **~rse** to flutter; to get excited
aglomerar *v/t* to agglomerate; to gather
agobi|ar *v/t* to oppress; to exhaust; **~o** *m* oppression; exhaustion
agolparse to crowd together
agonía *f* agony; violent pain
agonizar *v/t* to annoy; *v/i*: **estar agonizando** to be dying
agost|ar *v/t* to parch; **~o** *m* [August]
agota|do sold-out, out of stock; out of print; **~r** *v/t* to exhaust; to wear out; **~rse** to give out; to be sold out
agracia|do graceful, pretty, charming; **~r** *v/t* to adorn; to embellish
agrad|able agreeable; **~ar** *v/i* to please; **~ecer** *v/t* to thank; **muy ~ecido** much obliged; **~ecimiento** *m* gratefulness; gratitude; thanks; **~o** *m* pleasure
agrandar *v/t* to enlarge; to increase
agrario agrarian
agravar *v/t* to aggravate

agravi|ar *v/t* to wrong; **~o** *m* offence; insult
agre|dir *v/t* to assault; **~sión** *f* agression, assault; attack
agriarse to become sour
agrícola agricultural, agrarian
agricult|or *m* agriculturist; **~ura** *f* agriculture
agri|etar *v/t* to crack, to chap; **~o** sour; acid; rude
agrupa|ción *f* grouping; group; crowd; **~r** *v/t* to group; to cluster
agua *f* water; rain; **~s abajo** downstream; **~s arriba** upstream; **~s negras** sewage; **~cero** *m* shower, downpour; **~da** *f* watering station; flood; **~nieve** *f* sleet
aguant|able bearable; **~ar** *v/t* to stand; to bear; **~arse** to contain oneself; *SA* to stop; **~e** *m* stamina; endurance; patience
aguar *v/t* to dilute
aguardar *v/t* to await; to wait for, to expect
aguardiente *m* brandy; liquor; **~ de caña** rum
aguarrás *m* turpentine oil
agud|eza *f* sharpness; **~o** sharp; acute; witty
agüero *m* omen
aguij|ada *f* spur; **~ar** *v/t* to spur; to goad; **~ón** *m* prick; sting; goad; **~onear** *v/t* to prick; to sting; to goad
águila *f* eagle
aguj|a *f* needle; hand (*of clock*); spindle; spire (*of church*); **~as** *fc* switch; **~erear** *v/t* to prick; to pierce; to perforate; **~ero** *m* hole
aguzar *v/t* to sharpen; **~ las orejas** to prick one's ears
ahí there
ahija|da *f* goddaughter; **~r** *v/t* to adopt (*children*)
ahínco *m* eagerness, zeal
ahog|ar *v/t* to choke; to suffocate; to drown; **~arse** to drown; to be suffocated; **~o** *m* anguish; distress
ahora now; **~ mismo** at this very moment
ahorcar *v/t* to hang
ahorr|ar *v/t* to economize; to enfranchise; to emancipate; to save; **~os** *m/pl* savings
ahuecar *v/t* to hollow (out)
ahumar *v/t* to smoke
ahuyentar *v/t* to put to flight; to frighten away
airado angry
air|e *m* air; wind; grace; appearance; **al ~e libre** in the open air; **con ~e acondicionado** air-conditioned; **~oso** airy; windy; graceful; successful
aisla|miento *m* isolation; insulation; **~r** *v/t* to isolate; to insulate (*heat; current*)
ajar *v/t* to crumple; *m* gar-[lic-field]
ajedrez *m* chess
ajeno belonging to another;

alien; foreign; ~ **de** devoid of
ajetreo *m* hustle
ajo *m* garlic
ajuar *m* furniture; dowry, trousseau
ajust|ado tight; right; **~ar** *v/t* to fit in; to arrange; **~e** *m* adjustment; agreement
ala *f* wing; row; brim (*of hat*); leaf (*of table*)
alabar *v/t*, **~se** to praise
alabearse to warp
alacrán *m* scorpion
alambr|ado *m* wire fencing; **~e** *m* wire
alameda *f* (*tree-lined*) avenue; poplar-grove
álamo *m* poplar; ~ **temblón** aspen
alarde *m* parade; show; **~ar** *v/i* to boast; to show off
alargar *v/t* to lengthen; to stretch
alarido *m* howl; scream
alarm|a *f* alarm; **~ante** alarming; **~ar** *v/t* to alarm
alba *f* dawn
albacea *m* executor (*of will*)
albañil *m* mason; **~ería** *f* masonry
albaricoque *m* apricot
albedrío *m* free will; caprice
alberg|ar *v/t* to lodge; to put up; to harbour; **~ue** *m* hostel; inn; den (*of animals*); **~ue para jóvenes** youth hostel
albóndiga *f* meat-ball
albornoz *m* bath-robe; wrapper; hooded cloak
alborot|adizo excitable; **~ado** impetuous; **~ador** *a* turbulent; disorderly; *m* rioter; **~ar** *v/t* to disturb; to agitate; *v/i* to riot; **~o** *m* excitement, flutter; uproar; alarm
alboroz|ar *v/t* to make merry; **~arse** to rejoice exceedingly; to exult; **~o** *m* merriment
albufera *f* lagoon
álbum *m* album; ~ **de recortes** scrapbook
albúmina *f* albumen
alcachofa *f* artichoke
alcaide *m* governor (*of a castle*); jailer
alcald|e *m* mayor; **~ía** *f* mayor's office and jurisdiction
álcali *m* alkali
alcan|ce *m* reach; pursuit; **al ~ce de** within reach *or* range of; **dar ~ce** to overtake; **~for** *m* camphor; **~tarilla** *f* sewer; **~tarillado** *m* sewerage; **~zar** *v/t* to reach; to catch up with; *SA* to hand, to pass; *v/i* to suffice
alcaparra *f* caper
alcázar *m* castle
alcoba *f* alcove; bedroom
alcoh|ol *m* alcohol; **~ólico** alcoholic
Alcorán *m* Koran
alcornoque *m* cork-tree
alcorza *f* icing (*on cake*)
aldaba *f* door-knocker; latch
aldea *f* village; **~no(a)** *m* (*f*) villager
aleación *f* alloy

aleccionador instructive
alega|ción *f* allegation; **~r** *v/t* to allege
alegoría *f* allegory
alegórico allegorical
alegr|ar *v/t* to gladden; to cheer; **~arse de** to be glad of; **~e** merry; cheerful; **~ía** *f* gaiety; joy
aleja|miento *m* removal; separation; **~r** *v/t* to remove; **~rse** to withdraw; to recede
alemán, alemana *m, f, a* German
alenta|dor encouraging; **~r** *v/t* to encourage; *v/i* to breathe
alero *m* eaves; *dep* wing
alerta *f* alarm; alert; **~r** *v/t* to alert
aleta *f* small wing; *ict* fin, flipper
alfabeto *m* alphabet
alfalfa *f* lucern
alfarer|ía *f* pottery; **~o** *m* potter
alférez *m* second lieutenant
alfil *m* bishop (*in chess*)
alfiler *m* pin
alfombra *f* carpet
alforja *f* knapsack; saddle-bag
alga *f* seaweed
algarabía *f* Arabic; *fig* hubbub
algazara *f* din, tumult
álgido icy-cold
algo *pron* something; *adv* somewhat
algodón cotton *m*; **~ absorbente** *med* cotton wool
alguacil *m* constable; bailiff
alguien somebody
algún some (*before masculine gender nouns*); **~ día** some day; **de ~ modo** somehow
algun|o(a) *a* some, any; **~a vez** some time; **~os días** some days; **en ~a parte** somewhere; *pron* somebody; *pl* some, some people
alhaja *f* jewel
alia|do(a) *m* (*f*) ally; *a* allied; **~nza** *f* alliance; **~rse** to enter into an alliance
alicates *m/pl* pincers; tweezers; pliers
aliciente *m* attraction; inducement
alienar *v/t* to alienate
aliento *m* breath; **contener el ~** to hold one's breath
aligerar *v/t* to lighten; to shorten; to hasten
alijador *m mar* lighter
alimenta|ción *f* food; feeding; **~r** *v/t* to feed; to nourish; to supply
alimenticio nourishing; **valor ~** food value
alinear *v/t* to align
aliñar *v/t* to adorn; to season (*food*)
alisar *v/t* to plane; to polish
alista|do listed; **~r** *v/t*, **~rse** to enlist; to stand by
alivi|ar *v/t* to ease, to relieve; to alleviate; **~o** *m* relief
alma *f* soul; core, centre
almacén *m* warehouse, storehouse; shop; **en ~** in store

almacen|ar *v/t* to store; **~es** *m/pl* department store; **~ista** *m* shopkeeper; wholesaler
almanaque *m* almanac, [calendar]
almeja *f* clam
almendr|a *f* almond; **~o** *m* almond-tree
alm|íbar *m* syrup; **~ibarado** candied
almidón *m* starch
almidonar *v/t* to starch
almirant|azgo *m* admiralty; **~e** *m* admiral
almizcle *m* musk
almohad|a *f* pillow; **~illa** *f* pad; small cushion
almoneda *f* auction
almorranas *f/pl* hemorrhoids
alm|orzar *v/i* to have lunch; **~uęrzo** *m* lunch
aloja|miento *m* lodging; **~r** *v/t* to lodge
alondra *f* lark
alongado prolonged
alpargata *f* hempen sole sandal, espadrille
alp|estre Alpine; **~inista** *m*, *f* mountain climber, mountaineer; **~ino** Alpine
alpiste *m* bird seed; **dejar a uno ~** to disregard someone
alquil|ar *v/t* to let, to lease; to hire out; to rent; **se ~a** to let; **~er** *m* rent; **de ~er** for hire
alquitrán *m* tar; pitch
alrededor *adv* around; **~ de** about; around; **~es** *m/pl* outskirts
alta *f* certificate of discharge (*hospital*); enrolment; **dar de ~** to enrol
altaner|ía *f* haughtiness; **~o** haughty; arrogant
altar *m* altar; **~ mayor** high altar
altavoz *m* loudspeaker
altera|ción *f* alteration; disturbance; **~r** *v/t* to alter; to disturb; **~rse** to grow angry; to become upset
altercar *v/i* to dispute; to [quarrel]
altern|ado alternative; **~ar** *v/t*, *v/i* to alternate; **~ativa** *f* alternative; **~o** alternative, alternate; *elec* alternating
alt|eza *f* height; **Ձeza** Highness (*title*); **~ibajos** *m/pl* ups and downs (*of fortune*); **El Ձísimo** *m* the Most High (*God*); **~itud** *f* height; altitude; **~ivo** haughty; **~o** *a* high; tall; eminent; loud; **en lo ~o** at the top; **~as horas** small hours; *m* height; halt; **dar el ~o** to stop; **pasar por ~o** to overlook; to disregard; *adv* high; loud; loudly; **~oparlante** *m* *SA* loudspeaker; **~ura** *f* height; altitude; **estar a la ~ura de** to be equal to
alubia *f* French bean
alucina|ción *f* hallucination; **~r** *v/t* to dazzle
alud *m* avalanche
aludir *v/i* to allude; to refer
alumbra|do *m* lighting; **~-**

miento *m* illumination; childbirth; **~r** *v/t* to light; to illuminate; to give birth to
aluminio *m* aluminium
alumno(a) *m (f)* pupil; student
aluniza|je *m* lunar landing; **~r** *v/i* to land on the moon
alusi|ón *f* allusion; reference; **~vo** allusive
alvéolo *m* alveole; cell
alza *f* rise; **~da** *f* height (*of horse*); appeal (*to a higher tribunal*); **~do** *m arch* front elevation; fraudulent bankrupt; **~miento** *m* lifting; rising, rebellion; **~r** *v/t* to raise; to lift; **~rse** to go fraudulently bankrupt; to rise in rebellion; **~rse con** to steal, to make off with
allá there; thither; long ago; **más ~** farther; **más ~ de** beyond
allana|miento *m* levelling; burglary; raid (*by police*); **~r** *v/t* to level; to flatten; to overcome; **~rse** to acquiesce
allegar *v/t* to collect; to gather together
allí there; thither; then
ama *f* mistress; nurse; **~ de casa** housewife; landlady; **~ de cría** *or* **de leche** wet nurse; **~ de llaves** housekeeper
amab|ilidad *f* kindliness; kindness; affability; **~le** lovable; affable; kind; friendly
amaestrar *v/t* to instruct; to train; to coach
amainar *v/t naut* to shorten; to calm; *v/i* to subside
amanecer *m* dawn; daylight; *v/i* to dawn; to wake up
amansar *v/t* to tame
amante *m, f* lover
amañ|ar *v/t* to do cleverly; **~arse** to manage; **~o** *m* cleverness; *pl* tools
amapola *f* poppy
amar *v/t* to love
amarar *v/i aer* to land on water
amarg|ar *v/t* to make bitter; to embitter; *v/i* to be bitter; **~o** bitter; harsh; **~ura** *f* bitterness; distress
amarill|ento yellowish; **~ez** *f* yellowness; **~o** yellow
amarra *f* cable; *pl* moorings; **~r** *v/t* to fasten; to moor
amartelar *v/t* to torment with love; to court
amas|ar *v/t* to knead; **~ijo** *m* dough
amatista *f* amethyst
ámbar *m* amber
ambición *f* ambition
ambicioso ambitious
ambiente *m* atmosphere; setting; environment
ambigüedad *f* ambiguity
ambiguo ambiguous
ámbito *m* bounds; area; ambit
ambos(as) both
ambulan|cia *f* ambulance;

~te ambulant; **vendedor ~te** peddler
amenaza *f* threat; **~r** *v/t* to threaten
amenguar *v/t* to diminish
amen|idad *f* amenity; pleasantness; **~izar** *v/t* to render pleasant; **~o** pleasant; light
americana *f* jacket
americano(a) *m* (*f*), *a* American
ametralladora *f* machine [gun]
amianto *m* asbestos
amiga *f* friend; mistress; **~bilidad** *f* friendliness; **~ble** friendly
amígdala *f* tonsil
amig|dalitis *f* tonsilitis; **~o** *m* friend; lover
amillara|miento *m* tax assessment; **~r** *v/t* to assess
aminorar *v/t* to reduce
amist|ad *f* friendship; love affair; **~arse** to become friends; **~oso** friendly
amnistía *f* amnesty
amnistiar *v/t* to grant an amnesty to
amo *m* master; employer
amohecerse to grow mouldy; to grow rusty
amoladera *f* grindstone
amoldar *v/t* to mould; to fashion
amonesta|ción *f* admonition; **~ciones** *pl* banns; **~r** *v/t* to admonish, to warn
amoníaco *m* ammonia
amontonar *v/t* to heap; to pile up
amor *m* love; **¡por ~ de Dios!** for God's sake!; **~ propio** self-respect
amorfia *f* amorphousness
amorfo amorphous
amorío *m* love affair
amorrarse to sulk
amortigua|dor *m* damper; **~dor de choque** shock-absorber; **~r** *v/t* to soften; to mitigate; to cushion; to damp
amortiza|ción *f* amortization; **~r** *v/t* to amortize; to pay off; to refund
amotinar *v/t* to incite to mutiny; **~se** to riot
amovible removable
ampar|ar *v/t* to protect; **~o** *m* protection; shelter
ampli|ación *f* amplification; extension; enlargement; **~ar** *v/t* to amplify; to extend; to enlarge; **~ficación** *f* amplification; **~o** ample; extensive; **~tud** *f* amplitude; extent
ampolla *f* blister; cruet; decanter
amueblar *v/t* to furnish
ánade *m, f* duck
anadino(a) *m* (*f*) duckling
analfabeto illiterate
análisis *m or f* analysis
analítico analytic
ananás *m* pine-apple
anaquel *m* shelf
anarquía *f* anarchy
anárquico anarchistic
anatomía *f* anatomy
anca *f* rump (*of horse*), haunch
ancian|idad *f* old age;

~o(a) *m* (*f*) old man, old woman
ancorar *v/i* to anchor
anch|o wide; **~oa** *f* anchovy; **~ura** *f* width; breadth
andaluz(a) *m* (*f*), *a* Andalusian
andamio *m* scaffold(ing)
anda|nte walking; errant; **~nza** *f* event; fortune; **~r** *v/i* to walk; to move; *m* gait; **~s** *f/pl* stretcher; bier
andén *m f c* platform
anejo *m* annex; *a* annexed
anex|ar *v/t* to annex; **~o** *m* annex, extension
anfitrión *m* host
ángel *m* angel
angélico angelic
angina *f* angina; **~ de pecho** angina pectoris
anglicano Anglican
angost|o narrow; **~ura** *f* narrowness
ángulo *m* angle; **~ recto** right angle
angustia *f* anguish; **~r** *v/t* to distress
anhel|ar *v/t*, *v/i* to long for; to yearn; to breathe hard; **~o** *m* longing; craving, yearning
anill|a *f* ring; **~ar** *v/t* to form into a ring; to fasten by ring; **~o** *m* ring; **~o de boda** wedding-ring
ánima *f* soul
anim|ación *f* cheerfulness; **~ado** lively, cheerful; **~al** *m* animal; **~al de tiro** draught animal; **~ar** *v/t* to animate; to encourage; **~arse** to cheer up; to revive
ánimo *m* spirit; courage
animos|idad *f* animosity; **~o** brave; spirited
aniquilar *v/t* to annihilate
anís *m* anise; aniseed
aniversario *m* anniversary
ano *m* anus
anoche last night; **~cer** *v/i* to grow dark; *m* nightfall; dusk
anomalía *f* anomaly
anómalo anomalous
anonimidad *f* anonymity
anónimo anonymous
anotar *v/t* to annotate
ansi|a *f* anxiety; zest; yearning; **~ar** *v/t* to long for; **~edad** *f* anxiety; **~oso** anxious; eager
antagónico antagonistic
antagonis|mo *m* antagonism; **~ta** *m*, *f* antagonist
antaño last year; long ago
antártico antarctic
ante *m* elk; buckskin; suède leather
ante *prep* before; in view of; at; in the face of; **~ todo** first of all
ante|anoche the night before last; **~ayer** the day before yesterday
antebrazo *m* forearm
antecede|nte *a*, *m* antecedent; **~ntes** *m/pl* background; **~r** *v/t* to precede
antecesor(a) *m* (*f*) predecessor
antedicho aforesaid

antelación *f* priority; precedence; **con ~** in advance
antemano: de ~ beforehand
antena *f* antenna; aerial
anteojos *m/pl* spectacles
antepasados *m/pl* ancestors
antepecho *m* railing; parapet; window-sill
anteponer *v/t* to put before
anterior former, previous; **~idad** *f* anteriority; priority; **con ~idad** beforehand
antes *adv* before; rather; sooner; **cuanto ~** as soon as possible; *conj* **~ bien** on the contrary; **~ de que** before
antesala *f* vestibule, lobby
anticipa|ción *f* anticipation; **con ~ción** in advance; **~damente** in advance; **~r** *v/t* to anticipate; to advance; **~rse (a)** to anticipate; to forestall
anticua|do antiquated; obsolete; **~rio** *m* antiquarian
antideslizante non-skid
antifaz *m* mask
antig|ualla *f* ancient relic; out-of-date fashion *or* object; **~üedad** *f* antiquity; **~uo** ancient; antique; former; **Ꙩuo Testamento** Old Testament; **~uos** *m/pl* the ancients
antipatía *f* antipathy; dislike
antirreglamentario contrary to regulations
antirreligioso antireligious; irreligious
antisocial unsocial, antisocial
antítesis *f* antithesis
antoj|arse to fancy; **~o** *m* whim; caprice; craving
antorcha *f* torch
antropofagia *f* cannibalism
antropófago(a) *m (f)*, *a* cannibal
anua|l annual; **~lidad** *f* annual income; annuity; **~rio** *m* year-book.
anublar *v/t* to cloud; to darken
anudar *v/t* to join; to knot together
anula|ción *f* annulment; **~r** *v/t* to annul
anunci|ación *f* announcement; **~ador(a)** *m (f)* announcer; *a* announcing; **~ar** *v/t* to announce; **~o** *m* announcement; forecast
anzuelo *m* fishhook; **tragar el ~** to swallow the bait
añadi|dura *f* addition; **por ~** in addition; into the bargain; **~r** *v/t* to add
añejo old; stale; musty
añicos *m/pl* small pieces, fragments
añil *m* indigo plant; indigo blue
año *m* year; **~ bisiesto** leap year
añorante wistful
apacentar *v/t* to feed (*cattle*); to pasture.
apacib|ilidad *f* gentleness; **~le** gentle; placid, peaceful
apacigua|miento *m* appeasement; **~r** *v/t* to appease

apadrinar *v/t* to act as godfather to; to support
apaga|ble extinguishable; **~do** lifeless; faded; *fig* colourless; **~r** *v/t* to blow out; to extinguish; to put out; to turn off; to quench (*thirst*); **~rse** to go out; to die down
apale|ar *v/t* to beat; to thresh; **~o** *m* threshing
apaña|do skilful; suitable; **~r** *v/t* to seize; to grasp; **~rse** *v/i* to know the ropes; to get on
apara|dor *m* sideboard; **~to** *m* apparatus; set (*radio*); **~toso** spectacular
aparcar *v/t* to park
aparcer|ía *f* partnership; **~o** *m* partner (*in farming*)
aparear *v/t* to match, to par off
aparecer *v/i* to appear
aparej|ar *v/t* to prepare; to get ready; to equip; **~o** *m* equipment; *mar* tackle
aparentar *v/t* to feign; to pretend; to seem to be
apari|ción *f* appearance; **~encia** *f* aspect; semblance
apartad|ero *m* siding; *aut* lay-by; road side; **~o** *m* post box; *a* remote; distant
apartamento *m* flat, apartment; **~ en propiedad horizontal** cooperative apartment
apart|ar *v/t* to separate; to remove; **~arse** to withdraw; **~e** *m theat* aside; paragraph; *adv* apart; at a distance; **~e de** except for, apart from
apasiona|do passionate; **~miento** *m* enthusiasm; **~r** *v/t* to impassion; to excite; **~rse por** to become devoted to
apatía *f* apathy
apea|dero *m* halt; stop; **~r** *v/t* to dismount; **~rse** to alight
apela|ción *f* appeal; **~r** *v/i* to appeal; to have recourse
apellid|ar *v/t* to name; **~arse** to be called; **~o** *m* surname, family name, last name
apenarse to grieve
apenas scarcely; hardly; barely
apéndice *m* appendix
apendicitis *f* appendicitis
apeo *m* propping; survey
apercibi|miento *m* arrangement; *for* warning; caution; **~r** *v/t* to provide; to prepare
aperitivo *m* apéritif; *a* appetizing
apero *m* implements, tools
apertura *f* opening
apestar *v/t* to infect with the plague; *fam* to annoy; to pester; *v/i* to stink
apet|ecer *v/t* to desire; to long for; **~encia** *f* appetite; **~itoso** appetizing; savoury
ápice *m* apex, pinnacle; trifle; difficulty
apicultor *m* bee-keeper
apiñar *v/t* to press together
aplanar *v/t* to level; to flatten

aplasta|nte overwhelming; **~r** *v/t* to crush; to squash
aplau|dir *v/t* to applaud; **~so** *m* applause
aplaza|miento *m* postponement; **~r** *v/t* to postpone; to adjourn
aplica|ción *f* application; **~r** *v/t* to apply; **~rse** to apply oneself
aplom|ado lead-coloured; heavy; **~ar** *v/i* to plumb; **~arse** to collapse; **~o** *m* tact, poise
apod|ar *v/t* to nickname; **~erado** *m* attorney, agent; proxy; **~erar** *v/t* to empower; **~o** *m* nickname
apogeo *m* apogee
apoplejía *f* apoplexy
apoplético apoplectic
aporta|ción *f* contribution; **~r** *v/t* to bring; to contribute
aposent|ar *v/t* to lodge; **~o** *m* room; lodging
aposta on purpose
apostar *v/t* to bet, to wager
apóstol *m* apostle
apostólico apostolic
apoy|ar *v/t* to support; to base; *v/i* to rest, to lean; **~arse** to lean; to rest; **~o** *m* prop; support
apreci|able appreciable; worthy; esteemed; **~ación** *f* valuation; **~ar** *v/t* to estimate; to value; **~o** *m* esteem; estimation; valuation
aprehen|der *v/t* to apprehend; **~sión** *f* apprehension
apremi|ante urgent; pressing; **~ar** *v/t* to urge, to hurry; to press; **~o** *m* urgency; pressure
aprend|er *v/t* to learn; **~iz** *m* apprentice; junior clerk; **~izaje** *m* apprenticeship
aprens|ión *f* fear; distrust; **~ivo** apprehensive; fearful
aprest|ar *v/t* to prepare; to equip; to finish; **~o** *m* preparation
apresura|do hurried, hasty; **~r** *v/t* to hasten; **~rse** to make haste; to hurry
apret|ar *v/t* to clasp; to press, to depress; to tighten; to harass; **~ón** *m* pressure; squeeze; **~ón de manos** handshake
aprieto *m* crush; plight, difficulty
aprisco *m* corral, fold
aprisionar *v/t* to imprison
aproba|ción *f* approbation; approval; **~r** *v/t* to approve of; to pass
apropia|ción *f* adaptation; **~do** appropriate; **~r** *v/t* to apply; to adapt; *SA* to appropriate; **~rse de** to take possession of
aprovecha|ble useful; usable; **~do** economical; **~miento** *m* advantage; use; application; **~r** *v/t* to utilize; to take advantage of; *v/i* to make progress; **~rse de** to avail oneself of
aproxima|ción *f* approximation; approach; **~da-**

mente approximately; **~do** approximate; **~r** *v/t*, **~rse** to approach; to come near; **~tivo** approximate
apt|itud *f* aptitude; ability; **~o** apt; capable; qualified
apuesta *f* bet, wager
apunt|alar *v/t* to prop, to brace; **~ar** *v/t* to aim; to point at; to note; *theat* to prompt; **~e** *m* note, notation; *theat* prompter; cue
apuñalar *v/t* to stab
apur|adamente hastily; **~ado** needy; **~ar** *v/t* to purify; to exhaust; to urge; to vex; **~arse** to worry; to fret; **~o** *m* plight, quandary
aquejar *v/t* to afflict; to ail
aquel(la), *pl* **aquellos(as)** *a* that; *pron m*, *f* he, she; *pl* those
aquí here; hither; now; then
aquiescencia *f* acquiescence; consent
aquietar *v/t* to soothe; to lull; **~se** to grow calm
aquilatar *v/t* to assay; to appraise
árabe *m*, *a* Arab(ic)
arabesco *m* arabesque; moresque work
arada *f* ploughed ground
arado *m* plough
arancel *m* tariff; **~ario** of the customs
arándano *m* bilberry; **~ agrio** cranberry
arandela *f mech* washer
araña *f* spider; lustre
araña|r *v/t* to scratch; **~zo** *m* scratch
arar *v/t* to plough
arbitr|ador *m* arbitrator; **~aje** *m* arbitration; *com* arbitrage; **~ar** *v/t* to arbitrate; *dep* to referee; **~ariedad** *f* arbitrariness; **~ario** arbitrary; **~io** *m* free will; **~ios** *m/pl com* taxes
árbitro *m* umpire, referee
árbol *m* tree; *naut* mast; *mech* arbor; shaft
arbol|ado *m* woodland; *a* wodded; **~eda** *f* grove
arbotante *m arch* flying buttress
arbusto *m* shrub
arca *f* chest; ark
arcada *f* arcade; nausea
arcaico archaic
arce *m* maple-tree
arcilla *f* clay
arcipreste *m* archpriest
arco *m* arc; arch; bow; **~ iris** rainbow
archiduque *m* archduke; **~sa** *f* archduchess
archipiélago *m* archipelago
archiv|ar *v/t* to file; **~o** *m* register; filing department; records
arder *v/i* to burn
ardid *m* stratagem; trick
ardiente burning; ardent
ardilla *f* squirrel
ardite *m* ancient coin of little value; **no me importa un ~** I don't care two hoots
ardor *m* ardour; heat; courage; brilliance
arduo arduous

área *f* area; are (*100 square metres*)
arena *f* sand; **~ movediza** quicksand; **~l** *m* sandy ground; pit
arenga *f* harangue; **~r** *v/i* to harangue
arenque *m* herring
arenisca *f* sandstone
argamasa *f* mortar
argentado silvery; silver--plated
Argentina *f* the Argentine
argentino(a) *a*, *m* (*f*) Argentinian; *a* silvery
argolla *f* collar; hoop; *SA* alliance; trust, ring
argüir *v/i* to discuss; to dispute
argumento *m* argument; *theat* plot
aridez *f* drought; barrenness
árido dry; barren
ariete *m* (battering) ram
arisco rude; snappish
aristocracia *f* aristocracy
aristócrata *m*, *f* aristocrat; *a* aristocratical
aristocrático(a) aristocratical
arma *f* weapon; arm; **~ de fuego** fire-arm; **~da** *f* navy; **~dor** *m* shipowner; **~dura** *f* armour; framework; **~mento** *m* armament; **~r** *v/t* to arm; to assemble; to cause; to arrange; to reinforce (*concrete*)
armario *m* wardrobe; cupboard
armazón *m or f* framework
armer|ía *f* armoury; **~o** *m* gunsmith
armiño *m* ermine
armisticio *m* armistice
armonía *f* harmony
armónico harmonic
armonioso harmonious
armonizar *v/t* to harmonize
aro *m* hoop; ring
aroma *m* aroma
aromático aromatic
aromatizar *v/t* to flavour
arpa *f* harp
arpía *f* harpy, shrew
arpón *m* harpoon
arque|ar *v/t* to arch; to gauge (*ships*); **~o** *m* tonnage
arqueología *f* archeology
arqueólogo *m* archeologist
arquitect|o *m* architect; **~ura** *f* architecture
arraig|ar *v/i* to take root; **~arse** to settle; **~o** *m* settling
arran|car *v/t* to pull out; to root out; *SA* to start (*car, etc*); **~que** *m* beginning; outburst (*of anger, etc*); *mech* starter
arrasar *v/t* to level
arrastr|ar *v/t* to drag along; to carry away; **~e** *m* hauling; dragging
arrebat|ar *v/t* to snatch away; to ravish; **~o** *m* transport of passion; rage
arrecife *m* paved road; causeway; *naut* reef
arregl|ado orderly; moderate; **~ar** *v/t* to arrange; to adjust; **~arse** to turn

out well; **~árselas** to manage; **~o** *m* arrangement; compromise; repair; **con ~o a** in accordance with
arremangar *v/t* to roll up, to tuck up
arremeter *v/t* to attack
arrenda|dor *m* landlord; **~miento** *m* lease; rent; **~r** *v/t* to lease; to rent; **~tario** *m* lessee; tenant
arreo *m* dress; ornament; *pl* harness, trappings
arrepenti|do repentant, sorry; **~miento** *m* repentance; **~rse** to repent; to regret
arrest|ar *v/t* to arrest; **~arse** to dare; **~o** *m* detention; arrest; enterprise
arriar *v/t* to lower; **~ la bandera** to strike the colours
arriba above; over; up; high; upstairs
arribar *v/i* to arrive
arriendo *m* lease
arriero *m* muleteer
arriesga|do perilous; risky; **~r** *v/t* to risk; **~rse** to expose oneself to danger; to take a risk
arrimar *v/t* to place near; **~se** to huddle; to snuggle; to lean (*against*)
arrinconar *v/t* to corner
arrizar *v/t mar* to reef
arroba *f* weight of 25 lb; **~miento** *m* ecstasy; **~r** *v/t* to enrapture
arrodillar *v/t* to make kneel; **~se** to kneel down
arrogan|cia *f* bravery; arrogance; **~te** arrogant; brave
arroj|ar *v/t* to throw; to hurl, to fling; *com* to show; **~arse** to fling oneself; to rush; **~o** *m* daring
arrollar *v/t* to sweep away; to run (*someone*) down
arropar *v/t* to wrap up; to tuck up
arroyo *m* stream; brook; gutter
arroz *m* rice; **~al** *m* ricefield
arruga *f* wrinkle; crease; **~r** *v/t* to wrinkle; to rumple; to crease
arruinar *v/t* to ruin; to destroy
arrull|ar *v/t* to coo; to lull; **~o** *m* cooing; murmuring
arrumbar *v/t* to cast aside
arsénico *m* arsenic
arte *m or f* art; **bellas ~s** fine arts; **~facto** *m* appliance; contrivance
artejo *m* knuckle
artesa *f* trough
artesan|ía *f* handicraft; **~o** *m* artisan; craftsman
artesonado *arch* coffered (*ceiling*)
ártico arctic
articul|ación *f* articulation; *anat* joint; **~ar** *v/t* to articulate
artículo *m* article; *anat* joint; **~ de fondo** leading article; **~s de consumo** consumer goods
artifici|al artificial; **~o** *m* artifice; contrivance; **~oso** skilfull; cunning; ingenious
artiller|ía *f* artillery; **~ía de campaña** field-artillery; **~o** *m* gunner

artimaña *f* trick
artista *m, f* artist
arzobisp|ado *m* archbishopric; **~o** *m* archbishop
as *m* ace
asa *f* handle; haft
asa|do *a* roasted; baked; *m* roast meat; joint; **~dor** *m* spit
asalariado *m* employee, wage-earner
asalt|ador *m* highwayman; **~ar** *v/t* to assault; **~o** *m* assault
asamblea *f* assembly; meeting
asar *v/t* to roast
ascen|dencia *f* ancestors; origin; **~dente** *m* ascendant; *a* ascending; **~der** *v/i* to ascend; to climb; to be promoted; **~diente** *m* ancestor; ascendency; influence; **~sión** *f* ascension; **~so** *m* promotion; **~sor** *m* lift
asceta *m* ascetic
ascético ascetic
asco *m* nausea; loathing; **dar ~** to sicken, to disgust
asear *v/t* to clean; to embellish
asechar *v/t* to ensnare; to trap; to ambush
asegura|do *m* insured; *a* guaranteed; assured; **~dor** *m* underwriter; **~r** *v/t* to secure; to insure; to fasten; to assure; **~rse** to verify
asenso *m* assent
asentamiento *m* settlement
asentar *v/t* to seat; to establish; to settle; *v/i* to fit; **~se** *arch* to settle.
asentimiento *m* assent
asentir *v/i* to agree
aseo *m* cleaning; cleanliness
asequible accessible, attainable; available
aserción *f* assertion; affirmation
aserradero *m* saw-mill
asesin|ar *v/t* to assessinate; **~ato** *m* murder; **~o** *m* murderer
asesor|(a) *m (f)* counsellor; legal adviser; **~ar** *v/t* to give legal advice to, to counsel; **~ía** *f* consulting office
asestar *v/t* to aim; to point; to deal (*a blow*)
aseverar *v/t* to assert
asfaltado *m* asphalt pavement
asfixiar *v/t* to asphyxiate; to suffocate
así *adv* so; thus; therefore; **~, ~** so so; **~ como** the same as; **~ como también** as well as
asiduo assiduous
asiento *m* chair; seat; site; bottom; sediment; contract; *com* entry; stability; list; indigestion; **~ delantero** front seat; **tomar ~** to take a seat
asigna|ción *f* assignation; allotment; **~r** *v/t* to assign; to ascribe; **~tura** *f* course of study
asilo *m* asylum; refuge
asimilar *v/t* to assimilate

asimismo likewise
asir *v/t* to seize; to grasp
asist|encia *f* attendance, presence; assistance; *pl* allowance; **~ente** *m* assistant; **~ir** *v/t* to help; to attend to; to serve; *v/i* to attend; to be present
asma *f* asthma
asn|ada *f* foolish action; **~o** *m* ass
asocia|ción *f* association; fellowship; partnership; union; **~do** *m* associate; partner; **~r** *v/t* to associate; **~rse** to join; to form a partnership
asolar *v/t* to destroy; to lay waste; to burn
asomar *v/t* to show; **~se** to look out
asombr|ar *v/t* to surprise; to astonish; **~arse** to be astonished; **~o** *m* astonishment [windmill
aspa *f* cross; reel; vane of
aspecto *m* aspect; look; appearance
aspereza *f* acerbity; roughness [harsh; severe
áspero rough, rugged;
aspersión *f* sprinkling
aspiradora *f* vacuum cleaner
aspirina *f* aspirin
asque|ar *v/t* to disgust, to revolt; **~roso** disgusting, revolting; foul
asta *f* lance; shaft; horn (*of the bull*); **~ de bandera**
astil *m* handle [flag-pole
astill|a *f* splinter; **~ar** *v/t* to splinter; to chip; **~ero** *m* shipyard
astri|cción *f* astriction; contraction; **~ngente** *m, a* astringent; **~ngir** *v/t* to astringe; to compress
astro *m* star; **~lógico** astrological
astrólogo *m* astrologer
astro|nauta *m* astronaut; **~nave** *f* spaceship
astronomía *f* astronomy
astronómico astronomical
astrónomo *m* astronomer
astu|cia *f* shrewdness; **~to** shrewd; cunning
asu|mir *v/t* to assume; to take upon oneself; **~nción** *f* assumption
asunto *m* subject; matter; business
asusta|dizo easily frightened; **~r** *v/t* to frighten
atabal *m* kettledrum
ata|car *v/t* to attack; **~do** *m* bundle; **~jo** *m* short-cut; **~laya** *f* lookout, watchtower; **~que** *m* attack; **~que aéreo** air raid
atar *v/t* to bind; to fasten; **~ cabos** to put two and two together
atareado busy; occupied
atasc|ar *v/t* to stop up; to obstruct; **~arse** to jam; to get stuck; **~o** *m* obstruction
ataúd *m* coffin
ataviar *v/t* to dress up; to adorn
ateísmo *m* atheism
atención *f* attention; *pl* duties, responsibilities

atender *v/i* to attend
atenerse *v/i*: ~ **a** to abide by; to rely on
atenta|do *m* criminal assault; *a* discreet; **~r** *v/t* to attempt (a crime)
atento heedful, thoughtful; attentive
atenua|ción *f* attenuation; **~r** *v/t* to attenuate
aterrar *v/t* to destroy; to knock down; to terrify
aterriza|je *m* landing; **~je forzoso** *aer* emergency landing, forced landing; **~r** *v/i* to land
aterrorizar *v/t* to terrorize; to terrify
atesorar *v/t* to treasure, to hoard
atesta|ción *f* attestation; **~dos** *m/pl* testimonials; **~r** *v/t* to cram; to crowd; to witness; to testify
atestigua|ción *f* testimony, deposition; **~r** *v/t* to testify, to give evidence of
ático *m* attic
atisbar *v/t* to scrutinize; to peep at
atizar *v/t* to poke; to trim; to rouse
atlántico Atlantic
at|leta *m* athlete; **~lético** athletic; **~letismo** *m* athletics
atmósfera *f* atmosphere
atmosférico atmospherical
atolondrar *v/t* to confuse; to perplex; to intimidate; **~se** to become confused
atolla|dero *m* obstacle; difficulty; **~r** *v/i* to fall into the mire; to get stuck in a place
atómico atomic
átomo *m* atom
atónito stupefied, dumbfounded
atonta|do foolish; **~r** *v/t* to stun; to confound; **~rse** to grow stupid
atormentar *v/t* to torment
atornillar *v/t* to screw
atrac|ador *m* highwayman; **~ar** *v/t* to assault
atrac|ción *f* attraction; **~o** *m* hold-up, robbery; **~tivo** attractive
atraer *v/t* to attract; to invite
atrancar *v/t* to obstruct; to bar
atrapar *v/t* to catch; to take in
atrás backward; behind
atras|ar *v/t* to retard; **~arse** to be late; to go slow (*watch*); **~o** *m* backwardness; delay; *pl* arrears
atravesar *v/t* to place across; to run through; to cross, to go across; **~se** to interrupt; to meddle
atreverse to dare
atrevi|do bold; audacious; **~miento** *m* boldness, insolence
atribu|ir *v/t* to ascribe; to attribute; **~to** *m* attribute
atril *m* music-stand
atrofia *f* atrophy
atropell|ar *v/t* to hit; to knock down; to run over; **~o** *m* attack; insult; outrage
atro|cidad *f* atrocity; ex-

cess; **~z** atrocious; heinous; vast
atuendo *m* dress, attire; pomp
atún *m* tuna
aturdi|do giddy; distracted; **~r** *v/t* to perplex; to bewilder
auda|cia *f* audacity; **~z** audacious
audición *f* hearing; audience; tryout
audi|encia *f* audience; hearing; reception; **~tor** *m* judge; *com* auditor
auge *m* culmination; apogee; popularity
aula *f* lecture-room; classroom
aull|ar *v/i* to howl; **~ido** *m* howl
aument|ar *v/t*, *v/i* to raise; to increase; to augment; **~o** *m* increase
aun *adv* still; even; **~ cuando** even if
aún *adv* yet; still; as yet; **~ no** not yet
aunque *conj* even though; even if
aura *f* gentle breeze
áureo golden
aureola *f* halo
auricular *m* earphone, headphone
ausen|cia *f* absence; **~te** absent
auspicio *m* auspice
austero austere
austral southern; **~iano(a)** *m (f)*, *a* Australian
austríaco(a) *m (f)*, *a* Austrian
autarquía *f* autarchy
auténtico authentic
auto *m* sentence; edict; *pl* record of proceedings
auto *m* motorcar
auto|bús *m* bus; **~camión** *m* lorry; **~car** *m* coach; **~escuela** *f* driving school; **~giro** *m* helicopter; **~mático** automatic; **~matización** *f* automation; **~motor** *m* Diesel train; **~móvil** *m* automobile; **~movilismo** *m* motoring; **~movilista** *m* motorist; **~pista** *f* motorway
autor *m* author
autoridad *f* authority
autoritario authoritative
autorizar *v/t* to authorize
autorretrato *m* self-portrait
autoservicio *m* self-service
auxili|ar *a* auxiliary; *v/t* to help; **~o** *m* assistance
aval *m com* endorsement
avaluar *v/t* to assess
avan|ce *m* advance; attack; **~zar** *v/t*, *v/i* to advance
avar|icia *f* avarice; **~iento** avaricious; greedy; **~o** *a* miserly; mean; *m* miser
avasallar *v/t* to subdue
ave *f* bird; **~ de paso** bird of passage; **~ de rapiña** bird of prey; **~s de corral** poultry
avellan|a *f* hazel-nut; **~arse** *v/r* to shrivel; **~o** *m* hazel-nut tree
avena *f* oat(s)
avenencia *f* agreement; conformity
avenida *f* avenue; flood

avenirse a to agree to
aventajado advantageous; outstanding
aventur|a *f* venture; adventure; **~ero(a)** *m* (*f*) adventurer, adventuress
avergonzar *v/t* to shame; **~se** to be ashamed
avería *f* damage; *mech* break-down; *com* average
averiarse to suffer damage
averigua|ción *f* inquiry; **~r** *v/t* to find out, to ascertain
avestruz *m* ostrich
avia|ción *f* aviation; **~dor** *m* aviator; pilot; airman
aviar *v/t* to provide; to make ready
avidez *f* avidity; covetousness
ávido avid; covetous
avión *m* aeroplane; **~ de línea** liner; **~ de reacción** jet-propelled aircraft
avíos *m/pl* tackle
avis|ar *v/t* to advise; to announce; to inform; **~o** *m* notice; information; **~o luminoso** neon sign
avisp|a *f* wasp; **~ón** *m* hornet
avivar *v/t* to animate
¡ay! oh!; alas!
ayer yesterday
ayuda *f* help; **~nte** *m* assistant; **~r** *v/t* to help; to aid
ayuntamiento *m* town hall, city hall; city council
azabache *m* *min* jet
azada *f* hoe
azafata *f* air hostess, stewardess
azafrán *m* saffron
azahar *m* orange-blossom
azar *m* hazard; risk; **al ~** at random
azot|ar *v/t* to thresh; to beat; **~e** *m* whip; lashing
azotea *f* flat roof
azúcar *m* sugar; **~ de lustre** castor sugar; **~ granulado** granulated sugar
azucena *f* white lily
azufre *m* sulphur
azul blue; **~ celeste** azure; **~ marino** navy blue
azulejo *m* tile
azuzar *v/t* to incite

B

bab|a *f* spittle; saliva; **~aza** *f* slime; **~ear** *v/i* to slobber; **~ero** *m* bib
babor *naut* port
baboso slimy; *fam* callow
bacalao *m* cod
bacteria *f* bacterium
báculo *m* walking stick
bache *m* hole, pothole
bachiller|(a) *m* (*f*) bachelor (*first degree*); **~ato** *m* baccalaureate; **~ear** *v/i* to babble
bagaje *m* baggage
bahía *f* bay
bailar *v/i* to dance; **~ín (-ina)** *m* (*f*) dancer
baile *m* dance; **~ de disfraces** fancy (dress) ball
baja *f* fall; casualty; **darse**

de ~ to withdraw; to give up
bajá *m* pasha
baja|mar *f* low tide; **~r** *v/t* to reduce; to lower; *v/i* to fall; to descend; to go down
baj|eza *f* meanness; **~ista** *m* bear (*at the stock exchange*); **~o** low; short (*person*); *fig* mean
bala *f* ball; bullet; bale
balada *f* ballad
baladí frivolous; trivial, trifling
balance *m* wavering; balancing; balance; *com* balance-sheet; **~ar** *v/t* to balance; *v/i* to roll (*ship*); to sway; to waver; **~o** *m* balancing; rolling; rocking; swaying; oscillation; *fig* wavering
balancín *m* seesaw
balanza *f* scales; balance
balar *v/i* to bleat
balazo *m* shot
balbuce|ar *v/i* to stammer; **~ncia** *f* stammering
balcánico(a) *m* (*f*), *a* Balkan
balcón *m* balcony
balde *m* bucket; **de ~** gratis; free of charge; **en ~** in vain; **~ar** to wash, to flush (down)
baldío *m* waste land
baldosa *f* tile (*on floors*)
Baleares *f/pl* Balearic Isles
balística *f* ballistics
baliza *f mar* beacon
balneario *m* spa; health resort, watering place
balompié *m* football
balón *m* ball; football
baloncesto *m* basket-ball
balsa *f* pool; *naut* raft
balsámico balsamic
báltico Baltic
baluarte *m* bulwark
ballena *f* whale
ballest|a *f* crossbow; spring; **~era** *f* loophole
bambolearse to sway
bambú *m* bamboo
banasta *f* large basket
ban|ca *f* banking; **~cario** banking; **~co** *m* bench; form; bank
banda *f* sash; band; gang; **~da** *f* flock (*of birds*)
bandeja *f* tray
bandera *f* flag; banner
banderill|a *f* dart; **~ero** *m* bullfighter (*who places the banderillas*)
bandido *m* bandit
bando *m* edict; faction; party; **~lero** *m* bandit, brigand; **~lerismo** *m* brigandage; highway robbery
banque|ro *m* banker; **~te** *m* banquet
banquillo *m for* dock; **~ de los testigos** witness-box
bañ|adera *f SA* bath-tub; **~ador** *m* bathing-costume; **~arse** to take a bath; **~era** *f* bath-tub; **~o** *m* bath; bathroom; **~o espumoso** bubble bath
baque *m* thud, thump
baqueta *f* ramrod; *pl* drumsticks
baraja *f* pack of cards; **~r** *v/t* to shuffle (*cards*)

barandilla *f* railing
barat|ear *v/t* to sell cheap; **~ija** *f* trifle; **~o** cheap; **~ura** *f* cheapness
barba *f* beard; chin; **uno por ~** one for each (person)
barbari|dad *f* barbarity; foolishness; enormous amount; **~e** *f* barbarism; ignorance
bárbaro(a) *m(f)* barbarian; *a* barbarous
barbecho *m* fallow
barbero *m* barber
barbilla *f* chin
barbotar *v/i* to mumble; to babble
barbudo bearded
barca *f* boat; **~za** *f* lighter
barcia *f* chaff
barco *m* boat; ship; vessel
barda *f* thatch
barlovento: de ~ *mar* windward
barniz *m* varnish; glaze
barnizar *v/t* to varnish; to glaze
barométrico barometric
barómetro *m* barometer
barquero *m* ferryman; boatman
barquillo *m* wafer
barra *f* bar
barraca *f* hut; cottage
barranc|a *f* precipice; ravine; gully; **~o** *m* great difficulty
barre|dero *m* street-cleaner; **~duras** *f/pl* sweepings
barrena *f* drill
barrer *v/t* to sweep; to brush
barrera *f* barrier; **~ sónica** sound barrier
barriada *f* district; suburb; *SA* slum
barrido *m* sweeping
barriga *f* paunch, belly
barril *m* barrel
barrio *m* district; **~ bajo** slum
barrita *f* **de labios** lip-stick
barro *m* mud; pimple
barroco baroque
barroso muddy; dirty
bártulos *m/pl* belongings; implements
barullo *m* confusion; noise
bas|ar *v/t* to base; to found; **~arse en** to base one's opinion on; **~e** *f* basis
básico basic
bastante *a* enough; *adv* enough; quite; rather; fairly
bastidor *m* frame; *theat* wing
basto *a* coarse; gross; *m* pack-saddle; ace of clubs; *pl* clubs (*cards*)
bastón *m* stick
basur|a *f* dirt; rubbish; waste; **~ero** *m* dustman; garbage collector
bata *f* dressing-gown; smock; frock
batall|a *f* battle; **~ar** *v/i* to fight; **~ón** *m* batallion
batán *m* fulling-mill
batata *f* sweet potato
batea *f* washtub; punt
batería *f* battery; *mus* percussion instruments; **~ de cocina** pots and pans
bati|dero *m* beating; **~do** *m*

de leche milk-shake; **~ente** *m* leaf (*of a door or a window*); **~r** *v/t* to beat; to strike; to whip; to whisk
batista *f* cambric
batuta *f* baton; wand (*of the conductor*); **llevar la ~** to be in command
baúl *m* trunk
bauti|smo *m* christening; **~sta** *m* baptizer; **San Juan ♀sta** St. John the Baptist; **~zar** *v/t* to baptize; to christen; **~zo** *m* christening party
bayeta *f* baize
bayo bay (*colour*)
baza *f* trick (*at cards*)
bazar *m* bazaar
bazo *m anat* spleen; *zool* milt
beat|a *f* devout woman; **~ería** *f* bigotry; **~ificar** *v/t* to beatify; to render respectable; **~itud** *f* blessedness; holiness; **~o** happy; blessed; devout; pious
bebedero *m* drinking trough; *a* drinkable
bebedizo drinkable
beb|edor *m* drinker; **~er** *v/t, v/i* to drink; **~ida** *f* drink; beverage; **~ido** tipsy, half-drunk
beca *f* scholarship
becada *f* woodcock
becerro *m* young bull
bedel *m* beadle; warden
befar *v/t* to mock; to scoff
beldad *f* beauty
Belén *m* Bethlehem; Christmas crib; ♀ *fig* bedlam
belga *m, f, a* Belgian
Bélgica *f* Belgium
bélico bellicose; warlike
beli|coso warlike; quarrelsome; **~gerancia** *f* belligerence
bella|co *m* rogue; villain; swindler; **~quería** *f* knavery; roguery
bell|eza *f* beauty; **~o** beautiful; perfect
bellota *f* acorn
bemol *m mus* flat
bencina *f* benzine
bend|ecir *v/t* to bless; **~ición** *f* blessing; *relig* grace; **~ito** blessed; happy
benefic|encia *f* beneficence; **~iar** *v/t* to benefit; to help; **~iarse** to derive benefit; to profit; **~io** *m* benefit; **~ioso** beneficial, useful
beneplácito *m* approval; consent
benign|idad *f* benignity; **~o** benign; mild
beodo *a, m* drunk
berenjena *f* eggplant
bermejo bright red
berrear *v/i* to low (*of calves*)
berrinche *m fam* anger; rage
berro *m* watercress
berza *f* cabbage
besamanos *m* reception at court
bes|ar *v/t* to kiss; **~ico** *m* little kiss; **~o** *m* kiss
bestia *f* beast; **~l** beastly; *fam* terrific; **~lidad** *f* bestiality
besugo *m* sea-bream
betún *m* bitumen; shoe-polish

Biblia *f* Bible
bíblico biblical
biblioteca *f* library; **~ circulante** lending library; **~rio** *m* librarian
bicicleta *f* bicycle
bicho *m* insect, bug; *pl* vermin; animal
biela *f* connecting rod
bien *adv* well; right; certainly; very; surely; *m* good; property; *pl* assets; **~es raíces** real estate, land
bienaventura|do blessed (*in Heaven*); **~nza** *f* bliss
bienestar *m* well-being; welfare
bienhechor(a) *m* (*f*) benefactor(-tress)
bienio *m* space of two years
bienvenida *f* welcome
biftec *m* beefsteak
bifurcarse to branch off, to fork
bigamia *f* bigamy
bigote *m* moustache
bilbaíno(a) *m* (*f*) native of Bilbao
bilingüe bilingual
bili|oso bilious; **~s** *f* bile
billar *m* billiards
billete *m* note; short letter; ticket; **~ de banco** bank note; **~ de ida** single ticket; **~ de ida y vuelta** return ticket; **~ de temporada** season ticket; **~ directo** through ticket; **~ sencillo** single ticket; **~ro** *m* pocket-book
billón *m* billion
bimotor *m* twin-engined plane
biografía *f* biography
biógrafo *m* biographer
biología *f* biology
biológico biological
biombo *m* folding-screen
birrete *m* cap
bisabuel|a *f* great-grandmother; **~o** *m* great-grandfather; **~os** *m/pl* great-grandparents
bisagra *f* hinge
bisel *m* bevel
bisemanal semiweekly
bisiesto leap (*year*)
bisniet|a *f* great-granddaughter; **~o** *m* great-grandson
bisonte *m* bison
bizantino Byzantine
bizarro spirited; gallant; magnanimous
bizc|ar *v/i* to squint; **~o** squint-eyed
bizcocho *m* biscuit; spongecake
blanc|o *a* white; *m* white man; target; **dar en el ~o** to hit the mark; **en ~o** blank; **~ura** *f* whiteness
blandir *v/t* to brandish; to flourish
bland|o soft; mild; tender; flabby; **~ura** *f* softness; sweetness
blanque|ar *v/t* to bleach; to whiten; **~o** *m* bleaching; whitewash
blasfemia *f* blasphemy
blasón *m* coat of arms; heraldry
blinda|je *m* armour; **~r** *v/t* to armour; *elec* to shield
bloc *m* pad (*of paper*)

bloque *m* block; **~ar** *v/t* to block up; to blockade; **~o** *m* blockade
blusa *f* blouse
bobada *f* foolishness; foolish act
bobina *f* bobbin; spool; [*elec* coil]
bobo *m* simpleton; *a* stupid; foolish
boca *f* mouth; entrance; **~ de riego** hydrant; **~ abajo** face downwards; **~ arriba** face upwards; **~calle** *f* sidestreet
bocado *m* bite; morsel; mouthful
boca|l *m* pitcher; mouthpiece; **~nada** *f* mouthful; puff (*of smoke*)
boceto *m* sketch
bocina *f* horn; **~zo** *m* honk, hoot
bochorno *m* scorching heat; sultry weather; **~so** sultry; shameful
boda *f* wedding; **~s de plata** silver wedding
bodeg|a *f* wine-cellar; vault; bar; store-room; shop; *SA* grocery; hold (*of a ship*); **~ón** *m* tavern
bofet|ada *f* slap; **~ear** *v/t* to slap in the face; to insult; **~ón** *m* blow; slap
boga *f* rowing; vogue; popularity; **en ~** in vogue
boicot *m* boycott; **~ear** *v/t* to boycott
boina *f* beret
bola *f* ball; globe; *fam* rumour; **~ de nieve** snowball
bole|ar *v/i* to bowl; to lie; **~ra** *f* bowling-alley
bolero *m* bolero (*dance*)
bolet|a *f* admission ticket; ballot; **~ería** *f SA* ticket office; **~ín** *m* bulletin; report; **~o** *m SA* ticket
boliche *m* jack (*at bowls*); dragnet
bolígrafo *m* ball-point pen
boliviano(a) *m* (*f*), *a* Bolivian
bolo *m* game of ninepins
bols|a *f* bag; purse; pouch; **~a de comercio** stock exchange; **~a del trabajo** labour exchange; **~illo** *m* pocket; **~ista** *m* stockbroker; *SA* pickpocket; **~o** *m* purse
boll|ería *f* pastry shop; **~o** *m* small cake; bun, roll
bomb|a *f* pump; bomb; **~a atómica** atom bomb; **~a de incendios** fire engine; **~a H, ~a de hidrógeno** H-bomb, hydrogen bomb; **~ardear** *v/t* to bomb; to bombard; **~ardero** *m* bomber plane; **~ero** *m* fireman
bombilla *f* bulb
bombo *m* bass drum; *naut* lighter; **dar ~ a** to praise to the skies
bombón *m* sweet; chocolate; *fam* sweet girl
bonachón *m* kind person; *a* kindly; innocent
bonaerense of *or* from Buenos Aires
bondad *f* goodness; kind-

ness; **~oso** good; kind; generous
bonifica|ción *f* bonus; discount; *SA* improvement; **~r** *v/t* to improve
bonito *m* striped tunny; *a* nice; lovely; pretty
bono *m* bond; voucher
boquerón *m* large hole; opening
boquiabierto gaping; open-mouthed
boquilla *f mus* mouthpiece; cigarette-holder; tip
borbollar *v/i* to bubble
borbónico Bourbon...
borbotar *v/i* to gush; to boil; to bubble
borda|do *m* embroidery; **~r** *v/t* to embroider
bord|e *m* edge; border; rim; verge; **al ~e de** on the verge of; **~ear** *v/t* to skirt, to go round; **~illo** *m* kerb(stone)
bordo *m* shipboard; **a ~** on board
boreal northern
borla *f* tassel
borne *m elec* terminal
borra *f* fluff; nap, down; sediment, dregs
borrach|era *f* drunkenness; intoxication; **~o(a)** *m* (*f*) drunkard; *a* drunk
borrad|or *m* rough draft; copy; *SA* rubber, eraser; **~ura** *f* erasure
borrar *v/t* to delete; to rub out; to wipe out
borrasc|a *f* gale; storm; *fig* risk; **~oso** stormy
borreg|o(a) *m* (*f*) yearling sheep; **~uero** *m* shepherd
borric|a *f* she-ass; *fam* fool; **~o** *m* donkey; *fam* ass; fool
borrón *m* blot; smudge
borroso blurred; smudged
bosque *m* wood
bosquej|ar *v/t* to sketch; to outline; **~o** *m* sketch
bostez|ar *v/i* to yawn; **~o** *m* yawning
bota *f* boot; wineskin; leather wine bottle; **~s de goma** rubber-boots
bota|dura *f* launching; **~r** *v/t* to launch; *SA* to throw away; to throw out; to fire; *v/i* to bounce
botánic|a *f* botany; **~o** botanic
bote *m* rowing-boat; thrust; leap; bounce; **~ de remos** row-boat; **~ plegable** folding boat; **~ salvavidas** lifeboat
botella *f* bottle
botica *f* chemist's (shop), drugstore; **~rio** *m* chemist
botij|a *f* earthenware jar; **~o** *m* drinking jar
botín *m* boot; booty, loot
botiquín *m* first-aid kit
botón *m* button; bud
botones *m* bellboy, page
bóveda *f* vault; dome; strong-room
bovino bovine
boxe|ador *m* boxer; **~ar** *v/i* to box; **~o** *m* boxing
boya *f naut* buoy
bozal *m* muzzle
bracero *m* day-labourer
braga *f* diaper; hoisting-rope; *pl* breeches; panties

brague|ro *m* truss; brace; **~ro de cañón** breeching of a gun; **~ta** *f* fly (*of trousers*)
bram|a *f* rut; **~ante** *m* twine; **~ar** *v/i* to roar; to bellow; to bawl; to bluster; **~ido** *m* roaring
bras|a *f* live coal; **~ero** *m* brazier; firepan
brasileño(a) *m* (*f*), *a* Brazilian
brav|o brave, courageous; fierce; rough (*sea*); **~ucón** *m* braggart; **~ura** *f* ferocity; fierceness; courage
braza *f mar* fathom; **~da** *f* armful; *dep* stroke; **~da de espaldas** backstroke
brazal *m* bracelet; arm band
brazalete *m* bracelet
brazo *m* arm; branch
brea *f* tar; pitch; tarpaulin
brebaje *m* beverage; potion; draught
brecha *f* breach; opening; gap
brega *f* strife; contest; **~r** *v/i* to toil, to work hard
breve *a* short; **en ~** soon; *m* apostolic brief; **~dad** *f* shortness; **~mente** briefly
breviario *m* breviary
brezal *m* heath
brezo *m* heather
bribón *m* impostor; knave; scoundrel
brida *f* bridle (*of a horse*); flange; clamp
brilla|nte *m* brilliant; *a* glossy; brilliant; gorgeous; **~ntez** *f* brilliancy; **~r** *v/i* to shine; to sparkle; to glitter
brillo *m* lustre; glitter; splendour
brinc|ar *v/i* to jump; to skip; to hop; **~o** *m* leap; jump
brind|ar *v/i* to drink to a person's health; *v/t* to offer; **~is** *m* toast
brío *m* strength; vigour; spirit
brioso vigorous; spirited; lively
brisa *f* breeze
británico British
broca *f* reel
brocha *f* painter's brush
broche *m* clasp; brooch
brom|a *f* joke; **en ~a** in fun; **~ear** *v/i* to joke, to fool; **~ista** *m* joker; gay person
bronca *f fam* quarrel
bronce *m* bronze; brass; **~ de cañón** gunmetal; **~ar** *v/t* to bronze
bronco rough
bronqui|al bronchial; **~tis** *f* bronchitis
brot|ar *v/i* to shoot; to sprout; to bud; to spring, to gush (*water*); **~e** *m* shoot, bud; outbreak
bruj|a *f* witch; **~ería** *f* witchcraft; **~o** *m* sorcerer
brújula *f* compass; magnetic needle
brum|a *f* mist; **~oso** misty
bruñir *v/t* to polish
brus|co brusque; rough; **~quedad** *f* abruptness
brut|al brutal; brutish; *fam* fabulous, wonderful;

~o *m* brute; *a* stupid; brutish
bubón *m* bubo; tumour
bucear *v/i* to dive
bucle *m* ringlet
bucólico pastoral
buche *m* crop, maw; stomach
budín *m* pudding
buen, *apocope of* **bueno,** *used only before a masculine noun*: **~ hombre** good man, *or before infinitives used as nounes*: **eso es ~ decir** this is good speaking; **~amente** freely; easily; **~aventura** *f* good luck; **~o** good; well; all right; healthy; usable; **¡~os días!** good day!; **¡~as tardes!** good afternoon!; **¡~as noches!** good night!; **de ~as a primeras** all of a sudden; **por las ~as** willingly
buey *m* ox; bullock
búfalo *m* buffalo
bufanda *f* scarf; muffler
buf|ar *v/i* to snort; to puff with rage; **~o** *m* clown; *a* clownish; rude
buhard|a *f*, **~illa** *f* attic, garret, loft
búho *m* owl
buitre *m* vulture
bujía *f* candle; spark-plug
bulto *m* bundle; bulk; shape; swelling; bale; **de ~** important
bulla *f* noise; chatter
bulli|cio *m* bustle; noise; **~cioso** noisy; lively; **~r** *v/i* to boil; to fuss
buñuelo *m* fritter; bun, doughnut
buque *m* boat; ship; **~ ballenero** whaler; **~ de guerra** warship, man-of-war; **~ mercante** merchantman
burbuj|a *f* bubble; **~ear** *v/i* to bubble
burdégano *m* hinny
burdel *m* brothel
burdo coarse; ordinary
burgués(esa) *m(f)*, *a* bourgeois; middle class
burl|a *f* scoff; taunt; joke; trick; **~arse de** to scoff at; to make fun of; **~ón** *m* joker; scoffer; *a* mocking, derisive
burocracia *f* bureaucracy
burócrata *m*, *f* bureaucrat
burocrático bureaucratic
burr|a *f* she-ass; **~ada** *f* drove of donkeys; *fig* foolishness; **~o** *m* donkey
bursátil of the stock exchange
busca *f* search; **~r** *v/t* to look for; to seek; to search
búsqueda *f* search
busto *m* bust
butaca *f* armchair; *theat* orchestra seat, stall
buzón *m* letter-box, mail-box

C

cabal *a* exact; right; full; complete, thorough; *adv* perfectly; exactly
cábala *f* cabala; *fig* cabal; intrigue
cabalga|r *v/i* to ride on horseback; **~ta** *f* riding, ride
caballa *f* mackerel
caball|eresco gentlemanly; chivalrous; **~ería** *f* horse; mule; cavalry; knighthood; **~eriza** *f* stud; **~ero** *m* horseman; knight; nobleman; gentleman; **~eroso** gentlemanlike; **~ete** *m* easel; trestle; **~ito** *m* pony; **~ito del diablo** dragonfly; **~o** *m* horse; knight (*in chess*); **a ~o** on horseback; **~o de fuerza** horse-power; **~o de pura sangre** thoroughbred
cabañ|a cabin; hut; cottage; **~ero** *m* drover
cabece|ar *v/i* to nod; *mar* to pitch; **~o** *m* nodding; **~ra** *f* head (*of the bed, of the table*)
cabecilla *m* ringleader
cabell|era *f* wig; head of hair; **~o** *m* hair; **~udo** hairy
caber *v/i* to go in *or* into; to find room; to fit in; **no cabe duda** there is no doubt; **cabe pensar en eso** it is possible to think of that; one must think of that
cabestr|illo *m med* sling; **~o** *m* halter
cabez|a *f* head; summit; lead; **a la ~a de** at the head of; **~a de puente** bridgehead; **~a de turco** scapegoat; **~ada** *f* blow on *or* with the head; nod; **~al** *med* pad; bolster; *mech* head; **~ón** big-headed; stubborn; **~ota** *m*, *f* big-headed person; **~udo** large-headed
cabida *f* space; capacity; room
cabild|eo *m* lobbying; **~o** *m* chapter (*of cathedral or town council*)
cabina *f* cabin; booth; *aer* cockpit; **~ de teléfono** telephone kiosk
cabizbajo downhearted, downcast
cable *m* cable; wire; telegram; **~grafiar** *v/i* to cable
cabo *m* end; thread; rope; handle; cape; leader; corporal; **de ~ a rabo** from beginning to end; **llevar a ~** to see through; to finish; to carry out
cabotaje *m* coastal shipping
cabra *f* goat
cabrestante *m* capstan
cabriola *f* caper; capriole
cabrito *m* kid, young goat
cacahu|ete, ~ey *m* peanut
cacao *m* cacao
cacarear *v/i* to cackle; to brag; to boast

cacatúa *f* cockatoo
cacería *f* hunt (*of bigger game*)
cacerola *f* saucepan
caciqu|e *m* chief (*among American Indians*); *fam* boss; ringleader; **~ismo** *m* power of political bosses
caco *m* thief; pickpocket
cacto *m* cactus
cacharr|ería *f* crockery; **~o** *m* pot; jug; earthenware; *fam* junk; old vehicle
cachete *m* slap; blow
cachiporra *f* bludgeon
cachivache *m* odds and ends; trash
cacho *m* small piece; *SA* horn (*of bull, etc*)
cachorro *m* puppy; cub; whelp
cada every; each
cadáver *m* corpse
cadavérico cadaverous
cadena *f* chain; *radio, t v* network; *fig* tie; obligation; **~ perpetua** life imprisonment
cadera *f* hip
cadete *m* cadet
caduc|ar *v/i* to lapse; to run out; to expire; **~idad** *f* expiry; lapse
cae|dizo unsteady; **~r** *v/i* to fall; to decline; to fit; to happen; *aer* to crash; **~r en la cuenta** to understand
café *m* coffee; café
cafetal *m* coffee plantation
cafeter|ía *f* café; snack-bar; **~o** *m* coffee-shop owner; coffee-seller; bar-owner
caída *f* fall; downfall; slope; hanging; fold; *aer* crash
caimán *m* alligator
caj|a *f* box, case; safe; well (*of stairs*); **~a chica** petty cash; **~a de ahorros** savings bank; **~a de engranajes** gear-box; **~era** *f* woman cashier; **~ero** *m* boxmaker; cashier; **~etilla** *f* pack (*of cigarettes*); **~ita** *f* small box; **~ita de fósforos** match-box; **~ón** *m* large box; locker; drawer
cal *f* lime; **~a** *f* creek, small bay
calabacín *m* (vegetable) marrow
calabaza *f* pumpkin; gourd
calabozo *m* dungeon; gaol
calada *f* soaking
calado *m* draught (*of ship*)
calafatear *v/t* to caulk
calamar *m* squid
calambre *m* cramp
calamidad *f* calamity
calandria *f* mangle
calar *v/t* to soak; to drench; to perforate; *fig* to see through
calavera *f* skull; madcap; rake
calca|do *m* tracing; **~r** to trace; to copy
calce *m* tire; wedge
calcet|a *f* stocking; **~ero** *m* hosier; **~ín** *m* sock
calcinar *v/t*, **~se** to calcine
calco *m* tracing; **~manía** *f* transfer (*picture*)
calcular *v/t* to calculate
cálculo *m* calculation; estimate; conjecture

calda *f* heating; heat; *pl* hot springs
calder|a *f* kettle; boiler; **~illa** *f* copper (*coin*); **~o** *m* kettlemaker
caldo *m* broth; sauce
calefacción *f* heating; **~ central** central heating
calendario *m* calendar, almanac
calent|ador *m* heater; **~ar** *v/t* to heat; **~arse** to get hot; to be in rut; to warm oneself up; *SA* to get angry; **~ura** *f* fever
calibr|ar *v/t* to gauge; **~e** *m* calibre
calidad *f* quality; condition
cálido hot; warm
califica|ción *f* qualification; judgement; distinction; **~r** *v/t* to rate; to assess; to qualify
cáliz *m* chalice, cup
calma *f* calm; lull; **~nte** *m* sedative; **~r** *v/t* to soothe; to calm; **~rse** to abate; to quiet down
caló *m* gipsy language; slang
calor *m* heat; warmth; **~ía** *f* calorie; **~ífico** calorific
calumnia *f* calumny, slander; **~r** *v/t*, *v/i* calumniate
caluroso hot; warm; ardent
calv|a *f* bald head; **~icie** *f* baldness; **~o** bald
calz|a *f* trousers; stockings; **~ada** *f* highway; causeway; **~ado** *m* footwear; shoes; **~ar** *v/t* to put on (*shoes, tires*); to wedge, to key; **~ones** *m/pl* breeches; trousers
calla|do silent; **~r** *v/t* to silence; **~rse** to hold one's tongue; **~rse la boca** to shut up; *v/i* to be silent
calle *f* street; **~jear** *v/i* to saunter about; **~jón** *m* alley; passage; **~jón sin salida** blind alley; dead end; **~juela** *f* lane; narrow street; bystreet
callo *m* corn; callus; **~so** callous, horny
cama *f* bed; **~ plegadiza** folding bed; **guardar ~** to be laid up; **~da** *f* litter (*of young*); row; layer
cámara *f* chamber; cabin; *med* stool; *aut* inner tube; **~ lenta** slow-motion
amarada *m* comrade
camarer|a *f* parlourmaid; chief maid; waitress; **~o** *m* waiter; steward
camarilla *f* clique; faction
camar|ín *m* small chamber; closet; **~ón** *m* shrimp
camarote *m* cabin; berth; state-room
cambalache *m* *fam* swop
cambi|able changeable; exchangeable; alterable; **~ar** *v/t* to change; to exchange; to alter; *v/i* to change; **~o** *m* change; exchange; small change; **a ~o (de)** in return (for); **~o de velocidades** *aut* gearshift; **~sta** *m* banker; money-changer
camelo *m* *fam* joke; nonsense
camilla *f* stretcher; litter

camin|ante *m* walker; **~ar** *v/i* to walk; to travel; **~ata** *f* long walk; **~o** *m* road; way; **en ~o** under way; **~o real** highway; **~o secundario** feeder road; **~o transversal** cross-road; **~ troncal** main road
camión *m* lorry; truck; **~ de mudanzas** removal van
camioneta *f* van
camis|a *f* shirt; **~a de noche** nightdress, nightgown; **~ería** *f* shirt shop; **~eta** *f* undershirt; **~ón** *m* nightdress
camorra *f* quarrel, brawl; **armar ~** to brawl, to pick a quarrel
campamento *m* encampment; camp
campan|a *f* bell; **~ario** *m* belfry; steeple; **~illa** *f* handbell; electric bell; tassel; **~illa de invierno** snowdrop
campánula *f* blue-bell
campaña *f* countryside; campaign
campar *v/i* to encamp; to excel
campechano frank; hearty
campeón *m* champion; **~ titular** defending champion
campeonato *m* championship
camp|ero in the open; **~esino(a)**, **~estre** *m* (*f*), countryman (-woman); *a* rural; **~iña** *f* fields; countryside; **~o** *m* country; countryside; field; camp; **~o de aterrizaje** *aer* landing field; **~o de golf** golf course *or* link; **a ~o travieso** cross-country; **~osanto** *m* cemetery
can *m* dog
canadiense *m, f, a* Canadian
canal *m* channel; canal; strait; **~ización** *f* canalization; **~ón** *m* gutter
canalla *f* mob; rabble; *m* scoundrel; mean fellow
canapé *m* couch, settee
canario *m* canary; native of the Canary Islands
canasta *f* basket
cancela *f* ironwork gate
cancela|ción cancellation; **~r** *v/t* to cancel
cáncer *m* cancer
canciller *m* chancellor; **~ía** *f* chancellery
canción *f* song; **~ de cuna** lullaby
cancionero *m* song-book
cancha *f SA dep* field; court; ground; golf links; racetrack
candado *m* padlock
candel|a *f* candle; **~ero** *m* candlestick
candente incandescent; redhot
candidato *m* candidate
candidez *f* whiteness; candour
cándido candid; naive
candil *m* oil-lamp; **~ejas** *f/pl* footlights
candor *m* simplicity; pure whiteness; sincerity
canela *f* cinnamon
canelón *m* water-pipe; spout, gutter
cangrejo *m* crab

canícula *f* dog-days
canijo *m* weakling
canilla *f* shin-bone; tap; reel
canje *m* exchange; **~ar** *v/t* to exchange
canoa *f* canoe
canon *m* canon; catalogue; *com* royalty
canóni|co canonical; **~go** *m* canon (*member of cathedral chapter*)
canonizar *v/t* to canonize
canoso grey-haired
cansa|do tired, weary; **~ncio** *m* fatigue, weariness; **~r** *v/t* to tire, to weary; **~rse** to grow tired
canta|nte *m*, *f* singer; **~r** *v/t*, *v/i* to sing
cántaro *m* pitcher; jug; **llover a ~s** to rain cats and dogs
cantera *f* quarry
cántico *m* canticle
cantimplora *f* water-bottle
cantina *f* canteen; wine-cellar; *SA* saloon, bar
canto *m* singing; song; edge; crust (*of bread*); **~r** *m* singer
caña *f* reed; cane; stem; glass (*of beer or wine*); **~ de azúcar** sugar-cane; **~da** *f* gully; cattle-path
cáñamo *m* hemp
cañería *f* pipeline; conduit
caño *m* pipe; tube; drain
cañón *m* gun, cannon; barrel; quill; **~ de campaña** field-gun
cañon|azo *m* gunshot; **~eo** *m* bombardment
caoba *f* mahogany
caos *m* chaos
caótico chaotic
capa *f* cloak; cape; cover; layer
capa|cidad *f* capacity; capability; **~citar** *v/t* to qualify
capar *v/t* to geld; to castrate
capataz *m* foreman, overseer
capaz capable; able; competent
capcioso wily; artful; tricky
capellán *m* chaplain
capilar capillary
capilla *f* chapel; hood; choir of a church
capital *a* capital; essential; important; *f* capital (*of country*); *m* capital; wealth; stock; **~ social** joint stock; **~ista** *m*, *f*, *a* capitalist; **~izar** *v/t* to capitalize
capitán *m* captain; **~ de puerto** harbour master
capitan|a *f* flagship; **~ía** *f* captaincy
capitulación *f* capitulation; **~ de matrimonio** marriage articles
capitular *a* capitulary; *v/i* to capitulate; to sign an agreement
capítulo *m* chapter; assembly; governing body
caporal *m* overseer; leader
capot|a *f* woman's bonnet; *aut* hood, bonnet; top (*of convertible*); **~e** *m* coat; overcoat; bullfighter's cape; *SA* beating; **~ear** *v/t* to bait; to trick (*a bull*)

with a cape; to shirk; **~eo** *m* baiting (*of bull*); shirking
capricho *m* caprice; vagary; whim; **~so** capricious; whimsical
cápsula *f* capsule
capt|ar *v/t* to win; to attract; **~ura** *f* capture; **~urar** *v/t* to capture
capullo *m* bud; cocoon
cara *f* face; front; surface; head (*of coin*); **tener ~ de** to look like
carabela *f* caravel
carabina *f* carbine
caracol *m* snail; **¡~es!** good gracious!
carácter *m* character; type (*in printing*)
caracter|ístico characteristic; **~izar** *v/t* to characterize
¡caramba! good gracious!
carámbano *m* icicle
carambola *f* cannon
carátula *f* mask; *SA* title page (*of book*)
carbón *m* coal; carbon; **~ de palo** charcoal; **~ graso** soft coal
carboner|a *f* coal-cellar; bunker; **~ía** *f* coal-shop; coal-yard
carbónico carbonic
carbonífero carboniferous
carbonilla *f* cinder
carbunclo *m* carbuncle; ruby; anthrax
carbura|ción *f* carburation; **~dor** *m* carburettor; **~r** *v/t* to carburet
carburo *m* carbide
carcajada *f* guffaw, burst of laughter
cárcel *f* prison, jail; *mech* clamp
carcelero *m* gaoler, warden
carcom|a *f* woodworm; **~ido** worm-eaten
cardenal *m* cardinal; weal
cardíaco cardiac
cardinal fundamental
cardo *m* thistle
carear *v/t* to confront; to bring face to face
care|cer *v/i* to lack; **~ncia** *f* lack
carestía *f* scarcity; dearth; [high cost]
careta *f* mask; **~ antigás** gas-mask
carga *f* charge; loading; load; burden; cargo; *fig* tax; **~ útil** pay load; **~dero** *m* loading site; **~do** sultry; *elec* live; **~dor** *m* freighter; carrier; **~mento** *m* load; **~r** *v/t* to load; to burden; to charge (*battery*); *com* to charge; *v/i* to rest (*on*); to turn
cargo *m* loading; load; *com* debit; **a ~ de** in charge of; under the responsibility of
caricatura *f* caricature
caricia *f* caress
caridad *f* charity
cariño *f* affection; kindness; **~so** affectionate; loving
caritativo charitable
cariz *m* aspect
carlinga *f* step of a mast
carmesí crimson
carnal carnal

carnaval *m* carnival
carne *f* flesh; meat; pulp; **~ de cañón** cannon fodder; **~ de gallina** goose-flesh; **~ picada** mincemeat; **~ salvajina** game; **ser ~ y uña** to be hand in glove
carnero *m* ram; sheep; *coc* mutton
carnicería *f* butcher's shop; butchery; bloodshed
carnudo fleshy, meaty
caro dear; expensive
carpa *f* carp; *SA* tent
carpeta *f* portfolio; folder; file; *SA* desk
carpintero *m* carpenter
carrera *f* run; race; career; course; **~ de caballos** horse-race; **~ de relevos** relay-race
carret|a *f* cart; **~e** *m* reel; **~ear** *v/t* to cart; **~ero** *m* cartwright; carter; **~illa** *f* wheelbarrow
carril *m* rut; furrow; rail
carrillo *m* cheek
carro *m* cart, waggon; chariot; chassis (*of car*); carriage (*of typewriter*)
carroza *f* coach; carriage
carruaje *m* carriage
carta *f* letter; charter; **~ comercial** business letter; **~ de crédito** *com* letter of credit; **~pacio** *m* satchel
cartel *m* placard, poster; *com* cartel
cart|era *f* wallet; pocket-book; lady's handbag; briefcase; portfolio; **~ero** *m* postman
cartílago *m* cartilage
cartilla *f* card; booklet; certificate; primer; **leerle la ~ a** *fig* to lecture
cartografiar *v/t* to map
cartón *m* cardboard, pasteboard
cartucho *m* cartridge
casa *f* house; household; home; firm; **~ consistorial** town hall; **~ de moneda** mint; **~ de socorro** first aid hospital; **~ de vecindad** tenement-house; **~ pública** brothel; **en ~** at home; **~dero** marriageable; **~miento** *m* marriage
casar *v/t* to marry; to wed; to give in marriage; *fig* to match; to join; *for* to annul; **~se** to marry; to get married
cascabel *m* small bell
cascada *f* waterfall
casca|do worn-out; cracked; **~jo** *m* shingle, gravel; grit; **~nueces** *m* nutcracker; **~r** *v/t* to break; to split
cáscara *f* shell; rind, peel
casco *m* skull; helmet; hoof; fragment; hull (*of a ship*); empty bottle
caserío *m* hamlet
casero *m* landlord; proprietor; *a* domestic; informal; home-bred; home-made; home-loving
caseta *f* hut; shed
casi almost; nearly
casill|a *f* hut; lodge; pigeon-hole; post-box;

square; **~ero** *m* filing cabinet
casino *m* club
caso *m* case; event; occasion; matter; **en ~ de que** in case of; **dado el ~ que** provided that; **en todo ~** at any rate; **hablar al ~** to speak to the point; **hacer ~ a** to take into consideration; **hacer ~ omiso de** to ignore; **no venir al ~** to be irrelevant
caspa *f* dandruff
¡cáspita! by Jove!
casquillo *m mech* socket, metal cap
casquivano giddy, frivol
casta *f* lineage; race; breed; pedigree; caste
castañ|a *f* chestnut; **~etazo** *m* snap (*of the fingers*); **~o** *m* chestnut tree; **~o de Indias** horse chestnut; **~uela** *f* castanet
castellano(a) *m* (*f*), *a* Castilian; *m* Castilian language
casticidad *f* purity
castidad *f* chastity
castig|ador *a* punishing; *m* punisher; **~ar** *v/t* to punish; to correct; **~o** *m* punishment; penalty
castillo *m* castle; *mar* forecastle
castizo pure; authentic
casto chaste, pure
castor *m* beaver
castrar *v/t* to prune; to geld; to castrate
castrense military
casual casual; **~idad** *f* chance; accident; **por ~idad** by chance
casu|ca *f*, **~cha** *f* hovel, hut
cata *f*, **~dura** *f* sampling
catalán(ana) *m* (*f*), *a* Catalan
catalejo *m* telescope, (spy-)glass
catálogo *m* catalogue
cataplasma *m* poultice
catar *v/t* to sample
catarata *f* cataract
catarro *m* catarrh
catastro *m* registry of property
catástrofe *f* catastrophe
catecismo *m* catechism (*book*)
cátedra *f* teacher's desk; professorship; chair (*at university*)
catedral *f* cathedral
catedrático(a) *m* (*f*) (woman) professor
categoría *f* category
categórico categorical
catequismo *m* catechism
católico(a) *m* (*f*), *a* Roman Catholic
catolicismo *m* Catholicism
catre *m* small bed; cot; **~ de tijera** camp-bed
cauce *m* riverbed; channel
caución *f* caution; security
caucho *m* rubber
caudal *m* property; wealth; volume; **~oso** copious; wealthy; large (*river*)
caudill|aje *m* leadership; **~o** *m* leader
causa *f* cause; reason; lawsuit; **a ~ de** because of; **~r** *v/t* to cause; to sue

cautel|a *f* caution; prudence; **~oso** prudent; cautious, wary
cautiv|ar *v/t* to capture; **~o** *m* prisoner
cauto cautious; wary
cavar *v/t* to dig
caverna *f* cavern
cavidad *f* cavity
cavil|ar *v/t* to meditate upon; **~oso** distrustful
cayo *m geog* key
caza *f* hunt; hunting; game; **~dor** *m* hunter
cazo *m* ladle; pan; pot
cazuela *f* casserole; *theat* gallery
ceb|a *f* fattening; **~ar** *v/t* to fatten; **~o** *m* bait; fodder
cebolla *f* onion; bulb (*of plant*)
cebra *f* zebra; (**cruce** *m*) **~** zebra crossing
cecear *v/i* to lisp
cecina *f* cured meat
ceder *v/t* to cede; to yield; to give up
cédula *f* document; slip (*of paper*); certificate; **~ hipotecaria** *com* mortgage bond [to blind}
cega|dor blinding; **~r** *v/t*}
ceguedad *f* blindness
ceja *f* eyebrow; *fig* rim
cela|da *f* ambush; **~dor** *m* watchman; **~r** to watch; to protect
celda *f* cell (*of convent, beehive*)
celebérrimo very famous
celebrar *v/t* to acclaim; to applaud; to celebrate; to say (*mass*); to make, to sign (*an agreement, etc*)
célebre famous [rity}
celebridad *f* fame; celeb-}
celeridad *f* celerity
celeste heavenly; celestial
celibato *m* celibacy
célibe *m, f, a* celibate; unmarried
celo *m* zeal; rut (*of animals*); *pl* jealousy; **~sía** *f* lattice; **~so** zealous; jealous
célula *f biol* cell
celulosa *f* cellulose
cementerio *m* cemetery; graveyard
cement|ar *v/t metal* to cement; **~o** *m* cement
cena *f* supper; **~dor** *m* bower
cenagal *m* mire
cenar *v/i* to dine; to have supper [jingle}
cencerrear *v/i* to tinkle; to}
cenicero *m* ash-tray
cenit *m* zenith
ceniza *f* ashes
censura *f* censorship; **~r** to criticize; to blame; to censor
centell|a *f* spark; flash; **~ear** *v/i* to sparkle; to twinkle
centenario *m* centenary
centeno *m* rye
centímetro *m* centimetre
centinela *m or f* sentinel; sentry
central *f* central; head office; power station; *a* central; **~izar** *v/t* to centralize

centro *m* centre; **~ comercial** shopping centre
ceñi|do tight; **~r** *v/t* to gird; **~rse** *fig* to economize
ceñ|o *m* frown; scowl; **~udo** scowling, gruff
cepa *f* vinestock; stem; stock
cepillo *m* brush; *carp* plane; **~ de dientes** toothbrush
cepo *m* branch; stocks, pillory; trap
cera *f* wax
cerámica *f* ceramic art; ceramics
cerbatana *f* blow-pipe
cerca *adv* near; **~ de** *prep* near; close to
cerca|nía *f* proximity; vicinity; **~no** close; near; **~r** *v/t* to enclose; to fence; to besiege
cercenar *v/t* to cut off, to dock, to lop off
cerco *m* circle; *mil* encirclement
cerd|a *f* bristle; sow; **~o** *m* hog, pig
cereal *m*, *a* cereal
cerebr|al cerebral; **~o** *m* brain
ceremoni|a *f* ceremony; **~al, ~oso** ceremonious, formal
cerez|a *f* cherry; **~o** *m* cherry-tree
cerilla *f* taper; match
cero *m* zero; **bajo ~** below zero
cerradura *f* lock
cerrajer|ía *f* locksmith's shop; **~o** *m* locksmith
cerrar *v/t* to lock; to shut; to close
cerril rough; boorish; wild, untamed
cerro *m* hill
cerrojo *m* bolt (*of the door*); lock (*of rifle*)
certamen *m* competition
cert|ero sure; certain; **~eza** *f*, **~idumbre** *f* certainty
certifica|do *m* certificate; **~do de defunción** death certificate; **~r** *v/t* to register (*letters*); to certify
cervato *m* fawn
cerve|cería *f* brewery; bar; **~za** *f* beer; ale
cerviz *f* nape of the neck
cesant|e ceasing; dismissed, jobless; **~ía** *f* dismissal; pension
ces|ar *v/i* to cease, to stop; **~e** *m* cease; stop
césped *m* lawn; turf
cest|a *f* basket, hamper; **~ero** *m* basket-maker; **~o** *m* basket; **~o de papeles** wastepaper basket
cetro *m* sceptre
cía *f* hip-bone
ciática *f* sciatica
cicatriz *f* scar; **~ar** *v/i* to cicatrize; to sear
cíclico cyclic
ciclista *m* cyclist
ciclo *m* cycle; period
ciclón *m* cyclone
cicuta *f* hemlock
ciego blind; choked up
cielo *m* sky; atmosphere; heaven; **¡~s!** Good Heavens!
ciénaga *f* bog, morass

cien|cia *f* science; **~cias naturales** (natural) sciences; **~tífico** *a* scientific; *m* scientist; **~to** hundred; **por ~to** per cent
cierre *m* fastening; **~ relámpago** *SA* zip-fastener
cierto *a* certain; true; *adv* certainly
cierv|a *f* hind; **~o** *m* stag, hart
cifra *f* figure; number
cigarra *f* cicada
cigarr|illo *m* cigarette; **~o** *m* cigar
cigüeña *f* stork; *mech* winch; **~l** *m* crankshaft
cilíndrico cylindrical
cilindro *m* cylinder; *impr* roller
cima *f* summit
cimentar *v/t* to lay the foundation of; to consolidate
cimiento *m* foundation; *fig* underlying principle
cinc *m* zinc
cincel *m* chisel; **~ar** *v/t* to engrave; to cut
cine(ma) *m* cinema; pictures; picture-house
cínico cynical
cint|a *f* ribbon; strap; **~a adhesiva** adhesive tape; **~a magnetofónica** recording tape; **~a métrica** tape-measure; **~ura** *f* waist; **~urón** *m* belt; **~urón salvavidas** life-belt; **~urón de seguridad** safety-belt; *aut* seat-belt
ciprés *m* cypress
circo *m* circus; amphitheatre
circuito *m* circuit; network
circula|ción *f* circulation; traffic; **~r** *f* circular; *a* circular; *v/i* to circulate
círculo *m* circle; club; association
circun|dar *v/t* to (en-) circle; to surround; **~scribir** *v/t* to circumscribe
circunstan|cia *f* circumstance; **~cia atenuante** extenuating circumstance; **~te** *m* by-stander
cirio *m* large candle
ciruela *f* plum; **~ pasa** prune
ciru|gía *f* surgery; **~jano** *m* surgeon; **~jano dentista** dental surgeon
cisco *m* slack; *fam* hubbub
cisma *m* schism; disagreement
cisterna *f* cistern; water-tank
cisura *f* cut; incision
cita *f* appointment; engagement; quotation; summons; **~r** *v/t* to quote; to summon
ciudad *f* city; town; **~ano(a)** *m* (*f*) citizen; **~anía** *f* citizenship; **~ela** *f* citadel
cívico civic; patriotic
civil civil; polite; **~izar** *v/t* to civilize
cizalla *f* shears; pliers; metal clippings
clam|ar *v/i* to cry out; **~or** *m* outcry; **~oroso** clamorous; noisy

clandestino secret; clandestine
clara *f* white of an egg; fair spell (*of weather*)
claraboya *f* skylight
clarear *v/t* to lighten; to illuminate; *v/i* to grow brighter; to clear up
clarete *m* claret
claridad *f* brightness; clarity; light
clarín *m* bugle
claro light; bright; clear; distinct
clase *f* class; classroom; lesson; kind; ~ **media** middle-class; ~ **obrera** working class
clásico classic; classical
clasifica|ción *f* classification; **~r** *v/t* to classify
claudicar *v/i* to limp; to give up
claustro *m* cloister
cláusula *f* clause
clavar *v/t* to nail; to fasten; to pierce
clave *f* key; clue; *mus* clef; *arch* keystone
clavel *m* carnation
clavícula *f* collar-bone
clavija *f* peg; pin
clavo *m* nail; spike; clove; **dar en el** ~ to hit the nail on the head
clemen|cia *f* clemency; mercy; **~te** merciful
clérigo *m* clergyman
clero *m* clergy; priesthood
clientela *f* clientele; *com* goodwill; patronage
clima *m* climate
climático climatic
clínica *f* clinic; hospital
cloaca *f* sewer
cloro *m* chlorine
cloroformo *m* chloroform
cloruro *m* chloride
coadyuvar *v/t* to assist; to help
coagular *v/t*, **~se** to coagulate
coalición *f* coalition
coartada *f* alibi
cobalto *m* cobalt
cobard|e *m*, *f* coward; *a* cowardly; **~ía** *f* cowardice
cobertizo *m* shed
cobijar *v/t* to cover; to shelter; **~se** to take shelter
cobra|dor *m* collector; **~nza** *f* bill-collection; **~r** *v/t* to collect (*money*); to cash; to charge (*price*); to acquire; *v/i* to get paid
cobre *m* copper
cobro *m* collection (*of money*); cashing (*of cheque*)
coc|er *v/t*, *v/i* to cook; **~ido** *m* stew
cociente *m* quotient
cocin|a *f* kitchen; ~ **de gas** gas-stove; **~ar** *v/t* to cook; *v/i* to stew; *fig* to cook up; **~ero** *m*, **~era** *f* cook
coco *m* coconut; *fam* head; **~tero** *m* coconut tree
cóctel *m* cocktail
coche *m* coach; carriage; car; motorcar; **~-comedor** *m* dining-car; ~ **fúnebre** hearse; ~ **patrullero** patrol car; ~ **de turismo** roadster
cochina *f* sow; **~da** *f* dirt;

filthiness; *fam* filthy thing; dirty trick
cochinillo *m* suckling-pig
codazo *m* nudge
codear *v/i* to elbow; *v/t* to nudge
códice *m* codex
codici|ar *v/t* to covet; **~oso** covetoues
código *m* code
cod|illo *m* shoulder-joint (*of quadrupeds*); elbow pipe; **~o** *m* elbow; bend
codorniz *f* quail
coercer *v/t* to constrain; to check
coexist|encia *f* coexistence; **~ir** to coexist
cofia *f* hairdress
cofradía *f* guild; society
cofre *m* chest; trunk; case; **~cito** *m* casket
coge|dor *m* dustpan; **~r** *v/t* to seize; to grasp; to catch; to collect
cogollo *m* bud
cogote *m* nape of the neck
cohete *m* rocket, missile; **~ teledirigido** guided missile; **~ría** *f* rocketry
cohibido inhibited, self--conscious
coincidencia *f* coincidence
cojear *v/i* to limp, to hobble
cojín *m* small cushion
cojinete *m mech* bearing; **~ de bolas** *tecn* ball-bearing(s)
cojo lame
cok *m* coke
col *f* cabbage
cola *f* glue; tail; extremity; queue; **hacer ~** to queue up
colaborador *m* collaborator; co-worker
colar *v/t* to filter; to strain; **~se** to sneak in; to slip in
colch|a *f* quilt; counterpane; **~ón** *m* mattress
colección *f* collection
coleccionar *v/t* to collect
colect|ivo collective; **~or** *m* collector; main sewage pipe
colega *m, f* colleague
colegi|al *m* schoolboy; **~ala** *f* schoolgirl; **~o** *m* college; school
cólera *f* anger; wrath; *m* cholera; **montar en ~** to fly into a rage
colérico choleric; irascible
coleta *f* pigtail; *fig* post-script
colga|dero *m* peg, rack; **~dura** *f* hangings; drapery; **~r** *v/t* to hang up; to hang; *v/i* to hang; to be hanging
colibrí *m* humming-bird, colibri
cólico *m* colic
coliflor *f* cauliflower
colilla *f* cigarette stub
colina *f* hill
colindante adjoining
colisión *f* collision
colmar *v/t* to heap; to fill up; to lavish
colmena *f* beehive
colmillo *m* canine tooth; fang; tusk
colmo *m* heap; height; limit; **¡esto es el ~!** this is the limit!

coloca|ción *f* setting; arrangement; post; job; **~r** *v/t* to put, to place; to employ; to find a job for
colon|ia *f* colony; **~izar** *v/t* to colonize; **~o** *m* colonist, settler; tenant farmer
color *m* colour; pigment; paint; **~ elemental** primary colour; **~ado** *m* coloured; red; **~ear** *v/t* to colour; **~ete** *m* rouge
columna *f* column; pillar
columpi|ar *v/t*, **~arse** to swing; **~o** *m* swing
collado *m* saddle, mountain pass
collar *m* necklace; collar (*for animals*)
comadre *f* godmother; gossiping woman
comadreja *f* weasel
comadrona *f* midwife
comandante *m* commander; major; **~ en jefe** commander-in-chief
comanditario *m com* silent partner
comando *m mil* command; commando, ranger
comarca *f* region; district
comba *f* curve; bend; sag; **~r** *v/t* to curve; to bend
combat|e *m* fight; battle; **~iente** *m* combatant; fighter; **~ir** *v/t*, *v/i* to fight; to attack
combina|ción *f* combination; combinations (*underwear*); **~r** *v/t*, *v/i* to combine; to plan; to figure out
combustible *m* fuel; *a* combustible
comedia *f* play; drama; comedy; **~nte** *m* actor; comedian
comedido prudent; polite
comedor *m* dining-room
comensal *m* fellow-boarder; table companion
comentar *v/t* to comment upon; to explain; **~io** *m* commentary; **~ista** *m* (*radio*) commentator
comenzar *v/t*, *v/i* to commence; to begin
comer *v/t*, *v/i* to eat; to dine
comerci|able marketable; **~ar** *v/t* to trade; to deal in; **~o** *m* business; trade; commerce; **~o exterior** foreign trade
comestible *a* edible; *m/pl* [food]
cometa *f* kite
comet|er *v/t* to commit; **~ido** *m* task; commission
cómico comic; funny
comida *f* food; meal
comienzo *m* beginning
comilón *m* glutton; *a* gluttonous
comillas *f/pl* quotation [marks]
comino *m* cumin; **no me importa un ~** I don't give a damn
comisaría *f* commissariat; police-station
comis|ario *m* commissary; policeman; *SA* chief of police; **~ionar** *v/t* to commission; to empower
comité *m* committee
comitiva *f* suite, retinue; followers

como *adv* how; as; like; when; in order that; because; **¿cómo?** *interrog* what?; how?; **¡cómo!** *interj* you don't say so!; **~ quiera que** however; in whatever way
comod|idad *f* comfort; facility; **~ín** *m* joker (*card*)
cómod|a *f* chest of drawers; **~o** comfortable; easy
compacto compact
compadecer *v/t* to pity; **~se de** to be sorry for
compadre *m* godfather
compaginar *v/t* to arrange; **~se** to agree with
compañer|ismo *m* companionship; **~o(a)** *m* (*f*) comrade, companion; **~o(a) de clase** class-mate; **~o de viaje** fellow traveller (*t fig, pol*)
compañía *f* company; **~ de aviación** airline; **~ naviera** shipping company
compara|ble comparable; **~ción** *f* comparison; **~r** *v/t* to compare
comparece|ncia *f* *for* appearance; **~r** *v/i* to appear (*in court, etc*)
comparti|miento *m* compartment; division; **~r** *v/t* to divide; to share
compás *m* pair of compasses; pattern; rhythm
compasión *f* pity, compassion
compatib|ilidad *f* compatibility; **~le** compatible
compatriota *m* compatriot
compeler *v/t* to compel
compendi|ar *v/t* to summarize; to digest; **~o** *m* summary; digest; compendium
compensa|ción *f* compensation; **~ción de balances** *com* clearing; **~r** *v/t* to compensate; to indemnify
compet|encia *f* competition; rivalry; competence; capacity; **~ente** competent; qualified; capable; adequate; **~idor(a)** *m* (*f*) rival; competitor; *a* rival; **~ir** *v/i* to rival; to compete
compilar *v/t* to compile
compinche *m* crony; chum
complac|encia *f* pleasure; satisfaction; **~er** *v/t* to please, to oblige; to comply; **~erse** to be pleased; **~iente** obliging; complaisant; accomodating
complejo *m*, *a* complex
complement|ar *v/t* to complement; **~ario** complementary; **~o** *m* complement
completar *v/t* to complete
complicar *v/t* to complicate
cómplice *m* accomplice, accessory
complicidad *f* complicity
complot *m* plot; conspiracy
compone|nda *f* compromise; **~nte** component; **~r** *v/t* to compose; to arrange; to settle; to mend
comporta|miento *m* behaviour; demeanour; **~rse** to behave

composi|ción *f* composition; repair; **~tor** *m* composer [repair]

compostura *f* composure;

compota *f* stewed fruit; compote

compra *f* purchase; **ir de ~s** to go shopping; **~dor(a)** *m* (*f*) purchaser; **~r** *v/t* to purchase; to buy; *fig* to bribe

compren|der *v/t* to comprise; to understand; **~sibilidad** *f* intelligibility; **~sible** comprehensible, understandable; **~sión** *f* comprehension; understanding

compres|a *f* compress; **~ión** *f* compression; **~or** *m* compressor

comprimi|do *m* tablet, pastille; **~r** *v/t* to compress

comproba|ción *f* proof; verification; **~nte** *m* proof; voucher; **~r** *v/t* to verify; to check

comprom|eter *v/t* to compromise; to jeopardize; to involve; **~eterse** to commit oneself; to become engaged; **~iso** *m* commitment; engagement; arrangement; awkward situation

compuerta *f* hatch; lock; flood-gate

compuesto compound

compulsa *f* comparison

compulsión *f* compulsion

computar *v/t* to compute; to calculate

comulgar *v/t* to administer communion to; *v/i* to receive communion

común common; **en ~** in common; **por lo ~** usually

comunal common

comunero *m* joint owner; *a* popular [nicate]

comunicar *v/t* to commu-

comuni|dad *f* community; **~ón** *f* communion

comunis|mo *m* communism; **~ta** *m*, *f*, *a* communist

con with; **~ tal que** provided that

conato *m* endeavour; effort; *for* attempted crime

cóncavo concave

concebi|ble conceivable; **~r** *v/t* to conceive; to imagine

conceder *v/t* to concede; to grant

concej|al *m* councillor; alderman; **~o** *m* town council

concentra|ción *f* concentration; **~r** *v/t*, **~rse** to concentrate

concepción *f* idea; conception

concept|o *m* notion; conception; opinion; **en todo ~o** in every respect; **~uar** *v/t* to regard, to believe

concerniente concerning

concertar *v/t* to arrange; to coordinate

concesión *f* concession, grant

concesionario *m com* licensee, grantee; concessionary

concien|cia *f* conscience;

a **~cia** thoroughly; **~zudo** conscientious
concierto *m* agreement; harmony; concert
concilia|ble reconcilable; compatible; **~ción** *f* conciliation; **~dor** conciliatory; **~r** *v/t* to conciliate; **~r el sueño** to get to sleep
conciso concise
conclu|ir *v/t* to conclude; to infer; **~sión** *f* conclusion; **~yente** conclusive; convincing
concomitante accompanying
concorda|r *v/t* to reconcile; to harmonize; *v/i* to agree; to tally; **~to** *m* concordat
concordia *f* harmony
concret|ar *v/t* to sum up; to make clear; **~arse** *v/r* to materialize; to limit oneself; **~o** *a* concrete; *m SA* concrete
concubina *f* concubine; **~to** *m* concubinage
concurr|encia *f* concurrence; gathering; attendance; **~ido** frequented; **~ir** *v/i* to concur; to attend; *com* to be in competition
concurso *m* assembly; audience; contest; exhibition
concusión *f med* concussion; **~ cerebral** concussion of the brain
concha *f* shell
cond|ado *m* earldom; county; **~e** *m* earl; count
condecora|ción *f* medal, decoration; **~r** *v/t* to decorate (*with medals, honours, etc*)
condena *f* sentence; conviction; **cumplir ~** to serve a sentence; **~r** *v/t* to condemn
condensa|ción *f* condensation; **~dor** *m* condenser; **~r** *v/t* to condense; **~rse** to be condensed
condesa *f* countess
condescende|ncia *f* complaisance; **~r** *v/i* to comply; to yield
condescendiente obliging
condición *f* condition; quality; class; **a ~ de que** on condition that; **estar en condiciones de** to be in a position to
condiciona|do conditioned; **~l** conditional; **~r** *v/t* to condition; to stipulate; *v/i* to agree
condiment|ar *v/t* to season; to spice; **~o** *m* condiment
condole|ncia *f* condolence; **~rse** to sympathize
condonar *v/t* to pardon
conduc|ción *f* conveyance; carriage; *aut* driving; **~ir** *v/t* to convey; to transport; to lead; to drive; **~ta** *f* conduct; behaviour; **~to** *m* conduit; pipe; duct; channel; **~tor(a)** *m (f)* driver; leader; conductor (*of heat, electricity, etc*)
conectar *v/t mech, elec* to connect; to join
conej|era *f* rabbit-warren;

~illo *m* bunny; **~o** *m* rabbit
conexión *f* connexion
confección *f* concoction; preparation; ready-made article; dress-making
confeccionar *v/t* to make (ready); to prepare
confedera|ción *f* confederation; confederacy; **~r** *v/t*, **~rse** to confederate
conferencia *f* lecture, talk; (*long-distance*) telephone conversation; **~nte** *m, f* lecturer; **~r** *v/i* to confer together; to hold a conference
conferir *v/t* to bestow; *v/i* to discuss; to confer
confes|ar *v/t* to confess; **~ión** *f* confession; **~ionario** *m* confessional; **~o y convicto** pleaded guilty and convicted; **~or** *m* confessor
confia|do trusting, confident; unsuspecting; self-confident; **~nza** *f* confidence, trust; faith; **de ~nza** reliable; **~r** *v/t* to entrust; to confide in; *v/i* to trust; to be confident
confidencia confidence; **~l** confidential
configura|ción *f* shape; outline; **~r** *v/t* to shape
confinar *v/t* to intern; to confine; *v/i* **~ con** to border on
confirma|ción *f* confirmation; **~r** *v/t* to confirm
confiscar *v/t* to confiscate
confit|e *m* confectionery; sweets; **~ería** *f* confectioner's shop; **~ero** *m* confectioner; **~ura** *f* confectionery; preserves
conflicto *m* conflict; struggle
conform|ar *v/t* to adjust; **~arse** to content oneself; to comply; **~e** agreed; agreeing; **~e a** in accordance with; *adv* correspondingly; **~idad** *f* conformity
confortar *v/t* to comfort
confrontar *v/t* to compare; to confront
confu|ndir *v/t* to confuse; to mix up; **~sión** *f* confusion; shame; **~so** confused; obscure
congela|dor *m* deep-freeze, freezer; **~r** *v/t*, *v/i* to freeze; to deep-freeze
congenia|l congenial; kindred; **~r** *v/i* to be congenial
congestión *f* congestion
congestionar *v/t*, **~se** to congest
conglomerar *v/t*, **~se** to conglomerate
congoj|a *f* anguish; distress; **~oso** painful; distressing
congraciarse to ingratiate oneself
congratular *v/t* to congratulate; **~se** to be pleased; to rejoice
congrega|ción *f* congregation; **~r** *v/t* to gather; **~rse** to congregate; to assemble
congreso *m* congress

cónico conical
conjetura *f* conjecture; surmise
conjugar *v/t* to conjugate
conjun|ción *f* conjunction; **~tivo** *m* conjunction; **~to** *a* connected; *m* whole; set; **en ~to** together; as a whole
conjura|ción *f* conspiracy; **~r** *v/i*, **~rse** to conspire
conmemorativo memorial
conmigo with me
conminar *v/t* to threaten
conmo|ción *f* commotion; unrest; **~vedor** moving; **~ver** *v/t* to move; to touch, to affect
conmuta|dor *m elec* switch; **~r** *v/t* to commute; to change
cono *m* cone
conoc|edor(a) *a* aware of, knowing; *m* (*f*) expert; **~er** *v/t* to know; **~ido** well-known; **~imiento** *m* knowledge; *com* bill of lading; *pl* acquaintances; friends
conque so then; well then
conquista *f* conquest; **~dor** *m* conqueror; **~r** *v/t* to conquer; to win
consabido well-known; aforesaid
consagrar *v/t* to consecrate; to devote; to sanctify
consanguíneo related by blood
consciente conscious
conscripción *f SA* conscription
consecuen|cia *f* consequence; **~te** consequent
consecutivo consecutive
conseguir *v/t* to obtain; to get; to succeed in
consej|ero *m* counsellor; adviser; **~o** *m* advice; council; advisory body; **~o de administración** board of directors; **~o de guerra** court-martial; **~o de ministros** cabinet (council)
consenti|do spoilt (*child*); **~miento** *m* consent; **~r** *v/t* to permit; to spoil; to indulge
conserje *m* porter, janitor, doorkeeper; **~ría** *f* porter's lodge
conserva *f* tinned food; conserve; *pl* preserves; **~ción** *f* conservation; maintenance; **~dor** *m pol* conservative; *a* conservative; **~r** *v/t* to preserve; to pickle; to maintain; to keep; **~torio** *m mus* conservatory
considera|ble considerable; **~ción** *f* consideration; **~do** prudent; considerate; **~r** *v/t* to consider
consigna *f* watchword; password; luggage-room (*at stations*); cloak-room; **~ción** *f* consignment; **~r** *v/t* to consign; **~tario** *m* consignee; trustee
consigo with oneself (himself; herself; yourself; yourselves; themselves)
consiguiente consequent; **por ~** consequently
consisten|cia *f* consisten-

cy; **~te** consistent
consocio *m* copartner; fellow member
consol|ador consoling; **~ar** *v/t* to console; **~idar** *v/t*, **~se** to consolidate
consonante *f* consonant
consorte *m* partner; consort; (*law*) accomplice
conspira|ción *f* conspiracy; **~dor** *m* conspirator, plotter; **~r** *v/i* to plot; to conspire
consta|ncia *f* constancy; **dejar ~ncia de** to put on record; **~nte** constant; **~r** *v/impers* to be evident; **hacer ~r** to state explicitly
consternar *v/t* to dismay; to consternate
constipa|do *m* cold; **~rse** to catch cold
constitu|ción *f* constitution; **~cional** constitutional; **~ir** *v/t* to constitute
constituyente constituent
constreñir *v/t* to constrain; *med* to constipate
constru|cción *f* construction; building; **~ctor** *m* builder; **~ir** *v/t* to construct; to build
consuelo *m* consolation; solace
cónsul *m* consul
consulado *m* consulate
consulta *f* consultation; decision; **horas** *f/pl* **de ~** consulting hours; **~r** *v/t* to consult
consumado accomplished; consummate
consum|ido lean; skinny; **~idor** *m* consumer; **~ir** *v/t* to consume; **~irse** to languish; to waste away; **~o** *m* consumption
contab|ilidad *f* book-keeping; accountancy; **~le** *m* book-keeper
contacto *m* contact; touch
contad|o rare; numbered; **al ~o** cash; **~or** *m* meter (*for water, gas, etc*); desk; accountant; **~uría** *f* accountancy; accounts department
contagi|ar *v/t* to contaminate; to infect; **~o** *m* contagion; corruption; **~oso** contagious
contamina|ción *f* contamination, pollution; **~ción ambiental** environmental pollution; **~r** *v/t* to contaminate; *fig* to corrupt
contempla|ción *f* contemplation; **~r** *v/t* to contemplate; to envisage
contemporáneo contemporary
conten|ción *f* contention; **~cioso** contentious; controversial; **~der** *v/i* to contend; to fight
contener *v/t* to contain; to hold
content|ar *v/t* to satisfy; to please; **~arse** to be content; **~o** content; pleased
contesta|ción *f* answer; **~r** *v/t* to answer
context|o *m* context; **~ura**

f structure
contienda *f* dispute; struggle
contigo with you
contig|üidad *f* contiguity; **~uo** adjacent
continente *m* continent
contingen|cia *f* risk; contingency; **~te** *a* contingent; *m* quota; contingent
continua|ción *f* continuation; **~damente** continually; continuously; **~r** *v/t*, *v/i* to continue; **~rá** to be continued
continuidad *f* continuity
continuo constant; continuous
contorno *m* outline, contour
contra against
contrabajo *m* contrabass
contraband|ear *v/i* to smuggle; **~ista** *m* smuggler; **~o** *m* smuggling; **pasar de ~o** to smuggle (in)
contracción *f* contraction
contraceptivo *m* contraceptive
contrad|ecir *v/t* to contradict; **~ictorio** contradictory
contraer *v/t* to contract; to enter into
contraespionaje *m* counter-espionage
contrafuerte *m arch* buttress
contralor *m SA com* controller
contramaestre *m* boatswain
contramarcha *f mech* reverse (gear)
contraorden *f* countermand
contrapelo: a ~ against the grain
contraproducente self--defeating, counter-productive
contrari|ar *v/t* to go against; to annoy; **~edad** *f* setback; obstacle; vexation; **~o** contrary; **al ~o** on the contrary
contrarrestar *v/t* to counteract; to check
contrarrevolución *f* counter-revolution
contrasentido *m* misinterpretation; nonsense
contraseña *f* password, watchword
contrast|ar *v/t* to resist; to contrast, to be different; **~e** *m* contrast
contrata *f* contract; **~ción** *f* hiring, engagement; **~r** *v/t* to engage, to hire
contratiempo *m* mishap, setback
contravalor *m* equivalent (*in exchange*)
contravenir *v/t* to contravene
contraventana *f* shutter (*of window*)
contraventor *m* offender; violator
contribu|ción *f* contribution; tax; **~idor** contributing; **~ir** *v/t* to contribute; **~yente** *m, f* contributor; taxpayer
contrincante *m* rival

control *m* control, checking; ~ **de la natalidad** birth control; ~ **desde tierra** *aer* ground control
controversia *f* controversy
contumacia *f* obstinacy; *for* contumacy
convalec|encia *f* convalescence; ~**er** *v/i* to convalesce; ~**iente** convalescent
convenc|er *v/t* to convince; ~**imiento** *m* conviction
conven|ción *f* convention; ~**iencia** *f* conformity; convenience; ~**iente** suitable; convenient; ~**io** *m* agreement; convention; ~**ir** *v/i* to agree; ~**irse** to come to terms; to agree
convent|illo *m SA* tenement-house; ~**o** *m* convent
convergen|cia *f* convergence; ~**te** converging
conversa|ción *f* conversation; ~**r** *v/i* to converse
conver|sión *f* conversion; ~**tir** *v/t* to convert
convicción *f* conviction
convidar *v/t* to invite
convincente convincing
convocación *f* convocation
convocar *v/t* to convoke
convoy *m* convoy; escort
conyugal conjugal
cónyuge *m, f* consort; husband; wife
coñac *m* brandy
coopera|ción *f* cooperation; ~**r** *v/i* to cooperate; ~**tiva** *f* cooperative society
coordenada *f mat* coordinate
coordina|ción *f* coordination; ~**r** *v/t* to coordinate
copa *f* wineglass; **tomar una** ~ to have a drink
copi|a *f* copy; ~**ar** *v/t* to copy; ~**oso** copious; plentiful; abundant
copla *f* couplet; song; verse
copo *m* tuft; flake
coque *m* coke
coquet|a *f* flirt; ~**ear** *v/i* to flirt
coraje *m* courage; anger
corazón *m* heart; *bot* core; **llevar el** ~ **en la mano** to wear one's heart upon one's sleeve
corazonada *f* hunch; foreboding
corbata *f* neck-tie
corcovado *m* hunchback
corchete *m* hook and eye; *impr* bracket; ~ **de presión** snap-fastener
corcho *m* cork
cordaje *m* rigging; cordage
cordero *m* lamb
cordial friendly; ~**idad** *f* cordiality; sincerity; friendliness
cordillera *f* mountain range
cordón *m* cord; string; ~ **de zapato** shoe-lace
corista *f theat* chorus girl
corneja *f* crow
córneo horny
corneta *f* cornet, bugle; horn; *m* cornettist, bugler
cornudo horned; *m fig* cuckold
coro *m igl* choir; *mus, theat* chorus
corona *f* crown; ~**ción** *f*

coronation; **~r** *v/t* to crown; **~do de nieve** snow-capped *or* -clad
coronel *m* colonel
coronilla *f* top of the head
corpiño *m* bodice
corpora|ción *f* corporation; **~tivo** corporate
corpulento corpulent; stocky, burly
corral *m* yard; farmyard; pen
correa *f* leather strap; leash; *mech* belt; **~ transportadora** conveyor-belt
corrección *f* correction; correctness
correccional corrective
corred|era *f* sliding shutter; **~izo** running; folding; **~or** *m* broker; **~or de apuestas** bookmaker; **~or de bolsa** stockbroker
corregir *v/t* to correct; to rectify; to reprimand
correo *m* mail; post office; **a vuelta de ~** by return of mail; **~ aéreo** air-mail; **~so** stringy, tough
correr *v/i* to run; to elapse (*time*); **~se** to move; to ladder (*stocking*)
correspond|encia *f* correspondence; **~er** *v/i* to correspond; to return; **~iente** corresponding
corresponsal *m* correspondent (*of a newspaper*)
corri|da *f* race; bullfight; **~ente** *a* running; current; general; ordinary; *f* current; **estar al ~ente** to be informed, to keep abreast; **~ente alterna** alternating current; **~ente continua** direct current; **~ente de aire** draught
corroborar *v/t* to corroborate
corroer *v/t* to corrode
corromper *v/t* to corrupt; to seduce; to bribe
corrosión *f* corrosion
corrupción *f* corruption
corsé *m* corset
cortabolsas *m* pickpocket
cortaplumas *m* penknife
cort|ar *v/t* to cut; **~e** *m* cutting; cut; style; length (*of cloth*).
corte *f* court; entourage; yard; *SA* court of justice; **hacer la ~** to court; *pl* Parliament (*in Spain*)
cortej|ar *v/t* to court, to woo; **~o** *m* courtship; wooing
cortés courteous; polite
cortesía *f* politeness
corteza *f* bark (*of tree*); peel (*of fruit*); rind (*of cheese*)
cortijo *m* farmstead; farm
cortina *f* curtain
corto short; **a ~ plazo** short-term
cortocircuito *m* short circuit; **hacer ~** to fuse (*wires*)
corzo *m* roe-deer
cosa *f* thing; matter, business; **¿qué ~?** what's that?
cosech|a *f* crop; harvest; yield; **~ar** *v/t* to harvest, to reap; **~ero** *m* harvester
cos|er *v/t*, *v/i* to sew; **~ido** *m* sewing

cosmé|tica *f* cosmetics; **~tico** cosmetic
cosmetólogo(a) *m* (*f*) cosmetician
cósmico cosmic
cosmonauta *m* cosmonaut
cosquill|as *f/pl* tickle; tickling; **hacer ~as** to tickle; **tener ~as** to be ticklish; **~ear** *v/t* to tickle, to titillate
costa *f* coast; shore; **no hay moros en la ~** the coast is clear
costa *f* cost; price paid; **a ~ de** at the expense of
costado *m* side; flank
costar *v/i* to cost
coste *m* cost; expense; investment
costilla *f* rib
costo *m* cost; expense
costra *f* crust; *cir* scab
costumbre *f* habit; practice; custom; **de ~** usually; **como de ~** as usual
costura *f* sewing; needlework; seam
cota *f* quota
cotejar *v/t* to compare; to collate
cotidiano daily
cotiza|ción *f com* quotation; valuation; **~r** *v/t* to quote
coto *m* boundary; enclosure; landmark
coyuntura *f* joint (*of bones*); opportunity, occasion
coz *f* kick
cráneo *m* skull
cráter *m* crater
crea|ción *f* creation; **~dor** *m* maker; **~r** *v/t* to make; to create; to establish; **~tivo** creative
crec|er *v/i* to grow; to rise; **~es** *f/pl* increase; **con ~es** with a vengeance; **~ido** grown; **~iente** growing; crescent (*moon*); **~imiento** *m* growth; rise
crédito *m* credit
credo *m* creed
crédulo credulous
cre|er *v/t* to believe; to think; **~íble** credible
crem|a *f* cream; **~a chantillí** whipped cream; **~allera** *f* zip-fastener; **~oso** creamy
crepúsculo *m* twilight
cresa *f* maggot
crespo curly; displeased
cresta *f* crest (*of mountain*); cock's comb
creyente *a* believing; *m, f* believer
cría *f* breeding
cria|dero *m* breeding-place; deposit (*of minerals*); **~do(a)** *m* (*f*) servant; **~nza** *f* breeding; nursing; upbringing; **~r** *v/t* to produce; to breed; to bring up; **~tura** *f* creature; baby, child
criba *f* sieve; **~r** *v/t* to sift
crim|en *m* crime; **~inal** *a, m, f* criminal
crin *m* mane
criollo(a) creole; *SA* native, local
cripta *f* crypt
crisis *f* crisis

crisol *m* crucible
crispar *v/t* to contract, to make twitch (*muscles, nerves*)
cristal *m* crystal; glass; window-pane; ~ **de roca** rock-crystal; ~**ino** glassy; limpid; ~**izar** *v/t* to crystallize
cristian|dad *f* Christendom; ~**ismo** *m* Christianity; ~**o(a)** *m* (*f*), *a* Christian
Cristo *m* Christ
criterio *m* criterion
crítica *f* criticism; critique
criticar *v/t* to criticize
crítico *m* critic
croar *v/i* to croak
cromo *m* chromium
crónica *f* chronicle
cronista *m* chronicler; historian
cronología *f* chronology
cronológico chronological
croquis *m* sketch; outline
cruce *m* crossing; crossroads; ~ **a nivel** grade crossing; ~**ro** *m* cross-bearer; crossing; cruiser; cruise
crucifi|car *v/t* to crucify; ~**jo** *m* crucifix
crucigrama *m* crossword puzzle
crud|eza *f* crudity; rudeness; ~**o** crude; raw
cruel cruel; severe; hard; ~**dad** *f* cruelty; severity
cruji|do *m* creak; rustle; ~**r** *v/i* to crackle; to creak; to rustle
cruz *f* cross; tails (*of coin*); ~**gamada** swastika; **echar a cara o** ~ to toss up; ~**ada** *f* crusade; ~**ado** *m* crusader; ~**ar** *v/t* to cross; *v/i naut* to cruise
cuadern|a *f mar* rib; ~**o** *m* notebook; copybook
cuadra *f* hall; stable; *SA* block (*of houses*)
cuadra|do square; ~**ngular** quadrangular
cuadrante *m* sun-dial
cuadrar *v/t* to square; *v/i* to tally; to fit in; ~**se** to stand at attention
cuadri|látero *m dep* ring; ~**longo** *a*, *m* oblong
cuadrilla *f* gang; band; team (*of bullfighters*)
cuadro *m* painting; picture; frame; ~ **de distribución** switchboard
cuadrúpedo *m* quadruped
cuaja|da *f* curd; ~**r** *v/i* to coagulate; to curdle; to congeal; *fig* to turn out well
cual *rel pron* (*with definite article*) who; which; *adv* as; like; such as; **cada** ~ each one
cuál, cuáles *interrog pron* which?; what?
cualesquiera *pl of* cualquiera
cualidad *f* quality
cual|quier *a* (*used before nouns*) any; ~**quiera** *a, sing pron* any; anyone; anybody
cuan (*before adjectives*) as; [how]
cuando when; at the time

of; if; **de ~ en ~** from time to time; **~ más** at most; **~ menos** at the least; **~ quiera** whenever
¿cuándo? (*interrog*) when?
cuantía *f* quantity
cuantioso large; abundant, copious
cuanto *a* as much as; all; whatever; *adv* **~ más barato tanto mejor** the cheaper the better; **en ~** as soon as; **en ~ a** as to; **~ antes** as soon as possible
¿cuánto(a)? *interrog pron* how much; how long; how far
cuarentena *f* quarantine
cuaresma *f* Lent
cuartel *m* barracks; **~ general** headquarters
cuarteto *m mus* quartet(te)
cuarto *m* room; apartment; quarter; **~ y comida** board and lodging; **un ~ para** a quarter to (*the hour*); **(la hora) y ~** a quarter past (*the hour*); **~ trasero** rump; **sin ~** penniless
cuba *f* cask; barrel; tub; drunkard
cubiert|a *f* cover; lid; deck (*of a ship*); **~o** *m* cover (*at table*)
cubilete *m* mug
cubo *m* cube; pail; bucket, scuttle
cubrecama *f* counterpane
cubrir *v/t* to cover; to cloak; **~se** to put on one's hat
cucaracha *f* cockroach
cuclill|as: sentarse en ~as to squat; **~o** *m* cuckoo
cuchar|a *f* table-spoon; **~ada** *f* spoonful; **~adita** *f* tea-spoonful; **~illa** *f*, **~ita** *f* teaspoon; **~ón** *m* ladle
cuchichear *v/i* to whisper
cuchill|a *f* large kitchen knife; **~ada** *f* slash, stab; **~ería** *f* cutlery; **~o** *m* knife
cuello *m* neck; collar (*of shirt, etc*)
cuenca *f* basin (*of river*); socket (*of eye*)
cuenta *f* calculation; account; bill; report; **~ corriente** current account; **a ~** on account; **dar ~** to report; to account for; **darse ~ de** to realize; **hacer las ~s** to settle accounts; to sum up; **actuar por su ~** to act for oneself; **tomar en ~** to take into account; **~ regresiva** count-down
cuent|ista *m* story-teller; **~o** *m* story; **~o chino** cock and bull story; **~o de hadas** fairy-tale; **~o de viejas** old wives' tale; **venir a ~o** to be to the point
cuerda *f* rope; cord; chord; *mus* string; spring (*of watch or clock*); **dar ~ a** to wind up (*watch; clock*); **~ floja** tightrope
cuerdo sane; prudent
cuern|a *f* horn (*of vessel*); stag's horn; **~o** *m* horn
cuero *m* leather; hide; skin;

en ~s naked; **~ cabelludo** scalp
cuerpo *m* body; **~ de bomberos** fire brigade
cuervo *m* raven
cuesta *f* slope; **~ arriba** uphill; **~ abajo** downhill
cuestión *f* problem; question
cuestionar *v/t* to discuss; to dispute; **~io** *m* form, questionnaire
cueva *f* cave; grotto; cellar
cuidado *m* care; fear; **tener ~** to take care; *inter* **¡~!** careful!; take care!
cuidar *v/t* to look after; to tend; *v/i* **~ de** to take care of
culata *f* butt; stock
culebra *f* snake; **~ de cascabel** rattlesnake
culmina|nte culminating; **~r** *v/i* to culminate
culo *m* bottom; buttocks
culpa *f* blame; fault; **~ble** guilty; **~r** *v/t* to accuse; to blame
cultiv|ar *v/t* to cultivate; to till; **~o** *m* culture; crop
culto *a* cultivated; cultured; elegant; *m* worship
cumbre *f* top; summit
cumpleaños *m* birthday
cumpli|do *a* full; complete; polite; *m* compliment; **~miento** *m* fulfillment; completion; **~r** *v/t* to fulfil; to comply (with); to reach; *v/i* to end; to expire
cúmulo *m* heap
cuna *f* cradle
cundir *v/i* to spread; to increase
cuneta *f* gutter; ditch
cuña *f* wedge
cuñad|a *f* sister-in-law; **~o** *m* brother-in-law
cuño *m* die; mould
cuota *f* quota; share
cupón *m* coupon
cúpula *f* dome; cupola
cura *m* parish priest; *f* cure; **~ndero** *m* quack; **~r** *v/t* to cure; **~rse** to recover
curios|ear *v/i* to snoop; **~idad** *f* curiosity; **~o** curious
cursar *v/t* to frequent
cursi affected; showy, vulgar, cheap
cursillo *m* short course
curtir *v/t* to tan
curv|a *f* curve; **~ilíneo** curvilinear; curvaceous
cúspide *f* summit; top
custodia *f* custody; guard; **~r** *v/t* to guard; to watch; to look after
cutis *m or f* complexion; skin
cuyo(a, os, as) whose; of whom; of which

Ch

chabacanería *f* bad taste; shoddiness
chacal *m* jackal
chacoloteo *m* clatter
chacra *f SA* small farm
cháchara *f* chatter

chacharear *v/i* to chatter
chafar *v/t* to flatten
chaflán *m* bevel
chalado *fam* silly; idiotic
chalán *m* hawker; huckster
chaleco *m* waistcoat; **~ salvavidas** life jacket
chalina *f SA* scarf, shawl
chalupa *f* sloop
chambelán *m* chamberlain
champaña *m* champagne
champú *m* shampoo
chamuscar *v/t* to scorch; to singe
chancear *v/i* to joke; to banter
chancla *f* old shoe
chanclo *m* clog; galosh
chancho *m* hog, pig
chanchullo *m* dirty business, swindle
changador *m SA* porter
chantaje *m* blackmail
chapa *f* sheet of metal; board; **~r** *v/t* to cover, to plate; to panel
chaparrón *m* shower
chapucero clumsy; shoddy (*work*)
chapurrear *v/t* to speak badly (*a language*)
chapuzar *v/i* to dive
chaqueta *f* jacket
charc|a *f* pool; **~o** *m* puddle, pond
charla *f* light talk; **~r** *v/i* to chatter
charlatán *m* chatterbox; mountebank
charol *m* patent leather
chas|car *v/i* to crack; to crackle; **~co** *m* trick; disappointment; **~quear** *v/t* to crack (*a whip*); to play tricks on, to hoax; **~quido** *m* crack; crackling; snap
chatarra *f* scrap-iron
chato *a* flat-nosed; flattened
chaval(a) *m (f)* lad; lass
chaveta *f* split pin
checo(e)slovaco(a) *a, m (f)* Czechoslovak
chelín *m* shilling
cheque *m* cheque; **~ para viajeros** traveller's cheque
chi|ca *f* girl; **~quita** *f* small girl; sweet girl; **~co** *m* boy; *a* small
chicle *m* chewing-gum
chicharra *f zool* cicada
chichón *m* bruise; bump
chiflado crazy; mad
chileno(a) *m (f)*, *a* Chilean
chill|ar *v/i* to scream; to shriek; **~ido** *m* scream; **~ón** screaming; striking, harsh (*colours*)
chimenea *f* chimney; fireplace; hearth; *mar* funnel
chino(a) *m (f)*, *a* Chinese
chinche *m or f* bug; bedbug
chipirón *m* squid
chiquill|ada *f* childish speech *or* action; **~ería** *f* kids; children; **~o(a)** *m (f)* kid
chiquitín teeny
chiripa *f* stroke of luck
chirriar *v/i* to hiss; to sizzle; to shriek (*birds*)
chism|e *m* gossip, rumor; trifle, thing; gadget; **~orreo** *m* gossip; gossiping; **~oso** gossiping

chisp|a *f* spark; **~ear** *v/i* to spark; to drizzle; **~orrotear** *v/i* to sizzle
chist|ar *v/i* to mutter; **~e** *m* joke
chistera *f* top hat
chivo *m* kid, goat
choca|nte shocking; **~r** *v/t* to strike; to shock; to irritate; to crash; *v/i* to clash; to crash
chocolate *m* chocolate
chófer *m* driver
chompa *f SA* jersey, pullover, sweater
chopo *m* black poplar
choque *m* shock; clash; crash
chorizo *m* red pork sausage
chorr|ear *v/i* to gush; to spout; to drip; **~o** *m* gushing; spouting; dripping
choza *f* hut, shack
chul|ada *f* vulgar speech; insolence; **~eta** *f coc* chop, cutlet; **~o** pretty, good-looking
chumbo: higo *m* **~** cactus [fruit]
chunga *f fam* joke; jest
chup|ar *v/t*, *v/i* to suck; to suck in; *SA* to drink; **~ón** *m* sponger
churro *m* fritter; *fig* stupid action; bad piece of work
chusma *f* mob, rabble
chuzo *m* pike; **llover ~s** to rain cats and dogs

D

dacrón *m* dacron
dactilografía *f* typewriting
dactilógrafo(a) *m* (*f*) typist
dádiva *f* gift
dado *m* die; *pl* dice
daga *f* dagger
daltoni|ano colour-blind; **~smo** *m* colour-blindness
dalle *m* scythe
dama *f* lady; gentlewoman; queen (*chess*)
damasco *m* damson; damask
damnificar *v/t* to hurt; to injure
danés(esa) *m* (*f*) Dane; *a* Danish
danza *f* dance; **~r** *v/i* to dance
dañ|ar *v/t* to hurt; to injure; **~ino** noxious; **~o** *m* damage; injury; **~oso** harmful
dar *v/t* to give; to grant; to yield; to strike (*the hour*); **~ las gracias** to thank; **~ parte de** to inform about; **~ un grito** to cry out; **~ en** *v/i* to hit
dársena *f* quay; dock
dátil *m* date
dato *m* fact; item; *pl* particulars; data
de of; from; for; by
deán *m* dean
debajo *adv* underneath; below; **~ de** *prep* under
debat|e *m* debate; **~ir** *v/t* to debate; to discuss; to argue
deb|e *com* debit; **~er** *m*

duty; debt; *v/t* to owe; to have to; **~er de** *v/i* must; **~idamente** duly; **~ido** *a* fitting; due; **~ido a** owing to, due to
débil feeble; weak
debili|dad *f* feebleness; **~tar** *v/t* to weaken
débito *m com* debt
década *f* decade
decadencia *f* decadence, decline
decaimiento *m* decay; weakness; decline
decapitar *v/t* to behead
decena *f* ten
decencia *f* decency; decorum
decenio *m* decade
decente decent
decepción *f* disappointment
decible expressible
decimal decimal
decir *v/t*, *v/i* to say; to speak; **es ~** that is to say
decisi|ón *f* decision; **~vo** decisive
declara|ción *f* declaration; **~ción de impuestos** tax-return; **~r** *v/t* to declare
declina|ción *f* declination; **~r** *v/t gram* to decline; *v/i* to decline; to decay
declive *m* declivity, decline, slope
decora|ción *f* decoration; **~do** *m theat* scenery; **~dor** *m* decorator; **~r** *v/t* to decorate
decoro *m* decorum; propriety
decrecer *v/i* to decrease
decrépito decrepit
decret|ar *v/t* to decree; to decide upon; **~o** *m* decree
dedal *m* thimble; **~era** *f bot* foxglove
dedicar *v/t* to dedicate; to devote
dedo *m* finger; toe
deduc|ción *f* deduction; **~ir** *v/t* to deduce; to infer; to deduct; to subtract
defect|ible imperfect; **~o** *m* defect, fault; shortcoming; **~uoso** defective
defen|der *v/t* to defend; **~sa** *f* defence; safeguard; **~sa del ambiente** environment protection
deferen|cia *f* deference; **~te** deferential
deferir *v/t* to defer; to yield
deficien|cia *f* deficiency; **~te** faulty
defini|ción *f* definition; **~do** definite; **~r** *v/t* to define
deform|ar *v/t* to deform; **~e** deformed; **~idad** *f* deformity
defrauda|ción *f* fraud; deceit; **~r** *v/t* to deceive; to defraud
defunción *f* decease, demise
degenerar *v/i* to degenerate
degrada|ción *f* degradation; depravity; **~r** *v/t* to degrade
degustación *f* tasting
dehesa *f* pasture, grazing-land; paddock
dei|dad *f* deity; **~ficar** *v/t* to deify

deja|do slovenly; **~r** *v/t* to leave; to abandon; to let, to allow; **~r en paz** to leave alone; **~r de** *v/i* to stop (*doing*)
dejo *m* accent; smack, aftertaste
del *contraction of* **de el**
delación *f* denunciation
delantal *m* apron
delante *adv* in front; before; **~ de** *prep* in front of
delanter|a *f* front; front row; lead; **~o** *m* forward (*football*); **~o centro** centre-forward
delat|ar *v/t* to denounce; **~or(a)** *m* (*f*) informer; tell-tale
deleit|arse *v/r*: **~arse en** to delight *or* revel in; **~e** *m* delight, pleasure
deletre|ar *v/t* to spell; to decipher; **~o** *m* spelling
delfín *m* dolphin
delgad|ez *f* thinness; **~o** thin; slim; slender; **~ucho** lank, lean
delibera|ción *f* deliberation; resolution; **~damente** deliberately; **~r** *v/i* to consider; to deliberate; *v/t* to decide
delicad|eza *f* delicacy; refinement; **~o** delicate; delicious; dainty; refined
delici|a *f* delight; **~oso** delicious; delightful
delimitar *v/t* to delimit
delincuencia *f* delinquency
delinea|nte *m* draftsman; **~r** *v/t* to draw; to sketch
delir|ar *v/i* to rave; **~io** *m* delirium; ravings, nonsense
delito *m* crime; offence; **~ mayor** felony; **~ menor** misdeed
delusorio fallacious
demacrado emaciated
demagogia *f* demagogy
demanda *f* *com* demand; petition; appeal; **~nte** *m* plaintiff, suitor; **~r** *v/t* *com* to demand; to claim; *fig* to sue
demarca|ción *f* demarcation; boundary line; **~r** *v/t* to delimit
demás *a* other; remaining; **los, las ~** the others; the rest; **por lo ~** as to the rest; apart from this
demasía *f* excess; wickedness
demen|cia *f* madness; **~te** mad
democracia *f* democracy
demócrata *m, f* democrat
democrático democratic
demol|er *v/t* to demolish; **~ición** *f* demolition
demonio *m* demon; **¡~s!** the deuce!
demora *f* delay; **~r** *v/t* to delay; *v/i* to stay
demostra|ción *f* demonstration; **~r** *v/t* to demonstrate; to prove
denega|ción *f* denial; refusal; **~r** *v/t* to deny; *for* to overrule
dengue *m* fastidiousness
denigrar *v/t* to defame; to smirch

denomina|ción *f* denomination; **~r** *v/t* to name
denotar *v/t* to denote; to express
dens|idad *f* density; thickness; **~o** dense; thick
denta|do toothed; jagged; **~dura** *f* denture; **~r** *v/t* to indent
dentífrico *m* toothpaste
denudar *v/t* to denude
denuncia *f* denunciation; *fig* accusation; **~ción** *f* denunciation; **~r** *v/t* to denounce; to proclaim, to indicate
departamento *m* department; compartment; *SA* apartment, flat
depend|encia *f* dependence; dependency; subordination; *com* branch office; **~er** *v/i* to depend; **~iente** *m* shop-assistant; employee
deplorar *v/t* to deplore
deponer *v/t* to lay down; to depose; *for* to testify
deporta|ción *f* deportation; **~r** *v/t* to deport
deport|e *m* sport; **~ista** *m, f* sportsman, sportswoman; **~ivo** sporting; **club ~ivo** sports club
deposi|ción *f* removal; *for* statement; **~tante** *m, f* depositor; **~tar** *v/t* to deposit
depósito *m* deposit; storehouse
depravado depraved, corrupted
deprecar *v/t* to implore; to plead; to entreat
depreciar *v/t* to depreciate
depresión *f* depression
deprimi|do depressed; **~r** *v/t* to depress; to humiliate
depurar *v/t* to purify
derech|a *f* right; right hand; **~ista** *m, f pol* rightist; **~o** *m* right; law; **~o mercantil** commercial law; **~o de paso** right of way; **~os de admisión** entrance fee; **~os de autor** copyright; **de ~o** by right; *a* right; straight
deriva *f* drift; **~ción** *f* derivation; outcome; **~do** derivative; **~r** *v/t* to derive; **~rse** to derive (*from*); to result
deroga|r *v/t* to repeal; **~torio** repealing
derramar *v/t* to shed (*blood*); to spill; to scatter; **~se** to overflow, to run over
derrame *m* overflow
derretir *v/t* to melt, to dissolve; **~se** to melt
derrib|ar *v/t* to demolish; to knock down; **~o** *m* demolition
derrocar *v/t* to overthrow; to demolish
derroch|ador *m* spendthrift; **~ar** *v/t* to squander; to waste; **~e** *m* squandering
derrota *f* defeat; **~r** *v/t* to defeat; to beat
derrumba|miento *m* landslide; **~r** *v/t* to tear down;

~rse to fall down; to collapse

desabotonar *v/t* to unbutton

desabrido tasteless; disagreeable

desabrigar *v/t* to uncover; to expose

desabrochar *v/t* to unclasp; to unfasten

desacat|amiento *m* irreverence; disrespect; **~o** *m* *for* contempt

desac|ertar *v/i* to err; to blunder; **~ierto** *m* mistake; blunder

desacomod|ado destitute; **~o** *m* inconvenience; dismissal

desaconsejado ill-advised

desacostumbra|do unusual; **~rse** to lose a habit

desacreditar *v/t* to discredit

desacuerdo *m* disagreement

desadvertido thoughtless

desafecto averse; disaffected

desafia|nte defiant; **~r** *v/t* to defy, to challenge

desafinar *v/i mus* to be out of tune; **~se** to get out of tune

desafío *m* challenge

desafortunado unlucky, unfortunate

desagradable disagreeable, unpleasant

desagradeci|do ungrateful; **~miento** *m* ingratitude

desagrado *m* discontent, displeasure

desagravi|ar *v/t* to indemnify; **~o** *m* indemnification; satisfaction

desagregar *v/t* to separate; to segregate

desaguadero *m* drain

desagüe *m* drainage; outlet; draining

desahogar *v/t* to relieve; to ease; **~se** to unburden oneself; to relax

desahuci|ar *v/t* to evict (*tenants*); **~o** *m* eviction

desaira|do unattractive; unsuccessful; **~r** *v/t* to snub; to ignore

desajust|ar *v/t* to disarrange; **~e** *m* disarrangement

desal|entar *v/t* to discourage; **~entarse** to lose heart; **~iento** *m* discouragement; dismay; depression

desaliñado untidy; slovenly; grubby

desalmado heartless, pitiless

desalojar *v/t* to dislodge, to oust

desalquilado unoccupied; not rented

desampar|ado defenceless; **~ar** *v/t* to forsake; **~o** *m* abandonment

desandar *v/t* to retrace (*one's steps*)

desangrar *v/t* to bleed; **~se** to lose blood; to bleed to death

desanimar *v/t* to discourage

desapacible unpleasant, disagreeable

desapar|ecer *v/i* to disappear; to vanish; **~ecido** missing; **~ición** *f* disappearance

desapercibido unprepared, unprovided; unnoticed; *SA* inattentive

desaprobar *v/t* to disapprove of; to fail

desaprovechado backward; unexploited, unused

desarm|ar *v/t* to disarm; to dismount; **~e** *m* disarmament

desarraigar *v/t* to root out; to eradicate

desarregl|ado untidy; disorderly; out of order; **~ar** *v/t* to disarrange; **~o** *m* disorder

desarroll|ar *v/t* to develop; **~o** *m* development; **en ~o** developing, underdeveloped

desaseado unclean, dirty; untidy

desasos|egar *v/t* to disquiet; to disturb; **~iego** *m* restlessness

desast|re *m* disaster; **~roso** disastrous

desatar *v/t* to untie; **~se en lágrimas** to burst into tears

desaten|ción *f* inattention; discourtesy; **~der** *v/t* to neglect; to disregard; **~to** inconsiderate; impolite

desatinar *v/t* to confuse; *v/i* to act *or* speak foolishly

desaven|encia *f* discord; unpleasantness; **~irse** to quarrel

desaventajado unfavourable

desayun|ar *v/i*, **~arse** to breakfast; **~o** *m* breakfast

desazón *f* insipidity; annoyance

desazonado tasteless; displeased

desbanda|da *f* disbandment; **~rse** to disband

desbarajuste *m* disorder; chaos

desbarata|do wrecked; disordered; **~r** *v/t* to ruin; to frustrate; *v/i* to talk nonsense

desbocar *v/i* to debouch; to run out; **~se** to run away (*horse*); to abuse

desborda|miento *m* flooding; **~r** *v/i* to overflow, to flood; **~rse** to overflow; *fig* to be beside oneself

descabellado dishevelled; rash

descabeza|do stunned; unreasonable; **~r** *v/t* to behead

descalabr|ar *v/t* to wound in the head; **~o** *m* calamity; misfortune

descalificar *v/t* to disqualify

descalz|ar *v/t* to remove shoes and stockings; **~o** barefooted

descaminado misguided

descamisado shirtless; ragged

descans|ar *v/i* to rest; to sleep; *v/t* to lean; **~illo** *m* landing; **~o** *m* rest; relief; support

descarado shameless
descarga *f* unloading; discharge; **~dero** *m* wharf; **~r** *v/t* to unload; to discharge; *v/i* to flow (*river into sea, etc*)
descargo *m* discharge; *com* credit (*in accounts*); *for* acquittal
descaro *m* insolence; effrontery
descarrila|miento *m* derailment; **~r** *v/i* to derail
descartar *v/t* to discard
descen|dencia *f* descent; offspring; **~der** *v/t* to lower; *v/i* to descend; **~diente** *m* descendant; **~sión** *f* descent; **~so** *m* descent; *mil* degradation
descentralizar *v/t* to decentralize
descifrar *v/t* to decipher
descolgar *v/t* to take down (*from a hook or peg*); **~se** *fam* to say of a sudden, to come out (with)
descolorar *v/t* to discolour; **~se** to lose colour
descombrar, desescombrar *v/t* to clear from obstacles; to clear the rubble from
descompo|ner *v/t* to decompose; to unsettle; **~nerse** to get out of order; to go to pieces; *SA* to break down (*machine*); **~sición** *f* decomposition; disarrangement
descompuesto out of order
descon|certar *v/t* to disconcert, to take aback, to embarrass; to disarrange; **~cierto** *m* confusion
desconectar *v/t* to disconnect; to switch of
desconfia|do distrustful; **~nza** *f* distrust; **~r de** *v/i* to distrust
descongelar *v/t* to defrost
desconoc|er *v/t* to fail to recognize; to ignore; to be ignorant of; **~ido** *a* unknown; *m* stranger; **~imiento** *m* ignorance; unawareness
desconsiderado inconsiderate
desconsola|do afflicted; grief-stricken; **~rse** to sorrow
descontar *v/t* to discount; to deduct; to detract
descontentar *v/t* to displease
descontinuar *v/t* to discontinue
descorazonar *v/t* to dishearten; to discourage; **~se** to lose heart
descorchar *v/t* to uncork
descort|és impolite; **~esía** *f* impoliteness
descos|er *v/t* to unstitch; **~erse** to blurt out; **~ido** *m fig* babbler
descrédito *m* discredit
descri|bir *v/t* to describe; **~pción** *f* description; **~ptivo** descriptive
descuartizar *v/t* to quarter; to cut up
descub|ierto *a* clear; open; bareheaded; *m com* deficit; **poner al ~ierto** to expose;

~**ridor** *m* discoverer; ~**rimiento** *m* discovery; ~**rir** *v/t* to discover; to uncover; to disclose; ~**rirse** to remove one's hat
descuento *m* discount
descuid|ado careless; ~**arse** to be neglectful; ~**o** *m* neglect; carelessness; disregard
desde *prep* since; from; after; ~ **luego** at once; of course; ~ **que** *adv* since; ~ **ya** *SA* right now
desdecirse to retract
desdén *m* contempt; disdain
desdeñ|ar *v/t* to disdain; to scorn; ~**oso** disdainful, contemptuous, scornful
desdicha *f* misfortune; ~**do** unfortunate; unhappy
desdoblar *v/t* to unfold
desdoroso discreditable
dese|able desirable; ~**ar** *v/t* to desire
desech|ar *v/t* to reject; to discard; ~**os** *m/pl* refuse
desembalar *v/t* to unpack
desembaraz|ar *v/t* to clear; to free; ~**o** *m* freedom; naturalness
desembarc|ar *v/t, v/i* to disembark; ~**o** *m* landing
desemboca|dura *f* mouth (*of river*); ~**r** *v/i* to flow into; to lead to
desembols|ar *v/t* to spend; to disburse; ~**o** *m* disbursement
desembragar *v/t* to disengage; to ungear
desembroll|ar *v/t* to disentangle; ~**o** *m* disentanglement
desempapelar *v/t* to unpack; to strip (*of paper*)
desempaquetar *v/t* to unpack, to unwrap
desempeñar *v/t* to redeem (*from pawn*); to extricate; to fill (*a post*); to play (*a rôle*); to act (*a part*)
desempleo *m* unemployment
desencadenar *v/t* to unchain; to liberate; ~**se** to break out (*storm*)
desencajar *v/t* to take out; to disconnect
desencantar *v/t* to disenchant
desenfad|ado free; easy; natural; ~**arse** to quieten down; to regain poise; ~**o** *m* ease; naturalness
desenfrena|do unbridled; unrestrained; ~**r** *v/t* to unbridle; ~**rse** to give way to passion
desenganchar *v/t* to unhook
desengañ|ar *v/t* to disillusion; to undeceive; ~**arse** to lose illusions; ~**o** *m* disillusion
desenla|ce *m* winding up, outcome; ~**zar** *v/t* to unlace; to loosen
desenmascarar *v/t* to unmask
desenred|ar *v/t* to disentangle; ~**o** *m* disentanglement

desenrollar *v/t* to unroll
desentenderse de to pay no attention to
desenterrar *v/t* to disinter; to unearth
desentronizar *v/t* to dethrone
desenvol|tura *f* naturalness; ease of manner; **~ver** *v/t* to unfold; to unwind
desenvuelto open; free; easy
deseo *m* desire; wish
desequilibr|ado unbalanced; **~ar** *v/t* to unbalance; **~io** *m* lack of balance; disorder
deser|ción *f* desertion; **~tar** *v/t, v/i* to desert; **~tor** *m* deserter
desespera|ción *f* despair; **~nzarse** to lose hope; **~r** *v/i*, **~rse** to despair
desestimar *v/t* to belittle; to reject
desfachatez *f* effrontery; cheek
desfalc|ar *v/t* to embezzle; **~o** *m* embezzlement
desfallec|er *v/i* to faint; to weaken; **~imiento** *m* languor; swoon
desfavorable unfavourable
desfigurar *v/t* to disfigure; to deface; to misrepresent
desfil|adero *m* narrow passage; gorge; defile; **~ar** *v/i* to defile; to march past; **~e** *m* parade
desflorar *v/t* to deflower; to violate
desgajar *v/t* to tear off
desgana *f* reluctance; **~rse** *v/r* to lose one's appetite
desgarbado ungraceful
desgarra|do licentious; dissolute; **~dor** heartbreaking; **~r** *v/t* to tear, to rend
desgast|ar *v/t* to wear away; to corrode; **~e** *m* wear and tear; corrosion
desgobernar *v/t* to misgovern; to mismanage
desgracia *f* adversity; misfortune; disfavour; **~do** unlucky; unhappy; **~r** *v/t* to displease; to spoil
desgreñar *v/t* to dishevel, to rumple, to tousle (*hair*)
desguarnec|er *v/t* to dismantle; to strip of ornaments; **~ido** unguarded
deshabitado uninhabited
deshacer *v/t* to undo; to destroy; **~se de** to get rid of
desharrapado ragged
deshecho exhausted; dissolved
deshelar *v/t* to thaw; to defrost; **~se** to melt
desheredar *v/t* to disinherit
deshielo *m* thaw
deshilvanado disjointed; incoherent
deshinchar *v/t* to reduce a swelling; **~se** to subside (*swelling*); *fig* to come off one's high horse
deshojar *v/t* to strip the leaves off
deshollinador *m* chimney-sweep(er)

deshonesto immodest; immoral
deshonra *f* loss of honour, disgrace; **~r** *v/t* to dishonor, to disgrace
deshonroso shameful
deshora *f* inopportune time; **a ~** inopportunely, at an untimely hour
deshuesar *v/t* to bone (*meat*); to stone (*fruit*)
desidia *f* laziness, indolence
desierto *a* deserted; uninhabited; *m* desert; wilderness
design|ación *f* designation; appointment; **~ar** *v/t* to designate; to appoint; **~io** *m* design, plan
desigual dissimilar; unequal; uneven; **~dad** *f* inequality; unevenness
desilusión *f* disappointment
desilusionar *v/t* to disillusion; to disappoint
desinfectar *v/t* to disinfect
desinflar *v/t* to deflate
desinter|és *m* lack of interest; indifference, unconcern; generosity; **~esado** unselfish; indifferent; **~esarse** to lose interest in
desistir de *v/i* to desist from; to give up
desleal disloyal, faithless; **~tad** *f* disloyalty
desliz *m* slip, lapse; **~ar** *v/i* to slip; to slide
deslucido unadorned; dull; inelegant
deslumbra|miento *m* dazzling; confusion; **~r** *v/t* to dazzle; to puzzle; to confuse
desmallarse *v/r* to ladder [(*stocking*)]
desmán *m* misconduct; excess; disaster
desmandar *v/t* to countermand
desmantelar *v/t* to dismantle; to abandon
desmañado clumsy
desmay|arse to faint; to lose courage; **~o** *m* fainting fit; discouragement
desmedido excessive, disproportionate
desmejorar *v/t* to damage; **~se** to deteriorate; to decline; to fail (*health*)
desmembrar *v/t* to dismember; to separate
desmenti|da *f* denial; **~r** *v/t* to contradict; to deny
desmenuzar *v/t* to crumble; to break into small pieces
desmesurado excessive
desmigajar *v/t* to crumble
desmilitarizado demilitarized
desmochar *v/t* to lop; to cut; to poll (*trees*)
desmontar *v/t* to dismantle; to clear away; *v/i* to dismount
desmoraliza|ción *f* demoralization; **~r** *v/t* to corrupt; to demoralize; **~rse** to lose heart
desmoronar *v/t* to demolish; **~se** to decay; to

crumble; to moulder; to collapse
desmotadora *f SA* (cotton) gin
desnatar *v/t* to skim (*milk*)
desnaturalizado unnatural; denatured
desnivel *m* unevenness; difference of level
desnud|ar *v/t* to strip; to denude; to undress; **~arse** to strip; **~o** *a* naked; *m* nude
desnutri|ción *f* malnutrition; **~do** undernourished, underfed
desobed|ecer *v/i* to disobey; **~iencia** *f* disobedience; **~iente** disobedient
desocupa|do idle; unemployed; unoccupied; **~r** *v/t* to vacate
desola|ción *f* desolation; affliction; **~do** desolate; waste; barren; **~r** *v/t* to lay waste; **~rse** to grieve
desollar *v/t* to skin; to flay
desorden *m* disorder; confusion; **~ado** untidy; **~ar** *v/t* to disorder; to disarrange; **~arse** to forget oneself; to be unmanageable
desorganiza|ción *f* disorganisation; **~r** *v/t* to disorganize
desorientar *v/t* to mislead; to confuse
desovar *v/i ict* to spawn
despabila|do alert; wide-awake, smart; **~r** *v/t* to trim (*candle*); **~rse** to wake up; to grow alert
despacio *a* slow; *adv* slowly
despach|ar *v/t* to dispatch; to hasten; **~o** *m* office; desk; dispatch; official message
despachurrar *v/t* to crush; to squash
desparramar *v/t* to scatter, to spread
despavorido terrified, panic-stricken
despectivo contemptuous; scornful; derogatory
despech|ar *v/t* to enrage; **~o** *m* rancour; insolence; **a ~o de** in spite of
despedazar *v/t* to tear to pieces
despedi|da *f* farewell; dismissal; **~r** *v/t* to dismiss; to fire; **~rse a la francesa** to take French leave
despeg|ar *v/t* to unglue; to detach; **~ue** *m aer* take-off; blast-off (*of rocket*)
despeinar *v/t* to ruffle, to tousle (*hair*)
despeja|do quick; smart; cloudless (*sky*); **~r** *v/t* to clear; to free; **~rse** to clear up
despensa *f* pantry
despeña|dero *m* precipice; crag; **~r** *v/t* to hurl down
despepitadora *f* (cotton) gin
desperdici|ar *v/t* to throw away; **~o** *m* waste; refuse
desperezarse to stretch

desperfecto *m* damage; defect
desperta|dor *m* alarm-clock; **~r** *v/t* to wake up; **~rse** to wake up
despiadado merciless, pitiless
despierto awake; alert; bright, smart
despilfarr|ar *v/t* to waste; to squander; **~o** *m* waste
despistar *v/t* to mislead
desplaza|miento *m* displacement; **~r** *v/t* to displace, to move
despl|egar *v/t* to unfold; to spread; **~iegue** *m mil* deployment, development
desplomarse to lean forward; to collapse; to flop down
desplumar *v/t* to pluck (*fowl*); *fig* to fleece
despobla|do uninhabited; desert; barren; **~r** *v/t* to lay waste
despoj|ar *v/t* to despoil; to deprive; to strip; **~o** *m* despoiling, robbing; spoils; offal; *pl* left-overs
desposado newly married
desposeer *v/t* to dispossess
déspota *m* despot
despótico despotic
despreci|able contemptible; **~ación** *f* depreciation; loss of value; **~ar** *v/t* to despise; **~arse** to lose value; **~o** *m* contempt
desprender *v/t* to unfasten; to separate; *fig* to gather (*from*)
despreocupado carefree, free and easy, happy-go--lucky; unbiassed; unprejudiced
desprestigiar *v/t* to discredit; **~se** to lose credit
desprevenido unprepared
desproporcionado disproportionate
desprovisto unprovided
después *adv* after; afterwards; later; **~ de** *prep* after
desquiciar *v/t* to unhinge; **~se** to lose one's reason
desquite *m* revenge; retaliation; *dep* return match
destaca|mento *m* detachment; **~do** prominent; outstanding; **~r** *v/t* to emphasize; *mil* to detach; **~rse** to stand out
destajo *m* piece-work
destapar *v/t* to uncover
destartalado shabby
destello *m* sparkle, glint
destempla|do intemperate; dissonant; **~nza** *f* unsteadiness (*of weather*); intemperance; abuse; **~r** *v/t* to derange; to disturb; **~rse** to get out of tune; to lose one's temper
desteñir *v/t* to remove the colour from; **~se** to lose colour
desterrar *v/t* to banish; to exile
destierro *m* exile; banishment
destilar *v/t*, *v/i* to distil
destin|ar *v/t* to intend; to

design; to assign; to appoint; **~atario** *m* addressee; consignee; **~o** *m* destiny, fate; destination; employment
destitu|ción *f* dismissal; **~ir** *v/t* to dismiss; to depose; to deprive
destornilla|dor *m* screwdriver; **~r** *v/t* to unscrew
destreza *f* dexterity, skill
destronar *v/t* to dethrone
destroz|ar *v/t* to destroy; **~o** *m* devastation; destruction
destru|cción *f* destruction; ruin; **~ctivo** destructive; **~ir** *v/t* to destroy
desunir *v/t* to separate
desvainar *v/t* to shell; to peel
desvalido destitute, helpless
desvalijar *v/t* to rob
desval|orización *f* devaluation; **~uar** *v/t* to devalue
desván *m* attic, garret, loft
desvanec|er *v/t* to dissipate; *v/i* to vanish; **~erse** to fade away; to faint; **~imiento** *m* faintness; faint
desvel|ar *v/t* to keep awake; **~arse** to be sleepless; **~o** *m* sleeplessness
desventaja *f* disadvantage
desventura *f* misfortune
desvergonzado shameless, unashamed
desvestirse to undress
desviar *v/t* to divert; to deflect; **~se** to deviate; to turn aside
desvío *m* by-pass; detour
desvirtuar *v/t* to impair; to spoil
desvivirse por to crave for; to give oneself up to
detall|adamente in detail, at length; **~ar** *v/t* to detail; **~e** *m* detail; **~ista** *m* retailer
detective *m* detective
deten|ción *f* arrest; delay; *com* embargo; **~er** *v/t* to arrest; to stop; **~erse** to stop; to stay; **~idamente** thoroughly; in detail
detergente *m* detergent
deteriorar *v/t* to spoil; **~se** to deteriorate
determina|ción *f* resolution; determination; **~r** *v/t* to determine; **~rse** to decide
detestar *v/t* to detest; to loathe
detona|ción *f* detonation; **~r** *v/i* to detonate; to explode
detraer *v/t* to detract; to remove
detrás behind; **por ~** in the back; behind one's back
detrimento *m* detriment; loss
deud|a *f* debt; *pl* liabilities; **~a del Estado** public debt; **~or(a)** *m (f)* debtor
devalua|ción *f* devaluation; **~r** *v/t* to devalue
devanar *v/t* to wind (*threads*); *v/r* **~se los sesos** to rack one's brains
devaneos *m/pl* delirium; ravings

devasta|dor devastating; **~r** *v/t* to devastate
devengar *v/t* to yield (*interests*); to earn
devoción *f* devoutness; devotion; affection
devol|ución *f* return; restitution; *pl com* returns; **~ver** *v/t* to return; to restore
devorar *v/t* to devour
devoto devout, pious; devoted
día *m* day; **~ de fiesta** holiday; **~ por ~** day by day; **~ útil** weekday; **~ laborable** workday; **~ de semana** *SA* weekday; **al ~** up to date; **de ~** by day; **de ~ en ~** from day to day; **el ~ de mañana** the day of tomorrow; **el ~ siguiente** next day; **hoy en ~** today; nowadays; **buenos ~s** good morning; **todo el ~** all day; **todos los ~s** every day; **un ~ sí y otro no** every other day
diabl|illo *m* little devil, imp; **~o** *m* devil
diabólico diabolical, fiendish
diafragma *m* diaphragm
diagnóstico *m* diagnosis
dialéctic|a *f* dialectics; **~o** dialectic; logic
dialecto *m* dialect
diálogo *m* dialogue
diamante *m* diamond
diapasón *m mus* pitch
diapositiva *f foto* slide, diapositive
diario *m* daily newspaper; diary; **~ de navegación** log book; *a* daily
dibuj|ante *m* sketcher; draftsman; **~ar** *v/t* to draw; to design; **~o** *m* sketch; drawing; **~o animado** *cine* cartoon
dicción *f* pronunciation; [style]
diccionario *m* dictionary
diciembre *m* December
dictad|o *m* dictation; **~or** *m* dictator; **~ura** *f* dictatorship
dictam|en *m* judgment; opinion; **~en pericial** expert opinion; **~inar** *v/t* to judge; to express an opinion
dictar *v/t* to dictate
dich|a *f* happiness; **~oso** happy; *fam* wretched, tiresome
diente *m* tooth; prong (*of fork*); **~ canino** eye-tooth; **~ de león** dandelion; **~s postizos** false teeth
diestr|a *f* right hand; **~o** right; dexterous; skilful; **a ~o y siniestro** right and left, on all sides; *m* bullfighter
diet|a *f* diet; assembly; *pl* fees; **~ético** dietary
difama|ción *f* defamation, libel; **~r** *v/t* to defame, to libel
diferen|cia *f* difference; **~ciar** *v/t* to differentiate; *v/i* to differ; **~ciarse** to be different; to distinguish oneself; **~te** different

diferir *v/t* to defer, to delay; *v/i* to differ
difícil difficult
dificult|ad *f* difficulty; **~ar** *v/t* to make difficult; **~oso** difficult
difteria *f* diphtheria
difundir *v/t* to diffuse; to spread
difunto(a) *m* (*f*), *a* deceased; dead
difus|ión *f* diffusion; broadcasting; **~o** diffuse
dige|rir *v/t* to digest; **~stión** *f* digestion
dign|arse to deign; to condescend; **~no** deserving; dignified; **~no de** worthy of; becoming to
dila|ción *f* delay; delaying; **~tación** *f* expansion; *med* dilatation; **~tado** enlarged; lengthy; *SA* delayed; **~tar** *v/t* to dilate, to widen; to spread; to delay; **~tarse** to expand; to linger; **~torio** dilatory
dilección *f* affection
dilema *m* dilemma
diligen|cia *f* diligence; errand; **~te** diligent; assiduous
dilucidar *v/t* to elucidate
dilu|ción *f* dilution; **~ir** *v/t* to dilute
diluvio *m* deluge; flood; pouring rain
dimana|ción *f* emanation; **~r** *v/i* to flow; to spring
dimensión *f* dimension
diminu|tivo diminutive; **~to** minute; tiny
dimi|sión *f* resignation (*from a post*); **~tir** *v/t* to resign
dinámic|a *f* dynamics; **~o** dynamic
dinamita *f* dynamite
dinamo, dínamo *f* dynamo
diner|al *m* fortune, large sum of money; **~o** *m* money
diócesis *f* diocese
Dios *m* God; **¡~ mío!** Good Heavens!; **¡por ~!** for God's sake
diosa *f* goddess
diploma *m* diploma; licence
diplom|acia *f* diplomacy; **~ático(a)** *m* (*f*) diplomat; *a* diplomatic; tactful
diputa|ción *f* deputation; **~do** *m* delegate, deputy; member of parliament
dique *m* dike; dam; **~ de carena** dry dock
direc|ción *f* direction; management; board of directors; **~to** direct; **~tor(a)** *m* (*f*) director; head; manager, manageress; **~tor de escena** stage manager
dirigir *v/t* to direct; to address (*letter, petition*); to manage; to guide; to steer
discernir *v/t* to discern; to distinguish
disciplina *f* discipline; subject of study; **~r** *v/t* to educate; to scourge
discípulo(a) *m* (*f*) disciple
disco *m* disk; grammophone record; *tel* dial
díscolo naughty

disconformidad *f* disagreement
discontinuar *v/t* to discontinue
discorda|ncia *f* disagreement; **~r** *v/i* to disagree
discordia *f* discord; disagreement
discreción *f* discretion; shrewdness; **a ~** at will
discrepa|ncia *f* discrepancy; **~r** *v/i* to disagree
discreto discreet; moderately great *or* long
disculpa *f* excuse; **~r** *v/t* to excuse; **~rse** to apologize
discurrir *v/i* to roam; to pass, to take its course; to reflect; *v/t* to invent; to scheme
discusión *f* discussion
discuti|ble disputable; questionable; **~r** *v/t* to discuss; *v/i* to argue
disecar *v/t* to dissect; to stuff
diseminar *v/t* to disseminate
disens|ión *f* dissension; **~o** *m* disagreement
disentería *f* dysentery
disenti|miento *m* dissent; **~r** *v/i* to disagree
diseñ|ador *m* designer; **~ar** *v/t* to design; **~o** *m* design; model; sketch; outline
disertar *v/i* to discourse
disfraz *m* mask; disguise; fancy dress; **~ar** *v/t* to disguise
disfrutar *v/t*, *v/i* to enjoy; to have a good time
disgregar *v/t* to separate
disgust|ar *v/t* to displease; **~arse** to be angry; to fall out, to quarrel; **~o** *m* displeasure; annoyance; sorrow; unwillingness; quarrel
disimu|lar *v/t* to disguise; to conceal; to feign; to excuse; **~lo** *m* concealment; feigning
disipar *v/t* to dissipate
dislocar *v/t* to dislocate
disminu|ción *f* diminution; decrease; **~ir** *v/t*, *v/i* to diminish
disol|ución *f* dissolution; **~uto** dissolute; **~ver** *v/t* to loosen; to dissolve; to break up
disonancia *f* dissonance; discord
dispar unequal; unlike
disparar *v/t* to shoot; to discharge; to fire; to let off; **~se** to explode; to go off; to dash off
disparat|ado absurd; **~e** *m* nonsense; foolishness; absurdity
disparidad *f* disparity; unequality
disparo *m* shot
dispensar *v/t* to dispense; to exempt; **~io** *m* consulting-room
dispers|ar *v/t* to disperse; to scatter; **~ión** *f* dispersal; dispersion
dispon|er *v/t* to dispose; to arrange; **~erse** to get ready; **~ible** available
disposición *f* disposition; arrangement; regulation; disposal

dispuesto *a* ready; inclined; able, intelligent
disputa *f* quarrel; **~r** *v/t*, *v/i* to dispute; to debate; to quarrel
distan|cia *f* distance; **~ciar** *v/t* to place at a distance; **~te** far away, remote
distensión *f* distension; *med* strain
distin|ción *f* distinction; difference; **~guir** *v/t* to distinguish; **~to** different; clear, distinct
distorsionar *v/t* to distort (*sound, etc*)
distra|cción *f* distraction; diversion; entertainment; **~er** *v/t* to distract; **~erse** to amuse oneself; to get absentminded; **~ído** absentminded
distribu|ción *f* distribution; **~idor** *a* distributing; *m* distributor; **~ir** *v/t* to distribute
distrito *m* district
disturbio *m* disturbance
disua|dir *v/t* to dissuade; to deter; **~sivo** deterrent
diurno daily
divagar *v/i* to wander; to digress, to ramble
divergencia *f* divergence; difference of opinion
divers|idad *f* variety; **~ión** *f* amusement; *mil* diversion; **~o** diverse; different; various
diverti|do amusing; **~r** *v/t* to amuse; **~rse** to amuse oneself; to have a good time; to make merry
divid|endo *m* dividend; **~ir** *v/t* to divide
divin|idad *f* divinity; **~o** divine; heavenly
divisa *f* badge; slogan; motto; *pl* foreign currency
divisar *v/t* to make out, to espy
divisi|ble divisible; **~ón** *f* division
divorci|ar *v/t* to divorce; to separate; **~o** *m* divorce
divulgar *v/t* to publish; to spread
dobla|dillo *m* hem; **~r** *v/t* to double; to fold; to bend; to turn (*the corner*); *v/i* to toll (*bells*); **~rse** to give in
doble *a* double; *m*, *f* *theat* double; **al ~** doubly; **~gar** *v/t* to bend; to fold; to impose one's will on, to subdue; **~z** *m* fold; *f* duplicity
docena *f* dozen; **la ~ del fraile** the baker's dozen; **por ~** by the dozen
docente teaching
dócil docile; obedient; gentle
docilidad *f* docility; gentleness
docto *a* learned; *m* scholar; **~r** *m* doctor; **~rado** *m* doctorate
doctrina *f* doctrine
document|ación *f* documentation; **~ado** documented; **~al** *m* *cine* documentary; *a* documental; **~o** *m* document
dogal *m* halter
dogmático dogmatic

dogo *m* bulldog
dólar *m* dollar (*U.S. money*)
dole|ncia *f* illness; **~r** *v/i* to hurt; to ache; **~rse de** to complain; to feel offended
dolor *m* pain; grief; **~oso** painful
doloso deceitful; crafty
doma|dor *m* tamer (*of animals*); **~r** *v/t* to tame; to master
domesticar *v/t* to tame; to domesticate
doméstico domestic
domicili|ado resident; **~o** *m* residence
domin|ación *f* domination; **~ar** *v/t* to dominate
domin|go *m* Sunday; **2go de Ramos** Palm Sunday; **~ical** dominical; **~io** *m* dominion; control
dominó *m* domino, masquerade costume
don *m* (*to be used before Christian names only*) Esquire
don *m* gift; ability; **~ación** *f* donation; gift
donaire *m* grace; poise
don|ante *m, f* donor; **~ar** *v/t* to donate
doncel|la *f* virgin; maid; lady's maid; **~lez** *f* girlhood, virginity
donde (*interrog* **dónde**) where; **~quiera** wherever
donoso handsome; graceful
doña *f* lady (*title used only before Christian names*); *SA fam* lady of the house
dora|do golden; gilt; **~r** *v/t* to gild
dormidera *f* poppy
dormi|lón *m* sleepy-head; **~r** *v/i* to sleep; **~r a pierna suelta** to sleep soundly; **~rse** to go to sleep, to fall asleep; **~tar** *v/i* to doze, to nod, to slumber; **~torio** *m* bedroom; dormitory
dors|al dorsal; **~o** *m* back
dosi|ficar *v/t* to dose; **~s** *f* dose
dot|ación *f* endowment; **~ado** gifted; **~ar** *v/t* to endow; **~e** *f* dowry
draga *f* dredger; **~minas** *m* minesweeper; **~r** *v/t* to dredge
dragón *m* dragon; *mil* [dragoon]
drama *m* play; drama
dramático dramatic
dramaturgo *m* playwright
drenaje *m* drainage
drog|a *f* drug; **~uería** *f* chemist's; **~uero** *m* chemist
dual dual; **~idad** *f* duality
dúctil elastic; manageable; ductile
ducha *f* shower-bath, douche
dud|a *f* doubt; **sin ~a** no doubt; **~ar** *v/t, v/i* to doubt; **~oso** doubtful
duelo *m* duel; grief; mourning
duende *m* goblin; ghost
dueñ|a *f* mistress; owner; duenna; **~o** *m* owner; master
dul|ce sweet; pleasant;

soft; **~cificar** *v/t* to sweeten; **~zura** *f* sweetness; kindness; affection
duna *f* sand dune
dúo *m* duet
duodeno *med m* duodenum
duplic|ado *m* duplicate; **~ar** *v/t* to double; to duplicate; **~idad** *f* duplicity
duque *m* duke; **~sa** *f* duchess
dura|ble durable; lasting; **~dero** lasting; **~nte** *prep* during; **~r** *v/i* to last
durazno *m* peach; peach-tree
dureza *f* hardness
durmiente sleeping
duro hard; firm; tough

E

ebanista *m* cabinet-maker; joiner
ébano *m* ebony
ebrio intoxicated; drunk
eclesiástico *a* ecclesiastical; *m* ecclesiastic, priest
eco *m* echo
econom|ato *m* guardianship; **~ía** *f* economy; thrift; **~ía política** economics
económico economical; economic
econom|ista *m, f* economist; **~izar** *v/t* to economize; to save
ecuación *f* equation
ecua|dor *m* equator; **~torial** equatorial
echa|da *f* cast; throw; **~r** *v/t* to throw; to cast; to throw out; to pour; to spread; **~r al correo** to post; **~r abajo** to demolish; to ruin; **~r a perder** to ruin; **~r de menos** to miss; **~rse a perder** to go bad; to get spoiled
edad *f* age; epoch; **de ~ madura** middle-aged; **~ media** Middle Ages
edición *f* edition
edific|ar *v/t* to build; **~io** *m* building
edit|ar *v/t* to publish; **~or** *m* publisher; **~orial** *m* leading article, leader; *f* publishing house
edredón *m* eiderdown
educa|ción *f* education; manners; **~ción cívica** civics; **~r** *v/t* to educate; to bring up
efect|ivamente effectively; truly, really; **~ivo** *a* real; effective; *m* cash; **~o** *m* effect; purpose; *pl* assets; chattels; **en ~o** as a matter of fact; indeed; **~uar** *v/t* to carry out; **~uarse** to take place
efervescente effervescent
efica|cia *f* efficacy; efficiency; **~z** efficacious; able; efficient
efigie *f* effigy, image
efusivo effusive, affectionate
egip|cio(a) *m (f), a* Egyptian; **℞to** *m* Egypt

egocéntrico self-centred
egoís|mo *m* egoism; **~ta** *m, f* egoist; *a* selfish
egregio eminent
egresar *v/i* · *SA* to leave (*school*)
eje *m* axle; axis; *fig* central point; main topic
ejecu|ción *f* execution; **~tar** *v/t* to execute; to perform; to put to death
ejempl|ar *m* copy; model; pattern; specimen; example; *a* exemplary; **~o** *m* example; **por ~o** for example
ejerc|er *v/t* to exercise; to practise; **~icio** *m* exercise; pratice; fiscal year; **~itar** *v/t* to train; **~itarse** to practise; to train oneself
ejército *m* army
el *art m sing* (*pl* **los**) the
él *pron m sing* (*pl* **ellos**) he
elabora|do elaborate; **~r** *v/t* to elaborate; to prepare
elasticidad *f* elasticity
elástico elastic
elec|ción *f* election; choice; **~cionario** *SA* electoral; **~tor** *m* elector; voter; **~torado** *m* electorate
electricidad *f* electricity
eléctrico electric; electrical
electrificar *v/t* to electrify
electro|cutar *v/t* to electrocute; **~imán** *m* electromagnet; **~motor** *m* electromotor; **~tecnia** *f* electrical engineering
elefante *m* elephant
elegan|cia *f* elegance; **~te** elegant
elegi|ble eligible; **~r** *v/t* to choose; to elect
element|al elementary; **~o** *m* element
elenco *m* list, catalogue; *theat* cast
eleva|ción *f* elevation; altitude; height; **~do** high; **~r** *v/t* to raise; **~rse** to rise; to be elated
elimina|ción *f* elimination; **~r** *v/t* to eliminate
elipse *f* ellipse
elocuen|cia *f* eloquence; **~te** eloquent
elogi|ar *v/t* to praise; **~o** *m* praise; **~oso** laudatory
eludir *v/t* to avoid; to elude
ella *pron f sing* (*pl* **ellas**) she
ello *pron neuter sing* it
emana|ción *f* emanation; **~r** *v/i* to emanate
emancipar *v/t* to emancipate
embadurnar *v/t* to smear
embajad|a *f* embassy; **~or** *m* ambassador; **~ora** *f* ambassador's wife; lady ambassador
embala|je *m* packing; **~r** *v/t* to pack
embaldosa|do *m* pavement; **~r** *v/t* to tile
embalse *m* dam, damming
embanderar *v/t* to flag, to decorate with flags
embaraz|ada pregnant; **~ar** *v/t* to embarrass; **~o** *m* embarrassment; pregnan-

cy; obstacle; **~oso** embarrassing; awkward
embarc|ación *f* ship; boat; embarkation; **~adero** *m* quay; **~ar** *v/t* to ship; to embark; to engage; **~arse** to embark on an enterprise; **~o** *m* embarkation
embarg|ar *v/t* to impede; to restrain; *for* to embargo; **~o** *m* embargo; seizure; **sin ~o** nevertheless; however
embarque *m* shipment
embeber *v/t* to absorb; *cost* to take in
embellecer *v/t* to embellish
embesti|da *f* assault; **~r** *v/t* to attack; to assail
embetunar *v/t* to black (*shoes*); to pitch
emblema *m* emblem; symbol
embobar *v/t* to bamboozle
embocadura *f* mouth (*of river*)
émbolo *m* piston; plunger
embolsar *v/t* to pocket; to put into a purse
emborracha|miento *m* intoxication; **~rse** to get drunk
emboscada *f* ambush
embotar *v/t* to blunt (*an edge*); to weaken
embotella|miento *m* bottling; congestion, traffic jam; **~r** *v/t* to bottle
embozar *v/t* to muzzle; to muffle; *fig* to cloak
embrag|ar *v/t naut* to sling; *mech* to engage (*a gear*); **~ue** *m mech* clutch
embriag|arse to get drunk; **~uez** *f* drunkenness; rapture
embroll|ar *v/t* to entangle; **~o** *m* tangle, muddle
embrujar *v/t* to bewitch
embrutecer *v/t* to brutalize; **~se** to grow brutish
embuchar *v/t* to stuff (*with meat*)
embudo *m* funnel
embuste *m* fraud; **~ro** *m* habitual liar
embuti|do *a* stuffed, filled; embedded; *m* sausage; **~r** *v/t* to inlay
emerge|ncia *f* emergency; **~r** *v/i* to emerge
emigra|ción *f* emigration; **~do(a)** *m* (*f*) emigrant; **~r** *v/i* to emigrate
eminen|cia *f* eminence; **~te** eminent
emis|ario *m* emissary; **~ión** *f* emission; issue; broadcast; **~ora** *f* broadcasting station
emitir *v/t* to broadcast; to emit, to give
empach|ar *v/t* to impede; to embarrass; to cloy; **~arse** to get embarrassed; to become constipated; **~o** *m* bashfulness; indigestion; **~oso** embarrassing
empalag|ar *v/t* to cloy; to annoy; **~oso** oversweet; cloying; irritating; unctuous
empalm|ar *v/t* to couple; to join; **~e** *m* connection; junction

empana|da *f* (*meat, fish, etc*) pie; **~r** *v/t* to cover with batter *or* crumbs
empañar *v/t* to swaddle; to blur; to tarnish
empapar *v/t* to drench; to soak, to steep
empapela|dor *m* paper--hanger; **~r** *v/t* to wrap in paper; to paper (*walls*)
empareda|do(a) *m* (*f*) recluse; *m* sandwich; **~r** *v/t* to confine; to shut in
emparejar *v/t*, *v/i* to match; to pair off
empast|ar *v/t* to paste; to fill (*teeth*); **~e** *m* filling, stopping (*of tooth*)
empat|ar *v/t* to equal; to hinder; **~e** *m dep* draw, tie
empedernido hard--hearted; heartless
empedrar *v/t* to pave
empeine *m* groin; instep
empeñ|ado pawned; persistent; **~ar** *v/t* to pawn; **~arse** to insist; to take pains; **~o** *m* pledge; pawn; zeal; interest
empeorar *v/t* to make worse; *v/i* to grow worse, to deteriorate
empequeñecer *v/t* to make smaller; to belittle
empera|dor *m* emperor; **~triz** *f* empress
empero yet; however
empezar *v/t*, *v/i* to begin
empina|do steep; **~r el codo** *fam* to drink
empírico empirical
emplasto *m* plaster; poultice
emplaza|miento *m* placement; location; *for* summons; **~r** *v/t* to place; *for* to summon
emple|ado(a) *m* (*f*) employee; **~ar** *v/t* to employ; to use; **~o** *m* job; post; use
empobrec|er *v/t* to impoverish; *v/i* to become poor; **~imiento** *m* impoverishment
empolvar *v/t* to powder
empollar *v/t* to hatch; *fam* to study hard
emponzoñar *v/t* to poison
emprende|dor enterprising; bold; **~r** *v/t* to undertake
empresa *f* enterprise; venture; **~rio** *m* contractor; manager
empréstito *m* loan
empuj|ar *v/t* to push; to shove; **~e** *m* push; energy, drive; **~e axial** *tecn* thrust; **~ón** *m* push, shove
empuñar *v/t* to clutch
en in; at; into; on; upon; about; by
enaguas *f/pl* petticoat
enajena|ción *f*, **~miento** *m* alienation (*of property*); estrangement; **~ción mental** derangement; **~r** *v/t* to alienate; **~rse** to be enraptured; to become estranged
enaltecer *v/t* to praise; to glorify
enamora|dizo liable to fall in love; **~do** *a* in love;

~**do**(a) *m* (*f*) sweetheart; ~**rse de** to fall in love with
enan|ito *m* midget; ~**o**(a) *m* (*f*) dwarf
enarbolar *v/t* to hoist
enardecer *v/t* to inflame; ~**se** to take a passion for
encabeza|miento *m* heading; caption; census; ~**r** *v/t* to head
encadenar *v/t* to chain
encaj|ar *v/t* to fit; to insert; ~**e** *m* lace; inlaid work
encalar *v/t* to lime
encallar *v/i naut* to run aground; *fig* to get bogged down
encaminar *v/t* to guide; to direct; ~**se** to set out for
encanecer *v/i* to grow gray-haired
encant|ado delighted; charmed; bewitched; ~**ador** *a* charming; *m* magician; ~**amiento** *m* enchantment; ~**ar** *v/t* to enchant; to charm; to fascinate; ~**o** *m* charm; spell
encañado *m* conduit (*for water*)
encapotarse to cloud over (*sky*)
encapricharse con to take a fancy to
encarar *v/i* to face; *v/t* to aim at; ~**se con** to face, to stand up to
encarcelar *v/t* to imprison
encarecer *v/t* to raise the price of; to insist on, to emphasize; to request, to enjoin
encarg|ado *m* agent; ~**ar** *v/t* to order; to charge; to entrust; ~**arse de** to take charge of; ~**o** *m* order; charge; commission; *com* order
encarnizar *v/t* to inflame; to enrage
encartar *v/t* to proscribe; to summon; to enrol
encasar *med v/t* to set (*a bone*)
encasillar *v/t* to pigeonhole; to classify
encauzar *v/t* to channel; to lead
encend|edor *m* lighter; ~**er** *v/t* to light; ~**erse** to light up; to catch fire; ~**ido** *m mech* ignition
encera|do *m* oil-cloth; blackboard; ~**r** *v/t* to wax
encía *f* gum (*of teeth*)
encierro *m* confinement; enclosure; prison
encima *adv* above; over; at the top; *prep* ~ **de** above; on; on top of; **por** ~ **de todo** above all
encina *f* oak
encinta pregnant; ~**do** *m* kerbstone
enclavar *v/t* to nail
enclenque sickly; feeble
encoger *v/t* to contract; *v/i* to shrink; ~**se** to shrink; *fig* to become discouraged; to get shy *or* timid; ~**se de hombros** to shrug one's shoulders
encolar *v/t* to glue; *pint* to size
encom|endar *v/t* to commend; to entrust; ~**endarse** to entrust oneself;

~ienda *f* commission; charge; patronage; *SA* parcel, postal package
encono *m* rancour; ill-will
encontrar *v/t* to meet; to find; **~se** to meet; to collide; to feel; to be
encorvar *v/t* to bend; to curve; **~se** to bend down
encresparse to curl; to become agitated; to become entangled (*affairs*); to become rough (*sea*)
encrucijada *f* crossroads; ambush; *fig* quandary, dilemma
encuaderna|ción *f* binding (*of a book*); **~dor** *m* bookbinder; **~r** *v/t* to bind
encuadrar *v/t* to frame
encub|iertamente secretly; **~ierto** hidden; **~ridor** *m* concealer; *for* accessory after the fact; **~rir** *v/t* to cover up; to conceal
encuentro *m* encounter; meeting; collision
encuesta *f* inquiry; poll
encumbrar *v/t* to lift; to raise; **~se** to soar
enchuf|ar *v/t* to connect; to plug in; **~e** *m* plug; socket; joint
ende: por ~ therefore
endeble feeble; weak
endémico endemic
endemoniado possessed
endentecer *v/i* to teethe
enderezar *v/t* to straighten; to put right
endeudarse to run into debts
endiablado fiendish; bad-tempered; mischievous
endiosar *v/t* to deify
endosar *v/t* to endorse
endulzar *v/t* to sweeten
endurecer *v/t*, **~se** to harden
enemi|go(a) *m* (*f*) enemy; *a* hostile; **~stad** *f* enmity; fiendishness
energía *f* energy
enérgico energetic
energúmeno *m* demon, one possessed; wild person
enero *m* January
enervar *v/t* to enervate; to weaken
enfad|arse to get angry; **~o** *m* anger; annoyance
énfasis *m* emphasis
enfático emphatic
enferm|ar *v/i* to fall ill; **~edad** *f* illness; **~ería** *f* infirmary; hospital; **~ero(a)** *m* (*f*) nurse; **~izo** sickly; infirm; **~o(a)** *m* (*f*) patient; *a* ill
enfilar *v/t* to put in a row; to thread
enfo|car *v/t* to focus; **~que** *m* focusing; approach
enfrascar *v/t* to bottle
enfrent|ar *v/t* to put face to face; **~arse** to face; **~e** opposite
enfria|miento *m* cooling; **~r** *v/t* to cool; **~rse** to grow cold; to cool down
enfurecer *v/t* to infuriate; to enrage; **~se** to grow furious; to lose one's temper
enganch|ar *v/t* to hook; *fig*

to catch; **~arse** to enlist (*in the armed forces*); **~e** *m* hooking; hanging up; enlisting

engañ|ar *v/t* to cheat, to deceive; **~o** *m* swindle, trick; mistake; **~oso** deceptive, misleading

engatusar *v/t* to wheedle; to coax

engendrar *v/t* to beget; to generate

englobar *v/t* to include; to comprise

engomar *v/t* to gum

engordar *v/t* to fatten; *v/i* to grow fat

engorro *m* nuisance; trouble; **~so** troublesome; awkward

engrana|do *aut, mech* in gear; **~je** *m mech* gear; gearing; **~r** *v/t* to gear; to interlock

engrandec|er *v/t* to augment; to exaggerate; **~imiento** *m* increase; enlargement

engras|ar *v/t* to grease; to lubricate; **~e** *m* lubrication; lubricant

engreído conceited

engreimiento *m* conceit

engrosar *v/t* to fatten; to swell; *v/i* to grow fat

engrudo *m* paste (*for sticking*)

engullir *v/t* to wolf down, to gobble, to gorge

enhebrar *v/t* to thread

enhiesto (bolt) upright

enhilar *v/t* to arrange; to thread

enhorabuena *f* congratulations

enigma *m* enigma; puzzle

enigmático enigmatic

enjabonar *v/t* to soap, to lather; *fig* to flatter

enjaezar *v/t* to harness

enjambre *m* swarm

enjaular *v/t* to cage

enjuagar *v/t* to rinse

enjuicia|miento *m* trial; **~r** *v/t* to try; to pass judgment on

enla|ce *m* link; connexion; liaison; **~tar** to can; **~zar** *v/t* to join; to unite; to connect

enloquecer *v/t* to madden; *v/i* to go mad

enlosar *v/t* to pave (*with tiles or flagstones*)

enlucir *v/t* to plaster (*walls*); to whitewash

enmarañar *v/t* to entangle

enmascarar *v/t* to mask

enm|endar *v/t* to correct; to reform; **~ienda** *f* correction; amendment

enmohecerse to grow rusty *or* mildewy

enmudecer *v/t* to silence; *v/i* to be silent; to become speechless

enoj|adizo peevish; irritable; **~ar** *v/t* to anger; **~arse** to get angry; to get annoyed; **~o** *m* anger; annoyance

enorgullecer *v/t* to make proud; **~se** to be proud

enorm|e enormous; **~idad** *f* enormity; wickedness;

folly; stupidity
enrarecer *v/t* to thin; to rarefy; **~se** to grow scarce
enred|adera *f bot* vine, creeper; **~ador** *m* meddler; schemer; *a* scheming; mischievous; **~ar** *v/t* to entangle; *v/i* to misbehave, to get into mischief; **~arse** to get entangled; **~o** *m* entanglement; mess, tangle; plot
enreja|do *m* railings; trellis; **~r** *v/t* to surround with railings; to grate
enriquecer *v/t* to enrich; **~se** to grow rich
enrojecer *v/t* to make red; **~se** to blush
enrollar *v/t* to roll up, to furl; to wind up
enronquecer *v/t* to make hoarse; *v/i* to grow hoarse
enroscar *v/t* to twist; **~se** to curl
ensalad|a *f* salad; **~era** *f* salad bowl; **~illa** *f* medley; patchwork
ensalzar *v/t* to praise; to exalt
ensamblar *v/t* to join; to connect; to assemble
ensanch|ar *v/t* to widen; to enlarge; **~e** *m* enlargement; widening; extension
ensangrentado blood-stained; bloodshot
ensay|ar *v/t* to try, to test; to rehearse; **~o** *m* test; trial; essay; *theat, mus* rehearsal
enseña|nza *f* teaching, tuition; **~r** *v/t* to teach; to show; **~r el camino** to lead the way
enseres *m/pl* chattels; household goods; furniture
ensimismarse to fall into a reverie; *SA* to become conceited
ensordecer *v/t* to deafen; to muffle
ensueño *m* dream; illusion, daydream
entabl|ar *v/t* to cover with boards; *fig* to initiate; **~ar juicio** to take legal action; **~illar** *v/t med* to splint
entarimado *m* parquet flooring
ente *m* entity; being
entend|er *v/t* to understand; to think; to consider; **~imiento** *m* understanding
enteramente entirely, wholly
entereza *f* integrity, honesty
enternecer *v/t* to soften; to make tender
enterrar *v/t* to bury, to inter
entidad *f* entity; body
entierro *m* burial
entonar *v/t* to intone
entonces then; **¿~?** so?; **desde ~** since; **para ~** by then; **por ~** at that time
entorpecer *v/t* to numb; to obstruct; to make difficult
entrada *f* entry; entrance; way in; (admission) ticket; **~ general** *theat* standing room

entrambos(as) both
entraña *f* entrail; *fig* heart; centre; *pl* bowels; **~ble** most affectionate
entrar *v/i* to enter; to go in; to begin; **~ en vigencia** to come into force
entre between; among; **~acto** *m theat* interval
entrega *f* delivery; **~r** *v/t* to deliver; to hand over
entrelazar *v/t* to interlace
entremedias in between
entremés *m* appetizer; one-act comedy
entremeter *v/t* to place between; **~se** to interfere, to intrude; to meddle
entremezclar *v/t* to intermingle
entrenar *v/t, v/i* to train
entrepaño *m* bay; shelf; panel
entresacar *v/t* to select; to thin out
entresuelo *m* entresol
entretanto meanwhile
entretejer *v/t* to interweave
entreten|er *v/t* to entertain; to keep in suspense; to hold up; **~ido** pleasant, amusing
entrever *v/t* to catch a glimpse of; **~ado** streaky (*bacon*)
entrevista *f* interview
entristecer *v/t* to sadden; **~se** to grow sad
entronizar *v/t* to enthrone
entumecido numb
entusias|mar *v/t* to delight; **~mo** *m* enthusiasm; **~ta** *m, f* enthusiast
entusiástico enthusiastic
enumera|ción *f* enumeration; **~r** *v/t* to enumerate
enuncia|ción *f* declaration; statement; **~r** *v/t* to enunciate; to state
envainar *v/t* to sheathe
envanecer *v/t* to make vain *or* proud
envas|ar *v/t* to bottle; to tin; to cask; to pack; **~e** *m* packing; container; bottle, tin
envejecer *v/t* to make old; [to age]
envenena|miento *m* poisoning; **~r** *v/t* to poison
envergadura *f* wing spread (*of birds*); *aer* span
investi|dura *f* investiture; **~r** *v/t* to invest
envia|do *m* messenger; envoy; **~r** *v/t* to send
envidi|a *f* envy; **~able** enviable; **~ar** *v/t* to envy; **~oso** envious; jealous
envilecer *v/t* to debase
envío *m* dispatch; *com* remittance; shipment
envol|tura *f* wrapping; wrapper; envelope; **~ver** *v/t* to wrap up; to envelop; to involve; *mil* to surround; **~vimiento** *m* wrapping up; involvement
enyesar *v/t* to plaster
enzarzar *v/t* to sow discord between
épico epic
epidemia *f* epidemic
epidémico epidemic
epígrafe *m* title; reference

(*in letters*); epigraph
epiléptico epileptic
episcopado *m* bishopric
episodio *m* episode
epítome *m* compendium, summary
época *f* epoch; period, time
equidad *f* equity; fairness; justice
equilibr|ar *v/t* to balance; **~io** *m* equilibrium, balance
equip|aje *m* luggage; equipment; **~ar** *v/t* to fit out; to equip
equipo *m* team; kit, equipment; **~ de casa** *dep* home team
equitación *f* riding (*on horse*)
equitativo equitable; just
equivale|ncia *f* equivalence; **~nte** equivalent; **~r** *v/i* to be equivalent
equivoca|ción *f* mistake; misunderstanding; **~do** mistaken; **~rse** to be mistaken
equívoco *m* ambiguity
era *f* era; **~ atómica** atomic age
erario *m* exchequer
erección *f* establishment; elevation
eremita *m* hermit
erguir *v/t* to raise; **~se** to straighten up
erial *m* fallow land
erigir *v/t* to erect; to raise; to establish
eriz|ado bristly; bristling, full (*with*); **~arse** to stand on end (*hair*); **~o** *m* hedgehog
ermita *f* hermitage; **~ño** *m* hermit
erra|nte roving; **~r** *v/t* to miss; to fail; *v/i* to err; to go astray; to make a mistake; **~ta** *f* *impr* misprint
erróneo erroneous
error *m* mistake; error; **por ~** by mistake
eructar *v/i* to belch
erudi|ción *f* learning; **~to** learned, scholarly
esbel|tez *f* slenderness; **~to** slim, slender
esbirro *m* bailiff; henchman
esboz|ar *v/t* to sketch; **~o** *m* sketch
escabech|ar *v/t* to pickle; **~e** *m* pickle; pickled fish *or* meat
escabroso rough; craggy; harsh
escabullirse to slip away
escafandra *f* diving suit; **~ espacial** space-suit
escala *f* ladder; scale; *naut* port of call; **hacer ~ en** to call at (*port*); **~fón** *m* list (*for promotion*); **~r** *v/t* to scale; to climb
escalera *f* stairs; staircase; ladder; **~ de caracol** winding staircase; **~ de salvamento** fire-escape; **~ de servicio** backstairs
escalfar *v/t* to poach (*eggs*)
escalofrío *m* chill, shiver
escal|ón *m* step of a stair; rank; **~onar** *v/t* to grade; to place at regular intervals
escalpar *v/t* to scalp
escalpelo *m* scalpel

escam|a *f* scale (*of fish or reptile*); flake; *fig* grudge; **~oso** scaly
escamot|ar, ~ear *v/t* to make disappear; to swindle out of
escampar *v/i* to clear up (*sky*); *v/t* to clear out
escandalizar *v/t* to scandalize; **~se** to be shocked
escándalo *m* scandal
escandinavo *a, m* Scandinavian
escaño *m* bench; seat (*in Parliament*)
escapa|da *f* escape; flight; **~rate** *m* display window, shop-window; **~rse** to escape; **~toria** *f* flight, escape; loophole
escape *m* leak; exhaust; flight
escarabajo *m* scarab; beetle
escarcha *f* frost; **~r** *v/t* to ice; to frost (*a cake*)
escardar *v/t* to weed
escarlat|a *f* scarlet; **~ina** *f* scarlet fever
escarm|entar *v/t* to punish severely; **~iento** *m* exemplary punishment
escarn|ecer *v/t* to ridicule; **~ecimiento** *m*, **~io** *m* derision
escarola *f* endive
escarpa *f* slope; declivity; **~do** steep; craggy
escas|amente scantily; **~ear** *v/i* to be scarce; **~ez** *f* scarcity; **~o** scarce; scanty
escen|a *f* scene; **~ario** *m* *theat* scenery; stage; **~ificar** *v/t* to stage
escepticismo *m* scepticism
escéptico sceptic
escisión *f* splitting; *med* escision
esclarec|er *v/t* to lighten; to illuminate; **~imiento** *m* illumination; enlightening
esclav|itud *f* slavery; **~o(a)** *m* (*f*) slave
esclusa *f* lock; sluice
escoba *f* broom; brush
escocer *v/i* to smart; to hurt
escocés(esa) *m* (*f*) Scotsman (-woman); *a* Scottish
escoger *v/t* to choose; to select
escolar *a* scholastic; **edad ~** school age; *m* pupil, student
escolta *f* escort; convoy; **~r** *v/t* to escort
escollo *m* reef; pitfall; obstacle
escombr|ar *v/t* to clear of rubble; **~os** *m/pl* rubble; debris
escond|er *v/t* to conceal; to hide; **a ~idas** secretly; **~rijo** *m* hideout; den
escopeta *f* shotgun
escoplo *m* chisel
escorbuto *m* scurvy
escoria *f* slag; dross; scum; **~l** *m* slag heap
escot|ar *v/t* to cut a neckline in (*a garment*); **~e** *m* neckline; **~illa** *f* *naut* hatchway; **~illón** *m* *theat* trapdoor
escribano *m* clerk; *SA* court clerk

escribi|ente *m* clerk; **~r** *v/t* to write
escrito *m* writing, document; letter; **por ~** in writing
escritor(a) *m* (*f*) writer
escritorio *m* desk; study, office
escritura *f* writing; *for* deed; **la Sagrada ♀** the Holy Writ
escrúpulo *m* scruple
escrupuloso scrupulous
escrutinio *m* scrutiny
escuadr|a *f mil* squad; *mar* squadron; **~ón** *m* squadron
escuálido dirty; squalid
escuchar *v/t* to listen; to heed
escud|ero *m* shield-bearer; page; **~o** *m* shield; coat of arms
escudriñar *v/t* to scrutinize; to scan
escuela *f* school; **~ de párvulos** kindergarten; **~ de verano** summer school; **~ nocturna** night-school; **~ primaria** elementary school
escul|pir *v/t* to sculpture; to cut; **~tor** *m* sculptor; **~tura** *f* sculpture
escupi|dera *f* spittoon; **~r** *v/t*, *v/i* to spit
escurrir *v/t* to drain off; **~se** to sneak off; to drip; to slip
ese, esa (*pl* **esos, esas**) *a* that; *pl* those
ése; **ésa**; **eso** (*pl* **ésos, ésas**) *pron* that one; the former
esencia *f* essence; **~l** essential
esfera *f* sphere; face (*of watch*)
esférico spherical
esforzar *v/t* to strengthen; to force; **~se** to make an effort
esfuerzo *m* effort
esgrim|a *f* fencing; **~ir** *v/t* to brandish; *v/i* to fence
eslabón *m* link
esmalte *m* enamel
esmerado carefully done; painstaking
esmeralda *f* emerald
esmeril *m* emery
esmoquin *m* dinner-jacket
espaci|ar *v/t* to space; **~o** *m* space; **~oso** spacious, roomy
espada *f* sword; (*cards*) spade; **entre la ~ y la pared** between the devil and the deep sea
espalda *f* shoulder
espantapájaros *m* scarecrow
espant|ar *v/t* to scare; to frighten; **~arse** to get frightened; **~o** *m* terror; shock; **~oso** frightful
Españ|a *f* Spain; **♀ol(a)** *m* (*f*) Spaniard; *a* Spanish
esparadrapo adhesive tape; sticking-plaster
esparci|do merry; **~r** *v/t* to scatter; to spread
espárrago *m* asparagus
espasmo *m* spasm

especia *f* spice
especial special; **~idad** *f* speciality; **~ista** *m*, *f* specialist; **~izar** *v/i* to specialize
especie *f* species; kind
especta|cular spectacular; **~dor** *m* spectator, onlooker; viewer
espectro *m* spectre, spook
especula|ción *f* speculation; **~dor(a)** *m* (*f*) speculator; **~r** *v/t* to consider; *v/i* to speculate
espej|ismo *m* mirage; illusion; **~o** *m* mirror; looking-glass
espera *f* waiting; **en ~ de** waiting for; **~nza** *f* hope; **~nzado** hopeful; **~r** *v/t* to hope for; to expect; to wait for; *v/i* to wait
esperma *f* sperm
espes|ar *v/t* to thicken; **~o** thick; **~or** *m* thickness
espía *m*, *f* spy
espiar *v/t* to spy on
espiga *f* peg; pin; *bot* ear, tassel
espín: puerco *m* **~** porcupine
espina *f* thorn; **~ dorsal** backbone, spinal column
espinaca *f* spinach
espin|illa *f* shin(bone); **~oso** thorny, prickly; spiny; arduous
espionaje *m* espionage; spying
espiral *f* spiral
espíritu *m* spirit; ghost; **♀ Santo** Holy Ghost
espiritual spiritual
espléndido splendid
espliego *m* lavender
espoleta *f* wishbone; fuse
espolón *m* spur (*of fowl*); *arch* buttress; *mar* ram
esponja *f* sponge; **~rse** to get a healthy look
esponsales *m/pl* betrothal
espontáneo spontaneous
espor|ádico sporadic; **~o** *m* spore
espos|a *f* wife; *pl* handcuffs; **~ar** *v/t* to handcuff; **~o** *m* husband
espuela *f* spur (*t fig*)
espum|a *f* froth; foam; **~oso** frothy; foamy; sparkling (*of wine*)
esquela *f* invitation card; announcement
esqueleto *m* skeleton
esquema *m* scheme; plan; chart
esquí *m* ski
esquiar *v/i* to ski
esquicio *m* sketch
esquilar *v/t* to shear (*sheep*); to clip
esquilmar *v/t* to harvest; to cheat
esquina *f* corner (*of a street or a house*)
esquirol *m fam* blackleg
esquivar *v/t* to shun; to avoid
estab|ilidad *f* stability; **~ilizar** *v/t* to stabilize; **~le** stable; **~lecer** *v/t* to establish; to set up; to decree; **~lecerse** to settle down; to establish oneself; **~lecimiento** *m* establishment; institution; **~lo** *m* stable

estaca *f* stake; stick; **~da** *f* paling, fence; **dejar en la ~da** to leave in the lurch
estación *f* season; station, stop; (*taxi*) stand; **~ gasolinera** filling station
estacion|amiento *m* parking; **~ar** *v/t*, *v/i* to park (*a car*); to post, to station; **prohibido ~ar** no parking
estadio *m* stadium; racecourse
estad|ista *m* statesman; **~ística** *f* statistics; **~ístico** statistical; **~o** *m* state, nation; condition; rank, estate, status; report; **~o de cuenta** *com* statement (of account); **~o benefactor** welfare state; **~o mayor** *mil* staff
estafa *f* swindle; trick; **~dor** *m* swindler
estafeta *f* courier; district post office
estall|ar *v/i* to burst; to explode; **~ido** *m* bang; explosion; outbreak
estambre *m* worsted
estamp|a *f* print; engraving; impression; image; **~ado** *m* print (*in textiles*); **~ar** *v/t* to print; to stamp; to imprint; **~ido** *m* report (*of a gun*)
estampilla *f* rubber stamp; *SA* postage stamp
estan|car *v/t* to check; to stop; *com* to monopolize; **~carse** to come to a standstill; **~co** *a* watertight; *m* (state) monopoly; tobacconist; **~darte** *m* standard, flag; **~que** *m* pond
estante *m* shelf
estaño *m chem* tin
estar *v/i* to be; **~ a** to be priced at; **¿a cuántos estamos?** what is today's date?; **está bien** allright; **~ de viaje** to be travelling; **~ de más** to be superfluous; **~ en algo** to understand something; **~ para** to be in the mood of; **está por ver** it remains to be seen
estátic|a *f* statics; **~o** static
estatua *f* statue
estatuto *m* statute; law
este *m* east, orient
este, esta *a* (*pl* **estos, estas**) this (*pl* these)
éste, ésta, esto *pron* (*pl* **éstos, éstas**) this one (*pl* these)
estela *f* wake (*of a ship*)
estepa *f* steppe
estera *f* mat, matting
estereofonía *f* stereophony, stereo
estéril barren; sterile
esterili|dad *f* sterility; **~zar** *v/t* to sterilize
esterilla *f* doormat
esterlina *f* sterling
estétic|a *f* aesthetics; **~o** aesthetic
estiaje *m* low-water mark
estibador *m* stevedore
estiércol *m* dung; manure
estigma *m* mark; birthmark; stigma

estil|arse to be in fashion *or* use; **~o** *m* style
estilográfica: pluma *f* **~** fountain pen
estima *f* esteem; **~r** *v/t* to estimate; to esteem
estimula|nte *m* stimulant; *a* stimulating; **~r** *v/t* to stimulate [incentive
estímulo *m* stimulus; *fig* }
estipula|ción *f* stipulation; **~r** *v/t* to stipulate
estir|ado haughty, stiff; **~ar** *v/t* to stretch; to pull; to extend; **~ón** *m* jerk, wrench; rapid growth
estocada *f* thrust (*of sword*)
estofar *v/t* to stew
estómago *m* stomach
estorb|ar *v/t* to hinder; to disturb; **~o** *m* hindrance; obstacle; nuisance
estornino *m* starling
estornud|ar *v/i* to sneeze; **~o** *m* sneezing
estrado *m* dais; platform; *pl* court rooms
estrag|ar *v/t* to deprave; to ravage; **~o** *m* damage, havoc [odd
estrambótico eccentric, }
estrangula|ción *f* strangulation; throttling (*of an engine*); **~dor** *m mech* choke; **~r** *v/t* to strangle; to choke; to throttle
estratagema *f* stratagem; trick
estrat|egia *f* strategy; **~égico** strategic, strategical
estrech|amente tightly; closely; intimately; **~ar** *v/t* to reduce, to tighten; to take in (*clothes*); **~ar la mano** to shake hands; **~arse** to draw closer; to cut down expenses; **~ez** *f* narrowness; tightness; difficulty; poverty; **~o** *a* narrow; tight; austere; rigid; mean, stingy; *m* strait
estrella *f* star; **~ de cine** film-star; **~ fugaz** shooting star
estremec|er *v/t* to shake; to shock; **~erse** to shake; to shudder, to tremble; **~imiento** *m* shaking; shudder
estren|ar *v/t* to do *or* use for the first time; **~o** *m* first use; *theat* first night, premiere; first performance
estreñi|do constipated; **~miento** *m* constipation
estrépito *m* crash; din
estrepitoso deafening
estribillo *m* refrain, chorus
estribo *m* stirrup
estribor *m* starboard
estricto strict; severe
estridente strident, shrill
estropajo *m* swab, mop; pan scraper, dishcloth
estropear *v/t* to hurt; to damage; to ruin; to spoil
estructura *f* structure
estruendo *m* clamour; uproar; bustle; **~so** noisy
estrujar *v/t* to press, to squeeze out; to squash; to crush, to wring

estuche *m* case
estudi|ante *m*, *f* student; **~ar** to study; **~o** *m* study; studio; **~oso** studious; industrious
estufa *f* stove
estupefac|ción *f* stupefaction; **~iente** *m* drug; **~to** stupefied
estupendo stupendous
estupidez *f* stupidity
estúpido stupid
estupro *m* rape
etapa *f* stage; phase; period
éter *m* ether
etern|idad *f* eternity; **~o** eternal
étic|a *f* ethics; **~o** ethical
etiqueta *f* formality; etiquette; label
eunuco *m* eunuch
Europa *f* Europe
europeo(**a**) *m* (*f*), *a* European
evacua|ción *f* evacuation; **~r** *v/t* to evacuate
evadir *v/t* to evade, to elude
evalua|ción *f* valuation; evaluation; **~r** *v/t* to valuate; to evaluate
evangélico evangelical
evaporar *v/t*, *v/r* to evaporate
evasi|ón *f* evasion, elusion; pretext; **~va** *f* excuse; pretext; **~vo** evasive, elusive; non-committal
eventual accidental; possible; contingent; **~idad** *f* eventuality; **~mente** possibly; by chance
eviden|cia *f* obviousness; *SA* proof; **~te** evident; obvious
evitar *v/t* to avoid
evoca|ción *f* evocation; **~r** *v/t* to evoke
evoluci|ón *f* evolution; development; **~onar** *v/i* to evolve; to develop
exact|itud *f* exactness; correctness; accuracy; **~o** exact; accurate; punctual; correct
exagerar *v/t* to exaggerate
exalta|do hot-headed; impetuous; **~r** *v/t* to exalt; to praise
exam|en *m* examination; inquiry; **~inar** *v/t* to examine; to investigate; **~inarse** to take an examination
exangüe bloodless
exánime lifeless
exasperar *v/t* exasperate; to irritate; **~se** to grow angry
excavar *v/t* to dig; to excavate
excede|nte *a* excessive; exceeding; *m* surplus; **~r** *v/t* to exceed; to surpass; **~rse** to overdo; to go too far
excelencia *f* excellence; excellency
excentricidad *f* eccentricity
excéntrico eccentric
excepción *f* exception
excep|cional exceptional; **~to** except; **~tuar** *v/t* to except
exces|ivo excessive; **~o** *m* excess; **~o de equipaje**

excess luggage
excitar *v/t* to excite; **~se** to become excited
exclama|ción *f* exclamation; **~r** *v/i* to exclaim
exclu|ir *v/t* to exclude; **~siva** *f* exclusiveness; *com* sole right; **~sivamente** exclusively; **~sivo** exclusive
excomulgar *v/t* to excommunicate
excre|ción *f* excretion; **~mento** *m* excrement
exculpar *v/t* to exculpate; to forgive
excursión *f* excursion
excusa *f* excuse; **~ble** excusable; **~do** *m* toilet; **~r** *v/t* to excuse; **~rse** to apologize
exen|ción *f* exemption; **~to** free from; devoid; exempt
exequias *f/pl* obsequies
exhalar *v/t* to exhale
exhausto exhausted
exhibi|ción *f* exhibition; **~r** *v/t* to exhibit
exhortar *v/t* to exhort
exhumar *v/t* to disinter
exig|encia *f* demand; **~ente** demanding; **~ir** *v/t* to demand
exiguo exiguous
eximir *v/t* to exempt
existen|cia *f* existence; **en ~cia** in stock; **~cias** *com* stock; **~te** existent
existir *v/i* to exist, to be
éxito *m* success; **~ de librería** best seller
éxodo *m* exodus
exonerar *v/t* to exonerate; to relieve
exorbitante exorbitant
exótico exotic
expansi|ón *f* expansion; **~vo** expansive
expatriar *v/t* to expatriate; to banish
expecta|ción *f*, **~tiva** *f* expectation; expectancy
expectorar *v/t*, *v/i* to expectorate
expedición *f* expedition; speed; dispatch
expedi|ente *m* resource; dispatch; file; expedient; **~r** *v/t* to dispatch; to send; **~to** ready, prepared; quick
expende|dor *m* seller; dealer; agent; **~duría** *f* shop licensed to sell tobacco and stamps
experiencia *f* experience
experiment|ar *v/t* to experiment; **~o** *m* experiment
experto *m*, *a* expert
expiar *v/t* to expiate
expirar *v/i* to expire
explanar *v/t* to level
explica|ción *f* explanation; **~r** *v/t* to explain; **~tivo** explanatory
explora|dor *m* explorer; boy-scout; **~r** *v/t* to explore
explosi|ón *f* explosion; **~vo** *m*, *a* explosive
explota|ción *f* exploitation; working (*of a mine*); **~r** *v/t* to exploit; to work; to run
expone|nte *m*, *f*, *a* exponent; **~r** *v/t* to expose

exportación *f* export
exporta|dor *m* exporter; **~r** *v/t* to export
exposi|ción *f* exposition; exhibition; show
exposímetro *m foto* exposure meter
exprés express
expres|amente expressly; **~ar** *v/t* to express; **~ión** *f* expression; **~o** *m* express train
exprimir *v/t* to squeeze out; *fig* to express
expropiar *v/t* to expropriate
expuesto exposed; on display; in danger
expuls|ar *v/t* to expel, to throw out; to oust; **~ión** *f* expulsion
exquisito exquisite
éxtasis *m* ecstasy
extemporáneo untimely
exten|der *v/t* to extend; to spread; to draw up (*document*); **~derse** to extend; to reach; **~sión** *f* extension; **~sivo** extensive; **~so** extensive; spacious
extenua|ción *f* weakening; **~r** *v/t* to weaken
exterior *a* external; foreign; *m* outside; **~izar** *v/t* to show; to make manifest
extermin|ar *v/t* to exterminate; **~io** *m* extermination
externo external
extin|ción *f* extinction; **~guir** *v/t* to extinguish; **~tor** *m* fire-extinguisher
extirpar *v/t* to uproot; to extirpate; to stamp out
extra|cción *f* extraction; **~er** *v/t* to extract; to mine; **~limitarse** to go too far
extranjero(a) *m* (*f*) foreigner; *a* foreign; **en el ~** abroad
extrañ|ar *v/t* to surprise greatly; to find strange; *SA* to miss; **~arse de** to be greatly surprised at; **~o** odd; foreign; strange
extraordinario extraordinary
extravagan|cia *f* extravagance; **~te** extravagant
extraviar *v/t* to mislay; to lose; **~se** to get lost
extrema|do extreme; excessive; **~r** *v/t* to carry to the extreme; to show the greatest (*care, affection, etc*)
extremo *a* last; extreme; excessive; *m* extreme; end
exudar *v/t* to exude, to ooze

F

fábrica *f* factory; plant; **~ de gas** gas-works
fabrica|ción *f* manufacture; **~nte** *m* manufacturer; **~r** *v/t* to manufacture
fábula *f* fable
fabuloso fabulous
facci|ón *f* faction; *pl* fea-

tures; **~oso** factious; rebellious
faceta *f* facet
fácil easy
facili|dad *f* facility; capacity; **~tar** *v/t* to facilitate; to supply
factor *m* factor; agent; **~ía** *f* factory; agency
factura *f* invoice; **~ consular** *com* consular invoice; **~r** *v/t* to invoice
faculta|d *f* faculty; permission; capacity; **~r** *v/t* to authorize; **~tivo** optional
facha *f fam* mien; aspect; appearance; **~da** *f* façade, front
faena *f* task; job
faisán *m* pheasant
faj|a *f* sash; belt; corset; **~o** *m* bundle; wad, roll (*of money*); *arti* wad
fala|cia *f* deceit; fallacy; **~z** deceitful, deceptive; fallacious
fald|a *f* skirt; slope (*of a mountain*); **~ero** fond of women
fals|ear *v/t* to falsify; to forge; **~edad** *f* falseness; **~ificación** *f* forgery; **~ificado** forged; counterfeit; **~ificador** *m* forger; **~ificar** *v/t* to falsify; to forge; **~o** false; treacherous
falt|a *f* lack; deficiency; mistake; offence; *dep* fault; **hacer ~a** to be necessary; **~ar** *v/i* to be missing; to fail in; to offend; **~o de dinero** short of money
faltriquera *f* pocket
falla *f* fault; failure; **~r** *v/i* to fail; *v/t* to judge; to pronounce a sentence; to miss (*the target, etc*)
fallec|er *v/i* to die; **~imiento** *m* death
fallo *m* decision; sentence
fama *f* fame; reputation
famélico hungry, ravenous; starving
familia *f* family; **~r** *a* familiar; *m* relative; **~ridad** *f* familiarity; intimacy; **~rizar** *v/t* to acquaint (*with*); to accustom; **~rizarse** to get accustomed
famoso famous
fanático *a* fanatical; *m* fanatic
fanega *f measure of about* 1,60 bushels *or* 1,59 acres
fanfarr|ón *m* boaster; braggart; **~onear** *v/i* to boast; to brag
fang|al *m* slough, swamp; **~o** *m* mud
fantasía *f* imagination; fantasy; caprice; fancy; *mus* fantasia
fantasma *m* phantom; ghost
fantástico phantastic
fantoche *m* puppet
faralá *m* ruffle, frill
farándula *f* show business
fardo *m* bundle; bale
farfullar *v/i* to splutter
fariseo *m* Pharisee; hypocrite
farmacéutico(a) *m* (*f*) chemist, druggist; *a* pharmaceutical

farmacia *f* pharmacy; chemist's shop
faro *m* lighthouse; beacon; headlight (*of motor-car*)
farol *m* lantern; street-lamp
farsa *f* farce; trick; **~nte** *m* trickster
fascina|ción *f* charm; fascination; **~r** *v/t* to fascinate; to captivate
fascis|mo *m* Fascism; **~ta** *m, f* Fascist
fase *f* phase; period
fastidi|ar *v/t* to annoy; to pester; **~o** *m* annoyance; nuisance; **~oso** annoying, wearisome
fastuoso luxurious
fatal fatal; **~idad** *f* fate; calamity; **~ismo** *m* fatalism; **~ista** fatalistic; **~mente** fatally; inevitably
fatídico prophetic; ominous
fatig|a *f* fatigue; weariness; **~ar** *v/t* to tire; to annoy; **~oso** wearisome
fatu|idad *f* foolishness; **~o** conceited
favor *m* favour; **a ~ de** in favour of; **por ~** please; **~able** favourable; **~ecer** *v/t* to favour; to help; **~ito(a)** *m* (*f*), *a* favourite
faz *f* face; *arch* front
fe *f* faith; trust; **~ de nacimiento** birth certificate; **dar ~** to testify; **de buena ~** in good faith; **de mala ~** in bad faith
fealdad *f* ugliness; foulness
febrero *m* February
febril feverish
fécula *f* starch
fecund|ar *v/t* to fertilize; **~o** fertile
fech|a *f* date; **hasta la ~a** up to now; so far; **~ar** *v/t* to date; **~oría** *f* villainy, misdeed
federa|ción *f* federation; **~l** federal
fehaciente *for* authentic
feli|cidad *f* happiness; **~citar** *v/t* to congratulate
feligrés *m* parishioner
feliz happy
felp|a *f* plush; **~udo** *a* plushy; *m* mat
femenino feminine
fenómeno *m* phenomenon
feo ugly; disagreeable
féretro *m* coffin
feria *f* fair; market
ferment|ar *v/t, v/i* to ferment; **~o** *m* ferment
fero|cidad *f* ferocity; **~z** fierce; savage
férreo ferrous; iron (*as a*)
ferretería *f* ironmonger's shop
ferro|carril *m* railway, *Am* railroad; **por ~carril** by rail; **~viario** *m* railwayman
fértil fertile
ferv|iente ardent; fervent; **~or** *m* fervour; ardour
festiv|al *m* festival; **~idad** *f* festivity; **~o** festive; gay; **día** *m* **~o** holiday
festón *m* garland
fétido fetid; stinking
feto *m* foetus
feudalismo *m* feudalism

fia|ble trustworthy; **~dor** *m* guarantor
fiambre *m* cold meat; **~ra** *f* lunch-case
fianza *f* guarantee, security
fiar *v/t* to guarantee; to entrust; to sell on credit; **~rse de** to trust; to rely upon
fibr|a *f* fibre; **~oso** fibrous
fic|ción *f* fiction; invention; **~ticio** ficticious
ficha *f* file; index card
fide|digno trustworthy; **~lidad** *f* faithfulness; accuracy; **alta ~lidad** high fidelity, hi-fi
fideos *m/pl* noodles; vermicelli
fiebre *f* fever; **~ del heno** hay fever
fiel faithful; loyal
fieltro *m* felt; felt hat
fiera *f* wild beast
fiesta *f* feast; festivity; party; holyday
figura *f* shape; form; **~do** figurative; **~r** *v/t* to shape; to represent; *v/i* to figure; **~rse** to imagine
fija|dor *m* fixer; **~r** *v/t* to fix; to stick; to nail; to secure; **~rse en** to pay attention to
fijo firm; permanent
fila *f* row, tier; line
filete *m* fillet (*of fish or meat*); thread (*of screw*); **~ar** *v/t* to fillet; to thread
filia|ción filiation; connection; **~l** filial
filibuster *m* freebooter
film|ar *v/t* to film; **~e** *m* film
filo *m* edge (*of a knife*)
filólogo *m* philologist
filón *m geol* vein; seam
filosófico philosophic(al)
filósofo *m* philosopher
filtr|ar *v/t* to filter; to strain; **~arse** to seep; **~o** *m* filter; strainer
fin *m* end; finish; aim, purpose; **a ~ de** in order to; **al ~** at last; **al ~ y al cabo** in the end; after all; **por ~** finally; **~ de semana** weekend
finado(a) *m* (*f*), *a* deceased
final *m* end; *a* final; ultimate; **~idad** *f* purpose; **~izar** *v/t* to finish; *v/i* to end; **~mente** finally
finan|ciar *v/t* to finance; **~ciero** *m* banker; financier; *a* financial; **~zas** *f/pl* (*public*) finances
finca *f* landed property; *SA* farm
fineza *f* fineness; courtesy; kind act
fingir *v/t* to feign; to pretend
finiquito *m* settlement of an account; final receipt
fino fine; thin; refined
firma *f* signature; *com* firm; **~r** *v/t* to sign
firme *m* pavement; *a* firm; stable; fast (*colour*); **~za** *f* firmness; stability
fiscal *m* public prosecutor; *a* fiscal; **~ía** *f* office of

public prosecutor; **~izar** *v/t* to prosecute; to investigate
fisco *m* exchequer
fisga *f* trident
físic|a *f* physics; **~o** *a* physical; *m* physicist
fisiología *f* physiology
fisiológico physiologic(al)
fisión *f* fission; **~ nuclear** nuclear fission
fisura *f* fissure
flaco thin; weak
flagelar *v/t* to flog, to lash
flagrante flagrant; **en ~** red-handed
flamante brilliant; brand-new
flameante blazing; fiery
flamenco *a, m* Flemish; Andalusian (*dance, song*)
flanquear *v/t* to flank
flaque|ar *v/i* to flag; to weaken; **~za** *f* leanness; weakness, frailty; foible
flat|o *m med* wind; **~ulencia** *f* flatulence
flauta *f* flute
fleco *m* tassel; fringe
flecha *f* arrow
fleje *m* (*iron*) hoop
flet|ar *v/t* to charter; *SA* to hire; **~e** *m* freight
flexib|ilidad *f* flexibility; **~le** flexible
flirtear *v/i* to flirt
floj|ear *v/i* to weaken; to slacken; **~edad** *f* weakness; idleness; **~o** weak; slack; idle
flor *f* flower; **~ecer** *v/i* to blossom; to flower; **~ero** *m* flower-bowl, vase; **~ista** *m, f* florist
flot|a *f* fleet; **~ador** *m* float; **~ar** *v/i* to float; **~e** *m* floating; **a ~e** afloat
fluctua|ción *f* fluctuation; **~r** *v/i* to fluctuate
fluente fluent; flowing
fluido *a* fluid; flowing; *m* fluid; **~ eléctrico** electric current
flu|ir *v/i* to flow; **~jo** *m* flow; flux
foca *f* seal
foco *m* focus; focal point; centre; *SA elec* bulb
fofo spongy; soft
fogón *m* fire-place; stove
fogon|azo *m* flash (*of gun*); **~ero** *m* stoker
fogos|idad *f* vehemence; **~o** fiery; ardent
follaje *m* foliage
folleto *m* pamphlet, booklet
follón *a* lazy; *m* coward; hubbub, uproar, rumpus
foment|ar *v/t* to foment; to promote; **~o** *m* encouragement; fostering; development
fonda *f* inn, hostelry
fondear *v/t naut* to sound; to examine; *v/i* to anchor
fondo *m* ground; bottom; depth; *pl* funds
fonética *f* phonetics
fonocaptor *m* pick-up
fontanero *m* plumber
forastero(a) *m* (*f*) alien; stranger; *a* strange
forajido *m* outlaw
forcej|ear *v/i* to struggle; **~eo** *m* struggle
forestal forestal

forja *f* forge; **~do** wrought; **~r** *v/t* to forge; to invent
forma *f* form; shape; mould; **de ~ que** so that; **de todas ~s** at any rate; **~ción** *f* formation; education; **~l** formal; serious; **~lidad** *f* formality; exactness; **~lizar** *v/t* to formalize; to formulate; **~r** *v/t* to form; to shape; **~rse** to grow; to develop
formidable formidable; tremendous
fórmula *f* formula; prescription; form
formulario *m* form, blank
foro *m* forum; law-court
forraje *m* forage
forr|ar *v/t* to line, to pad; **~o** *m* lining
fortalec|er *v/t* to strengthen; **~imiento** *m* strengthening
fort|aleza *f* fortress, fort; **~ificación** *f* fortification; **~ificar** *v/t* to fortify
fortuito fortuitous; accidental
fortuna *f* chance; luck; fortune, wealth; **por ~** luckily
forz|ar *v/t* to force; to compel; **~oso** compulsory; forcible; inevitable
fosa *f* grave
fósforo *m* phosphorus; match
foso *m* moat; ditch
foto *f* photo; **~copia** *f* photostatic copy; **~grafía** *f* photograph; **~grafiar** *v/t, v/i* to photograph
fotógrafo *m* photographer
frac *m* evening dress, tail-coat; dress coat
fracas|ar *v/i* to fail; **~o** *m* failure
fracción *f* fraction
fractura *f* break; fracture
fragancia *f* fragrance
frágil fragile; brittle
fragment|ario fragmentary; **~o** *m* fragment
fragua *f* forge; **~r** *v/t* to forge (*metal*); to contrive; *v/i* to set (*mortar*)
fraile *m* friar; monk
frambuesa *f* raspberry
francamente frankly
francés(esa) *m (f)* Frenchman (-woman); *a* French
francmasón *m* Freemason
franco frank; *com* free
franela *f* flannel
frangollar *v/t* to botch, to bungle
franja *f* fringe
franqu|ear *v/t* to exempt; to free; to stamp, to frank; to cross; **~eo** *m* postage; **~icia** *f* privilege; *com* franchise
frasco *m* flask; bottle
frase *f* sentence; phrase
fratern|al brotherly; **~idad** *f* fraternity
fraud|e *m* fraud; **~ulento** fraudulent
fray (*contraction of* **fraile**; *to be used as title before the Christian names of clergymen*) brother
frazada *f SA* blanket
frecuen|cia *f* frequency;

~tar *v/t* to frequent, to patronize; **~te** frequent
frega|dero *m* kitchen-sink; **~r** *v/t* to scrub, to scour; *SA* to annoy, to bother
freír *v/t* to fry
fren|ar *v/t* to bridle; to brake; **~o** *m* brake; **~o neumático** air-brake
frente *f* forehead; front; **hacer ~ a** to face (*a problem*); to meet (*a demand*)
fresa *f* strawberry
fres|co fresh; **~cura** *f* freshness; impertinence, cheek
fresno *m* ash tree
fresquera *f* cool pantry *or* cupboard; meat-safe
frialdad *f* coldness
fricc|ión *f* friction; **~ionar** *v/t* to rub
frigidez *f* coldness; frigidity
frijol *m* dry bean
frío cold
frioler|a *f* trifle; **~o** shivery, feeling the cold
friso *m* wainscot
frívolo frivolous
frondoso leafy; shadowy
fronter|a *f* frontier; **~izo** frontier; opposite
frotar *v/t* to rub
fructífero fructiferous
frugal frugal; sparing
frunc|e *m* ruffle; **~ir** *v/t* to gather, to ruffle; to pucker; to contract; to conceal; **~ir el ceño** to frown
frustrar *v/t* to frustrate
frut|a *f* fruit; **~ería** *f* fruit shop; **~ero** *m* fruiterer; **~o** *m* fruit, result
fuego *m* fire; **~s artificiales** fireworks
fuelle *m* bellows
fuente *f* spring; fountain
fuera outside; **~ de** out of; besides; **~ de borda** outboard; **~ de juego** *dep* off-side; **¡~!** get out!
fuero *m* jurisdiction; privilege
fuer|te *m* fort; *a* strong; vigorous; *adv* strongly; **~temente** strongly; **~za** *f* strength; force; violence; **~za aérea** *mil* air-force; **~za hidráulica** water-power; **a la ~za** by force; **~za electromotriz** electromotive force
fug|a *f* flight; escape; **~arse** to flee; **~az** fugitive; passing; **~itivo(a)** *m* (*f*) fugitive
fulano so-and-so
fulgurante flashing
fulminante fulminating; explosive
fullero *m* crook, cheat
fumar *v/t*, *v/i* to smoke; **prohibido ~** no smoking
funci|ón *f* function; *theat* performance; **~onamiento** *m* functioning, operation; **~onar** *v/i* to function; to work; **~onario** *m* civil servant; official
funda *f* case, cover, tick; sheath
funda|ción *f* foundation; **~dor** *m* founder; **~mento** *m* foundation; basis; **~r** *v/t* to found; to establish; to base

fundi|ble fusible; **~ción** *f* fusion; smelting; foundry; **~r** *v/t* to smelt; to cast, to found; **~rse** to fuse; to blend, to merge
fúnebre mournful; lugubrious
funera|l *m* funeral; **~les** *pl* funeral service; **~rio** funeral
funesto ill-fated; dismal
furgón *m* waggon; van; *fc* luggage van
furi|a *f* fury; rage; **~oso** furious
furor *m* fury; rage
furúnculo *m med* boil
fuselaje *m aer* fuselage
fusib|ilidad *f* fusibility; **~le** *m elec* fuse; *a* fusible
fusil *m* rifle; **~amiento** *m* execution by shooting
fusión *f* fusion; smelting; *com* merger
fust|a *f* whip; **~e** *m* wood; shaft; *fig* importance
fútbol *m* football
futbolista *m* footballer
fútil futile
futuro(a) *m* (*f*) betrothed; *m* future; *a* future

G

gabán *m* overcoat
gabardina *f* gabardine
gabinete *m pol* cabinet; study; small reception room
gablete *m arch* gable
gaceta *f* gazette
gachas *f/pl* porridge, gruel
gach|o bent; drooping; **a ~as** on all fours
gafas *f/pl* spectacles; eyeglasses
gait|a *f* bagpipe; **~ero** *m* bagpiper; *a* gaudy
gajo *m* branch; slice, segment
gala *f* ornament; full dress; **de ~** in full dress
galán *m* lover; suitor; *theat* leading man
galano elegant; graceful
galante courteous; **~ar** *v/i* to flirt; **~ría** *f* gallantry, politeness; elegance; courtesy
galápago *m* tortoise, turtle
galardón *m* reward
gale|ote *m* galley-slave; **~ra** *f* galley; waggon
galería *f* gallery; **~ principal** *teat* dress-circle
galés(esa) *m* (*f*) Welshman (-woman); *a* Welsh
galgo *m* greyhound
galimatías *m* gibberish
galocha *f* clog
galón *m* gallon; braid; stripe (*on uniform*)
galop|ar *v/i* to gallop; **~e** *m* gallop
gallard|ear *v/i* to behave gracefully; **~ete** *m* pennant; **~ía** *f* elegance; gallantry
galleta *f* biscuit
gall|ina *f* hen; **~inero** *m* hencoop, henhouse; poul-

try-run; bedlam; *theat* top gallery; **~o** *m* cock, rooster
gama *f zool* doe; *mus* gamut
gamuza *f* chamois; wash-leather
gana *f* desire; wish; **de buena ~** willingly; **de mala ~** unwillingly, grudgingly; **tener ~s de** to have a mind to
ganad|ería *f* stock breeding; cattle breeding; **~ero** *m* stock-breeder; **~o** *m* cattle; live stock
gana|dor *m* winner; gainer; **~ncia** *f* gain; profit; **~ncia líquida** net profit; **~r** *v/t* to win; to earn; to gain
ganchillo *m* crochet (*needle and work*); *SA* hair-pin
gancho *m* hook; peg
ganga *f* bargain
gans|ada *f* stupidity; **~o** *m* goose; gander; **hacer el ~o** to make a fool of oneself
ganzúa *f* skeleton-key
gañir *v/i* to yelp
garabato *m* hook; scrawl; scribble
garaj|e *m* garage; **~ista** *m* garage-keeper
garant|e *m* guarantor; **~ía** *f* guarantee; security; **~izar** *v/t* to guarantee
garapiñar *v/t* to freeze; to ice, to candy
garbanzo *m* chick-pea
garbo *m* grace; elegance; **~so** graceful; attractive; dashing
gargant|a *f* throat; gullet; ravine, gorge; **~ear** *v/i* to quaver (*voice*)
gárgara *f* gargle; **hacer ~s** to gargle
gargarizar *v/i* to gargle
garita *f* sentry-box; porter's den
garra *f* claw, talon; clutch
garrafa *f* decanter; water-bottle
garrapata *f zool* tick
garrocha *f* goad stick; *dep* pole
garro|tazo *m* blow with a cudgel; **~te** *m* cudgel
garrucha *f* pulley
garza *f* heron
gas *m* gas; vapour; fume; **~ lacrimógeno** tear gas; **~es de escape** exhaust fumes
gasa *f* gauze
gasear *v/t* to gas
gaseos|a *f* soda water; **~o** gaseous
gasfitero *m SA* plumber
gasolin|a *f* petrol; *Am* gas; **~era** *f* motor-boat; petrol station
gasómetro *m* gasometer
gasta|dor spendthrift; **~r** *v/t* to spend; to waste; to use up; to wear out
gasto *m* expense; **~s** *pl* **generales** *com* overheads
gastritis *f* gastritis
gastronómico gastronomic
gat|a *f* she-cat; **a ~as** on all fours; **~ear** *v/i* to go on all fours; to go stealthily; to climb; **~illo** *m* trigger; hammer (*of arms*); dentist's forceps; **~ito** *m*

kitten; **~o** *m* cat; *mech* jack; **~uno** feline
gaveta *f* drawer (*of desk*); locker
gavilla *f* sheaf (*of corn*); gang (*of thieves*)
gaviota *f* sea-gull
gazap|era *f* rabbit-warren; **~o** *m* young rabbit; *fam* howler, error
gazmoño prudish
gaznate *m* gullet
géiser *m* geyser
gelatina *f coc* jelly
gemelo(a) *m* (*f*) twin; *m/pl* binoculars; cufflinks; **~s de campaña** field glasses; **~s de teatro** opera-glasses
gemi|do *m* moan; **~r** *v/i* to moan
genera|ción *f* generation; **~dor** *m* generator
general *m* general; **en ~, por lo ~** in general, on the whole; **~ de división** major general; *a* general; universal; **~idad** *f* generality; majority; **~ísimo** *m* commander-in-chief; **~izar** *v/t* to generalize
generar *v/t* to generate
género *m* genus; kind, sort; cloth; material; **~s de punto** knitwear
generos|idad *f* generosity; **~o** generous; brave
geni|al gifted; talented; **~o** *m* temper; character; genius
genitivo *m* genitive
gente *f* people; folk; **~ menuda** children; small fry; **~ baja** mob
gentil handsome; elegant; **~eza** *f* charm; gentleness; elegance
gent|ío *m* big crowd; **~uza** *f* mob
genuino genuine
geografía *f* geography
geográfico geographical
geología *f* geology
geológico geological
geólogo *m* geologist
geometría *f* geometry
geométrico geometrical
geranio *m* geranium
geren|cia *f* management; **~te** *m* manager; **~te de ventas** sales manager
germ|en *m* germ; source; origin; **~inar** *v/i* to germinate
gerundio *m gram* gerund
gestación *f* gestation
gesticular *v/i* to gesticulate; to pull faces
gest|ión *f* step; management (*of affairs*); **~ionar** *v/t* to negotiate; **~o** *m* gesture; **~or** *m* manager; agent
gib|a *f* hunch; **~oso** humpbacked
gigante *m* giant; *a* huge; **~sco** gigantic
gimnasi|a *f* gymnastics; **~o** *m* gymnasium
gimnástica *f* gymnastics
gimotear *v/i* to whimper
ginebra *f* gin
Ginebr|a *f* Geneva; **~ino(a)** *m* (*f*) Genevan
ginecólogo *m* gynaecologist
giralda *f* weathercock (*on*

a tower)
girar *v/i* to rotate; to revolve; to turn; to spin; *com* to draw (*check, draft*); ~ **en descubierto** *com* to overdraw
girasol *m* sunflower
gir|atorio revolving; **~o** *m* rotation; *com* draft; **~o en descubierto** *com* overdraft; **~o postal** money order
gitano(a) *m (f)*, *a* gipsy
glacia|l glacial; **~r** *m* glacier
glándula *f* gland
glauco light green
gleba *f* clod
glicerina *f* glycerine
glob|al global; **~o** *m* globe; **~o aerostático** balloon; **~o de ojo** eyeball; **~o terrestre** earth; **~ular** globular; spherical
glóbulo *m biol* globule
glori|a *f* glory; heaven; bliss; **~arse** to boast; **~oso** glorious
glosa *f* gloss; **~r** *v/t* to gloss; **~rio** *m* glossary; comment
glot|ón *m* glutton; *a* gluttonous; **~onería** *f* gluttony
glucosa *f* glucose
glutinoso glutinous; viscid
gnomo *m* gnome
goberna|ción *f* government; **~dor** *m* governor; **~nte** *a* governing; *m, f* governor; **~r** *v/t* to govern; to rule; to manage
gobierno *m* government; rule; *mar* rudder
goce *m* enjoyment
godo(a) *m (f)* Goth; *a* Gothic
gol *m* goal; **~eta** *f* schooner
golf|illo *m* urchin; **~o** *m geog* gulf; ragamuffin
golondrina *f* swallow
golos|ina *f* sweet; delicacy; **~o** sweet-toothed
golpe *m* blow; stroke; **de ~** all of a sudden; **~ de estado** coup d'état; **dar ~** to surprise; **~ de fortuna** stroke of luck; **~ar** *v/t* to strike; to hit, to knock
gollete *m* neck (*of bottle*)
goma *f* gum; rubber
góndola *f* gondola
gord|iflón *m* fat person; **~o** fat; stout; greasy; **~ura** *f* obesity
gorgote|ar *v/i* to gurgle; **~o** *m* gurgle
gorila *m* gorilla
gorjear *v/i* to trill, to tweet, to warble
gorra *f* cap; bonnet
gorrear *v/i* to sponge
gorrión *m* sparrow
gorrista *m* sponger
gorro *m* cap
gorrón *m* cadger, leech
got|a *f* drop; gout; **~ear** *v/i* to leak; **~eo** *m* drip, dripping; leakage; **~era** *f* dripping; leak; gutter (*of roof*)
gótico Gothic
gotoso gouty
go|zar de *v/i* to enjoy; to possess; **~zo** *m* joy; pleasure

graba|ción *f* recording; **~do** *m* engraving; print; **~do en madera** woodcut; **~dora** *f* (tape) recorder; **~r** *v/t* to engrave; to record (*gramophone, tape*)

graci|a *f* grace; charm; witticism; **caer en ~a** to win the favour of, to please; **~as** thanks; **~as a** thanks to; **dar las ~as** to thank

grácil slender; slim

gracios|idad *f* gracefulness; **~o** funny; amusing

grad|a *f* step; stair; row of seats; *agr* harrow; **~ar** *v/t* to harrow; **~o** *m* degree; step; rank; **~uación** *f* graduation; **~ual** gradual; **~uar(se)** *v/t, v/i* to graduate

gráfico *m or f* graph; diagram; *a* graphic

grafito *m* graphite

gramátic|a *f* grammar; **~o** grammatical

gramo *m* gram(me)

gramófono *m* gramophone

gran (*apocope of* **grande,** *used before singular m or f nouns*) large, big, great

granad|a *f* pomegranate; *arti* grenade, shell; **~o** *m* pomegranate-tree

grand|e *a* big; large; great; *m* grandee; **~eza** *f* bigness; greatness; nobility; **~ioso** grandiose; grand; **~ote** huge; enormous

grane|ado granulated; **~ro** *m* granary

graniz|ada *f* hailstorm; **~ar** *v/i* to hail; **~o** *m* hail

granj|a *f* farmhouse; farm; **~ear** *v/i* to gain; to win; **~ero** *m* farmer

grano *m* grain; seed; pimple

granuja *m* rogue; scoun-[drel}

granular *v/t* to granulate; *a* granular

gránulo *m farm* small pill

grapa *f* staple

gras|a *f* grease; **~iento** greasy; fatty

gratifica|ción *f* gratification; bonus; **~r** *v/t* to reward; to tip

gratis gratis; free

grat|itud *f* gratitude; **~o** pleasant; agreeable; kind (*letter*); *SA* grateful

gratuito gratis; free

grava *f* gravel

grava|men *m* charge; tax; **~r** *v/t* to burden; to impose (*tax*) upon

grave grave; serious; **~dad** *f* gravity; seriousness

gravita|ción *f* gravitation; **~r** *v/i* to gravitate

grazn|ar *v/i* to croak; to quack; **~ido** *m* croak

greda *f* clay

gremio *m* guild; (trade)[union}

greñ|a *f* mop (of hair); **~udo** dishevelled (*hair*)

gres *m* stoneware

grey *f* herd; flock; congregation (*of parish*)

griego(a) *m (f)*, *a* Greek

grieta *f* crack; fissure;

chink, flaw
grifo *m* tap; faucet; *SA* filling station
grill|ete *m* shackle; fetter; **~o** *m* cricket; *pl* fetters
gringo *m* Yankee; foreigner (*in South America*)
gripe *f* influenza
gris grey, *Am* gray
grisú *m* fire-damp (*in mines*)
grit|ar *v/i* to shout; **~ería** *f* shouting; **~o** *m* shout; outcry; yell
grosella *f* red currant
groser|ía *f* rudeness; **~o** rude
grosor *m* thickness
grotesco grotesque; ridiculous
grúa *f mech* crane
grueso *a* bulky; thick; stout; corpulent; *m* thickness; bulk
grulla *f zool* crane
grumete *m* cabin-boy
gruñi|do *m* grunt; **~r** *v/i* to grunt; to growl
gruñón *m* grumbler
grupo *m* group
guadaña *f* scythe
gualdo *m* yellow
guante *m* glove; **~s de cabritilla** kid gloves
guapo pretty; handsome
guarda *m or f* guard; keeper; custody; **~ de playa** life-guard; **~barrera** *m fc* gate-keeper; **~barros** *m* mudguard; splashboard; fender; **~bosque** *m* gamekeeper; **~espaldas** *m* body-guard; **~meta** *m dep* goalkeeper; **~muebles** *m* store-room for furniture; **~polvo** *m* dust-cover; **~r** *v/t* to keep; to guard; **~rropa** *m* wardrobe; *f* cloakroom
guardia *m* police-agent; constable; *f* custody; defence; **estar de ~** to be on guard, to keep watch
guardián *m* keeper; custodian, warden
guardilla *f* attic, garret
guarn|ecer *v/t* to garnish; to trim; to garrison; **~ición** *f* trimming; setting; garrison; *pl* harness; **~icionero** *m* saddler
guas|a *f* joke; irony; **~ón** joking
guberna|mental, ~tivo governmental
guerr|a *f* war; warfare; **~a bacteriológica** germ warfare; **~a mundial** world war; **~a psicológica** psychological warfare; **~ear** *v/i* to make war; to wage war; to fight; **~ero** *m* warrior; *a* warlike; **~illa** *f* guerrilla warfare; partisan; **~illero** *m* guerrilla
guía *m* guide (*person*); *f* guide; telephone directory
guiar *v/t* to guide; to steer; to drive
guij|a *f* pebble; **~arro** *m* small round pebble; **~o** *m* gravel
guinda *f* sour cherry

guiñ|ar *v/i* to wink; *mar* to lurch; **~o** *m* sign; wink
guión *m gram* hyphen; script (*of film*)
guirnalda *f* garland, wreath
guisa *f* manner; **a su ~** in his way
guis|ado *m* stew; **~ante** *m* green pea; **~ar** *v/t* to cook; to stew; to prepare (*food*); **~o** *m* cooked dish
guita *f* twine, string
guitarr|a *f* guitar; **~ista** *m, f* guitar-player
gula *f* gluttony
gusano *m* worm; grub
gust|ar *v/t* to taste; to try; *v/i* to please, to be pleasing; **~ar de** to enjoy; to relish; **~o** *m* taste; relish; **~oso** *a* savoury; *adv* with pleasure; gladly
gutural guttural

H

haba *f* broad bean
haber *v/t* to have, to possess; *v/aux* to have; **~ escrito** to have written; **hemos leído** we have read; *v/imp* there is, there are; **debe ~ mucha gente** there must be many people; **no hay duda** there is no doubt; *v/i* **~ de** to have to; to be due to; **he de leer este libro** I've got to read this book; **~ que** it is necessary; **hay que estar puntual** it is necessary to be punctual; *m* property; salary; *com* credit
habichuela *f* kidney bean; runner bean
hábil clever; able
habili|dad *f* skill; ability; **~tación** *f* qualification; **~tado** *m* paymaster; **~tar** *v/t* to qualify; to equip; to enable; to validate
habita|ción *f* room; lodging; **~nte** *m, f* inhabitant; **~r** *v/t* to inhabit; to live in
hábito *m* habit; custom; dress; *pl eccl* vestments
habituar *v/t* to accustom; **~se** to get accustomed
habl|a *f* language; speech; **~ador** talkative; **~aduría** *f* gossip; **~ar** *v/i* to talk; to speak; to converse; **~ar en plata** to speak one's mind; *v/t* to speak (*a language*); **~illa** *f* gossip
hacend|ado *a* landed; *m* landowner; **~ero** industrious; **~ista** *m* economist; expert in financial matters
hacer *v/t, v/i* to make; to create; to manufacture; to prepare; to perform; **~ caso** to consider; to take into consideration; **~ cola** to queue up; **~ como si** to act as if; **~ las maletas** to pack; **~ pedazos** to break into pieces; **~ un papel** to act a part; **~ calor** to be hot (*weather*); **~ frío**

to be cold (*weather*); **~se** to become; **hace** since; **hace mucho** long ago; since long; **se hace tarde** it is getting late
hacia towards; **~ abajo** downwards; **~ adelante** forwards; **~ arriba** upwards; **~ atrás** backwards
hacienda *f* landed property; estate; ministry of finance
hach|a *f* axe; hatchet; **~ear** *v/t* to hew
hachís *m* hashish
hada *f* fairy
hado *m* fate
halag|ar *v/t* to flatter; **~o** *m* flattery; **~üeño** flattering
halcón *m* falcon
halo *m* halo
halla|r *v/t* to find; to come across; **~rse** to find oneself (*in a place*); **~zgo** *m* find; finding; discovery
hamaca *f* hammock
hambr|e *f* hunger; **~ear** *v/i* to famish; to starve; **~iento** hungry; starved; greedy; **~una** *f* famine
hampa *f* underworld, world of criminals
harag|án *a* idle; *m* loafer; **~anear** *v/i* to idle about; **~anería** *f* idleness
harap|iento ragged; **~o** *m* rag
harin|a *f* flour; meal; powder; **~a de pescado** fish meal; **~oso** mealy; floury
hart|ar *v/t* to satiate; to glut; **~o** sufficient; full; **estar ~o de** to be fed up with; to be sick of; **~ura** *f* satiety; abundance
hasta *prep* till; until; as far as; **~ luego** see you later, so long; **~ la vista** until next time; good-bye; *conj* even
hato *m* herd
hay there is; there are; **~ que** it is necessary; **¡no ~ de qué!** don't mention it!; you are welcome!
haya *f* beech-tree
haz *f* face; outside (*of cloth*); *m* sheaf; bundle
hazaña *f* exploit, feat
hebilla *f* buckle
hebra *f* thread; strand
hebroso fibrous
hectárea *f* hectare (*2.47 acres*)
hechi|cero(a) *m* (*f*) wizard; witch; *a* bewitching; **~zar** *v/t* to bewitch; to charm; **~zo** *m* spell; *a* false
hech|o made; done; complete; ready; *m* fact; **~ura** *f* making; workmanship
hed|er *v/i* to stink; **~iondez** *f* stench; **~iondo** stinking; **~or** *m* stench
hela|da *f* frost; **~dera** *f* refrigerator; **~dería** *f* ice-cream shop; **~dero** *m SA* ice-cream vendor; **~do** *m* ice-cream; *a* frozen; icy; **~r** *v/t*, *v/i* to freeze, to ice; to congeal; to astonish; **~rse** to be frozen; to be astonished
helecho *m* fern

hélice *f* spiral; propeller
helicóptero *m* helicopter
helio *m* helium
hembra *f* female; nut (*of a screw*)
hemi|ciclo *m* semicircle; **~sferio** *m* hemisphere
hemorragia *f* haemorrhage
henchir *v/t* to fill, to cram; **~se** to fill oneself
hend|edura *f* crack; crevice; **~er** *v/t* to cleave; to crack
heno *m* hay
heráldica *f* heraldry
herb|aje *m* grass; pasture; **~icida** *f* weed-killer
hered|ad *f* estate; **~ar** *v/t* to inherit; **~era** *f* heiress; **~ero** *m* heir; **~itario** hereditary
herej|e *m, f* heretic; **~ía** *f* heresy
herencia *f* inheritance
heri|da *f* wound; **~do** wounded; **~r** *v/t* to wound
herman|a *f* sister; **~a política** sister-in-law; **~astra** *f* stepsister; **~astro** *m* stepbrother; **~dad** *f* brotherhood; alliance; **~o** *m* brother; **~o político** brother-in-law
hermético hermetic; air-tight
hermos|ear *v/t* to embellish; **~o** beautiful; **~ura** *f* beauty
héroe *m* hero
heroico heroical
heroísmo *m* heroism
herra|dor *m* blacksmith; **~dura** *f* horseshoe; **~je** *m* ironwork; **~mienta** *f* implement; tool; **~r** *v/t* to shoe (*horses*); to brand (*cattle*)
herrer|ía *f* smithy; blacksmith's forge; **~illo** *m orn* tit; **~o** *m* smith, blackmith
herrete *m* tag, tip
herrumbre *f* rust
herv|ir *v/i* to boil; to bubble; *v/t* to boil; **~or** *m* boiling; ebullition; fervour
hético hectic
hez *f* dregs; lees; scum; *pl* **heces** excrements
hidalgo *m* nobleman
hidráulico hydraulic
hidro|avión *m* seaplane; flying boat; hydroplane; **~carburo** *m* hydrocarbon; **~clórico** hydrochloric; **~eléctrico** hydroelectric
hidró|filo absorbent (*cotton*); **~geno** *m* hydrogen
hiedra *f* ivy
hiel *f* gall, bile; bitterness
hielo *m* ice
hiena *f* hyena
hierba *f* grass; **mala ~** weed; **~buena** *f* mint
hierro *m* iron; brand; **~ acanalado** corrugated iron; **~ colado, ~ fundido** cast iron; **~ dulce** soft iron; **~ forjado** wrought iron; **~ laminado** sheet-iron
hígado *m* liver
higiénico hygienic
hig|o *m* fig; **~o chumbo** prickly pear; **~uera** *f* fig-tree
hij|a *f* daughter; **~astro(a)**

m (*f*) stepchild; **~o** *m* son; **~o político** son-in-law
hila *f* row; line; **~da** *f* row; line; **~do** *m* spinning; thread
hilera *f* row; line; rank
hilo *m* yarn, thread; wire; edge
himno *m* hymn; **~ nacional** national anthem
hincapié *m* planting the foot; **hacer ~ en** to emphasize, to insist on
hincar *v/t* to thrust; **~se de rodillas** to kneel; to genuflect
hincha|r *v/t* to swell; to inflate; **~zón** *f* swelling
hinojo *m* fennel
hípico equine
hipnótico hypnotic
hipocresía *f* hypocrisy
hipócrita *m, f* hypocrite; *a* hypocritical
hipódromo *m* racecourse, hippodrome
hipoteca *f* mortgage; **~r** *v/t* to mortgage; **~rio** hypothecary
hipótesis *f* hypothesis
hipotético hypothetical
hispánico Hispanic
hispanoamericano Spanish-American
histeria *f* hysterics
histérico hysterical
historia *f* history; story; **~dor** *m* historian
histórico historical
historietas *f/pl* comics
hito *m* landmark; target
hocico *m* snout, muzzle; mouth; *fam* face; **meter el ~** to meddle
hogar *m* hearth; home
hoguera *f* bonfire; pyre
hoja *f* leave; blade; sheet
hojalata *f* tin plate
hojaldre *m or f* puff-pastry
hojarasca *f* dead leaves; trash
hoj|ear *v/t* to skim through a book *or* paper; **~uela** *f* small leaf; foil; pancake
¡hola! hello!
holandés(esa) *m* (*f*) Dutchman (-woman); *a* Dutch
holg|ado loose, spacious; comfortable; leisurely; well-off; **~ar** *v/i* to rest; to be idle; to be unnecessary; **huelga decir** needless to say; **~azán** *m* idler; **~azanear** *v/i* to idle about; **~ura** *f* ampleness; sufficiency; ease; comfort
hollín *m* soot
hombr|e *m* man; **¡~e!** I say!; good gracious!; **~e de fuste** bigwig; **~ía** *f* manhood; courage
hombro *m* shoulder
homenaje *m* homage
homicidio *m* homicide, murder; **~ impremeditado** manslaughter; **~ premeditado** first-degree murder
homogéneo homogeneous
hond|a *f* sling; **~o** deep; profound; **~onada** *f* hollow, depression; **~ura** *f* depth
honest|idad *f* modesty;

honesty; decency; **~o** decorous; decent; chaste; honest
hongo *m* mushroom; toadstool; fungus; bowler hat
honor *m* honour; virtue; reputation; **~able** honourable; **~ario** *a* honorary; *m* fee
honr|a *f* honour; respect; **~adez** *f* honesty; **~ado** honest; **~ar** *v/t* to honour; **~arse** to deem it an honour; **~oso** honourable
hora *f* hour; time; **a la ~** on time; **~ de acostarse** bedtime; **¿qué ~ es?** what time is it?; **~s de oficina** business hours; **~rio** *m* time-table
horca *f* gallows, gibbet; pitchfork
horcajadas: a ~ astride
horchata *f* almond juice
horda *f* horde
horizont|al horizontal; **~e** *m* horizon
horma *f* last, shoe-tree
hormiga *f* ant
hormigón *m* concrete; **~ armado** reinforced concrete
hormig|uear *v/i* to tingle; **~uero** *m* ant-hill
hormona *f* hormone
hornilla *f* gas ring; (*electric*) heating plate
horno *m* oven; **alto ~** blast furnace
horquilla *f* hairpin
horrendo dreadful, heinous
hórreo *m* granary
horri|ble horrible; frightful; **~pilante** horrifying, hair-raising
horror *m* horror; dread; **~izar** *v/t* to horrify; to terrify; **~oso** horrible; hideous
hort|aliza *f* vegetable; **~elano** *m* market gardener; **~icultura** *f* horticulture
hosco sullen, surly
hospeda|je board and lodging; **~r** *v/t* to accomodate; **~rse** to take lodgings
hospicio *m* hospice; poorhouse; orphan-asylum
hospital *m* hospital; **~ de sangre** *mil* field hospital; **~ario** hospitable; **~idad** *f* hospitality
hoste|lero(a) *m* (*f*) innkeeper; **~ría** *f* inn, hostelry
hostia *f* *relig* host, wafer
hostil hostile; **~idad** *f* hostility; **~izar** *v/t* to antagonize
hotel *m* hotel; villa; **~ero** *m* hotel-keeper
hoy today; **~ en día** nowadays
hoy|a *f* large hole, pit; **~o** *m* hole; cavity; pit; **~uelo** *m* dimple
hoz *f* sickle; ravine; gorge
hucha *f* chest; piggy-bank; savings
hueco *m* hollow; *a* hollow; empty
huelg|a *f* strike; **declararse en ~a** to go on strike, to walk out; **~ salvaje** wildcat strike; **~uista** *m, f* striker
huella *f* print; mark; foot-

print; **~s dactilares** fingerprints
huérfano(a) *m* (*f*) orphan
huert|a *f* vegetable garden; irrigated land; **~o** *m* orchard [*fruit*)
hueso *m* bone; stone (*of*
huésped(a) *m* (*f*) guest; host, hostess
hueva *f* spawn of fishes; roe
huev|era *f* egg-cup; **~o** *m* egg; **~o duro** hard-boiled egg; **~o frito** fried egg; **~o pasado por agua** boiled egg; **~os revueltos** scrambled eggs
hu|ida *f* flight; **~ir** *v/i* to flee; to escape
hule *m* *SA* rubber
hull|a *f* hard coal; **~era** *f* coal mine
human|idad *f* humanity, mankind; **~itario** humanitarian; **~o** human; humane
humear *v/i* to smoke; to emit fumes
humed|ad *f* moisture; dampness; **~ecer** to moisten, to damp
húmedo moist; damp; humid
humild|ad *f* humility; **~e** humble, meek
humillar *v/t* to humble; to humiliate; to shame
humo *m* smoke; fume
humor *m* disposition; temper; nature; mood; **mal ~** ill temper; **~ada** *f* joke; **mal ~ado** bad tempered; **~ismo** *m* humour; **~ista** *m* humourist; **~ístico** amusing, humorous
hundi|miento *m* sinking; collapse; **~r** *v/t* to sink; to submerge; **~rse** to sink; to collapse
huracán *m* hurricane
hurón *m* ferret
hurtadillas: a ~ stealthily
hurt|ar *v/t* to steal; **~o** *m* theft; larceny
husillo *m* screw, worm.
husm|ear *v/t* to scent, to smell out
huso *m* spindle
¡huy! *interj* ouch!

I

ibérico(a) *m* (*f*), *a* Iberian
icono *m* icon
ictericia *f* jaundice
ida *f* departure; trip; **~s y venidas** comings and goings
idea *f* idea; notion; **~l** *a*, *m* ideal; **~lismo** *m* idealism; **~lista** *a*, *m*, *f* idealist; **~r** *v/t* to imagine; to plan; to design
idéntico identical
identi|dad *f* identity; **~ficación** *f* identification; **~ficar** *v/t* to identify
ideología *f* ideology
idilio *m* idyll
idioma *m* language
idiomático idiomatic
idiot|a *a* stupid; *m* idiot;

~ez *f* stupidity; idiocy
idólatra *a* idolatrous; *m* idolater; *fig* worshipper
ídolo *m* idol
idóneo suitable; adequate
iglesia *f* church
ignomini|a *f* infamy; **~oso** ignominious
ignoran|cia *f* ignorance; **~te** *m* ignorant person; *a* ignorant
igual equal; same; level; **~ar** *v/t* to equalize; to match; to level; *v/i* to be equal; **~dad** *f* equality; uniformity; evenness
ilegal illegal; **~idad** *f* illegality
ilegible illegible
ilegítimo illegitimate
ileso unhurt
ilícito illicit; unlawful
ilimitado unlimited; unbounded
ilógico illogical
ilumina|ción *f* illumination; lighting; **~r** *v/t* to light; to illuminate; to enlighten
ilusión *f* illusion; delusion
ilus|ionar *v/t* to fascinate; **~o** *m* dreamer; **~orio** illusory, deceptive
ilustra|ción *f* illustration; education; enlightenment; **~r** *v/t* to illustrate
imag|en *f* image; likeness; **~inable** imaginable; **~inación** *f* imagination; fancy; fantasy; **~inar** *v/t* to imagine; **~inario** imaginary
imán *m* magnet
imbécil *a*, *m*, *f* imbecile
imitar *v/t* to imitate
impaciencia *f* impatience
impacto *m* impact; shock
impago *SA* unpaid
impar odd (*numbers*); **~es** *m/pl* odd numbers
imparcial impartial
impartir *v/t* to impart, to give
impasib|ilidad *f* impassiveness; **~le** impassive; unfeeling
impávido intrepid, undaunted
impedido invalid; crippled
impedi|mento *m* impediment; **~r** *v/t* to impede; to hinder; to prevent
impele|nte impelling; **~r** *v/t* to impel; to stimulate
impenetrable impenetrable, impervious; unfathomable
impeniten|cia *f* impenitence; **~te** impenitent
imperativo *a*, *m gram* imperative
imperceptible imperceptible
imperdible *m* safety-pin
imperdonable unpardonable
imperfecto imperfect; unfinished
imperi|al *a* imperial; *f* top deck (*of a bus*); **~alismo** *m* imperialism; **~alista** *m* imperialist
impericia *f* inexperience; lack of skill
imperio *m* empire; **~so** imperious, imperial

impermeable *a* waterproof; *m* raincoat, mackintosh
impertinen|cia *f* impertinence; **~te** impertinent
imperturbado undisturbed
ímpetu *m* impetus; impetuousness; vehemence; energy
impío godless; wicked
implacable implacable; inexorable, unforgiving
implica|ción *f* implication; **~r** *v/t* to implicate; to imply
implorar *v/t* to implore
impone|nte imposing; striking; grandiose; **~r** *v/t* to impose (*tax*); to inflict; to inspire
impopular unpopular
importa|ción *f* import; **~dor** *m* importer
importa|ncia *f* importance; **~nte** important; **~r** *v/i* to be important; to matter; **no ~** it does not matter, no matter, never mind; *v/t* to import
importe *m* amount; price, value
importun|ar *v/t* to annoy; to pester; **~idad** *f* importunity; pestering; **~o** unwelcome
imposibil|idad *f* impossibility; **~itar** *v/t* to make impossible
imposible impossible
imposición *f* imposition, tax
impostor(a) *m* (*f*) impostor
impoten|cia *f* impotence; **~te** impotent
impracticable impracticable; impassable (*of roads*)
impreca|ción *f* curse; **~r** *v/t* to imprecate; to curse
impregnar *v/t* to impregnate
impremeditado unpremeditated
imprenta *f* print; printing-house
imprescindible indispensable
impres|ión *f* impression; print; **~ión digital** fingerprint; **~ionante** impressing; **~ionar** *v/t* to impress; **~o** *m* printed matter; printed form; **~or** *m* printer
imprevisto unforeseen
imprimar *v/t* to prime (*canvas*)
imprimir *v/t* to print; to imprint; to stamp
improbab|ilidad *f* improbability; **~le** improbable, unlikely
ímprobo dishonest; difficult
improcedente *for* inadmissible
improductivo unproductive; unprofitable
impropio unsuitable; unfit; incorrect; improper, unbecoming
improvisar *v/t* to improvise
improvisto unexpected; unforeseen

impruden|cia *f* imprudence; **~te** imprudent; rash
impudicia *f* immodesty
impúdico immodest; shameless
impuesto *m* tax; duty; **~ sobre la renta** income tax; **~ sobre el valor, ~ al valor añadido** value added tax
impugnar *v/t* to contradict, to refute
impuls|ar *v/t* to impel; to propel; to drive; **~ión** *f* impulsion; propulsion; **~ivo** impulsive; **~o** *m* impulse
impune unpunished
impureza *f* impurity
imputa|ble imputable; **~ción** *f* imputation; accusation; **~r** *v/t* to impute; to accuse of
inacaba|ble endless; **~do** unfinished
inaccesible inaccessible
inacción *f* inaction; inertia
inaceptable unacceptable
inactiv|idad *f* inactivity; **~o** inactive
inadapta|ble unadaptable; **~do** *a* unadjusted; *m* misfit
inadecuado inadequate
inadmisible inadmissible
inadvert|encia *f* inadvertency; carelessness; inattention; **~ido** careless; unnoticed, unobserved, unseen
inagotable inexhaustible
inaguantable intolerable, unbearable; insufferable
inajenable inalienable
inaltera|ble unchangeable, unalterable; **~do** unchanged; unperturbed, unmoved
inamovible immovable; irremovable
inanición *f* inanition
inanimado lifeless; inanimate
inapagable inextinguishable
inapetencia *f* lack of appetite
inaplicable inapplicable
inapreciable priceless; inappreciable
inarticulado inarticulate
inasequible unobtainable, unattainable; inaccessible, unapproachable
inaudito unheard-of
inaugura|ción *f* inauguration, opening; **~r** *v/t* to inaugurate
incandescen|cia *f* incandescence; **~te** incandescent
incansable indefatigable, untiring
incapa|cidad *f* incapacity; inability; **~citar** *v/t* to incapacitate; **~z** incapable; unable
incauto incautious; heedless
incendi|ar *v/t* to set on fire; **~ario** incendiary; **~o** *m* fire
incentivo *m* incentive
incertidumbre *f* uncertainty; insecurity
incesante unceasing; incessant

inciden|cia *f* incidence; incident; **~tal, ~te** incidental
incidir en *v/i* to fall into (*an error*)
incienso *m* incense
incierto uncertain
incinerar *v/t* to incinerate; to cremate
incipiente incipient
incisi|ón *f* incision; cut; **~vo** *a* incisive; *m* incisor (*tooth*)
incita|ción *f* incitement; **~r** *v/t* to incite
inclemente inclement (*weather*); harsh; severe
inclina|ción *f* inclination; propensity; slope; bow, reverence; **~r** *v/t* to incline, to bow; to induce; **~rse** to be inclined; to feel disposed; to stoop; to bow; to lean
incluir *v/t* to include; to enclose; to comprise
inclus|ión *f* inclusion; **~ive** including; **~ivo** inclusive; **~o** enclosed; contained; included
incógnit|a *f* unknown quantity; mystery; **~o** unknown
incoheren|cia *f* incoherence; **~te** incoherent
incoloro colourless
incólume uninjured; unharmed
incomod|ar *v/t* to inconvenience; to annoy; **~arse** to trouble oneself; to get angry; **~idad** *f* discomfort; inconvenience; nuisance
incómodo uncomfortable; inconvenient
incompatib|ilidad *f* incompatibility; **~le** incompatible
incompetente incompetent; unqualified
incompleto incomplete; unfinished
incomprensible incomprehensible
incomunicado isolated; in solitary confinement
inconcebible inconceivable
incondicional unconditional, unqualified
inconfundible unmistakable
incongruo incongruous; unsuitable
inconmovible unrelenting, immovable
inconquistable unconquerable
inconscien|cia *f* unconsciousness; **~te** unconscious; unaware
inconsecuente inconsequent
inconsidera|ción *f* lack of consideration; **~do** inconsiderate
inconstan|cia *f* inconstancy; **~te** unsteady; unsettled
incontable innumerable
incontesta|ble undeniable; **~do** unquestioned, unchallenged
incontinente incontinent
inconvenien|cia *f* inconvenience; indiscretion; **~te** *m* drawback, disadvantage;

no tengo ~te (en) I don't mind; *a* improper; inconvenient
incorporar *v/t* to incorporate; **~se** to sit up (*in bed*); *mil* to join
incorrec|ción *f* incorrectness; inaccuracy; **~to** incorrect; inappropriate; improper
incorregible incorrigible
incredibilidad *f* incredibility
incredulidad *f* incredulity; scepticism
incrédulo *a* incredulous; sceptical; *m* unbeliever
increíble incredible, unbelievable
increment|ar *v/t* to augment; **~o** *m* increase; rise; addition
increpar *v/t* to rebuke; to scold
incrimina|ción *f* incrimination; **~r** *v/t* to incriminate
incrustar *v/t* to incrust
incubar *v/t* to incubate; to hatch
inculpa|ción *f* accusation; blame; **~r** *v/t* to accuse; to blame
incult|o uncultured; uncultivated; uncouth; **~ura** *f* lack of culture
incumb|encia *f* duty; **~ir** *v/impers* to be incumbent on; to be proper of
incurable incurable
incurrir en *v/i* to incur
incursión *f mil* raid; incursion
indagar *v/t* to investigate
indebido undue; illegal
indecen|cia *f* immodesty; indecency; **~te** immodest; indecent
indecible inexpressible, unspeakable
indecis|ión *f* indecision; **~o** irresolute; undecided
indeclinable unavoidable; *gram* indeclinable
indecoroso unseemly
indefectible unfailing
indefini|ble indefinable; **~do** indefinite; undefined
indeleble indelible
indeliberado unpremeditated
indelicado indelicate
indemn|e unhurt; undamaged; **~izar** *v/t* to indemnify; to compensate
independiente independent
indescriptible indescribable
indeseable undesirable
indeterminado irresolute; indeterminate
indica|ción *f* sign; indication; hint; **~dor** *m* indicator, pointer; **~dor de velocidad** speedometer; **~r** *v/t* to indicate; **~tivo** *a, m gram* indicative
índice *m* index; sign; forefinger
indicio *m* indication; sign
indiferen|cia *f* indifference; apathy; **~te** indifferent; unconcerned; apathetic
indígena *a, m, f* native

indigen|cia *f* poverty; **~te** destitute
indigest|ión *f* indigestion; **~o** indigestible
indign|ación *f* indignation; **~ar** *v/t* to irritate; **~arse** to become indignant; **~o** unworthy; ignoble
indio(a) *m* (*f*), *a* Indian
indirect|a *f* insinuation; **~o** indirect
indisciplina *f* indiscipline
indiscre|ción *f* indiscretion; **~to** indiscreet
indisculpable inexcusable
indiscutible unquestionable, indisputable
indisoluble indissoluble
indispensable indispensable
indis|poner *v/t* to indispose; to upset; **~poner con** to set against; **~ponerse** to become indisposed; to fall ill; **~posición** *f* indisposition; **~puesto** indisposed; unwell
indisputable indisputable; evident
indistinto indistinct; vague; dim
individu|al individual; **~alidad** *f* individuality; **~o(a)** *m* (*f*), *a* individual
indivis|ible indivisible; **~o** undivided
indócil unruly; intractable
índole *f* character; nature; kind
indolente indolent
ind|omable indomitable; **~ómito** untamed
inducción *f* inducement; (*electr*) induction
inducir *v/t* to induce
indudable indubitable
indulgen|cia *f* indulgence; **~te** indulgent; lenient, forgiving
indult|ar *v/t* to pardon; to exempt; **~o** *m* pardon; *for* amnesty
indumentaria *f* *fig* clothing; apparel
industria *f* industry; manufacturing; trade; skill; diligence; **~l** *m* industrialist; *a* industrial; **~lizar** *v/t* to industrialize
inefica|cia *f* inefficiency; inefficacity; **~z** inefficient
inelegante unfashionable, inelegant
ineludible unavoidable
inep|cia *f* stupidity; incapacity; **~to** inept, unfit
inequívoco unequivocal
inercia *f* inactivity
inesperado unexpected; unhoped-for
inestab|ilidad *f* unstability; **~le** unstable; unsettled
inevitable unavoidable, inevitable
inexacto inaccurate
inexistencia *f* non-existence
inexperto inexperienced; unskilled
inexplicable unexplainable, inexplicable
inexpresable unutterable, inexpressible
inexplorado unexplored
infalib|ilidad *f* infallibil-

ity; **~le** infallible; unerring
infama|r *v/t* to defame; to dishonour; **~torio** slanderous
infam|e infamous, vile; **~ia** *f* baseness; infamy
infan|cia *f* childhood; **~te** *m* infant; prince; **~til** infantile; childish; **~tería** *f* infantry
infatigable indefatigable
infecci|ón *f* infection; **~oso** infectious
infectar *v/t* to infect
infecundo fruitless; sterile; infertile
infeliz unhappy
inferencia *f* inference, implication
inferior inferior; lower; subordinate; **~idad** *f* inferiority
inferir *v/t* to infer; to lead to
infernal infernal; hellish
infiel unfaithful
infierno *m* hell, underworld
infiltrar *v/t* to infiltrate
ínfimo lowest; smallest
infini|dad *f* infinity; **~to** infinite; endless
inflación *f* inflation; swelling
inflacionista inflationary
inflama|ble inflammable; **~ción** *f* combustion; inflammation; **~r** *v/t* to ignite; to inflame; to burn; **~rse** to catch fire; **~torio** inflamatory
inflar *v/t* to inflate; **~se** to swell; to become inflated
inflexi|ble inflexible; unbending, rigid; **~ón** *f* inflection
infligir *v/t* to inflict
influen|cia *f* influence; **~te** influential
influ|ir *v/t* to influence; **~jo** *m* influx; influence; **~yente** influential
información *f* information
informal informal; unconventional
inform|ar *v/t* to inform; **~e** *m* report; *a* shapeless
infortunio *m* bad luck; misfortune
infracción *f* infringement; violation (*of laws etc*)
infranqueable unsurmountable; impassable
infrascrito undersigned
infringir *v/t* to violate
infructuoso fruitless; useless
infundado unfounded, baseless
infundir *v/t* to inspire with; to infuse
ingeni|ar *v/t* to think up; **~árselas** to shift, to manage
ingeni|ería *f* engineering; **~ero** *m* engineer; **~ero de minas** mining engineer; **~o** *m* genius; talent; wit; **~osidad** *f* ingenuity; **~oso** ingenious, resourceful; clever; witty
ingenuo ingenucus, naive
inger|encia *f* interference; **~ir** *v/t* to insert; to introduce

ingle *f* groin
inglés(esa) *m* (*f*) Englishman (-woman); *a* English
ingrat|itud *f* ingratitude; **~o** ungrateful, unthankful; disagreeable, thankless
ingrediente *m* ingredient
ingres|ar *v/i* to enter; to be admitted; **~o** *m* entrance; *pl* earnings; receipts
inhábil unskilful; clumsy
inhabilitar *v/t* to disable, to incapacitate; to disqualify
inhabita|ble uninhabitable; **~do** uninhabited
inhalar *v/t* to inhale
inherente inherent
inhibir *v/t* to inhibit
inhospitalario inhospitable
inhumano inhuman; brutal
inhumar *v/t* to bury
inicia|l initial; **~r** *v/t* to initiate; **~tiva** *f* initiative
inicuo unjust
inigualado unparalleled
inimaginable unimaginable
inimitable inimitable
ininteligente unintelligent
ininterrumpido uninterrupted, continuous
iniquidad *f* injustice
injert|ar *v/t* to graft; **~o** *m* graft
injuri|a *f* outrage; affront; **~ar** *v/t* to insult; **~oso** insulting; offensive
injust|icia *f* injustice; **~ificable** unjustifiable, unwarrantable; **~o** unjust; unfair
inmaculado immaculate
inmanejable unmanageable
inmediato immediate
inmejorable excellent; unsurpassable
inmemorial immemorial
inmen|so immense; **~surable** immeasurable
inmerecido undeserved
inmigra|ción immigration; **~r** *v/i* to immigrate
inminente imminent
inmiscuir *v/t* to mix; **~se** to meddle
inmobiliario pertaining to real estate
inmoderado immoderate
inmodest|ia *f* immodesty; **~o** immodest
inmoral immoral; **~idad** *f* immorality
inmortal immortal; **~idad** *f* immortality
inmóvil immobile, motionless
inmovilizar *v/t* to immobilize
inmuebles *m/pl* real estate
inmunidad *f* immunity
inmutable changeless; unchangeable
innato innate, inborn; inherent
innecesario unnecessary
innegable undeniable
innovar *v/t* to innovate
innumerable innumerable; countless
inobedien|cia *f* disobedience; **~te** disobedient

inocen|cia *f* innocence; candour; **~te** innocent; candid

inocular *v/t* to inoculate

inodoro *a* odourless; *m* water-closet

inofensivo harmless

inoficial unofficial

inolvidable unforgettable

inopinado unexpected

inoportuno inconvenient; ill-timed; unwelcome

inoxidable non-rusting

inquebrantable firm, inalterable

inquiet|ante disquieting; **~ar** *v/t* to trouble; **~arse** to worry; **~o** worried; uneasy; **~ud** *f* uneasiness; unrest; interest

inquilin|ato *m* lease; tenancy; **~o(a)** *m* (*f*) tenant

inquina *f* dislike; grudge

inqui|rir *v/t* to investigate; to enquire into; **~sición** *f* inquisition; **~sidor** *m* inquisitor; **~sitivo** inquisitive

insaciable insatiable

insalubre unhealthy; unwholesome

insano unhealthy; insane

insatisfactorio unsatisfactory

inscri|bir *v/t* to inscribe; **~pción** *f* inscription

insect|icida *m* insecticide; **~o** *m* insect

insegur|idad *f* insecurity; **~o** insecure

insensat|ez *f* folly; **~o** stupid; meaningless, foolish

insensible insensible; insensitive, unfeeling

insertar *v/t* to insert

inservible useless

insidioso insidious

insign|e distinguished; **~ia** *f* badge; *pl* insignia

insignifican|cia *f* insignificance; **~te** insignificant

insincer|idad *f* insincerity; **~o** insincere

insinuar *v/t* to insinuate; **~se** to endear oneself, to ingratiate oneself

insipidez *f* insipidity

insípido insipid; tasteless

insist|encia *f* insistence; **~ente** insistent; **~ir** *v/i* to insist

insociable unsociable

insolación *f* sunstroke

insolen|cia *f* insolence; **~te** impudent; insolent

insólito unusual

insoluble insoluble

insolven|cia *f* insolvency; **~te** insolvent

insomn|e sleepless, wakeful; **~io** *m* insomnia

insondable unfathomable

insonoro soundless; sound-proof

insoportable intolerable, insupportable, unbearable

insospechado unsuspected

insostenible indefensible

inspec|ción *f* inspection; superintendence; **~cionar** *v/t* to inspect; to supervise; **~tor** *m* inspector;

superintendent; supervisor
inspira|ción *f* inspiration; **~r** *v/t* to inspire
instala|ción *f* installation; **~r** *v/t* to set up; to install; **~rse** to establish oneself
instan|cia *f* instance; plea; **~te** *m* instant; **al ~te** instantly, immediately
instantáne|a *f* snapshot; **~o** instantaneous
instar *v/t* to urge; to press
instigar *v/t* to instigate; to urge
instint|ivo instinctive; **~o** [*m* instinct
institu|ción *f* institution; establishment; **~ir** *v/t* to institute; to establish; **~to** *m* institute; school; **~triz** *f* schoolmistress; governess
instru|cción *f* education; instruction; teaching; knowledge; **~ctivo** instructive; **~ido** educated; learned; **~ir** *v/t* to instruct, to teach; to train
instrumento *m* instrument; **~ de cuerda** string instrument; **~ de viento** wind instrument
insubordina|ción *f* insubordination; **~do** insubordinate; rebellious; **~rse** to rebel
insuficien|cia *f* insufficiency; incapacity; **~te** insufficient; inadequate
insufrible insufferable
insult|ar *v/t* to insult; to affront; **~o** *m* insult; offence
insuperable insuperable; unsurpassable
insur|gente insurgent; rebellious; **~rección** *f* insurrection; **~recto** *m* rebel
insustituible irreplaceable
intacto intact; untouched
intachable blameless; irreproachable
integr|al *a* entire; *mat m* integral; **~ar** *v/t* to integrate; **~idad** *f* integrity; honesty
íntegro entire; complete
intel|ecto *m* intellect; **~ectual** intellectual; **~igencia** *f* intelligence; **~igente** intelligent
intemperie *f* harsh weather
intempestivo untimely; ill-timed
intenso intense
intento *m* intent; attempt; aim, intention
intercalar *v/t* to interpolate
intercambio *m* interchange; exchange
interceder *v/i* to intercede
interceptar *v/t* to intercept
interdicción *f* prohibition
interés *m* interest; **~ compuesto** *com* compound interest; **intereses creados** *m/pl* vested interests
interes|ado(a) *m* (*f*) interested party; *a* interested; mercenary; **~ante** interesting; **~ar** *v/t* to interest; **~arse por** to take an interest in
interferencia *f* interfer-

ence; atmospherics (*radio*)
interino temporary; provisional
interior *m* inside; interior; *a* internal; inner; **~idades** *f/pl* personal affairs
intermedi|ario intermediary; **~o** *m* interval; *dep* half-time
interminable endless
intermisión *f* interruption
intermitente intermittent
internacional international
intern|ado *m* boarding-school; **~ar** *v/t* to intern; to import; **~arse en** to go deeply into; **~o(a)** *m* (*f*) boarding pupil; *a* internal
interpelar *v/t* to appeal to; to interpellate
interponer *v/t* to interpose
interpreta|ción *f* interpretation; explanation; **~r** *v/t* to interpret
intérprete *m, f* interpreter
interrogar *v/t* to interrogate; to question; *for* to examine
interru|mpir *v/t* to interrupt; **~pción** *f* interruption; **~ptor** *m* *elec* switch
intervalo *m* interval; gap; break
interven|ción *f* intervention; *med* operation; **~ir** *v/i* to intervene; *v/t* to audit; **~tor** *m* auditor; inspector
intestin|al intestinal; **~o** *m* intestine
intim|ar *v/t* to hint; **~arse** to become intimate; **~idad** *f* intimacy, close friendship; privacy
intimidar *v/t* to intimidate; to frighten
íntimo innermost; intimate
intoleran|cia *f* intolerance; **~te** intolerant
intoxica|ción *f* poisoning; **~r** *v/t* to poison
intraducible untranslatable
intranquil|idad *f* intranquillity; **~izar** *v/t*, **~izarse** to worry; **~o** restless; uneasy; worried
intransigen|cia *f* intransigence; **~te** uncompromising
intransitable impassable
intransitivo intransitive
intratable unruly; unsociable
intrepidez *f* intrepidity
intrépido intrepid; daring
intriga *f* intrigue; **~r** *v/t* to intrigue; to fascinate; *v/i* to intrigue, to scheme
intrincado intricate; entangled
introduc|ción *f* introduction; **~ir** *v/t* to introduce
intromisión *f* interference
intrus|ión *f* intrusion; **~o** *m* intruder; *a* intrusive
intui|ción *f* intuition; **~tivo** intuitive
inunda|ción *f* flood; deluge; **~r** *v/t* to flood; to inundate
inusitado unusual; unused
inútil useless

invadir *v/t* to invade
inválido *m* invalid; *a* weak; disabled; null
invariable invariable; unchanging, unvarying
invasión *f* invasion
invencible invincible
inven|ción *f* invention; discovery; **~tar** *v/t* to invent; **~tariar** *v/t* to take stock of; **~to** *m* invention; **~tor** *m* inventor; designer
invern|áculo *m* greenhouse; **~adero** *m* winter quarters; hothouse; **~ar** *v/i* to spend the winter; **~izo** wintry
inverosímil improbable
inver|sión *f* inversion; investment; **~so** inverse; inverted; opposite; **~tido** *a, m* homosexual; **~tir** *v/t* to invert; to reverse; to use, to make use of; *com* to invest
investiga|ción *f* research; investigation; **~r** *v/t* to investigate
investir *v/t* to invest; to confer upon
inveterado inveterate
invierno *m* winter
inviola|ble inviolable; sacred; **~do** inviolate
invita|ción *f* invitation; **~do(a)** *m (f)* guest; **~r** *v/t* to invite
invoca|ción *f* invocation; **~r** *v/t* to invoke
involuntario involuntary, unintentional
inyec|ción *f* injection; **~tar** *v/t* to inject
ir *v/i* to go; to fit, to suit; **~ haciendo algo** to begin doing something; **va anocheciendo** it is beginning to grow dark; **~ a** to go to; to intend to; **voy a hacer unas compras** I am going to do some shopping; **~ a buscar** to fetch; **~ a pie** to walk; **~ en tren** to go by train; **¡vaya!** is that so?, really!; **~se** to go away
ira *f* anger; **~cundo** angry; irascible
iris *m* iris; rainbow
irlandés(esa) *m (f)* Irishman (-woman); *a* Irish
ironía *f* irony
irónico ironical
irracional irrational
irradia|ción *f* radiation; **~r** *v/t* to radiate
irrazonable unreasonable
irreal unreal; **~idad** *f* unreality; **~izable** unattainable; unrealizable
irreconciliable irreconcilable
irreemplazable irreplaceable
irregular irregular; abnormal; uneven; **~idad** *f* irregularity; unevenness; abnormality
irreparable irreparable; beyond repair
irrespetuoso disrespectful
irrevocable irrevocable
irrigación *f med* irrigation
irrita|bilidad *f* irritability; **~ble** irritable; short-tempered; **~r** *v/t* to irritate

isla *f* island
islandés(esa) *m* (*f*) Icelander
isl|eño(a) *m* (*f*) islander; **~ote** *m* small barren island
istmo *m* isthmus
italiano(a) *m* (*f*), *a* Italian
itinerario *m* itinerary
izar *v/t* to hoist
izquierda *f* left side; left hand

J

jabalí *m* wild boar
jabalina *f* wild sow; javelin
jábega *f* trawler
jabón *m* soap
jabon|aduras *f/pl* suds; **~ar** *v/t* to soap; *fam* to reprimand; **~era** *f* soap-dish; **~ero** *m* soap maker; soap merchant
jaca *f* pony
jacinto *m* hyacinth
jacta|ncia *f* boasting; **~rse** to boast; to brag
jadear *v/i* to pant; to gasp
jalar *v/t*, *v/i* *SA* to pull
jale|a *f* jelly; **~o** *m* hullaballoo; racket
jamás never; **nunca ~** never; nevermore
jamón *m* ham
Japón *m* Japan
japonés(esa) *a*, *m* (*f*) Japanese
jaque *m* check (*in chess*); **~ mate** checkmate
jaqueca *f* headache, migraine
jarabe *m* syrup; sweet drink
jardín *m* garden; **~ de la infancia** nursery school
jardinería *f* gardening
jardinero(a) *m* (*f*) gardener
jarr|a *f* earthen jar; **~o** *m* jug; pitcher; **~ón** *m* urn; flower bowl
jaspeado speckled
jaula *f* cage; cell
jauría *f* pack of hounds
jebe *m* *SA* rubber
jef|atura *f* leadership; headquarters; **~e** *m* chief; leader; employer; boss; **~e de estación** station-master
jengibre *m* ginger
jeringa *f* syringe
jersey *m* jersey; jumper
jesuita *m* Jesuit
jesuítico Jesuitical
jinete *m* horseman
jira *f* strip (*of cloth*); picnic; tour; **~fa** *f* giraffe
jocos|idad *f* jocularity; waggery; **~o** jocose; merry
jorna|da *f* working day; day's journey; **de ~da completa** full-time; **~l** *m* wage; day's pay; **~lero** *m* day labourer; worker
joroba *f* hunch; **~do** *m* hunchback
joven *m*, *f* young man; young girl; young (*of animals*); *a* young; **~cito** *m* youngster

joy|a *f* jewel; gem; **~ería** *f* jewelry shop; **~ero** *m* jeweller; jewel-case
jubila|ción *f* retirement; pension; **~r** *v/t* to pension off; **~rse** to retire (*from job*)
jubileo *m* jubilee
júbilo *m* joy; rejoicing
jubiloso joyful, jubilant
judaico Judaical; Jewish
judicial legal; judicial
judío(a) *m* (*f*) Jew; Jewess; *a* Jewish
juego *m* game; sport; play; set (*of cutlery, crockery, furniture, etc*); **en ~** at stake; **~ de prendas** forfeits; **hacer ~** to match
juerga *f* spree; carousal
jueves *m* Thursday
juez *m* judge; umpire; **~ de paz** magistrate
juga|da *f* trick; play; move; **~dor(a)** *m* (*f*) player; gambler; **~r** *v/t, v/i* to play; to gamble
jugo *m* juice; sap; substance; **~so** juicy
juguet|e *m* toy; plaything; **~ear** *v/i* to toy; to gambol; **~ón** playful; frisky
juicio *m* judgment; sense; opinion; **día del ~ final** Judgment Day; **fuera de su ~** out of one's mind; **~so** sensible; discreet; judicious
julio *m* July
jumento *m* donkey
junco *m* rush; junk (*boat*)
jungla *f* jungle
junio *m* June
junt|a *f* board; council; junta; meeting; **~a directiva** board (*of directors*); **~a de accionistas** stockholders' meeting; **~ar** *v/t* to join; to connect; **~arse** to meet; to assemble; **~o** *a* together; close; *adv* near; close; at the same time **~o a** next to; **~ura** *f* joint; juncture; *mech* seam
jura|do *m* jury; juror; *a* sworn; **~mentar** *v/t* to swear in; **~mentarse** to take the oath; **~mento** *m* oath; **~mento falso** perjury; **prestar ~mento** to take an oath; **~r** *v/t, v/i* to swear; to curse
jurídico juridical; legal
juris|consulto *m* legal adviser; jurist; **~dicción** *f* jurisdiction; **~ta** *m* jurist; lawyer
just|amente *adv* justly; exactly; just, precisely; **~icia** *f* justice; **~iciero** just; severe; **~ificar** *v/t* to justify; **~ificativo** justifying; **~ipreciar** *v/t* to appraise; **~iprecio** *m* appraisal; **~o** *a* just; exact; tight-fitting; *adv* tightly
juven|il juvenile; youthful; **~tud** *f* youth; young people
juzga|do *m* court of justice; tribunal; **~r** *v/t, v/i* to judge; to pass judgment

K

kaki *m*, *a* khaki
kilogramo *m* kilogram
kilómetro *m* kilometer
kiosco *m* kiosk

L

la *def art f* the; *pron pers acc f* her; it
laberinto *m* labyrinth, maze
labia *f* gift of the gab; **tener mucha ~** to have the gift of the gab
labio *m* lip; brim (*of a cup*); edge
labor *f* work, labour; farming; needlework; **~able** workable; **~ar** *v/t* to work; to till (*soil*) **~atorio** *m* laboratory; **~eo** *m* exploitation (*mines*); **~ioso** laborious
labr|ado wrought; tooled; hewn; **~ador** *m* husbandman; farmer; farm labourer; **~antío** arable; **~anza** *f* husbandry; cultivation; **~ar** *v/t* to farm, to till; to work; **~iego** *m* farmer
laca *f* lac, lacquer
lacayo *m* footman
lacr|ar *v/t* to seal with sealing wax; to injure (*health*); **~e** *m* sealing wax
lacri|mógeno tear-producing; **gas** *m* **~mógeno** tear gas; **~moso** tearful; lachrymose
lacta|ncia *f* lactation; **~r** *v/t* to nurse; *v/i* to suckle
lácteo milky
ladear *v/t* to tilt; *v/i* to deviate; **~se** to lean; to incline
lad|era *f* slope; **~o** *m* side; **al ~o de** beside; **~o a ~o** side by side; **de ~o** sideways
ladr|ar *v/i* to bark; **~ido** *m* barking
ladrillo *m* brick
ladrón(ona) *m*(*f*) thief
lagart|ija *f* small lizard; **~o** *m* lizard
lago *m* lake
lágrima *f* tear
laguna *f* lagoon; gap
laico lay; secular
lamenta|ble regrettable, deplorable; **~r** *v/t* to lament; **~rse** to wail
lamer *v/t* to lick
lámina *f* lamina; sheet (*of metal*); engraving plate
lamina|do laminated; rolled; **~dor** *m* rolling press; rolling mill; **~r** *v/t* to laminate; to roll (*metal*)
lámpara *f* lamp; tube (*radio*); **~ de destello** *foto* flash bulb; **~ indicadora** *o* **testigo** pilot lamp *or* light
lamparilla *f* small lamp;

night-light
lana *f* wool
lance *m* throw; cast; event; incident; move; **~ro** *m* lancer; **~ta** *f* lancet
lancha *f* launch; lighter; **~ automóvil** motor launch
langost|a *f* locust; lobster; **~ino** *m* crawfish
languide|cer *v/i* to languish; to pine; **~z** *f* languor
lánguido languid, languorous
lanoso woolly
lanza *f* spear; lance; **~dera** *f* shuttle; **~dor** *m dep* pitcher; **~r** *v/t* to launch; to throw, to cast; **~rse** to rush; **~rse de morro** *aer* to nose-dive
lapicero *m* pencil case; pencil holder
lápida *f* tablet; memorial stone; **~ sepulcral** tombstone
lápiz *m* pencil; **~ labial** lipstick
lapso *m* lapse; fall
larga: a la ~ in the long run; **~rse** to leave; to make off
largo long; free; liberal; **a ~ plazo** *com* long-term; **a lo ~ de** alongside; along; **¡~ de aquí!** get out!
larguero *m* door-post
larguirucho lank
laring|e *f* larynx; **~itis** *f* laryngitis
lascivo lascivious; sensual, lewd
lástima *f* pity; **dar ~** to inspire compassion; **¡qué ~!** what a pity!
lastim|ar *v/t* to wound; to hurt; **~oso** pitiful; pitiable
lastre *m* ballast
lata *f* can; tin; *fam* nuisance; **dar la ~** to be a nuisance
latente latent
lateral lateral; side
latido *m* throb; beat; throbbing
latifundio *m* large estate
latigazo *m* lash *or* crack of a whip
látigo *m* whip
latín *m* Latin
latir *v/i* to beat; to throb
latitud *f* latitude
lat|ón *m* brass; **~oso** *fam a* annoying, tiresome; boring; *m* bore
latrocinio *m* theft; robbery
laudable laudable
lava|bo *m* wash-stand; lavatory; **~dero** *m* laundry; washing-place; **~do** *m* washing; **~do del cerebro** brainwashing; **~dora** *f* washer-woman; washing-machine; **~dora de platos** dish-washer
lavanda *f* lavender
lavandería *f SA* laundry, cleaners
lavaplatos *m* dishwasher (*machine*)
laxante *m* laxative
laya *f* spade
lazo *m* slip-knot; tie; bow (*of ribbons*); *fig* link; bond
leal loyal; **~tad** *f* loyalty
lec|ción *f* lesson; **~tor(a)** *m* (*f*) reader; **~tura** *f* reading

leche *f* milk; **~ra** *f* dairymaid; milk can; **~ría** *f* dairy; **~ro** *m* milkman

lecho *m* bed; river-bed; layer

lechón *m* suckling-pig

lechuga *f* lettuce

lechuza *f* barn-owl

lega|ción *f* legation; **~do** *m* legacy; legate

legal legal, lawful; **~idad** *f* legality; **~izar** *v/t* to legalize

lega|r *v/t* to bequeath; **~tario** *m* legatee

legendario *a* legendary; *m* book of legends

legible legible, readable

legión *f* legion

legionario *m, a* legionary

legisla|ción *f* legislation; **~dor** *m* legislator; *a* legislative; **~tivo** legislative; **~tura** *f* term of a legislature

legitim|ación *f* legitimation; **~ar** *v/t* legitimize; legalize; **~idad** *f* legitimacy; lawfulness

legítimo legitimate; lawful; authentic, original

lego *m* lay brother; layman; *a* lay, secular

legua *f* league; mile; **~ marítima** sea-mile

legum|bre *f* vegetables; **~inoso** leguminous

lejan|ía *f* distance; **~o** distant; remote

lejía *f* lye; *fam* reprimand

lejos *adv* far away; far off; **a lo ~** in the distance; **desde ~** from a distance

lema *m* motto; catch-word; slogan

lencería *f* linen (goods); linen shop

lengua *f* tongue; language; **~ materna** mother tongue; **tirar de la ~** to make talk

lenguado *m* sole; flounder

lenguaje *m* language; parlance

lengüeta *f* *carp* feather; *mus* reed

lente *m or f* lens; *m/pl* spectacles, glasses

lentej|a *f* lentil; **~uela** *f* spangle

lent|itud *f* slowness; **~o** slow

leña *f* firewood; **~dor** *m* woodcutter, lumberjack

león *m* lion

leopardo *m* leopard

lepra *f* leprosy

lesión *f* injury; lesion

lesionar *v/t* to injure, to wound

letal lethal

letanía *f* litany

letárgico lethargic

letr|a *f* letter; handwriting; words, lyrics (*of a song*); **~a de cambio** bill of exchange; draft; **~ado** *m* lawyer; *a* learned; **~ero** *m* sign; signboard; notice; placard; poster; inscription

letrina *f* latrine

leva *f* press, levy; *mech* cam

levadizo that can be lifted; **puente** *m* **~** drawbridge

levadura *f* yeast, leaven

levanta|miento *m* lifting;

raising; rising, rebellion; **~miento de pesas** *dep* weight-lifting; **~r** *v/t* to raise; to lift; **~rse** to rise; to get up; to stand up
levante *m* Levant; east wind
leve light; slight
levita *m* Levite; *f* frockcoat
léxico *m* lexicon
ley *f* law; standard; fineness (*of gold etc*)
leyenda *f* legend; caption; *cine* subtitle
liar *v/t* to tie; to roll (*cigarette*)
liber|ación *f* liberation; **~al** liberal; **~ar** *v/t* to liberate; to free; **~tad** *f* liberty; freedom; **~tad condicional** *for* probation; **~tador** *m* liberator; *a* liberating; **~tar** *v/t* to liberate, to release
libertin|aje *m* licentiousness; **~o** *m* libertine
libra *f* pound; **~ esterlina** pound sterling
libra|do *m com* drawee; **~dor** *m com* drawer; **~miento** *m* delivery; rescue; *com* draft; **~r** *v/t* to free; *com* to draw; **~rse de** to get rid of
libre free
librer|ía book-shop; **~o** *m* bookseller
libro *m* book; **~ de bolsillo** pocket-book, paperback; **~ de consulta** reference book; **~ mayor** ledger
licencia *f* permit; **~ de conducir** driving licence; **~ por enfermedad** sick-leave; **~do** *m* licentiate; *SA* lawyer; **~r** *v/t* to permit; to license; *mil* to discharge; **~rse** to take a degree
lícito legal; lawful
licor *m* liquid; liquor
lid *f* contest; dispute; **~iar** *v/i* to fight; *v/t* to fight (*bulls*)
liebre *f* hare
lienzo *m* linen cloth; canvas
liga *f* garter; league; **~dura** *f* ligature, binding; **~mento** *m* ligament; bond; tie; **~r** *v/t* to bind; **~rse** to join together; to combine; **~s** *f/pl* suspenders; **~zón** *f* linking; union
liger|eza *f* lightness; levity; **~o** light; nimble, fast; flighty
lignito *m* lignite
lija *f* sandpaper; dogfish
lila *f* lilac tree; lilac colour
lima *f* lime; file; **~dura** *f* filing; **~r** *v/t* to file, to polish
limero *m* lime-tree
limitar *v/t* to limit
límite *m* limit
limítrofe bordering
limo *m* slime
limón *m* lemon
limonero *m* lemon-tree
limosna *f* alms
limpia|botas *m* boot-black, shoe-black; **~dientes** *m* toothpick; **~parabrisas** *m* wind-screen wiper; **~r** *v/t*

to clean; to cleanse; **~r en seco** to dry-clean
limpi|eza *f* cleanliness; cleaning; **~o** clean; tidy
linaje *m* lineage; class
linaza *f* linseed
lince *m* lynx
linchar *v/t* to lynch
lind|ante adjoining; **~ar** *v/i* to border; **~e** *m* boundary
lind|eza *f* prettiness; **~o** pretty; beautiful; **~ura** *f* pretty thing; **¡qué ~ura!** how lovely!
línea *f* line; **~ aérea** airline; **~ de montaje** *tecn* assembly line
linea|l linear; **~r** *v/t* to draw lines on
linfa *f* lymph
lingote *m* ingot
lingüista *m* linguist
lingüístic|a *f* linguistics; **~o** linguistic
lino *m* flax; linen
linóleo *m* linoleum
linterna *f* lantern
lío *m* bundle; intrigue; *fam* mess, jam
liquida|ción *f com* liquidation; *SA* accounting; **~r** *v/t* to liquefy; *com* to liquidate
liquidez *f* liquidity; fluidity
líquido *m*, *a* liquid
lira *f mus* lyre; lira
lírico lyrical
lirio *m* lily
lirón *m zool* dormouse
lis *f* lily; iris; **~iado** disabled, crippled
liso smooth; even; **~ y llano** plain, simple (*truth*)
lisonj|a *f* flattery; **~ero** flattering
lista *f* list; strip; slip (*of paper*); **~ de precios** price list
listo clever; quick; ready
litera *f* litter; berth; *fc* couchette
litera|rio literary; **~tura** *f* literature
litig|ar *v/t* to dispute; **~io** *m* dispute
litografía *f* lithography
litoral *m* littoral; seashore
litro *m* litre
liturgia *f* liturgy
lívido livid
lo *art, neut* the; *acc of* **ello** it, that; *pers pron acc of* **él** him, it
lobo *m* wolf; **~s de una camada** birds of a feather
lóbulo *m* lobe
local *m* premises; site; *a* local; **~idad** *f* place; seat (*in the theatre*); locality; **~izar** *v/t* to localize
loción *f* wash; lotion
loco *a* mad; *m* madman
locomo|ción *f* locomotion; **~tora** *f* locomotive, engine; **~tora de arrastre** traction-engine
locuaz talkative; garrulous
locura *f* madness
locutor *m* radio announcer; commentator
lodo *m* mud; **~so** muddy
lógic|a *f* logic; **~o** logical

logr|ar *v/t* to achieve; to succeed in; **~o** *m* achievement; gain; success
lombarda *f* red cabbage
lombriz *f* earthworm
lomo *m* loin; sirloin (*of an animal*); back (*of a book or*
lona *f* canvas
knife); ridge (*of a mountain*)
loncha *f* slice of meat
lonche *m SA* lunch
Londres *m* London
longaniza *f* pork sausage
longitud *f* length; **~ de onda** wave-length; **~inalmente** lengthwise
lonja *f* exchange; portico
loro *m* parrot
losa *f* flagstone; slab
lote *m* share; lot; *com* consignment; **~ría** *f* lottery
loza *f* china; porcelain
lubrica|nte *m* lubricant; **~r** *v/t* to lubricate, to oil
lucera *f* skylight
lucerna *f* chandelier
lucero *m* morning star
lucidez *f* lucidity; brightness; brilliancy
lúcido lucid, clear
luci|do brilliant; splendid; successful; **~érnaga** *f* glow-worm; **~rse** to dress up; to shine
lucio *m ict* pike
lucro *m* gain, profit
lucha *f* struggle; **~ libre** catch as catch can; **~r** *v/i* to fight; to struggle; to wrestle
luego *adv* immediately; then; later; **¡hasta ~!** so long!; **~ que** after; **desde ~** at once; of course; *conj* therefore
lugar *m* place; spot; **~ común** commonplace; **~ de veraneo** summer resort
lúgubre dismal, gloomy
lujo *m* luxury; **~so** luxurious
lumbre *f* fire; brightness
luminoso luminous
luna *f* moon; mirror; plate glass; **~ de miel** honeymoon
lunar *a* lunar; *m* mole; beauty spot
lunático *a* lunatic; *m* lunatic, madman
lunes *m* Monday
lupa *f* magnifying glass
lúpulo *m* hop
lustrabotas *m SA* boot-black, shoe-black
lustr|e *m* gloss; splendour; lustre; **~oso** shining
luto *m* mourning; **estar de ~** to be in mourning
luxar *v/t med* to luxate
luz *f* light; daylight; span (*of bridge*); **dar a ~** to give birth to; **~ de calcio** lime-light; **~ de cola** tail-light; **~ difusa** diffused light; **~ de faro** floodlight; **~ de tráfico** traffic light

Ll

llaga *f* wound; sore; ulcer; **~r** *v/t* to wound
llama *f* flame; sudden blaze; *zool* lama
llama|da *f* call; knock; motion *or* sign to call attention; *print* index mark; **~da de larga distancia** trunk-call; **~miento** *m* calling; call; **~r** *v/t* to call; to summon; to invoke; *v/i* to knock *or* ring at the door; **~rse** to be named; **¿cómo se ~ Ud?** what's your name?; **~tivo** provoking thirst; gaudy; showy
llamear *v/i* to blaze
llan|a *f* trowel; flat land; **~amente** clearly; plainly; simply; **~o** flat, even; level; plain, simple
llanta *f* tyre; *SA* pneumatic tyre
llanto *m* weeping; flood of tears
llanura *f* evenness; flatness; plain
llave *f* key; *mech* wrench; faucet; tap; bolt; *elec* switch; *mus* key; **~ inglesa** monkey wrench; **~ maestra** pass-key; **~ de tuercas** spanner; **~ro(a)** *m* (*f*) keeper of the keys; *m* key ring
llavín *m* latch-key
llega|da *f* arrival; **~r** *v/i* to arrive; to reach; **~r a ser** to become; **~r a las manos** to come to blows
llena *f* flood; overflow; **~r** *v/t* to fill; to stuff; to occupy; to satisfy
llen|o full; complete; **~o de bote en bote** full to the brim; **~ura** *f* fullness; abundance
lleva|dero tolerable; **~r** *v/t* to carry; to take; to bring; to lead (*a life*); to wear (*clothes*); to spend (*time*); to keep (*books*); to bear; to endure; *com* to bring forward (*suma*); **~r a cabo** to carry out; **~rse** to take away; to carry off; **~rse bien con** to get on well with
llor|ar *v/i* to cry; to weep; *v/t* to bewail, to mourn; **~iquear** *v/i* to snivel, to whimper; **~ón(ona)** *m* (*f*) weeper; *a* always weeping; **~oso** tearful
llovediz|o leaky; **agua ~a** rain water
llov|er *v/i* to rain; **~er a cántaros** to rain cats and dogs; **~iznar** *v/i* to drizzle
lluvi|a *f* rain; **~oso** rainy

M

maca *f* bruise (*on fruit*); spot; deceit
macabro macabre
maca|dam, ~dán *m* macadam pavement
macarrones *m/pl* macaroni
macarse to rot (*fruit*)
macerar *v/t* to steep; to soak; to mortify
maceta *f* flower-pot
macizo *a* solid, massive; *m* mass, bulk; block; flower-bed
macuto *m* knapsack
macha|car *v/t* to pound; to crush; *v/i* to harp (*on*); **~do** *m* hatchet; **~queo** *m* pounding
mach|ar *v/t* to hammer; to pound; **~ete** *m* machete
machina *f* crane, derrick
macho *m* male; man; screw pin; hook (*for fastening in an eye*); *a* male; manly; virile, very vigorous
machucar *v/t* to pound; to bruise
machucho ripe; judicious
madeja *f* skein
mader|a *f* wood; timber; *m* Madeira wine; *pl mus* woodwinds; **~a aglomerada** chipboard; **~a laminada** plywood; **~ería** *f* lumberyard; **~ero** *m* timber merchant; **~o** *m* beam (*of timber*); *fam* blockhead
madr|astra *f* stepmother; **~e** *f* mother; *fig* origin; **~e patria** mother country; **~e política** mother-in-law; **~eperla** *f* mother-of-pearl; **~eselva** *f* honeysuckle
madriguera *f* burrow; den
madrileño(a) *m* (*f*) inhabitant of Madrid
madrina *f* godmother; **~ de boda** bridesmaid
madruga|da *f* dawn; early morning; **~dor(a)** *m* (*f*) early riser; **~r** *v/i* to rise very early
madur|ar *v/t* to ripen; to think out; *v/i* to ripen; **~ez** *f* maturity; ripeness; prudence; **~o** mature; ripe, mellow; aged
maestr|a *f* schoolmistress; master's wife; teacher; **~ía** *f* mastery; title of a master; **~o** *a* masterly; *m* schoolmaster; master; **~o de obras** builder
magia *f* magic
mágico magic; magical
magisterio *m* mastery; mastership; scholastic degree; teaching profession
magistra|do *m* magistrate; **~l** magistral; masterly; **~tura** *f* judicature
magnánimo magnanimous
magnético magnetic
magneti|smo *m* magnetism; **~zar** *v/t* to magnetize;

to hypnotize
magnífico magnificent; excellent
magnitud *f* magnitude
mago *m* magician; wizard
magro lean; meagre
mahometano *a*, *m* Mohammedan
maíz *m* maize; Indian corn
maizal *m* maize-field
majader|ía *f* bother, annoyance; **~o** annoying, tiresome
majest|ad *f* majesty; **~uoso** majestic
majo(a) *m* (*f*) beau, belle; *a* attractive, pretty
mal *a apocope of* **malo,** *used before masculine nouns*; **un ~ consejo** a bad advice; *but*: **un consejo ~o** a really bad advice (*as opposed to a good one*); *m* evil; harm; illness, disease; damage; *adv* badly
mala *f* mail
malabarista *m* juggler
malaconsejado ill-advised
malacostumbrado having bad habits; spoiled
malagradecido unthankful, ungrateful
malandante unfortunate
malavenido faultfinding; querulous
malaventura *f* misfortune
malbaratar *v/t* to squander
malcasado unfaithful (*in marriage*)
malcomido undernourished
malcontento discontent
malcriado ill-bred
maldad *f* wickedness
maldecir *v/t* to curse
maldispuesto unwilling
maldito wicked; bad; accursed; **¡~ sea!** confound it!, damn!
maléfico harmful
malentendido *m* misunderstanding
malestar *m* malaise; uneasiness
malet|a *f* suit-case; bag; **~ero** *m aut* boot; **~ín** *m* small case, travelling bag
malevolencia *f* ill will
malévolo malevolent
maleza *f* undergrowth, scrub, shrubbery
malgastar *v/t* to waste, to squander
malhablado foul-mouthed
malhecho ill made; **~r** *m* malefactor
malhumorado bad-tempered; moody, peevish
malici|a *f* malice; cunning; **~oso** malicious; suspicious
maligno malignant
malintencionado ill-disposed
mal|o bad; evil; ill; unpleasant, disagreeable; **a las ~as** *SA* by force; **ponerse ~o** to fall ill
malogra|do abortive; frustrated; **~r** *v/t* to waste; to lose; *SA* to break, to ruin; **~rse** to fail; to come to an untimely end; *SA* to break down (*machine*), to go bad (*food*)

malparir *v/i* to miscarry
malquerer *v/t* to dislike
malsano unhealthy
malta *f* malt
maltratar *v/t* to ill-treat; to spoil; to abuse
malva *f bot* mallow
malvado wicked
malvender *v/t* to sell at a loss
malversación *f* embezzlement
malla *f* mesh; network, web
mamá *f* mamma; mummy
mama *f* breast; **~r** *v/t, v/i* to suck
mameluco *m* Mameluke; *fam* simpleton; rompers
mamífero *m* mammal
mampostería *f* masonry
manada *f* flock; herd
mana|ntial *m* spring; fountain; well; source; **~r** *v/i* to flow; to spring from
manc|ar *v/t* to cripple; **~o** one-armed; one-handed
mancomun|ar *v/t,* **~arse** to associate; to form a pool; **~idad** *f* association; community; union
mancha *f* stain; spot; **~r** *v/t* to stain
mand|ado *m* order; mandate; errand; **~amiento** *m* commandment; order; **~ar** *v/t, v/i* to order; to command; to bequeath; to send; to rule
mandarina *f* tangerine; mandarin orange
mandat|ario *m* agent; **~o** *m* order; command; mandate; rule
mandíbula *f* jaw-bone
mand|o *m* command; **~ón** imperious; domineering
mandril *m* baboon
manecilla *f* hand, finger (*of watch*)
manej|ar *v/t* to handle; to wield; to manage; **~o** *m* handling; management
manera *f* manner; way; **de ~ que** so that; **de ninguna ~** by no means
manga *f* sleeve; hose; *mar* beam; **tener ~ ancha** to be broad-minded
mango *m* handle; shaft; **~near** *v/i* to meddle; to loaf
manguera *f* water-hose
manguito *m* muff; *mech* sleeve
manía *f* mania; craze; **~co** *m* maniac; *a* mad
maniatar *v/t* to handcuff
manicomio *m* lunatic asylum, mental home
manifesta|ción *f* manifestation; declaration; **~nte** *m* public demonstrator; **~r** *v/t* to show; to declare; to reveal
manifiesto *m* manifest; *a* evident; obvious
manija *f* handle; haft
manilla *f* bracelet; handcuff
maniobra *f* handiwork; manœuvre; operation; trick; **~r** *v/t, v/i* to handle; to manœuvre
manipula|ción *f* manipula-

tion; **~r** *v/t, v/i* to handle; to manage; to manipulate
maniquí *m* tailor's dummy; puppet; *f* mannequin
manivela *f* crank; handle
mano *f* hand; forefoot; coat (*of paint*); hand (*at cards*); **~ de obra** labour, manpower; **~ de obra (no) calificada** (un)skilled labour; **a ~** at hand; **a una ~** of one accord; **de primera ~** at first hand; **echar una ~ a** to lend a hand; **mudar de ~s** to change hands; **por su ~** by oneself; **~jo** *m* bunch; **~sear** *v/t* to handle, to finger; to paw; **~tazo** *m* slap
mansión *f* mansion; abode; stay
manso meek; gentle; tame
mant|a *f* blanket; plaid; **~ear** *v/t* to toss up in a blanket
mantec|a *f* fat; butter; **~oso** buttery; fat
mantel *m* table-cloth; **~ería** *f* table-linen
manten|er *v/t* to maintain; **~imiento** *m* maintenance; support
mantequ|era *f* churn; butter-dish; **~ero** *m* dairyman; **~illa** *f* butter
mant|illa *f* mantilla; baby clothes; **~o** *m* cloak; **~ón** *m* shawl
manual *m* handbook, manual
manu|brio *m* crank; handle; **~factura** *f* manufacture; **~scrito** *m* manuscript; **~tención** *f* maintenance; maintaining; support
manzan|a *f* apple; block of houses; **~nilla** *f* camomile; manzanilla wine; **~o** *m* apple-tree
maña *f* skill; cleverness
mañan|a *f* morning; morrow; **por la ~a** in the morning; **pasado ~a** the day after tomorrow; **~a por la ~a** tomorrow morning; **~ear** *v/i* to rise early
mañoso skilful; clever
mapa *m* map; **~ de carreteras** road map; **~ meteorológico** weather-chart
mapache *m* racoon
maquilla|je *m* make-up; **~rse** to make up; to do one's face
máquina *f* machine; engine; apparatus; locomotive; **~ de afeitar** safety razor; **~ de coser** sewing-machine; **~ de escribir** typewriter; **~ herramienta** machine tool
maquin|ación *f* machination; **~aria** *f* machinery; **~ista** *m* engine driver; mechanic
mar *m or f* sea; **~ de fondo** ground swell; **en alta ~** on the high seas; **en el ~** at sea; **la ~ de** a lot of
maravill|a *f* marvel; **~arse** to wonder; to marvel; **~oso** marvellous

marca *f* mark; trade-mark; brand; standard; **de ~** excellent; **~ de fábrica** trade mark; **~r** *v/t* to mark; to score (*a hit, a goal*); to dial (*telephone*); to designate; to stamp
marco *m* frame; standard
marcha *f* march; progress; departure; *mech* motion, working; **~r** *v/i* to go; **~r en vacío** *mech* to idle; **~rse** to leave, to clear out
marchitar *v/t* to wither, to wilt
mare|a *f* tide; **~a baja** low-tide; **~ado** seasick; dizzy; giddy; **~ar** *v/t fig* to annoy; **~arse** to get sea-sick; **~jada** *f* swell (*of the sea*); *fig* commotion; **~o** *m* sea-sickness; *fam* vexation
marfil *m* ivory
marga *f* marl, loam; **~rina** *f* margarine
margarita *f* daisy
margen *m or f* margin; border
maric|a *f* magpie; *m fam* milksop, effeminate man
marido *m* husband
marin|a *f* navy; seamanship; **~ero** *a* seaworthy; *m* sailor; **~o** marine
maripos|a *f* butterfly; **~ear** *v/i* to flit about
mariquita *f* ladybird
mariscal *m* marshall; **~ de campo** field marshall
marisco *m* shellfish; *pl* sea food
marítimo maritime
marmita *f* cooking-pot
mármol *m* marble
marmota *f* marmot
maroma *f* thick rope; **~ de remolque** towrope
marqués *m* marquis
marquesa *f* marchioness
marran|a *f* sow; *fig* slut; **~ada** *f* dirty trick; **~o** *m* hog; *fam* dirty person
marrón brown
marroquí *m* morocco (*leather*)
marsopa *f* porpoise
marta *f* pine marten; **~ cebellina** sable
Marte *m astr* Mars
martes *m* Tuesday; **~ de carnaval** Shrove Tuesday
martill|ar *v/t* to hammer; **~eo** *m* hammering; **~o** *m* hammer
martín pescador *m* kingfisher
martinete *m* ram; pile-driver
mártir *m* martyr
martiri|o *m* martyrdom; **~zar** *v/t* to torment
marzo *m* March
mas *conj* but; yet
más more; most; besides; plus; **a lo ~** at most; **a ~ tardar** at the latest; **sin ~ ni ~** without much ado; **por ~ que** however much; **no ~ que** only; **los ~** the majority
masa *f* mass; bulk; dough
masaj|e *m* massage; **~ista** *m, f* masseur, masseuse
máscara *f* mask; disguise

mascar *v/t* to chew; *fam* to mumble
mascarilla *f* small mask; death mask
masculino masculine; male
masilla *f* putty
masón *m* freemason
masticar *v/t* to masticate, to chew
mástil *m* mast; tent-pole
mastín *m* mastiff
mata *f* bush; grove
mata|dero *m* slaughter-house; **~dor** *m* killer; slayer; matador; **~nza** *f* massacre, slaughter; **~r** *v/t* to kill; **~sanos** *m fam* quack
mate *a* dull; mat; *m* check-mate; maté tea
matemátic|as *f/pl* mathematics; **~o** *m* mathematician; *a* mathematical
materia *f* matter; material; subject; **~l** *a* material; *m* material; ingredient; **~l rodante** rolling stock; **~lista** *m, f* materialist; *a* materialistic
matern|idad *f* maternity; motherhood; **~o** motherly; maternal
matinal morning; matutinal
matiz *m* tint; shade; **~ar** *v/t* to colour; to shade; to tint; to match, to blend (*colours*)
matorral *m* thicket
matraca *f* jest; pestering
matrícula *f* list; register
matricular *v/t* to matriculate; to enrol
matrimonio *m* matrimony, marriage
matriz *f* matrix; womb; mould
matrona *f* matron
matute *m* smuggling
maullar *v/i* to mew, to meow
máxima *f* maxim, rule
máxim|e especially; **~o** *a* principal; greatest; *m* maximum
maya *f* daisy
mayo *m* May
mayonesa *f* mayonnaise
mayor *a* greater; bigger; major; **~ de edad** of age; **al por ~** wholesale; *m* chief; *mil* major; **~es** *m/pl* ancestors; elders
mayordomo *m* steward; butler
mayorista *m* wholesaler
mayúscula *f* capital letter
maza *f* mace
mazapán *m* marzipan
mazmorra *f* dungeon; jail
me *pers pron* me; to me; myself
mecáni|ca *f* mechanics; **~co** *m* mechanic; engineer; *a* mechanical
mecanismo *m* mechanism
mecanografía *f* typewriting
mecanógrafo(a) *m (f)* typist
mece|dora *f* rocking-chair; **~r** *v/t* to rock; to swing
mech|a *f* wick; fuse; lock (*of hair*); **~ero** *m* burner (*of lamp*); cigarette-lighter; shop-lifter; **~ón** *m* strand,

tuft (*of hair*); bundle (*of threads*)
medall|a *f* medal; **~ón** *m* large medal; medallion
médano *m* sand dune
media *f* stocking; **~ pantalón** panty hose
media|ción *f* mediation; intervention; **~do** half-full; **a ~dos de enero** in the middle of January; **~dor** *a* mediating; *m* mediator; **~nero** intermediate; **~no** medium; average; mediocre
medianoche *f* midnight
media|nte *a* intervening; *prep* by means of; **~r** *v/i* to be at the middle; to intercede; to mediate
medic|ación *f* medical treatment; **~amento** *m* medicament; **~ina** *f* medicine
medición *f* measurement
médico *a* medical; *m* physician, doctor
medid|a *f* measure; **a ~a que** whilst; at the same time as; **hecho a la ~a** made to measure; **~or** *m* *SA* meter
medio *a*, *adv* half; middle; **a ~ camino** half-way; **en ~ de** in the middle of; **de por ~** half; between; **por ~ de** by means of; **~ centro** *m* (*football*) centre-half; *m/pl* means; resources
mediocre mediocre
mediodía *m* midday; south
medir *v/t* to measure
meditar *v/t*, *v/i* to meditate
Mediterráneo *m* Mediterranean Sea; ♀ *a* Mediterranean
medrar *v/i* to grow; to flourish
medroso timorous
médula *f* marrows (*of the bones*), pith; **~ espinal** spinal cord
medusa *f* jelly-fish
mejicano(a) *m* (*f*), *a* Mexican
mejill|a *f* cheek; **~ón** *m* mussel
mejor better; finer; superior; (*with definite article*) best; **lo ~** the best thing; **a lo ~** maybe, as like as not; **tanto ~** so much the better; **~a** *f* improvement; **~ar** *v/t*, *v/i* to improve; **~ía** *f* improvement
melancolía *f* melancholy
melancólico gloomy; sad
melaza *f* molasses, treacle
melena *f* long hair; mane
melocotón *m* peach
melodía *f* melody
melón *m* melon
meloso sweet; mild; gentle
mella|do jagged; **~r** *v/t* to nick, to notch
mellizo(a) *m* (*f*), *a* twin
membrana *f* membrane; *zool* web
membrete *m* note; letter-head
membrillo *m* quince
memo foolish
memor|ándum *m* memorandum; note-book; **~ia** *f* memory; remembrance; report; *pl* memoirs; **~ial** *m*

note-book; **~izar** *v/t* to memorize
mención *f* reference, mention
mencionar *v/t* to mention; **sin ~** to say nothing of, not to mention
mendi|cante begging; **~cidad** *f* beggary; **~gar** *v/t* to beg; **~go** *m* beggar
mendrugo *m* piece of dry bread
mene|ar *v/t* to shake; to wag, to move; to conduct; **~arse** to move; to be active; **~o** *m* shaking; wagging
menester *m* need; necessity; **ser ~** to be necessary; **~oso** needy, destitute
menestra *f* vegetable stew
mengua *f* diminution; decrease; decay; **~nte** *a* decreasing; *f* decline; waning (*of moon*); **~r** *v/i* to diminish; to decrease, to dwindle
menor smaller; less; minor; **~ de edad** under age; **~ edad** minority; **al por ~** retail
menos *adv* less; least; fewer; fewest; **a ~ que** unless; **~ de** less than; *m mat* minus (sign); *prep* except
menos|cabo *m* detriment; damage; **~preciar** *v/t* to despise; to belittle; to undervalue; **~precio** *m* scorn; contempt
mensaje *m* message; errand; **~ría** *f* steamship line; **~ro(a)** *m* (*f*) messenger
mensual monthly; **~idad** *f* monthly salary *or* allowance
mensurable measurable
menta *f* mint; peppermint
mental mental; **~idad** *f* mentality
mente *f* mind; intellect
mentecato *m* fool
mentir *v/i* to lie; **~a** *f* lie, falsehood; **~illa** *f* white lie, fib; **~oso(a)** *m* (*f*) liar; *a* untruthful, lying
menú *m* menu
menud|ear *v/t* to repeat; *v/i* to happen frequently; **~encia** *f* trifle; **~illos** *m/pl* giblets (*of fowls*); **~o** small; **a ~o** often
meñique *m* little finger
meollo *m* marrow; *fig* core, essence
merca|dear *v/i* to trade; **~dería** *f SA* merchandise; **~do** *m* market; market-place; **~do común** common market; **~do negro** black market; **~ncía** *f* merchandise, goods; commodity; **~nte, ~ntil** mercantile, commercial
merced *f* mercy; bounty; favour; grace; gift; **vuestra ~** your honour, your worship (*abbreviated*: **Vd**); **a la ~ de** at the mercy of; dependent on
mercenario *m* mercenary soldier; *a* mercenary

mercería *f* haberdashery
mercurio *m* mercury, quicksilver
merec|edor deserving, worthy; **~er** *v/t* to deserve; to merit; **~ido** deserved
merend|ar *v/i* to take a snack; to lunch; **~ero** *m* lunch-room
merengue *m* meringue
meretriz *f* prostitute
meridiano *m* meridian
meridional southern
merienda *f* snack; light meal; lunch
mérito *m* merit; worth
meritorio meritorious, deserving
merluza *f* hake
merma *f* shrinkage; loss; leakage; waste; **~r** *v/i* to decrease, to become less; to dwindle
mermelada *f* jam, marmalade
mero mere, pure, simple
merodear *v/i* to maraud
mes *m* month
mes|a *f* table; executive board; **poner la ~a** to set the table; **~eta** *f* tableland; plateau; **~illa** *f* bedside table
mesón *m* inn
mesonero *m* innkeeper
mestizo(a) *m* (*f*), *a* half-breed
mesura *f* moderation, restraint; **~do** moderate; restrained
meta *f* goal; objective; limit; *SA m* goalkeeper
metal *m* metal; *mus* brass
metálico *a* metallic; *m* cash
metalúrgico metallurgical
meteoro *m* meteor; **~logía** *f* meteorology
meter *v/t* to put in; to insert; to stake; to invest; **~se** to interfere; to intrude; to attack; **~se con** to pick a quarrel with
meticuloso meticulous
metódico methodical
método *m* method
metraje *m* length
metrall|a *f* grapeshot; **~eta** *f* submachine-gun
métrico metric, metrical
metro *m* verse (*poetry*); metre; underground
metrópoli *f* metropolis; mother-country
metropolitano *m* metropolitan; underground, subway
mezcla *f* mixture; **~r** *v/t* to mix; to mingle
mezcolanza *f fam* hotchpotch; medley
mezquin|dad *f* niggardliness; meanness; poverty; **~o** niggardly; mean; miserable, petty; puny
mezquita *f* mosque
mí *pers pron* me
mi *poss pron* (*pl* **mis**) my
miaja *f* crumb
mico *m* monkey
microbio *m* microbe
micrófono *m* microphone
microscopio *m* microscope
michino *m* pussy(-cat), kitten
miedo *m* fear, dread; **tener**

~ to be afraid; **~so** timorous; afraid
miel *f* honey
miembro *m* member; limb
mientras while, whilst, when; ~ **que** so long as; ~ **tanto** meanwhile, in the meantime
miércoles *m* Wednesday
miga *f* crumb; **~ja** *f* small crumb
migra|ción *f* migration; **~torio** migratory
mijo *m* millet
milagro *m* miracle; **~so** miraculous
mili|cia *f* militia; **~ciano** *m* militiaman; **~tante** militant; **~tar** *m* soldier; *a* military; *v/i* to fight; to serve
milla *f* mile; ~ **marina** nautical mile; **~je** *m* mil(e)age
millón *m* million
millonario *m* millionaire
mimar *v/t* to pet, to fondle; to spoil, to pamper
mimbre *m* willow; wicker
mímico *m* mimic
mimoso pampered, spoiled
mina *f* mine; source; **~r** *v/t* to mine; to excavate; to undermine
miner|al *m*, *a* mineral; ore; **~ía** *f* mining; **~o** *m* miner
miniatura *f* miniature
minifalda *f* miniskirt
mínim|o minimum; smallest; **~um** *m* minimum
minino *m* pussy(-cat), kitten
minist|erial ministerial; **~erio** *m* ministry; government; cabinet; **$\mathfrak{L}$erio de Comercio** Board of Trade; **$\mathfrak{L}$erio de la Gobernación** Home Office; **$\mathfrak{L}$erio de Hacienda** Treasury, Exchequer; **$\mathfrak{L}$erio de Relaciones Exteriores** Foreign Office; **~ro** *m* minister
minoría *f* minority
minucios|idad *f* thoroughness; **~o** minutely; precise
minúscula *f* small letter
minuta *f* rough copy; list; bill of fare, menu; *pl* minutes
minutero *m* minute-hand
mío, mía, míos, mías mine
miop|e short-sighted, near-sighted; **~ía** *f* myopia; short-sightedness
mira *f* sight; aim; **con ~s a** with an eye to; **~da** *f* look; **echar una ~da a** to take a look at; **~dero** watch tower; **~do** considerate; **~dor** *m* observatory; **~r** *v/t* to look; to watch; to consider
mirlo *m* blackbird
mirón *m* onlooker; spectator
mirto *m* myrtle
misa *f* mass; ~ **del gallo** midnight mass
misceláneo miscellaneous
miser|able miserable, wretched; mean; niggardly; **~ia** *f* misery; poverty;

meanness; **~icordia** *f* mercy
mísero wretched, misera-ble
misi|ón *f* mission; **~onero** *m* missionary
mismo same, similar; -self; very; **yo ~** I myself; **el ~ rey** the same king; **el rey ~** the king himself; **lo ~** the same thing; **lo ~ da** it is all the same; **en el ~ centro de Madrid** in the very centre of Madrid
misterio *m* mystery; **~so** mysterious
místico mystic
mitad *f* half; middle; **a ~ del camino** midway
mitigar *v/t* to mitigate
mitin *m* meeting
mito *m* myth
mitón *m* mitten
mitra *f* mitre
mixto mixed
mobiliario movable; *m* furniture
mocedad *f* youthfulness; youth; **correr sus ~es** to sow one's wild oats
moción *f* motion; movement
moco *m* mucus; **~so** *a* snotty-nosed; *m* impudent youngster
mochila *f* knapsack; hav-ersack
mochuelo *m* owl
moda *f* fashion; **de ~** fashionable
modales *m/pl* manners
model|ar *v/t* to model; **~o** *m* model; pattern
modera|ción *f* moderation; **~r** *v/t* to moderate
modern|idad *f* modernity; **~o** modern
modest|ia *f* modesty; **~o** modest
módico moderate; reasonable (*prices*)
modifica|ción *f* modification; **~r** *v/t* to modify
modismo *m* idiom; idiomatic expression
modist|a *f* dressmaker; milliner; **~o** *m* ladies' tailor; fashion designer
modo *m* mode, method; manner; **de ~ que** so that; **de otro ~** otherwise, or else; **de ningún ~** by no means; **de todos ~s** at any rate, by all means
modular *a* modular; *v/i* to modulate
módulo *elec, aer* module
mofa *f* mockery; ridicule; derision; **~rse de** to mock at
mohín *m* grimace
moho *m* moss; mould, mildew; must; rust; **~so** mouldy; musty; rusty
mojar *v/t* to wet; to soak; **~se** to get soaked
moje *m* gravy; broth
mojigato(a) *m* (*f*) hypocrite; *a* hypocritical; prude
mojón *m* landmark
mold|ar *v/t* to mould; **~e** *m* mould; form; cast
molécula *f* molecule
moler *v/t* to grind; to mill; to annoy; **~ a palos** to beat up

molest|ar *v/t* to annoy; to upset; to trouble; **~arse** to get annoyed; to take the trouble; **~ia** *f* trouble; annoyance; **tomarse la ~ia** to take the trouble; **~o** troublesome; annoying

molin|ero *m* miller; **~illo** *m* hand-mill; coffee-grinder; **~o** *m* mill; **~o de viento** windmill

mollera *f* crown of the head; **cerrado de ~** rude; ignorant

moment|áneo momentary; **~o** *m* moment; **a cada ~o** at every moment; **al ~o** immediately

mom|ería *f* clowning; **~ia** *f* mummy

mona *f* female monkey; *fam* hangover; **~cal** monkish; **~cillo** *m* acolyte; **~da** *f* stupid action; grimace; pretty child

monar|ca *m* monarch; sovereign; **~quía** *f* monarchy

monasterio *m* monastery

monda *f* pruning; paring; **~dientes** *m* toothpick; **~duras** *f/pl* peelings, parings; **~r** *v/t* to peel; to cleanse; to prune

moned|a *f* coin; money; currency; **~a de curso legal** legal tender; **~ero** *m* coiner

monetario monetary

monigote *m* grotesque figure; weakling; childish drawing

monitor *m* monitor (*person and ship*)

monj|a *f* nun, sister; **~e** *m* monk

mono(a) *m* (*f*) monkey; ape; overall; *a* pretty

monóculo *m* monocle

monólogo *m* monologue

monopoli|o *m* monopoly; **~sta** *m* monopolist; **~zar** *v/t* to monopolize (*t fig*)

monótono monotonous, humdrum

monstruo *m* monster; **~sidad** *f* monstrosity; **~so** monstrous; freakish

monta *f* mounting; amount; **~cargas** *m* hoist; lift (*for baggage*); **~discos** *m* disc jockey; **~do** *m* horseman; **~dor** *m* fitter; **~dura** *f* (*jewel*) mount, mounting; **~je** *m* assembling; installing

montañ|a *f* mountain; **~és (-esa)** *m* (*f*) highlander; inhabitant of Santander; **~oso** mountainous

montar *v/i* to mount; **~ en cólera** to fly into a rage; *v/t* to mount; to ride; to assemble; to set up

monte *m* mountain; forest; difficulty; **~ bajo** scrub; undergrowth

montería *f* hunting, chase

montículo *m* mound

montón *m* heap, pile

montuoso hilly

montura *f* mount; assembly

monumento *m* monument; memorial

moño *m* knot; bun; tuft
mora *f* mulberry; blackberry; Moorish woman
morada *f* dwelling
moral *f* morale; ethics; *m* black mulberry tree; *a* moral; **~eja** *f* moral; maxim; lesson
mórbido soft; morbid; diseased
morboso morbid
morcilla *f* black sausage; *theat* gag
mord|az pungent, biting; **~aza** *f* gag; clamp; **~edura** *f* bite; **~er** *v/t* to bite; **~iscar** *v/t* to nibble
moren|a *f geol* moraine; *ict* moray; brown bread; **~o** brown-skinned; dusky
morera *f* white mulberry tree
morfina *f* morphia, morphine
morir *v/i* to die
morisco Moorish
moro(a) *m* (*f*) Moor; *a* Moorish
morosidad *f* slowness; *com* delinquency
morral *m* nose-bag; knapsack
morriña *f* sadness; blues
morro *m* snout; headland; peak
morsa *f* walrus
mortaja *f* shroud; mortise
mortal mortal, fatal; **~idad** *f* mortality; death-rate
mortero *m* mortar
mortífero deadly
mortificar *v/t* to mortify
mortuorio *a* mortuary; *m* burial
morueco *m* ram, male sheep
mosaico *m* mosaic
mosca *f* fly; **soltar la ~** to give money unwillingly
moscardón *m* blue-bottle
moscatel muscatel (*grape or wine*)
mosquea|do mottled; **~rse** to take offense
mosquit|era *f* mosquito net; **~o** *m* mosquito; gnat
mostaza *f* mustard
mosto *m* must
mostra|dor *m* counter; (*hotel*) desk; **~r** *v/t* to show; to display
mote *m* device; catchword; nickname
motín *m* riot; rebellion
motiv|ar *v/t* to cause; to motivate; **~o** *m* motive; motif; **con ~o de** on the occasion of
moto|cicleta *f* motorcycle; **~nave** *f* motor-ship; **~neta** *f* scooter; **~r** *a* moving; *m* motor; engine; **~rista** *m* motorist
motriz motive; moving
move|dizo movable; **~r** *v/t*, **~rse** to move
movible movable
móvil mobile
movi|lidad *f* mobility; inconstancy; **~lización** *f* mobilization; **~lizar** *v/t* to mobilize; **~miento** *m* movement; motion; *mus* movement
moz|a *f* girl, lass; **~albete** *m* lad; **~o** *m* young man;

servant; waiter; **~o de cuadra** groom; stable-boy; **~o de cuerda** porter
mucama *f SA* parlourmaid; servant
mucos|idad *f* slime; mucosity; **~o** mucous
muchach|a *f* girl; **~o** *m* boy
muchedumbre *f* crowd
mucho *a* a lot; much; *pl* many; **con ~** by far; *adv* a great deal, considerably; **~ mejor** far better; **~ menos** let alone
muda *f* change; **~nza** *f* move, removal; **~r** *v/t, v/i* to change
mud|ez *f* dumbness; **~o** dumb; mute
mueble *m* piece of furniture; *pl* furniture; chattels
mueca *f* grimace; **hacer ~s** to pull faces
muela *f* millstone; molar [tooth]
muelle *m* spring (*of watch, etc*); quay; wharf; dock; jetty, mole
muérdago *m* mistletoe
muert|e *f* death; **de mala ~e** insignificant; **~o(a)** *a* dead; *m* (*f*) deceased, dead person; corpse
muestra *f* pattern; sample
muestrario *m* pattern-book; collection
mugi|do *m* lowing (*of cattle*); **~r** *v/i* to low; to moo; to bellow
mugr|e *f* grime, filth; **~iento** grimy, filthy
mujer *f* woman; wife; **~iego** feminine; womanly
mul|a *f* she-mule; **~adar** *m* rubbish heap, dump; **~ero** *m* mule-boy; **~o** *m* mule
mulato(a) *m* (*f*), *a* mulatto
muleta *f* crutch; red cloth used by bullfighters
multa *f* fine; **~r** *v/t* to fine
multiplicar *v/t* to multiply
multitud *f* crowd, multitude
mund|ial world-wide; **~o** *m* world; **todo el ~o** everybody
munición *f* ammunition
municip|al municipal; **~alidad** *f* municipality; *SA* town hall; **~io** *m* town
muñec|a *f* wrist; doll; dressmaker's model; **~o** *m* puppet; effeminate man
muñón *m* stump (*of an amputated limb*); pivot
mural *a, m* mural
muralla *f* wall; rampart
murciélago *m* bat
murmullo *m* rustle; murmur
murmurar *v/i* to murmur; to criticize; to slander; to ripple (*of water*)
muro *m* wall; **~ térmico** thermal barrier, heat barrier
muscul|ar, ~oso muscular
músculo *m* muscle
muselina *f* muslin
museo *m* museum
musgo *m* moss
música *f* music
musical musical
músico *m* musician

musitar *v/i* to mumble
muslo *m* thigh
mustio sad; withered
musulmán(ana) *m (f)*, *a* Moslem
muta|bilidad *f* mutability; **~ción** *f* mutation; change
mutilar *v/t* to mutilate; to mangle
mutis *m theat* exit
mutismo *m* muteness
mutual mutual; **~idad** *f* mutuality; mutual benefit society
mutuo mutual
muy very; **~ señores nuestros** Dear Sirs (*in letters*)

N

nabo *m* turnip; newel
nácar *m* mother-of-pearl
nac|er *v/i* to be born; to sprout; to spring, to start; **~iente** nascent; growing; rising (*sun*)
naci|ón *f* nation; **2ones Unidas** United Nations
nacional national; **~idad** *f* nationality; **~izar** *v/t* to nationalize; to naturalize
nada *f* nothingness, nothing; *pron* nothing; **de ~** you are welcome; not at all
nada|dor(a) *m (f)* swimmer; **~r** *v/i* to swim; to float
nadie nobody; no one; **~ más** nobody else
nafta *f* naphta
nailon *m* nylon
naipe *m* playing-card
nalga *f* buttock
nana *f* lullaby; *SA* nanny
naranj|a *f* orange; **~ada** *f* orangeade; **~al** *m* orange grove; **~o** *m* orange-tree
narciso *m* daffodil
narcó|mano *m* drug addict; **~tico** *m* narcotic; drug; *a* narcotic
narcotizar *v/t* to drug; to dope
nari|gudo big-nosed; **~z** *f* nose; nostril; sense of smell; bouquet (*of wine*)
narra|ción *f* narration, story; tale; **~r** *v/t* to narrate, to recite; **~tiva** *f* narrative
nata *f* cream; elite
natación *f* swimming
natal native, natal; **~icio** *m* birthday; **~idad** *f* birth-rate
nat|ividad *f* nativity; **~ivo(a)** *m (f)* native; indigenous; *a* natural; **~o** native; born
natural *a* natural; native; sincere; innate; **al ~** without artificial aid; as it is; naked; **~eza** *f* nature; character; **~idad** *f* naturalness; **~ismo** *m* naturalism; **~izar** *v/t* to naturalize; **~izarse** to be naturalized
naufrag|ar *v/i* to be shipwrecked; **~io** *m* shipwreck

náufrago(a) *m* (*f*) shipwrecked person; *a* shipwrecked
náusea *f* nausea; disgust
náutic|a *f* navigation, seamanship; **~o** nautical
nava *f* barren plain (*between mountains*)
navaja *f* clasp-knife; razor
nav|al naval; **~e** *f* ship; nave (*of church*); **~e espacial** space-craft, space-ship; **~egador** *m* navigator; **~egante** *a* navigating; *m aer* navigator; **~egar** *v/i* to navigate; to sail
navidad *f* Christmas Day
naviero *m* shipowner
navío *m* ship; **~ de guerra** warship
neblina *f* mist
nebuloso cloudy; misty; nebulous
neces|ario necessary; **~er** *m* vanity-case, toilet-case; **~idad** *f* necessity; **~itado** poor; needy; **~itar** *v/t* to want; to need
necio foolish, silly
necrología *f* obituary
nefasto ominous
nega|ción *f* negation; denial; **~r** *v/t* to deny; to refuse; to prohibit; **~tiva** *f* denial; refusal; **~tivo** *a* negative; *m foto* negative
negligen|cia *f* negligence; neglect; carelessness; **~te** careless; negligent
negoci|ación *f* negotiation; business transaction; **~ado** *m* bureau; division of an office; **~ante** *m* trader; dealer; **~ar** *v/i* to trade; to negotiate; **~o** *m* occupation; business
negr|a *f* negress; **~ero** *m fig* slave-driver; **~o** *m* negro; *a* black; **~ura** *f* blackness
nene(a) *m* (*f*) baby, child
neón *m* neon
neoyorquino(a) *m* (*f*) New Yorker
nervio *m anat* nerve; sinew; energy; *arch* rib; **~so** nervous
neto neat; pure; *com* net
neumático *m* tyre; *a* pneumatic
neurótico neurotic
neutral neutral; **~idad** *f* neutrality
neutrón *m quim* neutron
nev|ada *f* snowfall; **~ar** *v/i* to snow; **~era** *f* ice-box; **~oso** snowy
ni *conj.* neither, nor; **~ esto ~ aquello** neither this nor that; **~ siquiera** not even
nicho *m* niche, recess
nid|ada *f* nestful of eggs; **~o** *m* nest
niebla *f* fog; mist; haze
niet|a *f* granddaughter; **~o** *m* grandson
nieve *f* snow
ningún *a* (*apocope of* **ninguno** *used before masculine nouns*) no, not one; **de ~ modo** by no means
ningun|o(a) *a* no, not one, not any; **~a cosa** nothing; **de ~a manera** in no way;

indef pron none, no one, nobody
niñ|a *f* girl; **~era** *f* nursemaid, nanny; **~ez** *f* childhood; **~o** *m* boy; child; **~o expósito** foundling; **desde ~o** from childhood; **~o prodigio** infant prodigy
nipón(ona) *m* (*f*), *a* Japanese
níquel *m* nickel
niquelado nickel-plated
níspero *m* medlar (*tree and fruit*)
nitro *m* nitre
nitrógeno *m* nitrogen
nivel *m* level; **~ de agua** water-level; **~ar** *v/t* to level; to grade
no no, not; **~ más** no more; **~ sea que** lest
nobiliario nobiliary
noble noble; highborn; **~za** *f* nobleness; nobility; aristocracy
noción *f* idea; notion
nocivo harmful; noxious
nocturno nocturnal; nightly
noche *f* night; evening; **buenas ~s** good evening; good night; **2buena** *f* Christmas Eve
nodriza *f* wet nurse
nog|al *m*, **~uera** *f* walnut (*tree or wood*)
nombr|amiento *m* appointment; **~ar** *v/t* to name; to appoint; **~e** *m* name; title; **~e de pila** Christian name, first name; **~e de soltera** maiden name
nomeolvides *f* forget-me-not
nómina *f* pay-roll
nomina|l nominal; **~ativo** *m* nominative
non odd, uneven (*number*)
nordeste *m* north-east
noria *f* chain-pump
norma *f* norm; standard; rule; **~l** normal
noroeste *m* north-west
norte *m* north; **~ño** northerly
norueg|o(a) *m* (*f*), *a* Norwegian; **2a** *f* Norway
nos *pers pron* us; each other
nosotros(as) *pers pron pl* we, ourselves; us
nostalgia *f* nostalgia; homesickness
nota *f* note; annotation; mark; *com* account; bill
nota|ble noteworthy, notable; noticeable; **~r** *v/t* to note, to notice; to observe; to take down; **~ría** *f* notary's office; **~rio** *m* notary
notici|a *f* news; notice; information; **~ar** *v/t* to notify; to inform; **~ario** *m* newsreel; *radio*, *tv* newscast; **~ero** *m* news agent; reporter; *SA* news bulletin
notificar *v/t* to notify
notorio well-known; evident
novato(a) *m* (*f*) beginner, newcomer
novedad *f* novelty; newness; surprise; latest news

or fashion; **sin ~** as usual
novel|a *f* novel; story; fiction; **~a policíaca** detective story; **~ista** *m, f* novelist; writer
novia *f* bride; fiancée
novicio(a) *a* inexperienced; *m (f)* novice
noviembre *m* November
novill|a *f* heifer; **~ada** *f* fight with young bulls; **~o** *m* young bull; steer; **hacer ~os** to play truant
novio *m* bridegroom; fiancé
novísimo most recent
nub|e *f* cloud; film (*on the eye*); **~ecita** *f* small cloud; **~loso** cloudy
nuca *f* nape of the neck
nuclear nuclear
núcleo *m* nucleus
nud|illo knuckle; small knot; **~o** *m* knot; **~oso** gnarled
nuera *f* daughter-in-law
nuestro(a, os, as) *poss pron* our, ours
nueva *f* news; **~mente** again; recently
nuevo new
nuez *f* walnut; nut; Adam's apple; **~ moscada** nutmeg
nul|idad *f* nullity; incompetence; **~o** null, void
numera|ción *f* numeration; **~dor** *m mat* numerator; **~r** *v/t* to number; to count
numérico numerical
número *m* number; figure; **sin ~** countless
numeroso numerous
nunca never; **~ jamás** nevermore
nuncio *m eccl* nuncio; messenger
nupcia|l nuptial, bridal; **~s** *f/pl* wedding, nuptials
nutria *f* otter
nutri|ción *f* nutrition; **~do** abundant; copious; **~r** *v/t* to nourish; to feed; to support; **~tivo** nutritious; nourishing

Ñ

ñandú *m* American ostrich
ñaque *m* odds and ends
ñoñ|ería *f* excessive modesty; prudery; **~o** timid, shy, modest; prude

O

o or; either
oasis *m* oasis
obcecación *f* obsession
obed|ecer *v/t* to obey; **~iencia** *f* obedience; **~iente** obedient
obertura *f mus* overture
obes|idad *f* fatness; **~o** fat
obisp|ado *m* episcopate; **~o** *m* bishop

obje|ción *f* objection; **~tar** *v/t* to object; to oppose; **~tivo** *m* objective; **~tivo zoom** *foto* zoom lens; *a* objective; **~to** *m* object; thing; purpose; subject matter
oblicuo oblique; slanting
obliga|ción *f* obligation; duty; *pl com* liabilities; **~cionista** *m, f com* bondholder; **~r** *v/t* to oblige, to bind; **~rse** to commit oneself; **~torio** compulsory
oblongo oblong
obr|a *f* work; creation; structure; building site; **~a de arte** work of art; **~a maestra** masterpiece; **~a de asistencia social** welfare work; **~as públicas** public works; **~ar** *v/t* to work; to manufacture; *v/i* to act; to be; **~ero(a)** *m* (*f*) worker; **~ero calificado** skilled worker
obsceno obscene, indecent
obscur|ecer *v/t* to darken; **~ecerse** to grow dark; to cloud over; **~idad** *f* darkness; **~o** dark
obsequi|ar *v/t* to entertain, to present with; **~o** *m* courtesy; gift; attention; **~oso** attentive, obliging
observa|ción *f* observation; remark; **~dor(a)** *m* (*f*) observer; *a* observing; **~r** *v/t* to observe, to remark; to watch; to regard; **~torio** *m* observatory
obsesión *f* obsession
obstáculo *m* obstacle
obsta|nte: no ~nte nevertheless; however; **~r** *v/i* to obstruct, to hinder
obstina|ción *f* obstinacy, stubbornness; **~do** obstinate, stubborn; **~rse (en)** to persist (in)
obstru|cción *f* obstruction; **~ir** *v/t* to obstruct; **~irse** to be blocked
obten|ción *f* attainment; **~er** *v/t* to obtain; to attain
obtura|dor *m aut* throttle; *foto* shutter; **~r** *v/t* to stop up; to plug
obús *m* shell; howitzer
obvio obvious, evident
oca *f* goose
ocasión *f* occasion; **de ~** second-hand
ocasiona|l occasional; **~r** *v/t* to cause
ocaso *m* setting (*of the sun*); decline; west; *fig* evening; decline
occident|al western; occidental; **~e** *m* west; occident
oceánico oceanic
océano *m* ocean
ocio *m* leisure; idleness; **~so** idle; inactive; useless
octubre *m* October
ocul|ar *a* ocular; *m* eyepiece; **~ista** *m* eye-specialist, oculist
ocult|ación *f* concealment; hiding; **~ar** *v/t* to conceal; to hide; **~o** hidden; occult
ocupa|ción *f* occupation;

business; **~nte** *m, f* occupant; **~r** *v/t* to occupy; **~rse en** to look after; to be engaged in

ocurr|encia *f* occurrence; incident; happening; witticism; **~ir** *v/i* to occur; to happen

odi|ar *v/t* to hate; **~o** *m* hatred; **~osidad** *f* hatefulness; **~oso** hateful, odious

odontólogo(a) *m (f)* dentist

odorífero aromatic, fragrant

oeste *m* west

ofen|der *v/t* to offend; to insult; **~derse** to take offence; **~sa** *f* offence; **~siva** *f* offensive; **~sivo** offensive; **~sor(a)** *m (f)* offender; *a* offending

oferta *f* offer; offering; *com* **~ y demanda** supply and demand

ofici|al *a* official; *m* officer; official; clerk; **~alidad** *f* body of officers; **~almente** officially; **~ar** *v/i* to officiate; **~na** *f* office; **~na de colocaciones** employment agency; **~na de turismo** tourist office; **~na principal** head office; **~nista** *m, f* clerk; white-collar worker; **~o** *m* trade; profession; work; **~oso** officious

ofre|cer *v/t* to offer; to present; **~cerse** to occur; to offer oneself; **~cimiento** *m* offer; **~nda** *f* offering

oftalmólogo *m* oculist

ofuscar *v/t* to dazzle; to confuse

oí|ble audible; **~da** *f* hearing; **de ~das** by hearsay; **~do** *m* ear; sense of hearing; **de ~do** by ear

oír *v/t* to hear; to listen

ojal *m* buttonhole

ojea|da *f* glance, glimpse; **~r** *v/t* to eye, to have a look at

ojera *f* dark ring under the eye

ojete *m (sewing)* eyelet

ojo *m* eye; eye of the needle; **¡~!** look out!; **~ amoratado** black eye; **a ~s cerrados** blindly

ola *f* wave; **~ de marejada** tidal wave

olea|ginoso oily; **~eaje** *m* surf

óleo *m* oil; oil painting; extreme unction

oleoducto *m* pipe-line

oler *v/t* to smell; to scent; *v/i* to smell; **~ a** to smell of

olfat|ear *v/t, v/i* to sniff; to smell; **~o** *m* sense of smell, nose

oliente smelling

oliv|a *f* olive; olive-tree; owl; **~ar** *m* olive grove; **~o** *m* olive-tree

olmo *m* elm tree

olor *m* smell, odour

olvid|adizo forgetful; **~ar** *v/t* to forget; **~o** *m* forgetfulness; oblivion

oll|a *f* stew-pot; **~a de presión** pressure cooker; **~ero** *m* potter

ombligo *m anat* navel
omi|sión *f* omission; carelessness; **~so** neglectful; careless; **~tir** *v/t* to omit
ómnibus *m* omnibus; bus
omnipotente omnipotent
omnisciente omniscient
omóplato *m* shoulder-blade
ond|a *f* wave (*sea, hair, radio*); **~a acústica** sound-wave; **~ear** *v/i* to wave; to ripple; to undulate; **~ulado** wavy; waved; undulated; **~ular** *v/t* to undulate; to wave
oneroso onerous, burdensome
onza *f* ounce
opaco opaque
opción *f* option; choice
ópera *f* opera
opera|ción *f* operation; *com* transaction; **~dor** *m* operator; *cine* camera-man; **~r** *v/t* to operate; **~rio** *m* operator, worker
opereta *f* operetta
opin|ar *v/t* to be of the opinion; **~ión** *f* opinion; **cambiar de ~ión** to change one's mind; **en mi ~ión** in my opinion
opio *m* opium
opo|ner *v/t* to oppose; **~nerse** to object; to be opposed; **~sición** *f* opposition; **~sitor(a)** *m* (*f*) opponent; competitor
oportun|idad *f* opportunity; **~ista** *m, f* opportunist; **~o** opportune; convenient
opr|esión *f* oppression; **~esivo** oppressive; **~imir** *v/t* to oppress
optar *v/t* to opt; to choose
óptic|a *f* optics; **~o** *a* optical; *m* optician
optimis|mo *m* optimism; **~ta** *m, f* optimist; *a* optimistic
óptimo best; very good
opuesto opposite
opulen|cia *f* opulence; **~to** opulent; rich
ora whether; either, now; then
oración *f* speech; prayer; sentence
oráculo *m* oracle
ora|dor(a) *m* (*f*) orator; speaker; **~l** oral, vocal; **~r** *v/i* to pray
oratori|a *f* oratory, eloquence; **~o** *m* oratory; chapel; *mus* oratorio
orbe *m* world; globe
órbita *f* orbit; eye-socket
orden *m* order; method; system; class; religious order; *f* order, command; *com* order; order of knighthood; **~ación** *f* arrangement; disposition; **~amiento** *m* edict; **~anza** *f* statute; ordinance; *m mil* orderly; **~ar** *v/t* to put in order; to order, to arrange; to command; to ordain; **~arse** to be ordained
ordeñar *v/t* to milk
ordinal ordinal
ordinario ordinary, vulgar; coarse; regular
oreja *f* ear; tab (*of shoe*)

orfanato *m* orphanage
orfebre *m* goldsmith; silversmith; **~ría** *f* gold *or* silver work
organillo *m* barrel-organ
organi|smo *m* organism; **~sta** *m, f* organist; **~zación** *f* organization; **~zar** *v/t* to organize
orgánico organic
órgano *m* organ
orgullo *m* pride; **~so** proud
orient|ación *f* orientation; **~al** oriental; **~e** *m* orient; **el** 2**e** the East, the Orient
orificio *m* orifice; hole
origen *m* origin; source
origina|l original; queer; **~r** *v/t* to originate; **~rse** to spring from
orilla *f* edge; bank, shore, riverside
orina *f* urine; **~l** *m* chamberpot; **~r** *v/t, v/i* to urinate
oriundo native (of)
orla *f* border, edging; **~r** *v/t* to border, to edge
orna|mento *m* ornament; **~r** *v/t* to adorn
oro *m* gold; gold colour
orquesta *f* orchestra
ortiga *f* nettle
ortografía *f* spelling
oruga *f* caterpillar
orujo *m* refuse of grapes, olives, *etc*
orzuelo *med* sty
os *pers pron* you; to you
osad|ía *f* boldness; daring; **~o** bold
osar *v/i* to dare
oscila|ción *f* oscillation; **~r** *v/i* to swing; to oscillate
óseo bony, bone
ostenta|r *v/t* to show off; to exhibit; **~tivo** ostentatious
ostra *f* oyster
otoño *m* autumn
otorga|miento *m* license, grant, permission; **~nte** *m, f* granter; **~r** *v/t* to grant, to confer
otr|o(a, os, as) other; another; **~o día** another time; **~a cosa** something else; **~a vez** again; **~os tantos** as many
ovaci|ón *f* ovation; **~onar** *v/t* to give an ovation to
oval, ~ado oval
ovario *m anat* ovary
ovej|a *f* sheep; ewe; **~ero** *m* shepherd
ovillo *m* ball (*of wool*)
oxidar *v/t*, **~se** to oxidize; to rust
óxido *m* oxide
oxígeno *m* oxygen
oyente *m, f* listener; hearer

P

pabellón *m* pavilion; ward (*in hospital*); *mil* bell tent; flag; lodge
pacer *v/i* to graze
pacien|cia *f* patience; **~te** *m, f, a* patient; **~te externo(a)** outpatient
pacifi|cación *f* pacifica-

tion; peace of mind; **~cador** *m* peacemaker; **~car** *v/t* to pacify; to appease; **~carse** to calm down
pacífico peaceful, pacific
pacifista *m, f* pacifist
paco *m* alpaca
pacotilla *f com* venture; **de ~** of poor quality
pact|ar *v/t* to contract; to stipulate; **~o** *m* pact
padec|er *v/t* to suffer from; to tolerate; **~imiento** *m* suffering
padr|astro *m* stepfather; *fig* obstacle; **~e** *m* father; priest; *pl* parents; ancestors; **2e Santo** Holy Father (*the Pope*); **2enuestro** *m* Lord's Prayer, Our Father; **~ino** *m* godfather; best man; patron
padrón *m* census; register; pattern; model
pag|a *f* salary, pay; **~adero** payable; **~ador(a)** *m* (*f*) payer; **~aduría** *f* paying-office
pagano(a) *m* (*f*), *a* heathen
pagar *v/t* to pay; to repay; to atone; **por ~** *com* unsettled; **~é** *m* promissory note; IOU
página *f* page (*of a book*)
pago *m* payment; **~ a plazos** instalment plan
país *m* country; land; region; **~ de origen** native country
paisa|je *m* landscape; **~no(a)** *m* (*f*) fellow-countryman (-woman); civilian; **vestido de ~no** in civilian clothes
Países *m/pl* **Bajos** Netherlands
paja *f* straw
pájaro *m* bird; sly fellow; **~ cantor** song-bird; **~ carpintero** woodpecker
pajarraco *m* large, ugly bird; sly fellow
paje *m* page; cabin-boy
pala *f* shovel; spade; peel; blade (*of oar*)
palabr|a *f* word; **~ota** *f* coarse expression
palacio *m* palace
palad|ar *m* palate; taste; relish; **~ear** *v/t* to taste
palanca *f mech* lever; bar
palangana *f* washbasin
palco *m theat* box
palenque *m* palisade
palet|a *f* small shovel; **~o** *m* rustic
palia|r *v/t* to palliate; to lessen; **~tivo** palliative
palide|cer *v/i* to pale, to turn pale; **~z** *f* pallor
palique *m* small talk
paliza *f* beating; thrashing
palizada *f* palisade; paling
palm|a *f bot* palm-tree; palm-leaf; palm of the hand; **~ada** *f* smack; clapping of the hands; applause; **~ar** *m* palm-grove; **~atoria** *f* small candlestick; **~era** *f* palm-tree; **~o** *m* span (*measure of length, 8 inches*); **~o a ~o** inch by inch
palo *m* stick; pole; cudgel; (*card*) suit

palom|a *f* pigeon; dove; **~ar** *m* pigeon-house; dovecot; **~o** *m* cock pigeon
palpable evident, palpable
palpitación *f* palpitation
paludismo *m* malaria
pampa *f* pampa, prairie
pan *m* bread; loaf; **~ con mantequilla** bread and butter; **~ de jengibre** gingerbread; **~ de oro** gold-leaf
pana *f* corduroy; **~dería** *f* bakery; **~dero** *m* baker
panal *m* honeycomb
pandereta *f* tambourine
pandill|a *f* gang, pack (*of thieves*); clique; **~ero** *m* gangster
panecillo *m* roll (*bread*)
pánico *m* panic
panqueque *m* *SA* pancake
pantalón *m* trousers; **~ bombacho** knickers, knickerbockers
pantalla *f* lamp-shade; screen
pantan|al *m* swamp; **~o** *m* marsh; swamp; reservoir; **~oso** marshy
pantera *f* panther
pantorrilla *f* calf (*of the leg*)
panz|a *f* paunch, belly; **~udo** big-bellied
pañal *m* (baby's) napkin; diaper; **~es** swaddling-clothes; infancy
pañ|ería *f* draper's shop; clothing shop; **~o** *m* cloth; duster; **~o higiénico** sanitary napkin *or* towel; **~uelo** *m* handkerchief; kerchief
papá *m* father; daddy
papa *m* pope; *f* *SA* potato; **~do** *m* papacy
papagayo *m* parrot
papamoscas *m* fly-catcher
papel *m* paper; document; pamphlet; *theat* rôle; **~ carbón** carbon paper; **~ decorado** wallpaper, paperhangings; **~ de cartas** writing-paper; **~ de estaño** tin-foil; **~ de estraza** brown paper; **~ de fumar** cigarette-paper; **~ higiénico** toilet-paper; **~ de lija** sandpaper; **~ de seda** tissue paper; **~ moneda** paper money; **~ secante** blotting-paper; **~era** *f* writing-desk; **~ería** *f* stationer's; **~ero** *m* stationer; **~eta** *f* card; check; slip of paper; **~ucho** *m* scurrilous article
paperas *f/pl* mumps
papilla *f* pap
paquete *m* packet; parcel
par *m* pair; couple; peer; *a* even (*of numbers*); equal; **a la ~** equally; *com* at par; **sin ~** matchless
para for; intended for; to; **~ que** in order that; **estar ~** to be about to; **¿~ qué?** what for?
parabrisas *m* wind-screen
paracaídas *m* parachute
paracaidista *m* parachutist
parachoques *m* bumper
para|da *f* stop; stopping-

place; **~da condicional** request stop; **~da de taxis** cabstand, taxi-rank; **~dero** *m* whereabouts; *SA* busstop, railway stop; **~do** *a* motionless; unemployed; *m* unemployed worker
paradoja *f* paradox
paradójico paradoxical
parador *m* inn; tourist hotel
parafina *f* paraffin
paraguas *m* umbrella
paraíso *m* paradise; heaven
paralel|a *f* parallel; **~o** parallel
parálisis *f* paralysis
paralítico paralytic
páramo *m* moor; *SA* bleak plateau
parapeto *m* breastwork, rail (*of a bridge*)
parar *v/t*, **~se** to stop; *SA* to stand
pararrayos *m* lightning-conductor
parásito(a) *m* (*f*) parasite
parasol *m* sunshade
parcela *f* parcel, plot (of ground); **~r** *v/t* to allot; to parcel out
parcial partial, one-sided; **~idad** *f* partiality; bias
parco sparing; moderate
parche *m* sticking plaster; patch
pard|o dark; brown; **~usco** greyish; drab
parec|er *m* opinion; appearance; looks; *v/i* to appear; to seem; **~erse** to resemble; **~ido** *a* like, similar; **bien ~ido** good-looking; *m* resemblance, likeness
pared *f* wall
pareja *f* couple; pair; partner
parente|la *f* kin(folk), relations, parentage; **~sco** *m* kinship
paréntesis *f* brackets
paria *m, f* outcast
paridad *f* parity, equality
pariente *m, f* relative
parir *v/t, v/i* to give birth
parl|amentar *v/i* to converse; **~amentario** parliamentary; **~amento** *m* parliament; **~anchín** *m, f* chatter-box; **~otear** *v/i* to prattle, to babble, to chatter
paro *m* lock-out; *orn* tit; **~ forzoso** unemployment
parpadear *v/i* to blink, to twinkle
párpado *m* eyelid
parque *m* park; **~ zoológico** zoo
parqué *m* parquet
parquímetro *m* parking meter
parra *f* climbing vine
párrafo *m* paragraph
parrilla *f* grill; grate; gridiron
párroco *m* parish priest
parroquia *f* parish; parish church; *com* customers; **~no** *m* parishioner; *com* customer
parsimonia *f* economy; frugality

parte *f* part; share; party; side; cause; place; *theat* rôle; **de ~ de** from; on behalf of; **de ~ a ~** through; **en ~** partly; **en todas ~s** everywhere; **por otra ~** on the other hand; **la mayor ~** most of; **~s vitales** vitals; *m* report; news; **~luz** *m arch* mullion

participa|ción *f* share; participation; announcement; **~r** *v/t* to inform, to notify; *v/i* to partake, to participate; to share

partícipe sharing

participio *m gram* participle

partícula *f* particle

particular particular; special; private; **~idad** *f* particularity, peculiarity; **~izar** *v/t* to specify

partida *f* departure, parting; document; certificate; *com* item; party; lot; shipment; game (*of cards*); entry (*in a register*); **~ doble** *com* double-entry; **~ de matrimonio** marriage certificate; **~rio(a)** *m* (*f*) partisan, follower; **~rios** *m/pl* following

parti|do *m pol* party; match, game (*in sport*); profit; **sacar ~do de** to take advantage of; **tomar ~do** to make a decision; to take sides; **~r** *v/t* to part, to divide, to split; to break; *v/i* to depart; **a ~r de hoy** from today onwards

partitura *f mus* score

parto *m* childbirth; **estar de ~** to be in labour, to be confined

parva *f* heap, large amount

párvulo *a* small; tiny; *m* small child

pasa *f* dried grape; raisin; **~ de Corinto** currant

pasado *a* past; **~ de moda** old-fashioned, out of fashion; **~ mañana** the day after tomorrow; *m* past

pasador *m* bolt; pin; smuggler

pasaje *m* passage; voyage; fare; **~ro(a)** *m* (*f*) passenger

pasaman|ería *f* passementerie; **~o** *m* banister, hand-rail

pasante *m* assistant (*to lawyer or doctor*)

pasaporte *m* passport

pasar *v/t* to pass; to cross; to surpass; to hand; to transfer; to smuggle; to undergo; to endure; to overlook; **~lo bien** to have a good time; **~ por alto** to ignore; to overlook; *v/i* to pass; to manage; to go past; to end; **~ de** to exceed; **~ a** to proceed; **~ por** to be reputed; **¿qué pasa?** what's the matter?; what's the trouble?; **~se** to go over; **~se sin** to do without, to dispense with; **~se de** to be too

pasatiempo *m* pastime

pascua *f* Passover; ♀ **del Espíritu Santo** Pentecost; ♀ **de la Navidad** Christmas; ♀ **de Resurrección** Easter
pase *m* permit; pass
pase|ante *m, f* walker, stroller; **~o** *m* walk; stroll; **dar un ~o** to take a walk
pasillo *m* corridor
pasión *f* passion
pasional passionate
pasiv|idad *f* passivity; **~o** *m com* liabilities; debit; *a* passive
pasm|ar *v/t* to stun; **~o** *m* amazement; **~oso** amazing
paso *m* pace; step; passing; gait; walk; **~ a nivel** level crossing; **~ de peatones** pedestrian crossing; **~ superior** *fc* overpass; **a pocos ~s** at a short distance; **a ~ de tortuga** at a snail's pace; **de ~** in passing; on the way; **abrirse ~** to make one's way; **ceder el ~** to make way; **marcar el ~** to mark time; **salir del ~** to get out of a difficulty
pasta *f* paste; dough; *pl* pastry; **~ dentífrica** toothpaste
pastel *m* cake; pie; *fig* shady deal; **~ería** *f* pastry shop; pastry; **~ero** *m* pastry cook; **~illo** *m* fancy cake
pastilla *f* tablet; cake (*of soap*); drop, lozenge
pasto *m* grazing; pasture; food; **~r(a)** *m (f)* shepherd (-ess); **~ral** pastoral; **~rear** *v/t* to pasture; **~reo** *m* pasturing
pastoso pasty, doughy
pata *f* foot; leg; paw; **~s de gallo** wrinkles, crow's feet; **a cuatro ~s** on all fours; **~s arriba** upside down; **meter la ~** *fig* to put one's foot in it; **~da** *f* stamp (*with the foot*); kick
patán *m* rustic; lout
patata *f* potato
patear *v/t, v/i* to kick; to stamp
patent|e *f* patent; warrant; *a* patent, evident; **~izar** *v/t* to evince
patern|al paternal; **~idad** *f* paternity; **~o** paternal; fatherly
patético moving, pathetic
patíbulo *m* gallows
patillas *f/pl* side-whiskers
patín *m* skate; **~ de ruedas** roller-skate
patin|adero *m* skating-rink; **~ador(a)** *m (f)* skater; **~aje** *m* skating; **~aje artístico** figure skating; **~ar** *v/i* to skate; to skid; **~eta** *f* scooter
patio *m* courtyard; *theat* pit
pato *m* duck; **pagar el ~** to be the scapegoat
patológico pathological
patraña *f* fake, swindle, humbug
patria *f* fatherland; native country
patrimonio *m* patrimony
patrio native; **~ta** *m, f*

patriot; **~tero** *m* chauvinist
patriótico patriotic
patriotismo *m* patriotism
patrocin|ador *m* patron, sponsor; **~ar** *v/t* to sponsor; **~io** *m* patronage; protection
patrón *m* patron; protector; landlord; employer; standard; *cost* pattern; **~ oro** gold standard
patron|a *f* patroness; landlady; **~ato** *m* trust; trusteeship; foundation
patronímico *m* surname
patrulla *f* patrol; squad; **~r** *v/t*, *v/i* to patrol
paulatinamente gradually
pausa *f* pause; rest; **~damente** leisurely, slowly; **~do** calm; slow; **~r** *v/i* to pause
pava *f* turkey-hen; **pelar la ~** *v/i* to carry on a flirtation
pávido timid, fearful
paviment|ar *v/t* to pave; **~o** *m* pavement; paving
pavo *m* turkey; **~ real** peacock; **~nearse** *v/t* to swagger, to show off
pavor *m* terror
payas|ada *f* clowning; **~o** *m* clown
paz *f* peace, tranquillity
peaje *m* toll
peatón *m* pedestrian
peca *f* freckle, spot
peca|do *m* sin; **~dor(a)** *m* (*f*) sinner; **~minoso** sinful
pecera *f* aquarium
pécora *f* head of sheep; **mala ~** malignant woman
peculiar peculiar; **~idad** *f* peculiarity
pechera *f* shirt-front
pecho *m* chest; breast; bosom; slope; courage; **dar el ~** to breast-feed; **tomar a ~** to take to heart
pechuga *f* breast (*of fowls*); *SA* impudence
pedag|ogía *f* pedagogy; **~ógico** pedagogical; **~ogo** *m* teacher
pedal *m* pedal *m*; *mech* treadle; **~ear** *v/i* to pedal
pedante pedantic; **~ría** *f* pedantry
pedazo *m* piece, fragment
pedernal *m* flint
pedestal *m* pedestal
pedestre pedestrian
pedicuro(a) *m* (*f*) chiropodist
pedi|do *m* demand; *com* order; **~r** *v/t* to beg; to request; to demand; to sue for; *com* to order
pedr|ada *f* blow with a stone; **~ea** *f* stone-throwing; **~egal** *m* stony place; **~egoso** stony; **~ejón** *m* boulder; **~ero** *m* stone-cutter; **~isca** *f* hailstorm; **~usco** *m* big, rough stone
peg|a *f* gluing; sticking; *fig* difficulty; poser; **~adizo** sticky; **~ado a** attached to; **~ajoso** sticky; **~ar** *v/t* to stick; to glue; to beat; **~ar fuego a** to set on fire; **no ~ar los ojos**

not to sleep a wink; **~ar un tiro a** to shoot; **~arse** to adhere; to stick to; **~ote** *m* sticking plaster; *fam* sponger; **~otear** *v/i fam* to sponge
pein|ado *m* hairdo; **~ador** *m* dressing-gown; **~adura** *f* combing; **~ar** *v/t* to comb; **~e** *m* comb
peladilla *f* sugar almond
pelad|o shorn; peeled; penniless; **~uras** *f/pl* parings
pelar *v/t* to peel; to cut the hair off; to shear; to pluck (*fowls*); *fig* to fleece
peldaño *m* step (*of staircase*); rung (*of ladder*)
pelea *f* fight; quarrel; **~r** *v/i* to fight; to quarrel
pelele *m* dummy; simpleton
peleter|ía *f* furrier's shop; **~o** *m* furrier
peliagudo furry; *fig* difficult
pelícano *m* pelican
película *f* film; motion picture
peligr|ar *v/i* to be in danger; **~o** *m* risk; peril; **correr ~o** to run a risk; **~oso** dangerous
pelillo *m* annoying trifle; **echar ~s a la mar** to make it up; **pararse en ~s** to stick at trifles
pelinegro black-haired
pelmazo *m* heavy food; sluggard
pel|o *m* hair; fibre, filament; down (*of birds, fruit*); nap (*of cloth*); coat (*of animals*); **tomar el ~o** to pull one's leg, to tease; **~ón** hairless; penniless
pelot|a *f* ball; pelota (*ball-game*); **~azo** *m* blow with a ball; **~ear** *v/t* to audit (*accounts*); *v/i* to knock a ball about; to argue
pelotón *m* tuft of hair; *mil* platoon; **~ de ejecución** shooting squad
pelu|ca *f* wig; **~do** hairy, shaggy; **~quería** *f* hairdresser's shop; **~quero(a)** *m* (*f*) hairdresser; barber
pelusa *f* fluff; down
pellej|a *f*, **~o** *m* skin; hide; **salvar el ~o** to save one's skin
pellizc|ar *v/t* to pinch; to nip; **~o** *m* pinch, nip
pen|a *f* grief, sorrow; punishment, penalty; **~a capital** capital punishment; **a duras ~as** with great trouble; **valer la ~a** to be worthwhile; **~ado** *m* convict; *a* painful; **~al** penal; **~ar** *v/t* to punish; **~arse** to grieve
pendenciero quarrelsome
pend|er *v/i* to hang; to dangle; **~iente** *a* pending; **~iente de pago** unpaid; *f* slope, hill
péndulo *m* pendulum
pene *m* penis
penetra|ción *f* penetration; insight; **~nte** penetrating; piercing; **~r** *v/t* to understand; to penetrate
penicilina *f* penicillin

península *f* peninsula
penique *m* penny
peniten|cia *f* penitence; penance; **~ciaría** *f* penitentiary; **~te** penitent, repentant
penoso painful
pensa|do deliberate, premeditated; **mal ~do** evil-minded; **~dor(a)** *m* (*f*) thinker; **~miento** *m* thought; thinking; *bot* pansy; **~r** *v/t* to think; to intend; **~r en** to think of; **~tivo** thoughtful, pensive
pensi|ón *f* pension; rent; boarding-house; **~onar** *v/t* to pension; **~onista** *m, f* pensioner; boarder
pentecostés *m* Whitsuntide
penúltimo last but one
penuria *f* poverty, need; hardship
peñ|a *f* rock; crag; group of friends; **~ascal** *m* rocky hill; **~asco** *m* crag, cliff; **~ascoso** rocky, mountainous; **~ón** *m* large rock
peón *m* foot-soldier; day labourer; pawn (*chess*)
peor *a, adv* worse; worst; **de mal en ~** from bad to worse
pepin|illos *m/pl* gherkins; **~o** *m* cucumber
pepita *f* pip; stone (*of fruit*); nugget
pequeñ|ez *f* smallness; trifle; pettiness; **~o** little; small
pera *f* pear; goatee; **~l** *m* pear-tree
percance *m* misfortune, accident, mishap
percatarse de to realize, to notice
percep|ción *f* perception; **~tible** perceptible; **~tivo** perceptive; **~tor** *m* perceiver; observer
percib|ir *v/t* to collect (*taxes*); to receive; to perceive, to notice
percu|sión *f* percussion; **~tir** *v/t* to percuss; to strike
percha *f* perch; rack; peg; hat-stand; roost
perd|er *v/t* to lose; to waste; to ruin; to miss; **~erse** to get lost; to pass out of sight *or* hearing; **~ición** *f* perdition; loss; ruin
pérdida *f* loss; **~s y ganancias** *f/pl* profit and loss
perdido lost; wasted; stray; spoilt; ruined
perdig|ón *m* young partridge; bird shot; **~uero** *m* setter; retriever (*dog*)
perdiz *f* partridge
perdón *m* pardon; mercy
perdonar *v/t* to forgive; **¡perdóneme!** excuse me!
perdurar *v/i* to endure; to last
perece|dero perishable; **~r** *v/i* to come to an end; to perish
peregrin|ación *f* pilgrimage; **~ar** *v/i* to go on a pilgrimage; **~o(a)** *m* (*f*) pilgrim; *a* migratory

perejil *m* parsley
perentorio peremptory, decisive
perez|a *f* laziness, idleness, sloth; **~oso** *a* lazy, idle; *m zool* sloth
perfección *f* perfection
perfeccionar *v/t* to perfect
perfecto perfect, complete
perfidia *f* perfidy, treachery
pérfido perfidious, disloyal
perfil *m* profile, outline; **~ar** *v/t* to profile; to outline; **~arse** to loom, to appear
perforar *v/t* to punch; to perforate; to drill
perfum|ar *v/t* to scent; **~e** *m* perfume; **~ería** *f* perfumery
pergamino *m* parchment
pericia *f* skill; expertness, know-how; **~l** expert
perico *m* parakeet
periferia *f* periphery, outskirts
perilla *f* door-knob; handle
periódico *m* daily, newspaper; *a* periodical
periodi|smo *m* journalism; **~sta** *m* newspaperman, journalist
período *m* period
peripecia *f* episode; accident
perito *m* expert
perjudic|ar *v/t* to harm; to damage; **~ial** harmful
perjuicio *m* damage, hurt
perjur|ar *v/i* to commit perjury; **~io** *m* perjury; **~o** *m* perjurer
perla *f* pearl
permane|cer *v/i* to remain; to stay; **~ncia** *f* permanency; stay; sojourn; **~nte** *f fam* perm; *a* permanent
permeable permeable
permi|sible permissible; **~sión** *f* permission; leave; permit; licence; **~sivo** permissive, tolerant; **~tir** *v/t* to permit; to allow
permuta *f* exchange; barter; **~ble** exchangeable; **~ción** *f* exchange, interchange; **~r** *v/t* to exchange
pernicioso harmful; pernicious
perno *m* bolt; pin
pernoctar *v/i* to spend the night
pero but, yet
perogrullada *f fam* truism, platitude
perpendicular perpendicular
perpetrar *v/t* to perpetrate
perpetuo perpetual
perplej|idad *f* perplexity; **~o** perplexed
perr|a *f* bitch; *fam* copper (*coin*); **~ada** *f* pack of dogs; **~era** *f* kennel; drudgery; **~ero** *m* dog-catcher; **~illo** *m* small dog; trigger; **~illo de falda** lap-dog; **~o** *m* dog; **~o de aguas** spaniel; **~o de lanas** poodle; **~o de presa** bulldog; **~o del hortelano** dog in the manger; **~o guardián** watchdog; **~o pastor** sheep-dog; **~uno** doggish,

doglike
persa *m, f, a* Persian
persecución *f* persecution; pursuit; harassment
persegui|miento *m* persecution; **~r** *v/t* to pursue; to harass
perseverar *v/i* to persevere, to persist
persiana *f* Venetian-blind
persignarse to cross oneself
pérsigo *m* peach; peach-tree
persisten|cia *f* persistency; **~te** persistent
persona *f* person; individual; personage; *theat* character; **~je** *m* personage; **~l** *a* personal, private; *m* personnel; **~lidad** *f* personality; **~rse** *v/r* to appear personally
personifica|ción *f* personification; **~r** *v/t* to personify
perspectiva *f* perspective, outlook, prospect
perspica|cia *f* perspicacity; sagacity; **~z** perspicacious, shrewd
persua|dir *v/t* to persuade; **~sivo** persuasive, inducing
pertene|cer *v/i* to belong; to appertain; to concern; **~ncia** *f* ownership; property
pertina|cia *f* stubbornness; **~z** stubborn
pertinente pertinent; *for* concerning
pertrechar *v/t*, **~se** *mil* to equip; to supply; to store
perturba|dor *a* disturbing; *m* disturber, perturber; **~r** *v/t* to confuse, to agitate, to interrupt
peruano(a) *m (f), a* Peruvian
perver|sión *f* perversion; **~so** perverse, evil; **~tido** *m* pervert; **~tir** *v/t* to pervert, to corrupt; to debase
pesa *f* weight; clock weight; counterweight; **~dez** *f* heaviness; sluggishness; drowsiness; fatigue; **~dilla** *f* nightmare; **~do** heavy; massive; wearisome; tedious; fat; **~dumbre** *f* heaviness; sorrow; regret
pésame *m* condolences
pesar *v/t* to weigh; to ponder; *v/i* to weigh; to be important; to cause sorrow *or* regret; *m* sorrow, grief; **a ~ de** in spite of; **a ~ de todo** all the same, nevertheless; **~oso** sorry, regretful
pesca *f* fishing; fishery; **~dería** *f* fishmonger's shop; **~dero** *m* fishmonger; **~do** *m* fish (*caught*); **~dor** *m* fisherman; **~r** *v/t, v/i* to fish; to catch, to angle
pescuezo *m* neck
pesebre *m* manger; crib; stall
peseta *f* peseta (*Spanish currency unit*)
pesimista *m, f* pessimist

pésimo worst; very bad
peso *m* weight; burden; heaviness; balance, scales; peso (*currency unit*); **~ bruto** gross weight; **~ ligero** light-weight; **~ medio** middle-weight
pesquis|a *f* inquiry; investigation; **~idor** *m for* coroner
pestañ|a *f* eyelash; **~ear** *v/i* to wink; to blink
pest|e *f* pest; plague; stench; **~ífero** foul; **~ilencia** *f* pestilence
pestillo *m* door-latch
petaca *f* cigar(-ette)-case
pétalo *m* petal
petardo *m* bomb; petard; *fam* swindle
petición *f* petition; demand
petirrojo *m* robin
petrificar *v/t* to petrify
petróleo *m* petroleum, (mineral) oil
petulan|cia *f* arrogance; **~te** haughty, arrogant
pez *m* fish (*living*); pitch, tar; **~ gordo** *fam* bigwig
pezón *m* stalk; nipple
pezuña *f* hoof
piadoso pious; devout; merciful
piano *m* piano
piar *v/i* to chirp, to peep
piara *f* herd of pigs
pica *f* pike
picadero *m* riding-school
picadillo *m* minced meat, hash
picado *a* pricked; *m aer* nose-dive
picadura *f* pricking; sting; bite
picante hot, strongly, spiced; biting
picaporte *m* door-knob; latch; door-handle
picar *v/t* to prick; to sting; to bite; to chop, to mince; *v/i aer* to nose-dive; **~ en** to be something of a; **~se** to be moth-eaten; to turn sour; to become choppy (*sea*); to take offence
picardía *f* knavery; roguery; mischievousness
pícaro *a* sly, crafty; base; roguish; *m* rogue; rascal; scoundrel
picatoste *m* buttered toast
picazón *f* itch, itching; smarting
pico *m* beak, bill (*of a bird*); peak, summit; pick; spout (*of teapot*)
picotazo *m* peck of a bird
pictórico pictorial
pichón *m* young pigeon
pie *m* foot; trunk (*of tree*); stem (*of plants*); support; **a ~** on foot; **al ~ de la letra** literally; **en ~** standing; in force; pending; **dar ~** to give cause; **de ~s a cabeza** from head to foot; **estar de ~** to stand; **ponerse en ~** to stand up; **poner ~s en polvorosa** to take to one's heels
piedad *f* piety; devoutness; mercy; pity
piedra *f* stone; hail
piel *f* skin; hide; leather

pienso *m* fodder; feed; **ni por ~** by no means
pierna *f* leg; **a ~ suelta** soundly
pieza *f* piece; play; room
pifia *f* false stroke at billiards; *fam* blunder
pigmento *m* pigment
pijama *m* pyjamas, *Am* pajamas
pila *f* (*kitchen*) sink; basin; water trough; *eccl* font; *elec* battery; pile; **~ atómica** atomic pile
pilar *m* pillar, column
píldora *f* pill
pilón *m* trough; basin; loaf (*sugar*); pylon
pilot|aje *m* pilotage; pilework; **~o** *m* pilot; driver
pilla|je *m* plundering; **~r** *v/t* to pillage, to plunder, to loot
pillo *m* rascal; knave
piment|ero *m* pepper-plant; **~ón** *m* red pepper
pimient|a *f* black pepper; **~o** *m* green pepper
pimpollo *m* shoot; bud; pretty youth
pinar *m* pine-grove
pinch|ar *v/t* to prick, to puncture; **~azo** *m* prick; puncture (*t aut*)
pingüe greasy; *fig* fat (*profits, etc*)
pin|güino *m* penguin; **~ito** *m* first step; **hacer ~itos** to toddle
pino *m* pine-tree
pinta *f* spot, mark; appearance; pint; **~dillo** *m* goldfinch; **~r** *v/t* to paint; to describe; **~rse** to make up one's face
pintor|(a) *m* (*f*) painter; **~esco** picturesque
pintura *f* painting, picture; paint
pinzas *f/pl* tweezers; forceps; tongs; claws (*of crabs, etc*)
pinzón *m* chaffinch
piña *f* pineapple; pine-cone
piñón *m* pine kernel; *mech* pinion
pío *m* peep, peeping
piojo *m* louse; **~so** lousy, mean
pionero *m* pioneer
pipa *f* cask; butt; pipe; pip (*of some fruits*)
pique *m* pique, resentment; **echar a ~** *v/t* to sink; **irse a ~** to sink; to fail; to be ruined
piquete *m* prick; sting; *mil* picket
piragua *f* canoe
pirámide *f* pyramid
pirat|a *m* pirate; corsair; **~ear** *v/i* to pirate; **~ería** *f* piracy
Pirineos *m/pl* Pyrenees
pirop|ear *v/t*, *v/i* to compliment (*a woman*); **~o** *m* compliment
pirotécnico *a* pyrotechnical; *m* pyrotechnician
pisa *f* treading; **~da** *f* footstep; track; **~r** *v/t* to tread on; to trample
pisaverde *m* *fam* dandy, buck
piscina *f* swimming-pool

piscolabis *m* snack
piso *m* floor; flooring; paving; storey; flat; ~ **bajo** ground floor
pisón *m* rammer
pisotear *v/t* to trample on
pista *f* track; lane (*of highway*); scent; ring (*of the circus*); ~ **de aterrizaje** runway (*on the airfield*); ~ **de baile** dancing floor; ~ **de cenizas** *dep* cinder track; ~ **de despegue** *aer* runway; ~ **de esquiar** skiingtrack; ~ **de patinaje** skating rink; ~ **de tenis** tennis court; ~ **sonora** *cine* sound-track
pistol|a *f* pistol; ~**a pulverizadora** spray-gun; ~**ero** *m* gangster, gunman
pistón *m* piston
pit|ar *v/t* to discharge (*a debt*); *v/i* to whistle; ~**illera** *f* cigarette-case; ~**illo** *m* cigarette; ~**o** *m* whistle
pitón *m* protuberance, lump; horn (*of a young bull*); spout (*of vessel*); *SA* nozzle; young shoot
pivote *m* pivot
pizarra *f* slate; blackboard
pizca *f* bit; crumb; dash; mite
placa *f* plate; plaque; ~ **de matrícula** *aut* number *or* licence plate; ~ **giratoria** turntable
place|ntero pleasant; ~**r** *m* pleasure; *v/t* to please
plácido placid
plaga *f* scourge; calamity; plague; misfortune; ~**r** *v/t* to infest
plagio *m* plagiarism
plan *m* plan; project; design
plana *f* page; copy; record; **primera** ~ front page
plancha *f* metal sheet; flat-iron; ~**do** *m* ironing; pressing; ~**r** *v/t* to iron; to press (*clothes*)
planea|dor *m aer* glider; ~**r** *v/i* to glide; *v/t* to plan, to design
planeta *m* planet
planicie *f* plain
planificar *v/t* to plan; to organize
planilla *f SA* pay-roll
plano *m* plan; draft; plane; map (*of city, etc*); **primer** ~ foreground; *a* level, flat
plant|a *f* plant; sole (*of the foot*); storey; industrial building, plant; ~**ación** *f* planting; plantation; ~**ar** *v/t* to plant; ~**arse** to stop (*animal*); to stand firm
plantear *v/t* to outline, to state; to propose, to present
plantel *m* nursery garden; school
plantilla *f* young plant; inner sole (*of a shoe*)
plantío *m* planting; plantation, bed
plañi|dera *f* mourner; ~**r** *v/i* to weep, to lament
plaqué *m* (gold-)plating
plasma *m* plasma

plástico *a, m* plastic
plata *f* silver; money
plataforma *f* platform; ~ **de lanzamiento** launching-pad (*for rockets*)
plátano *m* banana; plane tree
platea *f theat* pit
plate|ado silverplated; silvery; **~ro** *m* silversmith
plática *f* conversation; sermon
platija *f* plaice
platillo *m* saucer; small dish; ~ **volador** flying saucer
platin|a *f SA* tin-foil; **~o** *m* platinum
plato *m* dish; plate; course
playa *f* shore; beach, strand
plaza *f* (public) square; market-place; post; ~ **fuerte** *mil* fortress; ~ **de armas** parade-ground; *SA* main square (*of the town*); ~ **de toros** bull--ring; **sentar** ~ *mil* to enlist
plazo *m* term; due date; instalment; period; **a ~s** on credit, by instalments; **corto** ~ short notice
plazoleta *f* small (public) square
pleamar *f* high tide; flood
pleb|e *f* populace; **~eyo** *a, m* plebeian; commoner; **~iscito** *m* referendum
plega|ble, ~dizo pliable; folding; collapsible; **~r** *v/t* to fold; to pleat; **~rse** to fold; to submit
plegaria *f* prayer
pleit|ear *v/i* to litigate; **~o** *m* lawsuit
plen|amente fully; **~ario** plenary; **~ipotencia** *f* full powers; **~itud** *f* plenitude; fullness; **~o** full; complete; **en ~o día** in broad daylight; **en ~o invierno** in mid winter
pleuresía *f* pleurisy
pliego *m* sheet (*of paper*); sealed letter *or* document; envelope; **en este** ~ *com* enclosed
pliegue *m* fold, crease
plisar *v/t* to pleat
plomo *m* lead; lead weight; bullet
plum|a *f* feather; quill; pen; nib; **~a estilográfica** fountain-pen; **~aje** *m* plumage; **~azo** *m* feather pillow; pen stroke; **~ero** *m* feather duster; **~ón** *m* down; pillow; **~oso** feathery
plural *m* plural
pluralidad *f* majority
pluscuamperfecto *m* pluperfect
pobla|ción *f* population; town; **~cho** *m* miserable village; **~do** *m* town; village; inhabited place; **~r** *v/t* to populate, to people; to settle; to stock; **~rse** to fill (*with people*)
pobre *a* poor; *m, f* poor person; beggar; **~za** *f* poverty
pocilga *f* pigsty
poción *f* potion; dose (*of medicine*)
poco *a* little; scanty; *adv*

little, not very; **dentro de ~** shortly; presently; **~ más o menos** more or less; **por ~** nearly; **~ ha** lately; **tener en ~** to think little of
pocho discoloured
poda *f* pruning; **~r** *v/t* to prune
poder *m* power; authority; strength; might; **~ notarial** power of attorney; **en ~ de** *com* in possession of; **plenos ~es** full authority; *v/t, v/i* to be able; **a más no ~** to the utmost; **no ~ con** to be unable to bear
poder|ío *m* power, might; authority, dominion; wealth; **~ío naval** sea-power; **~oso** powerful, mighty; wealthy
podri|do rotten; corrupt; **~rse** to rot, to putrefy
poe|ma *m* poem; **~sía** *f* poetry; poem; **~ta** *m* poet
poético poetic
polaco(a) *a* Polish; *m (f)* Pole
polarizar *v/t* to polarize
polea *f* pulley
polémica *f* polemics
policía *f* police; *m* policeman, constable; **~co** of the police
poliéster *m* polyester
polígamo *m* polygamist
polilla *f* moth
pólipo *m* polyp; *med* polypus
politécnico polytechnic
polític|a *f* politics; policy; **~a exterior** foreign policy; **~o** political
póliza *f com* policy; **~ de seguro** insurance policy
polizón *m* stow-away; tramp
polizonte *m fam* copper, policeman
polo *m* pole; polo
polonés(esa) Polish
poltrón idle, lazy
polv|areda *f* dust cloud; **~era** *f* powder-box; vanity-case; **~o** *m* dust; powder; *pl* toilet powder; **en ~o** powdered; **~o radiactivo** atomic dust
pólvora *f* gunpowder
polv|oriento dusty; **~orín** *m* powder magazine; *fig* powder keg
poll|a *f* pullet; young girl; **~ada** *f* hatch of chickens; **~ería** *f* poultry-shop; **~ero** *m* poulterer; **~o** *m* chicken; *fam* youngster; **~uelo** *m* chick
pomar *m* apple orchard
pomelo *m* grapefruit
pómez: piedra *f* **~** pumice-stone
pomo *m* pip-fruit; flagon (*of perfume*); pommel of a sword
pomp|a *f* pomp; show; **~oso** magnificent; grandiose; pompous
pómulo *m* cheek-bone
ponche *m* punch (*drink*); **~ra** *f* punch-bowl
poncho *m* cloak, blanket
pondera|ción *f* deliberation; consideration; **~r** *v/t*

to weigh; to ponder
poner *v/t* to put; to place; to set (*a table*); to lay (*a table, eggs*); to give (*name*); to cause; to set to; **~ en claro** to make clear; **~ en duda** to doubt; **~ en marcha** to start (*an engine*); **~se** to become, to get; to set (*the sun*)
poniente *m* west; west wind
pontifica|do *m* pontificate; **~l** pontifical
pontón *m* pontoon
ponzoñ|a *f* poison; **~oso** poisonous
popa *f naut* stern
populacho *m* populace
popular popular; **~idad** *f* popularity; **~izarse** to become popular
poqu|edad *f* fewness; timidity; irresoluteness; **~ito** very little
por by; for; through; as; across; for the sake of; on behalf of; **escrito ~** written by; **pasamos ~ París** we travel through Paris; **~ la mañana** in the morning; **~ Navidad** by *or* about Christmas; **se vende al ~ mayor** it is sold wholesale; **~ ciento** percent; **~ docena** by the dozen; **~ adelantado** in advance; **~ escrito** in writing; **ir ~ pan** to go for bread; **la casa está ~ terminar** the house is about finished; **~ ahora** now; **¡~ cierto!** sure!; **~ ende** for that reason; **~ si acaso** just in case
porcelana *f* porcelain; china
porcentaje *m* percentage
porción *f* lot; portion; part
porche *m* porch, portico
pordiosero *m* beggar
porfiado obstinate
pormenor *m* detail; **~izar** *v/t* to detail
poro *m* pore; **~so** porous
porque because; in order that
porqué *m* cause, reason; **¿por qué?** *interrog* why?; what for?
porquer|ía *f* dirt; rubbish; dirty business; **~o** *m* swineherd
porra *f* cudgel; truncheon; club; **~zo** *m* blow, thump; knock
porro dull, stupid
porta|aviones *m* aircraft-carrier; **~bombas** *m* bombcarrier
portada *f* doorway; porch; frontispiece; title-page
portador(a) *m (f)* bearer
portaequipajes *m* luggage-rack
portal *m* porch; house-door; gate; **~ón** *mar* gangway
portamonedas *m* purse
portarse to behave
portátil portable
portavoz *m* spokesman, mouthpiece
portazgo *m* toll
portazo *m* slam of a door;

dar ~s to slam doors
porte *m* carriage fee; freight; postage; behaviour; **~ franco** postage prepaid
porter|ía *f* porter's lodge; *dep* goal; portholes; **~o(a)** *m* (*f*) porter, janitor, concierge; doorkeeper; superintendent; *dep* goalkeeper
portezuela *f* carriage door; wicket
pórtico *m* porch, verandah
portilla *f* porthole
portugués(esa) *m* (*f*), *a* Portuguese
porvenir *m* future
posad|a *f* inn, hostel; **~ero** *m* innkeeper
pose|edor(a) *m* (*f*) possessor; owner; **~er** *v/t* to possess; to own; **~ído** possessed; **~sión** *f* possession; ownership; property; **~sionarse** to take possession; **~sivo** possessive
posib|ilidad *f* possibility; **~ilitar** *v/t* to make possible; **~le** possible
posición *f* position; rank
positivo positive
poso *m* sediment; dregs; lees
posponer *v/t* to place behind; to postpone
postal postal; **(tarjeta)** *f* **~** postcard; **~ ilustrada** picture postcard
pos(t)data *f* postscript
poste *m* post; pillar; pole; **~ de alumbrado** lamppost; **~ de llegada** *dep* winning-post; **~ indicador** signpost
postergar *v/t* to postpone; to pass over
posteri|dad *f* posterity; **~or** subsequent; rear; back
postguerra: de ~ post-war
postigo *m* wicket; shutter
postizo false; artificial
postor *m* bidder
postra|do prone; prostrate; **~r** *v/t* to overthrow; to prostrate; **~rse** to prostrate oneself; to kneel down
postre *m* dessert; **~mo, ~ro** last
postular *v/t* to claim; to postulate
póstumo posthumous
postura *f* posture, pose, position; *com* bid; price
potable drinkable
potaje *m* vegetable soup
potasa *f* potash
pote *m* pot; jar
poten|cia *f* power; might; **~cia mundial** world power; **~cial** *f* potential; capacity; *a* potential; **~te** powerful; strong
potesta|d *f* power; jurisdiction; **~tivo** facultative
potingue *m fam* medicinal concoction
potr|a *f* filly; **~anca** *f* young mare; **~ero** *m* stud farm; *SA* cattle ranch; **~o** *m* foal, colt
poza *f* puddle; pool
pozo *m* well; **~ de mina** pit; shaft
práctic|a *f* practice, cus-

tom; **~o** *m mar* pilot; *a* practical
practica|ble feasible; **~nte** *m* apprentice; **~r** *v/t* to practice; to perform
prad|era *f* meadowland; **~o** *m* field, meadow
preámbulo *m* preamble
preboste *m* provost
precario precarious
precaución *f* precaution
precavido cautious, wary
precede|ncia *f* precedence; priority; preference; **~nte** *m* precedent; *a* preceding; prior; **~r** *v/t* to precede; to be superior to
precepto *m* precept; order; rule; **~r** *m* tutor
preci|ar *v/t* to value; to appraise; **~o** *m* price; worth; value; esteem; **~o fijo** fixed price; **~oso** precious; excellent
precipi|cio *m* precipice; **~tación** *f* **radioactiva** fallout; **~tar** *v/t* to precipitate; to hasten; **~tarse** to rush; to dash
precis|amente precisely; **~ar** *v/t* to define exactly, to specify; to need; **~ión** *f* precision; need; **~o** precise; necessary
preconizar *v/t* to praise; to extol
precoz precocious
precursor(a) *m* (*f*) forerunner; *a* preceding
predecesor *m* predecessor
predestinar *v/t* to predestinate
prédica *f* sermon
predica|dor(a) *m* (*f*) preacher; **~mento** *m* category; predicament; **~r** to preach
predicción *f* prediction
predilec|ción *f* predilection; **~to** favourite
predio *m* landed property; estate
predisposición *f* predisposition
predomin|ar *v/t* to predominate; **~io** *m* predominance; superiority
prefabricado prefabricated
prefacio *m* preface, prologue
prefect|o *m* prefect; **~ura** *f* prefecture
preferen|cia *f* preference; **~te** preferential
preferi|ble preferable; **~r** *v/t* to prefer
prefijo *m* prefix
pregón *m* announcement; cry (*of traders*)
preguerra: de ~ pre-war
pregunta *f* question; query; inquiry; **estar a la cuarta ~** to be hard up; **hacer una ~** to ask a question; **~r (por)** *v/t, v/i* to ask (for); **~rse** to wonder
prehistórico prehistoric
preju|icio *m* prejudice; **~zgar** *v/t* to prejudge
prelado *m* prelate
preliminar *a* preliminary; *m* preliminary
preludio *m* prelude
prematuro premature; untimely

premedita|ción *f* premeditation; **~do** premeditated; deliberate, wilful; **~r** *v/t* to premeditate
premi|ar *v/t* to reward; to award a prize to; **~o** *m* prize; premium
premisa *f* premise; assumption
premura *f* pressure, urgency
prenda *f* pledge; token; forfeit; *pl* talents; **~r** *v/t* to pawn; to please
prende|dor *m* clasp; brooch; **~r** *v/t* to seize; to catch; *SA* to switch on; **~r fuego** to catch fire; **~ría** *f* pawnshop
prendimiento *m* capture
prensa *f* press; **~do** *m* lustre (*on material*); **~r** *v/t* to press
preñ|ado *a* pregnant; full; *m* pregnancy; **~ez** *f* pregnancy
preocupa|ción *f* worry; preoccupation; **~do** preoccupied, worried; concerned; **~r** *v/t* to worry; to preoccupy; **~rse** to worry; to concern oneself; to take an interest in
prepara|ción *f* preparation; **~r** *v/t* to prepare; **~rse** to get *or* make ready; **~tivo** *a* preparatory; *m* preparation; arrangement
prepondera|ncia *f* preponderance; **~nte** preponderant; **~r** *v/i* to prevail
preposición *f gram* preposition
prerrogativa *f* prerogative; privilege
presa *f* capture; prey, quarry; dam, weir
presagi|ar *v/t* to presage; **~o** *m* presage, omen
presbicia *f med* far-sightedness
présbita far-sighted
presbítero *m* priest
prescindir de *v/i* to do without, to dispense with
prescri|bir *v/t* to prescribe; **~pción** *f* prescription; **~to** prescribed
presencia *f* presence; bearing; appearance; **~ de ánimo** presence of mind; **~r** *v/t* to attend; to be present at, to witness
presenta|ción *f* introduction; presentation; **~r** *v/t* to introduce; to present; to display; to exhibit; to enter (*a claim, etc*); **~rse** to present oneself; to introduce oneself; to turn up
presente *a* present; **al ~** at present; **tener ~** to bear in mind, to keep in view; *m* present; gift; **~mente** at present
presenti|miento *m* presentiment; **~r** *v/t* to have a presentiment of
preserva|ción *f* preservation; conservation; **~r** *v/t* to preserve; **~tivo** preservative
presiden|cia *f* presidency; chairmanship; **~te** *m* pres-

ident; chairman
presidi|ario *m* convict; **~o** *m* prison; imprisonment
presidir *v/t* to preside over
presilla *f* loop, fastener; clip
presión *f* pressure; compression
preso *m* prisoner; *a* captured
presta|ción *f* lending; loan; **~ción por enfermedad** sick benefit; **~do** loaned; **pedir ~do** to borrow; **~dor(a)** *m* (*f*) lender; **~mista** *m* moneylender, pawnbroker
préstamo *m* loan
presta|r *v/t* to lend; to pay (*attention*); **~tario** *m* borrower
prestidigitador *m* conjurer, magician
prestigio *m* prestige; **~so** famous, renowned
presto quick; ready
presu|mible presumable; **~mido** conceited; presumptuous; **~mir** *v/t* to presume; to surmise; *v/i* to show off; to be conceited; **~nción** *f* presumption; **~nto** presumed, presumptive; **~ntuosidad** *f* presumptuousness; **~ntuoso** conceited; presumptuous
presupuesto *m* budget
presur|a *f* anxiety; speed; **~oso** hasty; prompt
preten|der *v/t* to seek, to endeavour; to claim; to attempt; to pretend; to pay court to; **~diente** *m* pretender; claimant; suitor; **~sión** *f* claim; pretension
pretérito *m*, *a* preterite; past
pretexto *m* pretext, pretence
prevalecer *v/i* to prevail; to take root
preven|ción *f* prevention; warning; foresight; **~ir** *v/t* to warn; to foresee; to prevent; **~irse** to get ready; to be prepared; **~tivo** preventive
prever *v/t* to foresee; to forecast
previo previous, prior
previs|ión *f* foresight; forecast; **~or** careful; far-seeing
prima *f* female cousin; *com* premium; bounty; **~ de seguro** insurance premium
primacía *f* primacy
primado *m* primate
primario primary
primavera *f* spring; *bot* primrose
primer|amente in the first place; **~izo** *m* beginner; **~o(a)** *a* first; former; best; **~ ministro** prime minister; **de ~a** *com* prime; **de ~a (clase)** first-rate; **de ~a mano** first-hand; **en ~ lugar** firstly; **~os auxilios** first aid; *adv* first; rather
primitivo primitive

primo *m* cousin; ~ **hermano,** ~ **carnal** first cousin; *a* first; prime; excellent; **~génito** first-born
primor *m* excellence; beauty; ability; **~oso** excellent; exquisite; skilful
prímula *f* primrose
princ|esa *f* princess; **~ipado** *m* principality; **~ipal** *a* principal; main; *m* chief; *com* principal
príncipe *m* prince; ~ **heredero** crown prince
principi|ante *m, f* beginner; **~ar** *v/t* to begin; **~o** *m* beginning; principle; **al ~o** at first; **por ~o** on principle
pring|ar *v/t* to dip in fat; to soil with sticky matter; to stain with fat; **~oso** dirty; greasy; sticky
prioridad *f* priority
prisa *f* haste, hurry, speed; **darse ~** to hurry, to make haste, to be quick
prisión *f* prison, jail; imprisonment
prisionero(a) *m (f)* prisoner; captive
prism|a *m* prism; **~ático** prismatic
priva|ción *f* privation; loss; want; **~do** private; personal; **~r** *v/t* to deprive; to prohibit; **~tivo** privative; special, exclusive
privilegi|ar *v/t* to privilege; **~o** *m* privilege; sole right
pro *m or f* profit; benefit; **en ~ de** for, on behalf of
proa *f naut* bow; prow; **de ~ a popa** from stem to stern
probab|ilidad *f* probability; likelihood; **~le** probable; likely
proba|r *v/t* to test; to try; to prove; **~torio** probative
probidad *f* integrity; probity
problem|a *m* problem; **~ático** problematic
proced|encia *f* origin; **~ente** justified; lawful; **~ente de** proceeding from; **~er** *v/i* to proceed; to be right; to behave; **~er a** to proceed to; to start; **~er contra** to proceed against; **~er de** to proceed from; to originate; *m* behaviour; **~imiento** *m* process; procedure; *for* proceedings
proces|ar *v/t* to presecute; to process; **~o** *m* process; prosecution; *for* trial, lawsuit
proclama|ción *f* proclamation; **~r** *v/t* to proclaim
procura *f* power of attorney; proxy; **~dor** *m* attorney; solicitor; **~r** *v/t* to try; to procure
prodigar *v/t* to squander; to lavish
prodigio *m* miracle; **~so** prodigious; wonderful
pródigo prodigal; lavish; spendthrift
produc|ción *f* production; output; **~ente** *a* producing; *m* producer; **~ir** *v/t* to produce; to yield; to

cause; to create; **~tivo** productive; **~to** *m* product; produce; proceeds; yield; **~tos lácteos** dairy products; **~tor(a)** *m* (*f*) producer
proeza *f* prowess
profano profane; lay
profecía *f* prophecy
proferir *v/t* to proffer; to utter
profes|ar *v/t* to profess; to feel; to practise (*a profession*); **~ión** *f* profession; calling; **~ional** professional; **~or(a)** *m* (*f*) teacher; professor; **~orado** *m* teaching staff; teaching profession; **~oral** professorial
profet|a *m* prophet; **~izar** *v/t* to predict, to prophesy
prófugo(a) *m* (*f*) fugitive; *m* deserter
profund|idad *f* depth; **~izar** *v/t* to deepen; to study thoroughly; **~o** profound; deep
profus|ión *f* profusion; abundance; **~o** profuse, abundant
programa *m* programme
progres|ar *v/i* to progress; **~ivo** progressive; **~o** *m* progress
prohibi|ción *f* prohibition; **~r** *v/t* to prohibit; **~tivo** prohibitive
prohijar *v/t* to adopt
prójimo *m* neighbour; fellow being
proletari|ado *m* proletariat; **~o** *m*, *a* proletarian
prolijo tedious, prolix; long-winded
prólogo *m* prologue
prolongar *v/t* to prolong; to extend
promedio *m* average
prome|sa *f* promise; **~tedor** promising; **~ter** *v/t* to promise; **~tido (a)** *m* (*f*) fiancé(e), betrothed
prominente prominent
promiscuo promiscuous
promisorio promissory
promontorio *m* cape; headland
promo|tor *m* promoter; **~ver** *v/t* to promote; to foster; to provoke
promulgar *v/t* to promulgate; to publish officially
pronombre *m* pronoun
pronosticar *v/t* to forecast
pronóstico *m* forecast; prediction; *med* prognosis; **~ del tiempo** weather forecast
pront|itud *f* promptness, dispatch; **~o** *a* prompt; fast; ready; *adv* quickly; soon; **por lo ~o** for the time being; **tan ~o como** as soon as
pronuncia|ción *f* pronunciation; **~miento** *m* military riot; **~r** *v/t* to pronounce; to utter
propaga|ción *f* propagation; spreading; **~dor** *a* spreading; *m* propagator; **~nda** *f* propaganda; **~ndista** *m*, *f* propagandist;

~r *v/t* to spread; to propagate
propens|ión *f* propensity, leaning, inclination; **~o** inclined, prone
propiamente properly
propicio favourable; propitious
propie|dad *f* ownership; property; real estate; propriety; special quality; **~dad mancomunada** joint property; **~tario(a)** *m* (*f*) proprietor (-tress); landowner
propina *f* tip; gratuity
propio own; proper; suitable; typical; himself, herself, themselves; **el ~ rey** the king himself
proponer *v/t* to propose
proporción *f* proportion; symmetry
proporciona|do proportionate; proportioned; **~l** proportional; **~r** *v/t* to provide; to furnish
proposición *f* proposition; proposal
propósito *m* purpose; object; **a ~** by the way; on purpose; **¿a qué ~?** to what end?; **de ~** on purpose; **fuera de ~** beside the point
propuesta *f* offer; proposal
propuls|ar *v/t* to propel; **~ión** *f* propulsion; propelling; **~or** *m* propeller
prorrat|a *f* quota, share; **~ear** *v/t* to apportion; **~eo** *m* allotment; proportional division; *com* prorating
prórroga *f* prolongation; extension (*of time*)
prorrogar *v/t* to prorogue; to prolong; to extend (*in time*)
prosa *f* prose
prosáico prosaic; matter-of-fact
proscri|bir *v/t* to proscribe; to banish; **~to** *m* outlaw
prose|cución *f* prosecution; pursuit; **~guir** *v/t* to go on with, to continue; *v/i* to continue; to resume
prospecto *m* prospectus
prosper|ar *v/i* to prosper, to thrive; **~idad** *f* prosperity
próspero prosperous
prostitu|ir *v/t* to prostitute; to debase; **~ta** *f* prostitute
protección *f* protection
prote|ctor *a* protecting; protective; *m* protector; **~ger** *v/t* to protect; **~gido(a)** *m* (*f*) protégé, favourite
protesta *f* protest; **~ción** *f* protestation; **~nte** *m, f* Protestant; *a* protesting; **~r** *v/t, v/i* to protest
protesto *m com* protest (*of a bill*)
protocolo *m* protocol; etiquette; registry
prototipo *m* prototype, model
protuberancia *f* protuberance

provecho *m* profit; **¡buen ~!** bon appétit!; **~so** profitable
provee|dor(a) *m* (*f*) purveyor; supplier; **~r** *v/t* to supply; to provide
provenir de *v/i* to arise from; to originate in
proverbio *m* proverb
providencia *f* providence; forethought; foresight
provincia *f* province; **~l** provincial; **~no(a)** *m* (*f*), *a* provincial
provisión *f* supply; provision; *pl* store; provisions
provisional temporary, provisional
provoca|ción *f* provocation; **~r** *v/t* to provoke; to annoy; to tempt; to cause
próxim|amente shortly; **~o** near; close; neighbouring; next
proyec|ción *f* projection; **~tar** *v/t* to plan; to project; **~til** *m* projectile; missile; **~tista** *m, f tecn* designer; **~to** *m* plan; project
pruden|cia *f* prudence; **~cial** prudential; wise; **~te** prudent; cautious
prueba *f* proof, test; evidence; *dep* race, competition; **a ~ de** (*fuego, etc*) (*fire, etc*) -proof; **~ de galera** galley proof; **~ selectiva** spot test; **poner a ~** to test; **~s de campo y pista** track-and-field events
prurito *m* itching
psicología *f* psychology
psicológico psychological
psiquiatría *f* psychiatry
púa *f* barb; tooth (*of a comb*); sharp point; quill (*of a hedhehog*); **alambre** *m* **de ~s** barbed wire
pubertad *f* puberty
publica|ción *f* publication; **~r** *v/t* to publish
públicamente in public
publicidad *f* publicity
público *m* public; audience; *a* public; common
puchero *m* cooking-pot; stew
púdico chaste
pudor *m* modesty; decency; shame; **~oso** modest; bashful
pudrir *v/t* to rot; to vex; **~se** to rot; to decay
pueblo *m* nation; people; (country) town; village
puente *m or f* bridge; **~ colgante** suspension bridge; **~ levadizo** drawbridge
puerc|a *f* sow; **~o** *m* hog; wild boar; **~o espín** porcupine; *a* filthy
pueril puerile, childish
puerro *m* leek
puerta *f* door; entrance; **~ giratoria** swing(ing) door
puertaventana *f* window shutter
puerto *m* port; mountain pass; **~ franco, ~ libre** free port
pues since; because; then; well

puesta *f* setting (*of the sun*); stake (*at cards*)
puesto *m* place; stand (*on the market*); post; job; **~ de avanzada** outpost; **~ de periódicos** news stand; *a* dressed; arranged; **~ que** *conj* since; inasmuch as
pugilato *m* boxing; fight
pugna *f* battle; struggle; **~r** *v/i* to fight, to strive
puja|nte strong; vigorous; powerful; **~nza** *f* strength; vigour; **~r** *v/i* to struggle; to bid
pulcr|itud *f* neatness; **~o** neat; tidy
pulga *f* flea; **tener malas ~s** to be bad-tempered
pulga|da *f* inch; **~r** *m* thumb
puli|dez *f* neatness; **~do** neat; polished; **~mentar** *v/t* to polish; **~mento** *m* gloss; **~r** *v/t* to polish
pulm|ón *m* lung; **~ón de acero** iron lung; **~onar** pulmonary; **~onía** *f* pneumonia
pulóver *m SA* pullover
pulpa *f* pulp
púlpito *m* pulpit
pulsa|ción *f* pulsation; throb; *mus* touch; **~dor** pulsating; **~r** *v/t* to play (*stringed instrument*); *v/i* to throb
puls|era *f* bracelet; **~o** *m* pulse; **tomar el ~o** to feel the pulse
pulular *v/i* to pullulate; to swarm
pulverizar *v/t* to pulverize
pulla *f* cutting *or* witty remark
punción *f surg* puncture
puni|ble punishable; **~ción** *f* punishment
punt|a *f* point; tip; nib; end; promontory; **~ada** *f* stitch; **~apié** *m* kick; **~ear** *v/t* to dot; to plunk; **~ería** *f* aim; marksmanship; **~ero** *m* pointer; *SA* leader; **~iagudo** sharp; **~illa** *f* narrow lace edging; tack; **de ~illas** on tiptoe; **~o** *m* point; dot; full stop; nib (*of pen*); sight (*in firearms*); stitch (*in sewing*); **hacer ~o** *v/t*, *v/i* to knit; **a ~o de** about to (*do*), on the point of (*doing*); **~o de partida** starting point; **~o de vista** viewpoint; **~o y coma** semicolon; **en ~o** sharp; exactly
puntuación *f* punctuation
puntual punctual; **~idad** *f* punctuality; **~izar** *v/t* to fix; to detail, to describe in detail; **~mente** punctually
puntuar *v/t* to punctuate
punz|ada *f* prick; puncture; stab (*of pain*); **~ar** *v/t* to prick; to punch; to pierce; **~ón** *m* punch; puncher
puñad|a *f* blow with the fist; **~o** *m* handful; bunch
puñal *m* dagger; **~ada** *f* stab (*with a dagger*; *of pain*)
puño *m* fist; cuff; hilt; handle

pupa *f* pimple
pupil|a *f* pupil (*of the eye*); **~o** *m* pupil, student; ward
pupitre *m* desk
puramente purely
puré *m* purée; thick soup; **~ de patatas** mashed potatoes; potato-soup
pureza *f* purity
purga *f* purge; purgative; **~nte** *m* purgative; *a* purging; **~r** *v/t* to purge; **~rse** to take a purgative; **~torio** *m* purgatory
pur|idad *f* purity; **~ificar** *v/t* to purify; to cleanse
puritano(a) *m* (*f*), *a* Puritan
puro *a* pure, unmixed; *m* cigar
púrpura *f* purple
pus *m* pus
pusilánime pusillanimous; cowardly
pústula *f* pustule; pimple
puta *f* whore
putrefac|ción *f* decay; putrefaction; **~to** putrid; rotten
pútrido putrid
puya *f* goad

Q

que *rel pron* who; whom; which; that; what; *conj* as; that; than; **¡~ venga!** let him come!; **~ yo sepa** as far as I know; **más ~** more than; **dice ~ sí** he says yes
qué *interrog pron* what?; which?; **¿por ~?** why?; **¿para ~?** what for?; **¿~ hora es?** what's the time?; **¿~ dices?** what do you say?; *interj* what a!; how!; **¡~ niño!** what a child!; **¡~ difícil!** how difficult!
quebra|da *f* ravine; **~dero** *m* **de cabeza** puzzle; worry; **~dizo** brittle; fragile; **~do** *a* broken; *com* bankrupt; *m math* common fraction; **~ntamiento** *m* fracture, break; **~ntar** *v/t* to break; **~nto** *m* weakness; grief; ruin; **~r** *v/t* to break; to bend; **~rse** *com* to go bankrupt
queda *f* curfew; *mil* taps; **~r** *v/i* to remain; to stay; to be left; **~r bien** to acquit oneself well; to come out well; **~r en hacer algo** to agree to do something; **~rse** to remain; to stay
quehaceres *m/pl* jobs; duties; **~ de casa** household chores
quej|a *f* complaint; moan; grudge; **~arse** to moan; to whine, to complain; **~ido** *m* moan, whine
quema *f* burning; fire; **~dura** *f* scald; burn; **~r** *v/t* to burn; to scorch; to scald; **~rse** to burn; to be very hot; to feel very hot; to be angry; to blow (*fuse*)
querella *f* quarrel; dispute;

~rse *for* to lodge a complaint
querer *v/t* to want, to wish; to love; to like; to need; **~ decir** to mean; **sin ~** unintentionally
queso *m* cheese; **~ crema** cream cheese; **~ de bola** Edam cheese
¡quia! come now!
quicio *m* pivot hole; **sacar de ~** to exasperate (*person*); to exaggerate the importance of (*thing*)
quid *m* heart, essence
quiebra *f* crack; fissure; *com* bankruptcy, failure
quien *rel pron* (*pl* **quienes**) who; whom; **~quiera** (*pl* **quienesquiera**) whoever; whosoever
quién *interrog pron* (*pl* **quiénes**) who?
quiet|o quiet; calm; **~ud** *f* stillness; repose
quijada *f* jawbone
quijot|esco quixotic; bizarre; **~ismo** *m* quixotism
quilate *m* carat
quilla *f* keel
quimera *f* chimera; dispute, quarrel
químic|a *f* chemistry; **~o** *m* chemist; *a* chemical
quina *f* Peruvian bark
quincalla *f* hardware
quincena *f* fortnight; **~l** fortnightly
quinielas *f/pl* (*football*) pool
quinina *f* quinine
quinqué *m* oil lamp
quinta *f* country seat; country house; *mil* conscription
quintal *m* hundredweight
quintillizos *m/pl* quintuplets
quíntuple quintuple
quiosco *m* kiosk; booth
quirúrgico surgical
quisquill|a *f* trifling dispute; **~oso** touchy; fastidious; hair-splitting
quiste *m* cyst
quita|manchas *m* stain-remover; cleaning liquid; **~nieves** *m* snow-plough
quita|nza *f* quittance; receipt; **~r** *v/t* to take away; to take off; to deprive of; to annul, to abrogate; **~rse** to take off (*hat, clothes*)
quite *m* parry
quizá, quizás perhaps, maybe

R

rábano *m* radish; **~ picante** horseradish
rabi|a *f* rage; *med* rabies; **~ar** *v/i* to rage; **~ar por** to long eagerly for; **~eta** *f* fit of temper
rabino *m* rabbi
rabioso rabid; furious
rab|o *m* tail; tail end; back; **con el ~o entre las pier-**

nas *fam* ashamed; crestfallen; **~udo** long-tailed
racial racial
racimo *m* bunch (*of grapes*); cluster
raciocinio *m* reasoning; argument
ración *f* ration; portion
racional rational; **~ista** *m, f, a* rationalist
raciona|miento *m* rationing; **~r** *v/t* to ration
racha *f* gust (*of wind*); run (*of luck*)
radar *m* radar
radia|ción *f* radiation; **~ctivo** radioactive; **~dor** *m* radiator; **~r** *v/i* to radiate; *v/t* to broadcast
radica|l *a* radical; *m gram, math* radical; **~r** *v/i* to take root
radio *m* radius; radium; *f or m* broadcasting, radio; **~activo** radioactive; **~difusión** *f* broadcasting; **~grafía** *f* radiotelegraphy; **~grama** *m* radiotelegram; **~patrulla** *f* flying squad; **~terapia** *f* radiotherapy; **~transmisor** *m* wireless transmitter
raer *v/t* to scrape; to grate
ráfaga *f* gust, flurry, squall (*of wind*); flash (*of light*)
raído scraped; threadbare, worn-out; barefaced
rail *m* rail
raí|z *f* root; origin; **a ~z de** as a result of; **de ~z** by the root; **echar ~ces** to take root
raja *f* crack; splinter; slice (*of fruit*); **~r** *v/t* to split; to chop; to slice
ralo thin (*liquid*)
rall|ar *v/t* to grate; **~o** *m* rasp
rama *f* branch, limb (*of tree*; *of family*; *of trade or knowledge*); **en ~** raw (*cotton, etc*); **andarse por las ~s** to beat about the bush; **~l** *m* strand (*of a rope*); branchline (*of a railway*)
rambla *f* sandy gully; avenue (*in Barcelona*)
ramera *f* whore, prostitute
ramificarse to branch off
ramillete *m* nosegay, posy
ramo *m* small branch; field of art *or* science; line of business
rampa *f* ramp
ramplón vulgar
rana *f* frog
rancio rancid
ranch|ero *SA* rancher; **~o** *m* mess; *naut* messroom; settlement; *SA* ranch
rango *m* rank; class
ranura *f* groove
rapaz *a* greedy; rapacious; *m* youngster; brat
rapé *m* snuff (*tobacco*)
rapidez *f* rapidity; speed
rápido *m* express train; *a* speedy; rapid
rapiña *f* robbery with violence; **de ~** of prey (*birds*)
rapos|a *f* vixen; fox; *fam* cunning person; **~o** *m* fox
rapt|ar *v/t* to kidnap; **~o** *m*

kidnapping; abduction; ecstasy, rapture
raqueta *f* racket
raquítico *med* rachitic; rickety; feeble; scant
rar|eza *f* rarity; oddity; **~idad** *f* rarity; infrequency; **~ificar** *v/t* to rarefy; to dilute; **~o** rare; uncommon; **~a vez** seldom
ras *m* levelness; **~ con ~** on a level; **a ~ de** level with; close to
rasa|nte *f* grade; **~r** *v/t* to graze; to skim; to level
rasca|cielos *m* sky-scraper; **~dura** *f* scratch; scratching; **~r** *v/t* to scratch; to scrape
rasgar *v/t* to tear; to rip
rasgo *m* feature; trait, characteristic
rasg|ón *m* tear; rip; **~uear** *v/t*, *v/i* to strum (*guitar*, *etc*); **~uño** *m* scratch
raso *m* satin; *a* flat; plain; cloudless (*sky*)
raspa|dura *f* rasping; scrapings; **~r** *v/t* to rasp; to scrape
rastra *f* trail; track; rake; *mar* drag
rastr|ear *v/t* to trail; to track; **~eo** *m* trailing, tracking; **~ero** creeping; **~illo** *m* rake; **~o** *m* scent; track; trace; rake; **~ojo** *m* stubble
rata *f* rat
rate|ar *v/t* to apportion; to pilfer; *v/i* to creep; **~ría** *f* pilfering; **~ro** *m* thief; pick-pocket
ratifica|ción *f* ratification; **~r** *v/t* to ratify; to confirm
rato *m* while; **a ~s** from time to time; **a ~s perdidos** in one's spare time; **pasar un mal ~** to have a bad time
ratón *m* mouse
ratonera *f* mouse-trap
raya *f* line; stripe; streak; dash; parting (*of hair*); ray (*fish*); **~do** striped; **~r** *v/t* to line; *v/i* to border; **~r en** to verge on
rayo *m* ray; beam; spoke; thunderbolt
rayón *m* rayon
raza *f* race; breed
razón *f* reason; cause; information; message; rate; **a ~ de** at the rate of; **con ~** rightly, with good reason; **dar ~ de** to inform about; **ponerse en ~** to become reasonable; **tener ~** to be right; **~ social** firm name
razona|ble reasonable; **~r** *v/i* to reason
reacción *f* reaction; **~ en cadena** chain reaction
reaccionar *v/i* to react; **~io(a)** *m* (*f*), *a* reactionary
real real; genuine; royal
reali|dad *f* reality; truth; **en ~dad** in fact; as a matter of fact; **~zar** *v/t* to carry out, to accomplish; to put into practice; to realize
realmente really; actually

realzar *v/t* to heighten, to enhance; to emboss
reanimar *v/t* to revive; to encourage
reanud|ación *f* resumption; **~ar** *v/t* to resume
reapar|ecer *v/i* to reappear; **~ición** *f* reappearance
rearm|ar *v/t*, *v/i* to rearm; **~e** *m* rearmament
reasumir *v/t* to resume; to take up again
rebaja *f* diminution; *com* rebate, reduction; **~r** *v/t* to lessen; to reduce; to diminish; to discount; **~rse** to humble oneself
rebanada *f* slice (*of bread*)
rebaño *m* flock, herd
rebasar *v/t* to exceed; to overflow; to better (*a record*)
rebatir *v/t* to repel; to refute
rebel|arse to rebel; to revolt; **~de** *m* rebel; *a* rebellious; **~día** *f* rebelliousness; disobedience; *for* default; contempt
reblandec|er *v/t* to soften; **~imiento** *m* softening
reborde *m* flange; border
rebosar *v/i* to run over; **~ de** to overflow with
rebot|ar *v/i* to bounce; to rebound; **~e** *m* rebound
rebozar *v/t* to muffle up; to dip *or* coat (*meat or fish*) in flour (*before frying*)
rebusca *f* careful search; **~do** affected; unnatural
rebuznar *v/i* to bray
recabar *v/t* to claim (*responsibility, etc*); to obtain by entreaty
recado *m* message
reca|er *v/i* to relapse; **~ída** *f* relapse
recalentar *v/t* to warm up; to superheat
recámara *f* magazine (*of a gun*)
recambi|ar *v/t* to rechange; **~o** *m* spare part; refill
recargar *v/t* to overcharge
recata|do cautious; shy; **~r** *v/t* to conceal
recauda|ción *f* collection (*of funds, taxes*); **~dor** *m* collector; **~r** *v/t* to collect (*taxes, etc*); to gather
recel|ar *v/t* to fear; to suspect; **~o** *m* fear; suspicion; misgiving; **~oso** suspicious
recep|ción *f* reception; admittance; acceptance; receipt; **~cionista** *m*, *f SA* receptionist; **~tivo** receptive
recesión *f* (*economic*) recession
receta *f med* prescription; recipe (*cooking, etc*); **~r** *v/t* to prescribe
recib|idor(a) *m* (*f*) receiver; recipient; receptionist; **~imiento** *m* reception; welcome; vestibule; **~ir** *v/t* to receive; to accept; **~o** *m com* receipt; **acusar ~o** to acknowledge receipt
recién *adv* (*apocope of*

reciente) recently; only; **~ nacido** newborn
reciente recent; new; modern; **~mente** recently; just
recinto *m* precinct; enclosure
recio strong, robust; harsh, violent
recipiente *m* receptacle
reciprocar *v/t* to match
recíproco reciprocal
recita|l *m* recital (*music or reading*); narration; **~r** *v/t* to recite; to deliver (*a speech*)
reclama|ción *f* claim; demand; **~r** *v/t* to claim, to demand
reclinar *v/t*, **~se** to recline, to lean back
reclu|ir *v/t* to shut in; **~sión** *f* confinement, seclusion; imprisonment; **~so(a)** *m* (*f*) prisoner
recluta *m* recruit; **~r** *v/t* to recruit; to levy
recobrar *v/t*, **~se** to recover; to regain
recocer *v/t* to cook again
recodo *m* bend; curve; winding
recog|er *v/t* to pick up; to collect; to gather; to hoard; **~ida** *f* retirement, withdrawal; harvesting
recolec|ción *f* collection (*money*); gathering; harvesting; compilation; **~tar** *v/t* to gather; to harvest
recomenda|ble recommendable; **~ción** *f* recommendation; advice; **~r** *v/t* to recommend; to request
recompensa *f* reward; **~r** *v/t* to reward; to compensate
reconcentrar *v/t* to concentrate
reconcilia|ción *f* reconciliation; **~r** *v/t* to reconcile; **~rse** to be friends again; to become reconciled
reconoc|er *v/t* to recognize; to admit; to inspect, to examine; **~ido** recognized; accepted; grateful; **~imiento** *m* recognition; inspection; *med* examination; *mil* reconnaissance
reconquista *f* reconquest; **~r** *v/t* to conquer again
reconstitu|ir *v/t*, **~irse** to reconstitute; to reconstruct; **~yente** *m* reconstituent
reconstruir *v/t* to reconstruct; to rebuild
reconvención *f* reprimand; reproach
récord *m* (*sports*) record
recorda|r *v/t* to remind; to remember; **~torio** *m* reminder
recorr|er *v/t* to travel; to run over, to cover (*a distance*); **~ido** *m* journey; distance covered; run; course
recor|tar *v/t* to cut down, to reduce; to clip; **~tes** *m/pl* clippings
recoser *v/t* to sew again; to darn (*linen*); to mend
recrea|ción *f* pastime; break, recess (*at school*);

~rse to amuse oneself
recreo *m* place of amusement; recreation, pastime; break, recess (*at school*)
recriminar *v/t* to recriminate
recrudecer *v/i* to recrudesce; to increase
rectángulo *m* rectangle
rectificar *v/t* to correct; to rectify
rectilíneo rectilinear
rect|itud *f* rectitude; straightness; **~o** straight; honest
rector *m* head; principal; rector; *a* ruling; governing; **~ado** *m* rectorship; **~ía** *f* parsonage, rectory
recuento *m* count, tally; recount; *com* inventory
recuerdo *m* recollection; memory; remembrance; souvenir; *pl* regards
recular *v/i* to recoil
recupera|ble recoverable; **~r** *v/t*, **~rse** to recover; to retrieve; to recuperate
recur|rir *v/i* to resort (to); to revert; **~so** *m* recourse; *for* appeal; *pl* resources, means
recusar *v/t* *for* to recuse
rechazar *v/t* to reject; to repel; to refuse
rechifla *f* catcall
rechinar *v/i* to grate; to creak; to gnash (*teeth*)
rechoncho *fam* chubby
red *f* net; netting; network, web; **~ ferroviaria** the railway system
redac|ción *f* editing; wording; editorial staff; **~tar** *v/t* to compose; to edit; to write; **~tor(a)** *m* (*f*) editor
redada *f* haul, catch (*of fish*)
redecilla *f* hair-net
reden|ción *f* redemption; **~tor** *m* redeemer
redimir *v/t* to redeem
rédito *m* interest; return; proceeds
redoblar *v/t* to double; to repeat
redond|ear *v/t* to round; to make round; **~earse** to become affluent; **~el** *m* circle; **~ez** *f* roundness; **~o** round; circular; *fig* clear, categorical
reduc|ción *f* reduction; **~ido** small; limited; **~ir** *v/t* to diminish; to reduce; **~irse** to boil down; to have to economize
reducto *m* redoubt
redundar *v/i* to overflow; to redound
reembols|ar *v/t* to reimburse, to pay back; **~o** *m* reimbursement
reemplaz|ar *v/t* to replace; **~o** *m* replacement
refer|encia *f* reference; **~ir** *v/t* to report; **~irse (a)** to refer (to)
refin|amiento *m* refinement; **~ar** *v/t* to refine; to purify; **~ería** *f* refinery
refle|ctor *m* reflector; *a* reflecting; **~jar** *v/t* to reflect; *v/i* to reflect, to think; **~jo** *m* reflex; reflec-

tion; **~jo condicionado** conditioned reflex; **~xión** *f* reflection; meditation; **~xionar** *v/i* to meditate, to reflect, to muse; **~xivo** reflective; thoughtful; *gram* reflexive

reflu|ir *v/i* to flow back; **~jo** *m* reflux

reforma *f* reform; ♀ Reformation; **~ agraria** land reform; **~r** *v/t* to reform

ref|orzar *v/t* to strengthen, to reinforce; **~uerzo** *m* strengthening

refract|ar *v/t ópt* to refract; **~ario** refractory; obstinate; rebellious

refrán *m* proverb; slogan

refregar *v/t* to rub; *fam* to harp on; to rub in

refrenar *v/t* to restrain; to curb

refrendar *v/t* to legalize; to countersign

refresc|ar *v/t* to refresh; to renew; **~o** *m* refreshment; cool drink

refriega *f* fray, scuffle

refrigera|dor(a) *m* (*f*) refrigerator; **~r** *v/t* to cool

refugi|arse to take refuge; **~o** *m* refuge, shelter

refundir *v/t* to recast; to contain; to rearrange, to adapt

refunfuñ|ar *v/i* to snarl; to growl; **~o** grumble, growl

refutar *v/t* to refute

rega|dera *f* watering-can; **~dío** *m* irrigated land

regal|ado dirt-cheap; **~ar** *v/t* to present; to give; **~ía** *f* royalty; **~o** *m* present

regaliz *m* liquorice

regaña|dientes: a ~dientes reluctantly; **~r** *v/t* to reprimand; to scold; to nag (at); *v/i* to protest; to growl

regar *v/t* to water; to irrigate

regate|ar *v/t*, *v/i* to haggle; **~o** *m* haggling; bargaining

regazo *m* lap

regencia *f* regentship; regency

regenerar *v/t* to regenerate

regen|tar *v/t* to govern; to manage; **~te** *m*, *f* regent

régimen *m* régime; government; *gram* government; **~ alimenticio** diet

regimiento *m mil* regiment

regir *v/t* to govern; to manage; *v/i* to prevail; to be in force (*law*)

registr|ar *v/t* to record; to register; to examine; to search; **~o** *m* register; registration; recording; search; examination

regla *f* ruler (*for drawing lines*); rule; regulation; *med* menstruation; **en ~** in order; **~ de cálculo** slide-rule; **~mentar** *v/t* to regulate; **~mentario** required by the rules; **~mento** *m* rules and regulations; by-laws

regocij|arse to be merry; to rejoice; **~o** *m* rejoicing; merriment, mirth

regoldar *v/i* to belch

regordete *fam* plump; fat

regres|ar *v/i* to return; **~o** *m* return
reguero *m* irrigation ditch; **como un ~ de pólvora** like wildfire
regula|ción *f* regulation; control; **~dor** regulating; **~r** *v/t* to regulate; to control; **~ridad** *f* regularity; **~rizar** *v/t* to regularize
rehabilitar *f* to rehabilitate; to restore
rehacer *v/t* to do again; to remake
rehén *m* hostage
rehilar *v/i* to whizz by, to whir
rehusar *v/t* to refuse; to decline
reimpresión *f* reprint
rein|a *f* queen; **~ado** *m* reign; **~ar** *v/i* to reign; to prevail
reincidencia *f* relapse into vice *or* error
reino *m* kingdom, realm; reign
reír *v/i* to laugh; **~se de** to laugh at
reiterar *v/t* to repeat
reivindicación *f for* recovery
rej|a *f* window-grating; grille; railing; **~a de arado** plough-share; **~as** *pl* bars; **~illa** *f* small grating; wickerwork; luggage rack; *elec* grid
rej|ón *m* lance (*of bullfighter*); **~oneador** *m* bullfighter who uses the *rejón*
rejuvenecer *v/t* to rejuvenate; *v/i* to be rejuvenated
relaci|ón *f* relation; relationship; narration, account; *pl* relations; connections; courtship; **~onar** *v/t* to relate; to connect
relajarse to relax
relamer *v/t* to lick again; **~se** *fig* to relish
relámpago *m* flash; lightning
relampaguear *v/i* to lighten; to flash
relatar *v/t* to relate, to report
relativ|idad *f* relativity; **~o** relative
relato *m* report; narrative
relegar *v/t* to banish; to relegate
relev|ador *m elec* relay; **~ante** outstanding; **~ar** *v/t* to relieve; to replace; to emboss; to exonerate; to absolve; **~o** *m mil* relief; *dep* relay
relieve *m* (*art*) relief; embossment
religión *f* religion
religios|a *f* nun; **~o** *a* pious; religious; *m* monk
relinch|ar *v/i* to neigh; to whinny; **~o** *m* neighing
reliquia *f* relic
reloj *m* clock; watch; **~ de péndulo** grandfather('s) clock; **~ de sol** sun-dial; **~ de pulsera** wrist-watch; **~ería** *f* watchmaker's (shop); clockwork; **~ero** *m* watchmaker

reluci|ente brilliant; glossy; **~r** *v/i* to shine
relumbrón *m* glare
rellen|ar *v/t* to refill; to stuff; to pad; **~o** *m* stuffing; filling; padding
remach|ar *v/t* to rivet; **~e** *m* rivet
remada *f* stroke (*in rowing*)
remanente *m* remainder; residue
remanso *m* backwater
remar *v/i* to row
remat|ar *v/t* to finish; to knock down (*auction*); to conclude; *v/i* to end; to terminate; **~e** *m* end; highest bid; sale (*at auction*); *SA* auction; **de ~e** utterly
remedador *m* mimic
remedi|ar *v/t* to remedy; to repair; **~o** *m* remedy; **no hay ~o** it can't be helped
remend|ar *v/t* to patch; to darn; to mend; **~ón** *m* cobbler
remesa *f com* remittance; consignment; **~r** *v/t com* to remit; to send
remiendo *m* patch; darning; mending
remilgarse to be finical
remira|do cautious, prudent; **~r** *v/t* to review; to inspect
remisi|ble remissible; pardonable; **~ón** *f* remission; remittance
remit|ente *m, f* sender; **~ir** *v/t* to send, to remit
remo *m* oar
remoj|ar *v/t* to soak; **~o** *m* steeping
remolacha *f* beet; beetroot; sugar-beet
remol|cador *m* tugboat; **~car** *v/t* to tug; to draw
remolino *m* whirlpool; eddy; flurry, whirl
remolque *m* towline; towage
remontar *v/t* to surmount (*obstacle, etc*); to frighten away (*game*); **~se** to rise; to amount (*to*); to go back (*to*)
remordimiento *m* remorse, compunction
remoto remote, outlying
remover *v/t* to remove; to stir
remunera|ción *f* remuneration; **~dor** remunerative; **~r** *v/t* to remunerate; to reward
renac|er *v/i* to be reborn; **~imiento** *m* rebirth; revival; **♀** Renaissance
renacuajo *m* tadpole
rencor *m* rancour; spite; **~oso** rancorous; spiteful
rendi|ción *f* surrender; profit; **~do** submissive; worn-out
rendija *f* crack; chink; crevice
rendi|miento *m* return; profit; yield; weariness; submission; **~r** *v/t* to render; to return; to yield; to surrender; **~r el alma** to give up the ghost; **~rse** to surrender; to give up

renega|do *m* renegade, turncoat; *a* wicked; **~r** *v/t* to deny; to disown; *v/i* to blaspheme, to swear
renglón *m* (*written or printed*) line
renitencia *f* resistance; opposition
reno *m* reindeer
renombr|ado famous; **~e** *m* fame
renova|ción *f* renewal; **~r** *v/t* to renew
rent|a *f* income, revenue; interest; annuity; **~a vitalicia** life annuity; **~ar** *v/t* to yield; **~ista** *m, f* person with independent means; stockholder
renuncia *f* renunciation; **~r** *v/t* to renounce
reñir *v/i* to quarrel
reo *m* offender; criminal; *for* defendant; *a* guilty
reorganizar *v/t* to reorganize
repara|ción *f* repair; reparation; indemnity; **~r** *v/t* to repair; to remedy; *v/i* **~r (en)** to stop (at); to notice, to pay attention to
reparo *m* remark; criticism; **poner ~s** to make objections
repart|ición *f* division; distribution; **~ir** *v/t* to distribute; **~o** *m* delivery (*mail*); *theat* cast
repas|ar *v/t* to pass again; to revise; to mend; **~o** *m* revision, review; examination
repatriar *v/t* to repatriate
repecho *m* short steep incline
repel|ente repulsive; **~er** *v/t* to repel; to refute
repent|e *m* start; sudden movement; **de ~e** suddenly, all at once; **~ino** sudden
repercu|sión *f* repercussion; **~tir** *v/i* to rebound
repertorio *m* repertory; repertoire
repeti|ción *f* repetition; **~r** *v/t* to repeat
repi|car *v/t* to ring (*bells*); *v/i* to peal; **~que** *m* ringing; chime, peal
repisa *f* shelf; mantelpiece
replantar *v/t* to replant
replantear *v/t* to present again (*a problem*)
replegar *v/t* to refold; **~se** *mil* to fall back
repleto replete; full to the brim; crowded
réplica *f* answer; retort
replicar *v/i* to reply; to argue
repliegue *m* fold; *mil* falling back
repoblación *f* repopulation
repollo *m* cabbage
reponer *v/t* to replace; **~se** to recover
reporta|miento *m* restraint; **~r** *v/t* to restrain; to carry
reportero *m* reporter
reposado poised; restful; calm
reposición *f* replacement;

recovery (*health*); *for* restoration; *theat* revival
reposo *m* rest
repostería *f* confectionery; sweets; confectioner's shop
repren|der *v/t* to reprimand; **~sible** reprehensible, objectionable; **~sión** *f* censure; reprehension
represalia *f* retaliation; reprisal
represar *v/t* to dam (up)
representa|ción *f* representation; **~nte** *m, f* agent; representative; **~r** *v/t* to represent; to perform (*plays*); to play (*a role*); to declare; to express; **~rse** to imagine
represión *f* repression; suppression
reprim|enda *f* reprimand; **~ir** *v/t* to repress; to restrain
reprobar *v/t* to censure; to reprove
réprobo(a) *m* (*f*) reprobate
reproch|ar *v/t* to reproach; to censure; **~e** *m* reproach
reproduc|ción *f* reproduction; **~ir** *v/t* to reproduce
reptil *m* reptile
república *f* republic
republicano(a) *m* (*f*), *a* republican
repudia|ción *f* rejection; **~r** *v/t* to repudiate; to disown; to divorce
repuesto *m* spare part; store; *a* recovered
repugna|ncia *f* repugnance; reluctance; **~nte** repugnant; loathsome; **~r** *v/t* to oppose; to conflict with
repulsa *f* refusal; rebuke; **~r** *v/t* to repel; to refuse
repulsi|ón *f* repulsion; **~vo** repulsive
reputa|ción *f* reputation; **~r** *v/t* to repute; to estimate
requebrar *v/t* to court; to flirt with
requemar *v/t* to burn; to overcook; *fig* to inflame (*blood*)
requeri|miento *m* intimation; requirement; *for* summons; **~r** *v/t* to require, to necessitate; to notify; to request; to induce
requesón *m* cottage-cheese; curd
requis|ar *v/t* to inspect; *mil* to requisition (*horses*); **~ición** *f mil* requisition (*of horses*); **~ito** *m* requisite
res *f* head of cattle; beast
resaber *v/t* to know thoroughly
resabiar *v/t* to pervert; **~se** to acquire bad habits
resaca *f mar* undertow; *com* redraft
resalir *v/i* to protrude
resalt|ar *v/i* to rebound; to jut out; to be outstanding; **~e** *m arch* ledge, projection
resarcir *v/t* to indemnify
resbal|adizo slippery; **~ar** *v/i* to slip, to slide; **~ón** *m*

slip; error
rescat|ar *v/t* to redeem; **~e** *m* ransom; ransom money
resci|ndir *v/t* to annul; to rescind; **~sión** *f* cancellation; annulment
rescoldo *m* embers
resecar *v/t* to dry thoroughly; to parch
resección *f surg* resection
resell|ar *v/t* to recoin; to restamp; **~o** *m* surcharge
resenti|miento *m* resentment; grudge; **~rse** to resent; to be affected (*by*), to weaken
reseña *f* summary; short survey; **~r** *v/t* to review
reserva *f* reserve; reticence; discretion; modesty; *for* reservation; *mil* reserve; **sin ~** freely; frankly; **~do** cautious; reserved; **~r** *v/t* to reserve
resfria|do *m* cold (*illness*); **~rse** to catch cold
resguard|ar *v/t* to shelter; to defend; to protect; **~o** *m* customs guard; warrant; voucher
resid|encia *f* residence; mansion; stay; **~encial** residentiary; **~ente** *m, f* resident; **~ir** *v/i* to reside; to dwell
residuo *m* residue; remainder
resigna|ción *f* resignation; acquiescence; **~r** *v/t* to give up; **~rse** to resign oneself
resina *f* resin
resisten|cia *f* resistance; endurance; strength; opposition; **~te** strong; resisting; tough
resistir *v/i*, **~se** to resist; to offer resistance; *v/t* to endure; to withstand
resolu|ción *f* resolution; determination; resoluteness; courage; solution; **~to** resolute
resolver *v/t* to resolve; to decide; to solve; **~se** to resolve, to decide
resona|ncia *f* resonance; **~r** *v/i* to resound; to ring; to echo
resoplar *v/i* to snort, to puff
resorber *v/t* to reabsorb
resorte *m* spring; resource
respald|ar *v/t* to back, to endorse; **~o** *m* back (*of a chair, etc*); backing; *com* coverage
respect|ivo respective; **~o** *m* relation; **~o a** *or* **de** with regard *or* respect to
respet|able venerable; respectable; **~ar** *v/t* to respect; **~o** *m* respect; **de ~o** respectable; **~uoso** respectful
respir|ación *f* respiration; breathing; **~adero** *m* vent; air-hole; **~ar** *v/i* to breathe; **~atorio** respiratory; **~o** *m* breathing; reprieve, rest, respite
resplandec|ecer *v/i* to shine; to glitter; **~eciente** resplendent, gleaming; shining; **~or** *m* splendour; radiance

respond|er *v/t, v/i* to answer, to reply; to respond; to be responsible; **~er de** to vouch for; **~ón** pert, impudent
responsab|ilidad *f* responsibility; **~le** responsible
respuesta *f* answer, reply
restablec|er *v/t* to re-establish; to restore; **~imiento** *m* restoration; recovery (*from illness*)
restante remaining
restañar *v/t* to staunch (*flow of blood*)
restar *v/t* to subtract; to deduct
restaura|nte *m* restaurant; **~r** *v/t* to restore; to repair
restitu|ción *f* restitution; **~ir** *v/t* to restore; to return
resto *m* rest; remainder; **~s mortales** mortal remains
restregar *v/t* to rub; to scrub
restri|cción *f* restriction; limitation; **~ctivo** restrictive; **~ngir** *v/t* to restrict
resucitar *v/t* to resuscitate; *v/i* to return to life
resuelto resolute; bold
resulta|do *m* result; outcome; **~r** *v/i* to result; to turn out
resum|en *m* summary; **en ~en** in brief; in short; **~ir** *v/t* to summarize, to sum up
resurgi|miento *m* resurgence; revival; **~r** *v/i* to spring up again; to reappear
retablo *m* altar-piece, retable; reredos
retaguardia *f* rear-guard
retal *m* remnant; clipping
retama *f* genista
retard|ar *v/t* to retard; to delay; to slow up; **~o** *m* delay
retazo *m* remnant; *pl* odds and ends
retén *m* reserve; store; *mech* catch, stop
reten|ción *f* retention; **~er** *v/t* to retain; to keep back
reticente reticent
retina *f* retina
retintín *m* tinkling; ringing, jingle
retir|ada *f* withdrawal; retreat; **~ar** *v/t* to withdraw; to retire; **~arse** to withdraw; to retire; **~o** *m* retirement; retreat; seclusion
reto *m* challenge
retocar *v/t* to retouch; to touch up (*photographs*)
retoño *m* shoot, sprout
retoque *m* retouching; finishing touch
retorcer *v/t* to twist; **~se** to writhe
retórica *f* rethoric
retorsión *f* twisting
retract|ación *f* retractation; **~ar** *v/t*, **~arse** to retract; to recant
retra|er *v/t* to retract, to draw in; **~imiento** *m* retirement
retrasar *v/t* to delay; to defer; to put off; *v/i* to be slow (*watch*); **~se** to be

delayed; to be late; to be slow (*watch*)
retrat|ar *v/t* to portray; to describe; **~arse** to be photographed *or* portrayed; **~o** *m* picture; portrait
retreta *f mil* retreat; tattoo
retrete *m* water-closet; toilet
retribuir *v/t* to recompense; to pay
retroactivo retroactive
retroce|der *v/i* to go back; to recede; **~so** *m* backward motion
retrospectivo retrospective
retruécano *m* pun
retumbar *v/i* to resound; to rumble
reumatismo *m* rheumatism
reuni|ón *f* gathering; meeting; **~ón en la cumbre** summit meeting; **~r** *v/t* to join; to unite; **~rse** to meet; to get together
revalidar *v/t* to revalidate; to confirm; to ratify
revaluación *f* revaluation
revancha *f* revenge
revelar *v/t* to reveal; to develop (*photographs*)
revende|dor(a) *m (f)* retailer; **~r** *v/t* to retail; to resell
revent|ar *v/i* to burst; to break; to explode; **~ón** *m* bursting; explosion; blowout (*of tyre*); hard work, great effort
reverberar *v/i* to reverberate
reveren|cia *f* reverence; respect; **~ciar** *v/t* to venerate; to revere; **Ƨdo** *igl* Reverend
revers|ible *med* reversible; **~o** *m* reverse
reverter *v/i* to overflow
revertir *v/i* to revert
revés *m* reverse; back; wrong side; misfortune; *dep* backhand (*stroke*); **al ~** upside-down; inside-out; backwards
revesti|miento *m* covering; coating; **~r** *v/t* to clothe; to cover; **~rse de** to assume, to muster up
revis|ar *v/t* to revise; **~ión** *f* revision; **~or** *m* censor; *a* revising; **~or de cuentas** auditor
revista *f* review; periodical; magazine; *theat* revue; **pasar ~** to review
revoca|ción *f* revocation; abrogation; **~r** *v/t* to revoke
revolcar *v/t* to knock down; to tread upon; **~se** to wallow
revolotear *v/i* to flit, to flutter around
revoltoso unruly; rebellious
revoluci|ón *f* revolution; revolt; **~onario(a)** *a, m(f)* revolutionary
revólver *m* revolver; pistol
revolver *v/t* to turn over; to stir up; to disturb; to upset; *v/i* to revolve; **~se** to move to and fro; to

change
revoque *m* whitewashing
revuelo *m* commotion, disturbance
revuelt|a *f* revolt, revolution; **~o** disturbed; upset
rey *m* king; **~erta** *f* quarrel, row; **~ezuelo** *m* kinglet
rezagante straggling
rezagar *v/t* to leave behind; **~se** to fall behind, to straggle
rez|ar *v/t* to pray; *v/i* to read (*paragraphs, etc*); **~o** *m* prayer
ría *f* estuary
riachuelo *m* rivulet
riber|a *f* beach, shore; **~eño** riparian, riverside
ricino *m* castor-oil plant
rico rich; plentiful; delicious
ridicul|ez *f* absurdity; extravagance; trifle; **~izar** *v/t* to ridicule; to make fun of
ridículo ridiculous, ludicrous
riego *m* irrigation, watering
riel *m* rail
rienda *f* rein; *pl* reins, government; **a ~ suelta** at full speed; freely; **dar ~ suelta a** to give rein to
riesgo *m* risk; danger
rifa *f* raffle; lottery; **~r** *v/t* to raffle
rigidez *f* rigidity
rígido rigid
rigor *m* rigour; sternness; stiffness; hardness; **de ~** prescribed by the rules; obligatory; **~oso** rigorous
riguros|idad *f* severity; **~o** rigorous; strict
rima *f* rhyme; **~r** *v/i* to rhyme
rincón *m* corner; angle; remote place
rinoceronte *m* rhinoceros
riña *f* quarrel
riñón *m* kidney
río *m* river; stream; **~ arriba** upstream
riostra *f* brace, stay
ripio *m* debris; rubbish; rubble; padding (*in speech or writing*); **no perder ~** not to miss a word
riqueza *f* wealth; riches; richness
risa *f* laugh; laughter; **morirse de ~** to laugh one's head off
risco *m* cliff
risueño pleasant; smiling
rítmico rhythmical
ritmo *m* rhythm
rito *m* rite
rival *m* rival; **~izar** *v/i* to rival
rivera *f* brook; creek
riz|ador *m* curling iron; **~ar** *v/t* to curl; to ripple; **~o** *m* curl; ripple; *aer* loop
róbalo *m* haddock
robar *v/t* to rob; to plunder; to steal
roble *m* oak-tree; **~do** *m* oak-grove
robo *m* theft; robbery; **~ con allanamiento** burglary
robust|ecer *v/t* to strengthen; **~o** robust, strong

roca *f* rock
roce *m* friction; rubbing
rocia|da *f* sprinkling; spray; **~r** *v/t* to sprinkle; to spray
rocín *m* work horse, hack
rocío *m* dew
rocoso rocky
roda *f mar* stem
rodaballo *m* turbot
roda|da *f* rut, wheel track; **~ja** *f* small wheel; disk; **~je** *m* set of wheels; vehicle tax; *cine* shooting, filming; **~r** *v/i* to roll; to revolve; to run on wheels; **~r una película** to shoot a film; to film
rode|ar *v/i* to make a detour; *v/t* to encompass; to surround; **~o** *m* roundabout way; detour
rodete *m* bun, knot (*of hair*); cloth ring (*on head for loads*)
rodilla *f* knee; **de ~s** kneeling
rodillo *m* roller; rolling pin
roe|dor *a, m* rodent; **~r** *v/t* to gnaw; to nibble
roga|ción *f* request; **~r** *v/t* to beg; to ask, to request; **~tiva** *f* prayer
rojizo reddish, ruddy
rollizo plump; buxom
rollo *m* roll; cylinder
roman|a *f* steelyard; **~o** *a, m* Roman
romance *m* Romance (*language*); novel; ballad; **~ro** *m* ballad singer
romanticismo *m* romanticism
romántico romantic
rombo *m* rhombus
romer|ía *f* pilgrimage; village festival; picnic; **~o** *m* pilgrim; *bot* rosemary
rompe|cabezas *m* puzzle; riddle; **~r** *v/t* to break; to fracture; to tear; to begin; to interrupt
ron *m* rum
roncar *v/i* to snore; to roar
ronco hoarse
ronda *f* round; beat (*of policeman*); **~r** *v/t, v/i* to patrol; to prowl
ron|quedad *f* hoarseness; **~quido** *m* snore
ronrone|ar *v/i* to purr; **~o** *m* purring
roñ|a *f* scab (*in sheep*); crust (*of filth*); **~oso** scabby; filthy; *fam* mean, stingy
ropa *f* wearing apparel; clothes; dry goods; stuff; fabric; robe, costume; **~ blanca** linen; **~ interior** underclothes; underwear; **a quema ~** point blank
roper|ía *f* cloak-room; **~o** *m* wardrobe
rosa *f* rose; rose colour; **~do** pink; rose-coloured; **~l** *m* rosebush; **~rio** *m* rosary; chain-pump
rosbif *m* roastbeef
rosc|a *f* screw thread; (*turn of a*) spiral; ring, circle
roseta *f* rose(head) (*of can*)
rosquilla *f* ring-shaped pastry
rostro *m* face; aspect; countenance; beak (*of bird, ship*)

rota *f mil* rout, defeat; Rota (*ecclesiastical tribunal*)
rota|ción *f* rotation; **~nte** revolving; **~tivo** rotary; revolving; **~torio** rotating, rotary
roto broken; shattered; chipped; torn; **~r** *m* rotor
rotulador *m* sign maker; ball-point pen
rotular *v/t* to label; to mark
rótulo *m* sign; mark; label
rotundo round; plain, categorical
rotura *f* fracture; break; **~r** *v/t* to break up (*new ground*)
roza|dura *f*, **~miento** *m* friction; **~r** *v/t* to scrape, to rub; to grub up; to browse; **~rse** to rub shoulders (*with*)
rubí *m* ruby
rubi|a *f* blonde (*woman*); estate car, station wagon; **~o** blond; golden
ruborizarse to blush; to flush
rúbrica *f* red mark; flourish (*of signature*)
rubricar *v/t* to sign with flourish *or* initials
rud|eza *f* rudeness; **~o** rude
rueda *f* wheel; circle
ruego *m* request
rufián *m* ruffian, scoundrel
rugi|do *m* bellow; roar; **~r** *v/i* to roar; to howl
ruibarbo *m* rhubarb
ruido *m* noise; din; **mucho ~ y pocas nueces** much ado about nothing; **~so** noisy
ruin mean; base; vile; **~a** *f* ruin; collapse; *pl* ruins; wreck; **~oso** ruinous, dilapidated; worthless
ruiseñor *m* nightingale
rumano(a) *a*, *m* (*f*) Rumanian
rumiar *v/t* to ruminate
rumor *m* noise; sound; rumour
ruptura *f* break; rupture
rural rural; rustic
ruso(a) *m* (*f*), *a* Russian
rústic|o rustic; rural; simple; **en ~a** paper-bound (*books*)
ruta *f* route; itinerary
rutina *f* routine; **~rio** routine, everyday

S

sábado *m* Saturday; Sabbath
sabana *f SA* prairie, savannah
sábana *f* sheet (*for the bed*)
sabandija *f* bug; *pl* vermin
sabañón *m* chilblain
saber *v/t* to know; to know how to; to be able; **que yo sepa** to my knowledge; **~ a** *v/i* to taste of; to smack of; **a ~** namely; *m* knowledge; learning; skill
sabi|duría *f* wisdom; **~o**

wise; learned; cunning

sablazo *m* blow with a sabre; *fam* borrowing; sponging

sabor *m* taste; flavour; **~ear** *v/t* to savour; to taste

sabot|aje *m* sabotage; **~ear** *v/t* to sabotage

sabroso tasty; juicy; delicious

saca *f* taking out; extraction; exportation; **~corchos** *m* corkscrew; **~muelas** *m* dentist; **~puntas** *m* sharpener; **~r** *v/t* to take out; to draw out; to bring out; to extract; to get; to obtain; to turn out; to produce; **~r a bailar** to invite to a dance

sacerdo|cio *m* priesthood, ministry; **~te** *m* priest

saciar *v/t* to satiate

saco *m* sack; bag; *SA* jacket

sacramento *m* sacrament

sacrific|able expendable; **~ar** *v/t* to sacrifice; **~io** *m* sacrifice

sacrist|án *m* sexton; **~ía** *f* vestry

sacro holy; sacred; **~santo** sacrosanct

sacudi|da *f* shake; jerk; **~r** *v/t* to shake; to jerk; to dust; **~rse** to shake off; to get rid of

saeta *f* arrow; bolt; hand of a clock

sagaz astute; sagacious; knowing

sagrado holy, sacred

sainete *m* short farce; one-act play

sajar *v/t surg* to scarify

sajón(ona) *m (f)*, *a* Saxon

sal *f* salt; wit

sala *f* hall; large room; drawing-room; **~ de espera** waiting-room; **~ de estar** living room, sitting room

sal|ado salted; salty; charming; *SA* unlucky; **~ar** *v/t* to salt; **~ario** *m* salary; wage

salazón *f* salting; curing; salted meat *or* fish

salchich|a *f* pork sausage; **~ón** *m* large red sausage

sald|ar *v/t com* to settle; to liquidate; **~o** *m com* balance; settlement; clearance; sale; **~o deudor** debit balance

salero *m* salt-cellar; *fam* wit

salida *f* departure, start; exit, way out; rising (*of the sun*); *com* sales potential; outlet; sally; **dar ~ a** *com* to put on the market, to sell

saliente protruding

salina *f* salt mine

salir *v/i* to go out; to leave; to depart; to appear; to rise (*sun*); to prove; to come out; *com* to cost; **~ bien** to succeed; **~se** to overflow; to leak; **~se con la suya** to get one's own way

salitre *m* saltpetre

saliva *f* saliva, spittle

salmo *m* psalm
salmón *m* salmon
salmuera *f* brine
salón *m* saloon; salon, parlour; ~ **de belleza** beauty parlour; ~ **de té** tearoom
salpicar *v/t* to splash; to spatter
salsa *f* sauce; gravy
salta|montes *m* grasshopper; **~r** *v/i* to jump; to spring; to leap; to burst; *v/t* to skip; to jump over
saltea|dor *m* highwayman; robber; **~r** *v/t* to rob on a highway; to take by surprise
salto *m* leap; jump; ~ **mortal** somersault; ~ **de agua** waterfall
salu|bre healthy, salubrious; **~d** *f* health; **~d pública** public welfare; **~dable** salutary; **~dar** *v/t* to greet; to salute; **~tación** *f* greeting; salutation
salva *f mil* salvo
salva|ción *f* salvation; **~dor** *m* saviour; rescuer; **♀dor** *eccl* Saviour; **~guardia** *f* safe-conduct; **~je** wild; savage; **~mento** *m* rescue; **~r** *v/t* to save; to rescue; **~rse** to escape; **~vidas** *m* life-belt
salvedad *f* reservation
salvia *f* sage (*plant*)
salvo *a* safe; excepted; *adv* save; except; **a** ~ safe and sound; **en** ~ out of danger
salvoconducto *m* safe-conduct
san (*apocope of* **santo,** *used before masc names*) Saint; **♀ Nicolás** Santa Claus
sanatorio *m* nursing home; sanatorium
sanc|ión *f* sanction; *dep* penalty; **~ionar** *v/t* to sanction
sandalia *f* sandal
sandía *f* water-melon
sanea|miento *m* drainage; sanitation; *for* reparation; warranty; **~r** *v/t* to put in order; to correct; to drain (*land*); *for* to warrant
sangr|ante bleeding; **~ar** *v/t*, *v/i* to bleed; **~e** *f* blood; **a ~e fría** in cold blood; **~ía** *f* bleeding; sangaree (*drink*); **~iento** bloody; bleeding
sanguijuela *f* leech
sanguíneo sanguinary; blood-thirsty
san|idad *f* health; public health department; **~itario** sanitary; **~o** healthy; **~o y salvo** safe and sound
santa *f* female saint
santiamén *m* instant; twinkling; **en un** ~ in a jiffy
sant|idad *f* sanctity; holiness; **~ificar** *v/t* to sanctify; to consecrate; to hallow; **~iguarse** to cross oneself; **~o** *a* holy, saintly; *m* saint; image of a saint; name day, saint's day; **¡~o Dios!** goodness gracious!; **~oral** *m* saints' calendar;

~uario *m* sanctuary
saña *f* fury
sapo *m* toad
saque *m* service (*tennis, etc*); goal kick (*football*)
saque|ar *v/t* to plunder; **~o** *m* pillage
sarampión *m* measles
sarcasmo *m* sarcasm
sarcófago *m* sarcophagus
sardina *f* sardine
sarga *f* serge
sargento *m* sergeant
sarn|a *f* itch; mange; **~oso** mangy
sartén *f* frying-pan
sastre *m* tailor; (*traje*) costume
Satanás *m* Satan
satánico satanic
satélite *m* satellite
satén *m* sateen
satinar *v/t* to gloss; to calender
sátira *f* satire
satírico satirical
satisfac|ción *f* satisfaction; **~er** *v/t* to satisfy; **~torio** satisfactory
saturar *v/t* to saturate
sauce *m* willow; **~ llorón** weeping willow
saúco *m* elder tree
savia *f* sap
say|a *f* skirt; petticoat; **~o** *m* long loose coat
sazón *f* season; seasoning; opportunity; **a la ~** at that time; **en ~** opportunely
sazonado seasoned; ripe; witty
se *pron 3rd person, m or f, sing or pl used as*: **1.** *reflexive pronoun standing for* himself, herself, itself, themselves; **él ~ cortó** he cut himself; **ella ~ dijo** she said to herself; **2.** *to form a reflexive verb*: **afeitarse** to shave oneself; **morirse** to die (*slowly*); **3.** *to express possession*: **~ rompió la pierna** he broke his leg; **4.** *replacing the dative* le, les *of the pers pron when immediately followed by the accusative cases* lo, la, los, las: **~ las dí** I gave them to him (her, them); **5.** *as an indefinite subject*; **~ dice** it is said; **~ sabe** it is known; **~ habla español** Spanish spoken; **6.** *to express a passive meaning*; **~ perdió el dinero** the money was lost; **7.** *as an equivalent of* each other, one another; **ellos ~ aman** they love each other
sebo *m* tallow, suet; grease
sec|adero *m* drying place; **~ador** *m* dryer; **~ano** *m* dry land; **~ante** *m* blotting paper; **~ar** *v/t* to dry (up)
secci|ón *f* section; **~ón transversal** cross-section; **~onar** *v/t* to divide up
secesión *f* secession
seco dry; curt
secre|ción *f* secretion; **~tar** *v/t* to secrete; **~tario(a)** *m* (*f*) secretary; **~to** *m* secret; *a* secret; confidential

secta *f* sect; **~rio(a)** *m* (*f*), *a* sectarian
sector *m* sector
secuaz *m* follower; partisan
secuela *f* sequel
secuestr|ar *v/t for* to sequestrate; to sequester; to kidnap; **~o** *m for* sequestration; kidnapping
secular secular; centenary; age-long; **~izar** *v/t* to secularize
secundar *v/t* to second; to help; **~io** secondary
sed *f* thirst; **tener ~** to be thirsty
sed|a *f* silk; **~án** *m* sedan
seda|nte soothing; **~tivo** *m* sedative
sede *f* seat (*of government, etc*); *eccl* see; **la Santa ♀** the Holy See
sedería *f* silk shop; silks
sedici|ón *f* insurrection; **~oso** seditious; mutinous
sediento thirsty
sedimento *m* sediment; dregs; grounds
sedoso silken, silky
seduc|ción *f* seduction; enticement; **~ir** *v/t* to seduce; to entice; **~tor** *m* seducer; *a* charming
sega|dora *f* harvester, mower; **~dora trilladora** *f agr* combine; **~r** *v/t* to mow; to reap
seglar *m* layman
segmento *m* segment
seguida *f* succession; continuation; **en ~** at once, forthwith; **~mente** immediately
seguido continued; successive; straight
segui|dor *m* follower; **~r** *v/t* to follow; to go on (*doing something*); **¡siga leyendo!** go on reading, please!
según according to; as; depending on; **~ derecho** according to law; **~ y como, ~ y conforme** depending on how; it depends
segund|ero *m* second hand (*of a watch or clock*); **~o** *a*, *m* second; **~o nombre** middle name; **de ~a clase** second class; **de ~a mano** second-hand; **en ~o lugar** secondly
segur|amente surely; **~idad** *f* safety; security; **~o** *m com* insurance; safety catch; **~o contra incendios** fire-insurance; **~o de responsabilidad civil** third-party insurance; *a* safe, secure
selec|ción *f* selection; choice; **~cionar** *v/t* to select; **~tivo** selective; **~to** select; choice
selv|a *f* forest; jungle; **~ático** wild
sell|ar *v/t* to stamp; to seal; to conclude (*a treaty, etc*); **~o** *m* stamp; seal; **~o de correo** postage stamp
semana *f* week; **~l** weekly; **~rio** *m* weekly paper
semblante *m* appearance;

aspect; countenance, face
sembrar *v/t* to sow; to spread (*news*)
semeja|nte similar; like; **~nza** *f* resemblance, similarity; **~r** *v/i* to resemble
semestr|al half-yearly; **~e** *m* semester; half-yearly pay
semi *prefix* half; semi; **~circular** semicircular; **~dormido** half asleep
semilla *f* seed
seminario *m* seminary
semita *m* Semite
sémola *f* semolina
sen *m* senna
senado *m* senate; **~r** *m* senator
sencill|ez *f* simplicity; **~o** *a* simple; plain; frank; *m* *SA* small change
send|a *f*, **~ero** *m* footpath
sendos(as) one for each
senectud *f* old age
seno *m* bosom; breast; womb; *fig* bosom
sensaci|ón *f* sensation; feeling; emotion; **~onal** sensational
sensat|ez *f* good sense; **~o** sensible, wise
sensib|ilidad *f* sensibility; sensitiveness; **~le** sensitive; emotional; susceptible; perceptible
sensorio sensory
sensual sensual
sentar *v/t* to seat; to set, to establish; *v/i* to fit; to suit; **~ bien** to fit; to agree with (*food*); **~se** to sit down; to settle down; **¡siéntese!** be seated!
sentencia *f* sentence; judgement; **~r** *v/t* to sentence
sentido *m* sense; interpretation; direction; **en cierto ~** in a sense; **de doble ~** two-way (*traffic*); **~ común** common sense; **perder el ~** to lose consciousness
sentimental sentimental; emotional; **~ismo** *m* sentimentality
sentimiento *m* sentiment; feeling; grief; regret
sentir *v/t* to feel; to experience; to perceive; to regret, to be sorry about; *m* feeling; **~se** to feel; to resent; *SA* to take offence
seña *f* sign; token; *pl* address; **~s personales** personal description; **~l** *f* signal; mark; **~l de tráfico** road sign; **~lar** *v/t* to point out; to indicate; to mark
señor *m* gentleman; master; owner; lord; mister; sir; *pl com* Messrs; **muy ~es nuestros** dear sirs; **~a** *f* lady; mistress; madam; **~ear** *v/t* to dominate; **~ía** *f* lordship; **~il** lordly; noble; **~ío** *m* dominion; mastery; **~ita** *f* young lady; miss
señuelo *m* lure
seo *f* cathedral
separar *v/t* to separate
sepelio *m* burial
septentrional northern

séptico septic
septiembre, setiembre *m* September
sepulcro *m* sepulchre
sepult|ar *v/t* to bury; **~ura** *f* burial; tomb; grave; **~urero** *m* grave-digger
sequ|edad *f* dryness; barrenness; curtness; **~ía** *f* drought
séquito *m* suite; following
ser *v/i* to be; to exist; **de ~ así** if so; *m* essence; being
seren|ar *v/t* to calm; **~arse** to calm down; **~ata** *f* serenade; **~idad** *f* serenity; composure; **~o** *a* calm; composed, serene; *m* night-watchman
seri|al *m radio, t v* serial; **~e** *f* series; **en ~e** mass (*production*)
serio serious; sober; grave; **en ~** in earnest; seriously
sermón *m* sermon
serp|entear *v/i* to wind; to meander; **~iente** *f* serpent, snake
serran|ía *f* mountainous region; **~o** *m* mountain dweller
serr|ar *v/t* to saw; **~ín** *m* saw-dust
servi|ble useful; **~cial** obliging; **~cio** *m* service; good turn; **de ~cio** on duty; **~cios públicos** public utilities; **~dor** *m* servant; **su seguro ~dor** yours truly; **~dumbre** *f* (staff of) servants; servitude; **~l** slavish; menial
servilleta *f* table napkin
servir *v/t* to serve; to oblige; **¿en qué puedo ~le?** what can I do for you?; *v/i* to be in service; **~se** to help oneself
sesg|ar *v/t* to cut obliquely; **~o** *m* slant; **al ~o** obliquely
sesión *f* session; sitting
seso *m* brain; sense; judgment; **devanarse los ~s** to rack one's brains
seta *f* mushroom
seto *m* fence; **~ vivo** hedge, quickset
seud|o pseudo; **~ónimo** *m* pseudonym
sever|idad *f* severity; **~o** severe
sex|o *m* sex; **~ual** sexual; **~ualidad** *f* sexuality
si *m mus* si; *conj* if; when; whether; **como ~** as if; **~ bien** although; **~ no** if not; otherwise
sí *pron, reflexive form of the third person*: himself, herself, itself, oneself, themselves; **de por ~** on its own account; by itself; **volver en ~** to regain consciousness
sí *adv* yes; yea; aye
siderurgia *f* siderurgy, iron and steel industry
sidra *f* cider
siega *f* harvesting
siembra *f* sowing; seed
siempre always; ever; **~ que** whenever; provided that; **como ~** as usual;

para ~ for ever, for good
sien *f anat* temple
sierpe *f* serpent
sierra *f* saw; mountain range; ~ **para metales** hacksaw
siesta *f* hottest time of the day; afternoon nap; siesta
sífilis *f* syphilis
sifón *m* siphon
sigilo *m* secrecy
siglo *m* century
signa|rse to cross oneself; **~tura** *f* library number; *impr* signature
significa|ción *f*, **~do** *m* significance; meaning, sense; **~r** *v/t* to mean; to indicate; **~tivo** significant
signo *m* sign; symbol; ~ **de puntuación** punctuation mark
siguiente following; next
sílaba *f* syllable
silba|r *v/t* to hiss at; *v/i* to whistle; **~tina** *f SA* cat-call; **~to** *m* whistle
silenci|ador *m* silencer; *mech* muffler; **~o** *m* silence; **~oso** silent; soundless
silo *m* silo
silueta *f* outline; silhouette
silv|estre wild; rustic; **~icultura** *f* forestry
sill|a *f* chair; saddle; **~a de cubierta** deck-chair; **~a plegadiza** camp-stool; **~ón** *m* easy chair, armchair
sima *f* abyss
símbolo *m* symbol
simetría *f* symmetry
simiente *f* seed
símil like
similicuero *m* leatherette
simpatía *f* liking
simpático attractive; nice; sympathetic
simpatizar *v/i* to have a liking for; to sympathize
simpl|e simple; **juego de ~es** *dep* singles; **~eza** *f* simplicity; stupidity; **~icidad** *f* simplicity; **~ificar** *v/t* to simplify
simular *v/t* to simulate, to pretend
simultáneo simultaneous
sin without; ~ **embargo** nevertheless, however
sincero sincere
sincronizar *v/t* to synchronize
sindica|lismo *m* syndicalism; **~to** *m* syndicate; trade union
síndico *m for* syndic; receiver
sinfín *m* endless amount, great number
sinfonía *f* symphony
singular *a* unique; singular; extraordinary; *m gram* singular
siniestro *a* sinister; *m* disaster
sinnúmero *m* great number *or* amount
sino *m* fate; *conj* but; except; only; **no sólo ...** ~ not only ... but
sínodo *m* synod
sinónimo *m* synonym
sinrazón *f* wrong; injustice

sintaxis *f* syntax
sintético synthetic
síntoma *m* symptom
sintonizar *v/t* to tune in
sinvergüenza *m, f* scoundrel, wretch
sionismo *m* zionism
siquiera *adv, conj* at least; even; although, even though; **ni ~** not even
sirena *f* siren, mermaid; hooter
sirvient|a *f* maid-servant, housemaid; **~e** *m* servant
sisa *f* pilfering; **~r** *v/t* to pilfer; to take in (*dresses*)
sistem|a *m* system; **~ático** systematic
siti|ar *v/t* to lay siege to, to besiege; **~o** *m* siege; place, spot; site
situa|ción *f* situation; **~r** *v/t* to situate
snobismo *m* snobbery
so under; below; **~ pena de** under penalty of
soasado underdone
sobaco *m* armpit
sobar *v/t* to knead; *SA* to flatter
soberan|ía *f* sovereignty; **~o(a)** *m (f), a* sovereign
soberbi|a *f* pride; haughtiness; **~o** haughty; arrogant
soborn|ar *v/t* to bribe; to corrupt; **~o** *m* bribery
sobra *f* surplus; **~dillo** *m arch* penthouse, sloping roof; **~r** *v/t* to exceed; *v/i* to be left over; to be more than enough
sobre *m* envelope; *prep* on; upon; on top of; over; above; about; **~ las tres** about three o'clock; **~ todo** above all
sobrecarg|ar *v/t* to overload; to overburden; **~o** *m mar* purser
sobrecejo *m* frown
sobrecoger *v/t* to startle
sobrecubierta *f* wrapper (*of book*)
sobrehumano superhuman
sobremanera excessively
sobremesa *f* dessert; tablecloth; **de ~** after-dinner
sobrenatural supernatural
sobrenombre *m* surname
sobrepasar *v/t* to surpass
sobreponer *v/t* to superimpose
sobreprecio *m* surcharge
sobrepujar *v/t* to outbid
sobresali|ente outstanding; **~r** *v/i* to excel
sobresalt|ar *v/t* to startle; to frighten; **~o** *m* sudden fright; shock
sobrestante *m* overseer, supervisor; foreman
sobrestimar *v/t* to overrate
sobretiempo *m* overtime
sobretodo *m* overcoat, topcoat
sobrevenir *v/i* to happen unexpectedly
sobrevivi|ente *a* surviving; *m* survivor; **~r** *v/t, v/i* to survive; to outlive
sobriedad *f* sobriety, temperance

sobrin|a *f* niece; **~o** *m* nephew
sobrio sober
socarrón cunning
socav|ar *v/t* to undermine; **~ón** *m* cave; *min* adit; tunnel
soci|able sociable, friendly; **~al** social; **~alismo** *m* socialism; **~alista** *m, f, a* socialist; **~alizar** *v/t* to socialize; **~edad** *f* society; company; **~edad anónima** *com* joint stock company; **~edad inmobiliaria** building society; **~edad limitada** *com* limited company; **~o** *m* partner; **~o comanditario** *com* silent partner; **~o secreto** *com* sleeping partner; **~ología** *f* sociology
socorr|er *v/t* to help; **~o** *m* help
soez vulgar, coarse, base
sofá *m* sofa
sofistica|do sophisticated; **~r** *v/t* to falsify
sofoc|ar *v/t* to choke, to smother; to stifle; to suffocate; to extinguish; **~o** *m* annoyance
soga *f* rope
sojuzgar *v/t* to subdue
sol *m* sun; sunlight; **tomar el ~** to sunbathe
solado *m* tile floor; pavement
solamente only
solapa *f* lapel; **~do** deceitful, sly
solar *m* plot, building site; manor house; **~iego** ancestral (*of house*)
solaz *m* solace; relaxation
soldado *m* soldier
solda|dura *f* soldering, welding; **~r** *v/t* to solder, to weld
soleado sunny
soledad *f* solitude, loneliness; lonely place
solemne solemn
soler *v/i* to be accustomed to; **suele venir temprano** he usually comes early
solera *f* crossbeam
solicitar *v/t* to petition; to apply for
solícito solicitous
solicitud *f* application (*for a job, post*)
solid|aridad *f* solidarity; **~ez** *f* solidity
sólido solid
soliloquio *m* soliloquy
solista *m, f mus* soloist
solitari|a *f* tape-worm; **~o** solitary
solo *a* alone; *m mus* solo
sólo only
solomillo *m* sirloin
soltar *v/t* to unfasten; to release; **~se** to get loose; **~se a** to begin to
solter|o(a) *a* unmarried; *m* (*f*) bachelor; spinster; **~ón** *m* old bachelor; **~ona** *f* old maid, spinster
soltura *f* ease; agility
solu|ble soluble; **~ción** *f* solution; **~cionar** *v/t* to solve
solven|cia *f* solvency; **~te** solvent

sollozar *v/i* to sob; **~o** *m* sob, sobbing
sombr|a *f* shadow; **~ear** *v/t* to shade, to shadow; **~erera** *f* bandbox; **~erería** *f* hatshop; millinery; **~ero** *m* hat; **~ero de copa** top hat, silk hat; **~ía** *f* shady spot; **~illa** *f* parasol; sunshade; **~ío** gloomy, sombre; shady
somero superficial; summary
someter *v/t* to submit
somnámbulo *m* sleep-walker
son *m* sound; tune; **~ante** [sounding]
sond|a *f naut* sounding; lead, sounding line; probe; prospecting gear; **~ear** *v/t* to sound; to explore; to probe
soneto *m* sonnet
sónico sonic
sonido *m* sound
sonor|o sonorous, resonant; clear; *gram* voiced; **banda ~a** sound track
sonr|eír *v/i*, **~eírse** to smile; **~isa** *f* smile
sonrojar *v/t* to make blush; **~se** to blush
sonsonete *m* sing-song voice; rythmical raps *or* taps
soñ|ar *v/t*, *v/i* to dream; **~oliento** sleepy
sop|a *f* soup; **~era** *f* soup-tureen; **~ero** *m* soup-plate; **~eteo** *m* dipping (*bread*)
sopl|ar *v/i* to blow; *fam* to squeal; **~ete** *m* blow-torch; **~o** *m* breath; wind; **~ón** *m* informer
soport|ar *v/t* to support; to bear; **~e** *m* support
sor *eccl* sister *f*
sorb|er *v/t* to suck; to absorb; **~o** *m* sip
sordera *f* deafness
sórdido sordid
sordo deaf; *gram* unvoiced
sorprende|nte surprising; **~r** *v/t* to surprise
sorpresa *f* surprise
sorteo *m* raffle; drawing (*of lottery, tickets*)
sortija *f* finger ring
sosa *f* soda
sosegar *v/t* to calm
sosiego *m* tranquillity; quiet
soslayo: al ~ sideways; obliquely; awry
soso insipid; dull
sospech|a *f* suspicion; **~ar** *v/t*, *v/i* to suspect; **~oso** suspicious
sostén *m* support; upkeep; brassière
sosten|er *v/t* to support; to hold (*opinion, conversation, etc*); **~erse** to support oneself; **~imiento** *m* support; maintenance
sota *f* jack; knave (*in cards*)
sotana *f* cassock
sótano *m* cellar; basement
soto *m* grove, thicket
soviético Soviet
su *pron poss 3rd pers m, f sing* (*pl* **sus**) his, her, its, your, their; one's
suav|e smooth; soft; **~idad** *f* smoothness; softness; **~i-**

zar *v/t* to soften
subalterno *a, m* subordinate, subaltern
subarr|endar *v/t* to sublet; **~iendo** *m for* sublease
subasta *f* auction
subconsciencia *f* subconscious; subconsciousness
subdesarrollado underdeveloped
súbdito(a) *m (f)* subject
subestimar *v/t* underestimate
subibaja *f SA* seesaw
subi|da *f* climb; rise; ascent; **~do** deep, bright (*colour*); **~r** *v/i* to go up; *v/t* to raise
súbit|amente, ~o all of a sudden
subjuntivo *m* subjunctive
subleva|ción *f* insurrection, uprising; **~rse** to rebel
sublime sublime
submarino *m* submarine
subordinar *v/t* to subordinate; to subject
subproducto *m* by-product
subrayar *v/t* to underline; to emphasize
subsanar *v/t* to correct; to compensate for; to excuse
subscribir *v/t* to subscribe
subsidi|ario subsidiary; **~o** *m* subsidy
subsiguiente subsequent
subsist|encia *f* subsistence; existence; **~ir** *v/i* to live, to subsist; to endure
substanci|a *f* substance; **~oso** substantial
substituir *v/t* to substitute, to replace
substra|cción *f* subtraction; deduction; theft; **~er** *v/t* to subtract; to steal
subterfugio *m* subterfuge
subterráneo subterranean
subtítulo *m* subtitle; *cine* caption
suburb|ano suburban; **~io** *m* suburb
subvención *f* subsidy; grant
subversivo subversive
succión *f* suction
sucedáneo *m* substitute
suce|der *v/i* to succeed; to follow; to occur; **~sión** *f* succession; issue; **~sivo** successive; **~so** *m* event; **~sor** *m* successor
suci|edad *f* dirtiness; dirt; **~o** dirty
suculento succulent; luscious
sucumbir *v/i* to succumb; to yield
sucursal *f* branch establishment *or* office
sud *m* south; **~americano** South-American
sudar *v/i* to perspire; to sweat
sud|este *m* south-east; **~oeste** south-west
sudor *m* sweat
Suecia *f* Sweden
sueco(a) *m (f)* Swede; *a* Swedish
suegr|a *f* mother-in-law; **~o** *m* father-in-law
sueldo *m* salary; wage
suelo *m* soil, earth; ground; floor; land; bottom

suelto loose
sueño *m* sleep; dream
suero *m* serum; whey
suerte *f* fate, destiny; luck; **echar ~s** to draw lots; **mala ~** hard luck
sufijo *m* suffix
sufrag|ar *v/t* to defray; to assist; **~io** *m* franchise
sufri|do long-suffering; patient; **~miento** *m* suffering; tolerance; patience; **~r** *v/t* to suffer; to tolerate
sugerir *v/t* to suggest
sugestivo suggestive
suicid|a *m, f* suicide; **~arse** to commit suicide; **~io** *m* suicide
Suiza *f* Switzerland
suizo(a) *m (f), a* Swiss
sujetapapeles *m* (paper) clip
sujet|ar *v/t* to secure, to hold; to subject; **~o** *m* subject; topic
sulfúrico sulphuric
suma *f* sum; **en ~** in short; **~r** *v/t* to summarize; to amount to; to add up to; **~rio** summary; **~rísimo** *for* quick; expeditious
sumergi|ble submergible; **~r** *v/t*, **~rse** to submerge
suministr|ar *v/t* to supply; **~o** *m* supply
sumi|sión *f* submission; **~so** submissive; obedient
sumo supreme; extreme; **a lo ~** at the most
suntu|ario luxury; **~oso** rich, splendid; sumptuous, luxurious
supera|ble superable; **~r** *v/t* to exceed; to conquer
superávit *m com* surplus
superfici|al superficial; **~e** *f* surface
superfluo superfluous
superhombre *m* superman
superintendente *m* superintendent; overseer
superior *m* superior; *a* better; finer; superior; **~idad** *f* superiority
superlativo *a, m* superlative
supermercado *m* supermarket
supersónico supersonic
supersticioso superstitious
supervivencia *f* survival
suplantar *v/t* to supplant
suplement|ario supplementary; **~o** *m* supplement
súplica *f* entreaty; petition
suplicar *v/t* to supplicate
suplicio *m* torture; torment
suplir *v/t* to complement; to replace
suponer *v/t* to suppose; to assume
suprem|acía *f* supremacy; **~o** supreme
supr|esión *f* suppression; **~imir** *v/t* to suppress
supuesto supposed; assumed; **por ~** of course
supurar *v/i* to suppurate, to fester
sur *m* south
surc|ar *v/t* to furrow; **~o** *m* furrow; groove
surgir *v/i* to spout; to

issue forth; to crop up, to arise
suripanta *f* slut
surti|do *m* assortment; **~dor** *m* fountain; jet; **~dor de gasolina** filling station; **~r** *v/t* to supply; to stock; **~r efecto** to produce the desired effect; *v/i* to spout
susceptib|ilidad *f* susceptibility; **~le** susceptible; touchy; sensitive
suscitar *v/t* to stir up
suscribir *v/t* to subscribe
susodicho aforesaid
suspen|der *v/t* to suspend; to hang up; **~sión** *f* suspension
suspicacia *f* distrust; suspicion
suspir|ar *v/i* to sigh; **~o** *m* sigh
sustan|cia *f* substance; **~tivo** *m* substantive
sustent|ar *v/t* to support; to maintain; **~o** *m* maintenance; sustenance
susto *m* fright; shock
susurr|ar *v/i* to whisper; to murmur; to rustle; **~o** *m* whisper
sutil subtle; fine, thin
sutura *f med* suture; seam
suyo(a) (*pl* **suyos, as**) *pron poss 3rd person, m and f,* his, hers, theirs, one's; his own, her own, their own; **de ~** by itself; in itself

T

tabaco *m* tobacco
tábano *m* horse-fly, gad-fly
tabern|a *f* tavern; inn; public house, saloon; **~ero** *m* innkeeper; barkeeper
tabique *m* partition wall
tabl|a *f* board; plank; slab; list; *mat* table; **a raja ~a** at any price; ruthlessly; **~a de materias** contents (*of book, etc*); **~as de multiplicar** multiplication tables; **~ado** *m* wooden platform; stage; **~ear** *v/t* to saw into planks; **~ero** *m* planking; board; counter; drawing-board; **~ero de instrumentos** dashboard; **~eta** *f* tablet; lozenge; **~illa** *f* small board; *med* splint; **~ón** *m* thick plank; beam
tabú *m* taboo
taburete *m* stool
tacaño stingy, niggardly
tacita *f* small cup
tácito tacit
taciturno taciturn; silent; melancholy
taco *m* stopper; plug; wad (*in cannon*); billiard-cue; calendar-pad; pad (*of paper or tickets*); *fam* snack; **echar ~s** *fam* to swear heavily
tacón *m* heel
tacon|azo *m* clicking of the heels; **~ear** *v/i fam* to walk with a tapping of the heels
tacto *m* tact; sense of touch; skill

tach|a *f* defect; fault; stain; flaw; **~ar** *v/t* to find fault with; to cross out (*writing*); **~ón** *m* deleting mark (*in writing*); **~onado** studded; **~uela** *f* tack
tafilete *m* morocco leather
tahona *f* bakery; baker's shop
tahúr *m* gambler
taimado crafty, shifty
taja *f* cut; **~da** *f* slice; *fam* hoarseness; **~r** *v/t* to cut; to chop
tajo *m* deep cut
tal (*pl* **tales**) such, so as; certain; so; thus; **~ cual** such as; **~ vez** maybe, perhaps; **con ~ que** provided that; **¿qué ~?** how are you?, how is this going on?; **un ~ González** a certain Gonzalez
tala *f* felling of trees; destruction
taladr|ar *v/t* to bore; **~o** *m* borer; gimlet, drill; drill-hole
talar *v/t* to fell (*trees*); to devastate
talco *m* talc; talcum powder
taleg|a *f* bag; sack; fortune; **~o** *m* bag, sack
talento *m* talent; **~so** gifted
talgo *m* express train
talón *m* heel (*of foot*); *com* coupon; voucher, cheque *or* draft detached from a stub-book
talonario *m* stub-book; cheque-book
talla *f* carving; sculpture; height; **~do** carved; **~r** *v/t* to carve; to cut (*precious stones*); to value; to appraise; **~rín** *m* noodle
talle *m* figure; waist; **~r** *m* workshop; **~r de reparaciones** repair shop
tallista *m* carver
tallo *m* stalk; stem
tamaño *m* size
tambalear *v/i* to stagger, to totter; to sway, to lurch
también also; too; as well
tambor *m* drum; drummer; **~ear** *v/i* to drum (*with the fingers*)
tamiz *m* fine sieve; **~ar** *v/t* to sift
tampoco neither; not either
tan (*apocope of* **tanto**) so; such; as; **~ grande como** as big as; **~ sólo** only; **¡qué cosa ~ linda!** what a beautiful thing!
tanda *f* turn; shift; relay
tang|ente *f* tangent; **~ible** tangible
tanque *m* tank; reservoir
tante|ar *v/t* to test; to measure; to examine; *v/i* to keep the score; **~o** *m* calculation; score (*in games*)
tanto *a* so much; as much; *pl* so many; as many; *pron* so much, so many; **por lo ~** therefore; *adv* so much; so long; so far; so often; **~ como** as much as; as often as; *m* certain quantity *or* sum; so much; point *or* score (*in games*); *com* rate; **en ~ que** in the

meantime; ~ **por ciento** percentage; **otro** ~ as much more; **no es para** ~ it is not as bad as that; **estar al** ~ to be informed
tapa *f* lid; cover; cap; flap (*of envelope*); cover (*of book*); ~**dera** *f* lid; cover; ~**r** *v/t* to cover; to cover up; to put a lid on; to stop up (*hole*)
tapete *m* rug
tapia *f* mud wall
tapicer|ía *f* tapestry; ~**o** *m* tapestry maker; upholsterer
tapiz *m* tapestry; ~**ado** *m* upholstery; ~**ar** *v/t* to hang with tapestry; to upholster
tapón *m* plug; stopper
taquigrafía *f* shorthand
taquigráfic|amente in shorthand; ~**o** stenographic
taquígrafo(**a**) *m* (*f*) stenographer
taqui|lla *f* booking-office; box-office; ~**llero** *m* booking clerk
taquimecanógrafa *f* shorthand typist
tara *f com* tare
tara|cear *v/t* to inlay; ~**rear** *v/t* to hum (*a tune*)
tarda|nza *f* delay; ~**r** *v/i* to be late
tarde *f* afternoon; **¡buenas** ~**s!** good afternoon!, good evening!; *adv* late; too late; **de** ~ **en** ~ from time to time; ~ **o temprano** sooner or later
tardío late; slow
tarea *f* task; job
tarifa *f* tariff
tarima *f* platform; dais
tarjeta *f* card; ~ **de visita** visiting card; ~ **postal** postcard
tarro *m* jar; *SA* top hat
tarta *f* tart
tartamudear *v/i* to stammer
tártaro(**a**) *m* (*f*), *a* Tartar
tarugo *m* wooden peg; stopper plug
tasa *f* rate; assessment; measure; ~**ción** *f* valuation; ~**r** *v/t* to rate, to tax; to value
tatas: a ~ on all fours
tatuaje *m* tattoo(ing)
taurino bullfighting
taxi *m* taxi-cab; ~**sta** *m* taxi-driver
taz|a *f* cup; cupful; ~**ón** *m* large cup; basin
té *m* tea
te *pron pers and refl* you; to you; yourself (*familiar*)
tea *f* torch (*form*)
teatro *m* theatre; ~ **de títeres** Punch and Judy show
tebeos *m/pl* comics
tecl|a *f* key (*of the piano, typewriter, etc*); ~**ado** *m* keyboard; ~**ear** *v/i* to run one's fingers over the keys
técnic|a *f* technique; ~**o** *m* technician; *a* technical
tecnología *f* technology
tecnólogo *m* technologist
tech|ado *m* roof; ~**ar** *v/t* to

roof; **~o** *m*, **~umbre** *f* ceiling; roof
tej|a *f* tile; **~ado** *m* (*tiled*) roof; **~ar** *v/t* to tile
tej|edor *m* weaver; **~er** *v/t* to weave; to knit; **~ido** *m* texture; fabric, cloth
tejo *m* yew
tejón *m* badger
tela *f* cloth, fabric; film; **~raña** *f* spider's web, cobweb; **~r** *m* loom
teleférico *m* cable railway
telefonazo *m* ring, telephone call
telefonear *v/t*, *v/i* to telephone
telefonema *m* telephone message
telefónico telephonic
teléfono *m* telephone
telegraf|ía *f* telegraphy; **~iar** *v/t* to wire; to cable
telegráfico telegraphic
telégrafo *m* telegraph
telegrama *m* telegram, cable
teleguiar *v/t* to teleguide
telepático telepathic
telesc|ópico telescopic; **~opio** *m* telescope
telesilla *f* chair-lift
televi|dente *m* televiewer; **~sar** *v/t* to televise; **~sión** *f* television; **ver (por) ~sión** to watch television; **~sor** *m* television set
telón *m theat* curtain; **~ de acero** iron curtain
tema *m* subject; theme
tembl|ar *v/i* to tremble; **~or** *m* tremor; trembling; **~or de tierra** earthquake; **~oroso** trembling; shaky
tem|er *v/t*, *v/i* to fear; **~erario** reckless, rash; **~eridad** *f* rashness; **~eroso** timorous; **~ible** dreadful; **~or** *m* fear
tempera|mento *m* temperament; **~ncia** *f* temperance; **~r** *v/t* to temper; to moderate; **~tura** *f* temperature
tempes|tad *f* storm; tempest; **~tuoso** stormy
templa|do temperate; moderate; lukewarm, tepid; mild; **~r** *v/t* to temper; to moderate
temple *m* state of weather; mood; temper (*of metals*); **al ~** (*art*) in distemper
templo *m* temple; church
temporada *f* season
temporal *m* stormy weather, tempest; *a* temporary
temprano early
tena|cidad *f* tenacity; **~cillas** *f/pl* small tongs; curling tongs; **~z** tenacious; tough; **~zas** *f/pl* forceps; pincers
tende|ncia *f* tendency; **~r** *v/i* to tend; to incline; *v/t* to stretch; to spread; to hang out (*washing*); **~r la mano** to reach out one's hand; **~rse** to stretch oneself out; to lie down
ténder *m f c* tender
tendero *m* shopkeeper
tendón *m* sinew; tendon
tenebros|idad *f* gloom;

darkness; **~o** tenebrous; dark; gloomy
tenedor *m* fork; holder, bearer; **~ de libros** bookkeeper
tener *v/t* to have; to possess; to own; **~ en mucho** to esteem; **~ entendido** to understand; **~ presente** to bear in mind; **~ por** to take for; **~ que** to have to
teniente *m* lieutenant
tenis *m* tennis
tenor *m* tenor, tone; *mus* tenor
tensión *f* tension
tentación *f* temptation
tentáculo *m* tentacle; feeler
tenta|dor tempting; **~r** *v/t* to touch, to feel; to grope for; to tempt
tentempié *m fam* snack
tenue thin; faint
teñir *v/t* to dye; to tinge
teología *f* theology
teor|ético theoretical; **~ía** *f* theory
tepe *m* sod
terapéutico therapeutic
terciopelo *m* velvet
terco obstinate
tergiversar *v/t* to misrepresent; to twist (*words*)
termal thermal
termina|ción *f* termination; **~nte** final; categorical, definite; **~r** *v/t*, *v/i* to finish; **~rse** to end
término *m* end; ending; conclusion; term; expression; landmark; **~ medio** average; **~ técnico** technical term; **en primer ~** in the first place; **en último ~** finally
termómetro *m* thermometer
termos *m* thermos (*flask*)
terner|a *f* female calf; veal; **~o** *m* male calf
terno *m* suit (*of clothes*)
ternura *f* tenderness
terraplén *m* embankment
terrateniente *m* landowner
terraza *f* terrace
terremoto *m* earthquake
terreno *m* ground; soil; plot
térreo earthen
terrestre earthly
terrible frightful; terrible
terrífico terrific
territori|al territorial; **~o** *m* territory
terrón *m* clod; patch of ground; lump (*of sugar, etc*)
terror *m* terror; dread; **~ífico** terrific; **~ismo** *m* terrorism; **~ista** *m* terrorist
terso smooth
tertulia *f* small party, gathering
tesor|ería *f* treasury; exchequer; **~ero** *m* treasurer; **~o** *m* treasure
testa|mento *m* will; **~r** *v/i* to make a will
testarudo obstinate; stubborn, hard-headed; pig-headed
testículo *m* testicle
testi|ficar *v/t* to testify; to depose; **~go** *m* witness; **~go ocular** eyewitness;

~monio *m* testimony
teta *f* breast; teat
tetera *f* tea-pot, tea-kettle
teutónico Teutonic
tevé *m* TV, television
textil textile
texto *m* text; *SA* textbook
tez *f* complexion; skin
ti *pron 2nd pers sing* you
tía *f* aunt
tibia *f* shinbone
tibio lukewarm
tiburón *m* shark
tiempo *m* time; period; epoch; weather; *gram* tense; **a ~** in time; **a su ~** in due course; **hace buen ~** it is fine (weather); **hace ~** some time ago
tienda *f* shop; **~ de campaña** tent
tienta *f surg* probe; cleverness; sagacity; **andar a ~s** to grope in the dark
tierno tender; affectionate
tierra *f* earth; country; **~ adentro** inland; **~ firme** mainland; **♀ Santa** Holy Land
tieso stiff, rigid; strong
tiesto *m* flower-pot
tifoidea *f* typhoid fever
tifón *m* typhoon
tifus *m* typhus
tigre *m* tiger; **~sa** *f* tigress
tijeras *f/pl* scissors
tild|ar *v/t* to cross out; **~e** *f* tilde (*as in* **ñ**)
tilo *m* lime-tree
tim|ador *m* swindler; **~ar** *v/t* to cheat; to swindle
timbal *m* kettledrum
timbr|ar *v/t* to stamp; **~e** *m* stamp; bell; timbre (*of voice*); **~e de alarma** alarm bell; **~e fiscal** revenue stamp
timidez *f* timidity
tímido timid
timo *m* swindle
timón *m naut* helm; rudder; *SA* steering wheel (*of car*)
timone|ar *v/t*, *v/i naut* to steer; **~l** *m* steersman, coxswain
tímpano *m* kettledrum; eardrum
tina *f* large jar; vat
tinglado *m* shed; *fam* scheme
tinieblas *f/pl* darkness
tino *m* judgment; tact; moderation; **sin ~** immoderately; foolishly
tint|a *f* ink; dye; tint; shade; **saber de buena ~a** *fam* to have on good authority; **~e** *m* dyeing; tint; **~ero** *m* inkwell
tintín *m* tinkle
tintinear *v/t* to tinkle; to jingle; to clink
tinto wine-coloured; red (*wine*); **~rería** *f* dyer's shop; **~rero** *m* dyer
tintura *f* tincture; smattering
tío *m* uncle; old fellow
tiovivo *m* round about, merry-go-round
típico typical
tiple *m* soprano, treble
tipo *m* type; model; *com*

rate (*of interest, exchange, etc*); *fam* fellow
tira *f* long strip; strap; **~buzón** *m* corkscrew
tira|da *f* throw; cast; distance; printing, edition; **~do** dirt-cheap; **~dor** *m* shooter; marksman
tiran|ía *f* tyranny; **~o** *m* tyrant
tirante *m* strap; brace; *a* tense; **~z** *f* tenseness; tension
tirar *v/t* to throw, to fling; to throw away; to fire (*a shot*); to draw; *v/i* to pull; to attract; **~ de** to give a pull to
tiritar *v/i* to shiver
tiro *m* cast; throw; shot; length; draught; **errar el ~** to miss one's aim
tiroides *m anat* thyroid
tirón *m* pull; tug; **de un ~** at a stretch
tiroteo *m* firing; skirmish
tísico consumptive
tisis *f med* consumption
títere *m* puppet; marionette
titubear *v/i* to stagger; to hesitate, to waver; to stammer
titula|do so-called; **~r** *v/t* to entitle; to name
título *m* title; diploma; right; **a ~ de** by way of
tiza *f* chalk
tiznar *v/t* to stain; to smudge
toalla *f* towel
tobillo *m* ankle
tobogán *m* toboggan
toca *f* bonnet; wimple (*of nun*)
tocadiscos *m* record-player; **~ automático** juke-box
tocado *m* head-dress; hairstyle; *a fam* crazy; touched; **~r** *m* dressing-table; ladies' room
toca|nte touching; **~nte a** with regard to, concerning; **~r** *v/t* to touch; to feel; to play (*an instrument*); to ring (*a bell*); to touch upon; to move; *v/i* to touch; to be up (*to*); to border; **~r a su fin** to be at an end
tocayo *m* namesake
tocino *m* bacon
tocón *m* stub, stump
todavía still, yet
todo *a* entire; whole; complete; every; **~ aquel que** whoever; **~s los días** every day; *adv* totally; entirely; *m* all; whole; everybody; everything; **ante ~** first of all; **del ~** entirely; absolutely; **con ~** notwithstanding; **sobre ~** above all
todopoderoso almighty
toldo *m* awning; *SA* Indian hut
tolera|ble tolerable; passable; **~ncia** *f* tolerance; **~r** *v/t* to tolerate
toma *f* taking; receiving; **¡~!** fancy!; of course!; *foto, cine* shot, take; **~dura** *f* taking; **~dura de pelo** *fam* practical joke; **~r** *v/t*

to take; to seize; to grasp; to have (*food, drink*); **~r cariño a** to grow fond of; **~r a mal** to take (*something*) the wrong way; *v/i SA fam* to drink
tomate *m* tomato
tomillo *m* thyme
tomo *m* volume
ton *m*: **sin ~ ni son** without rhyme or reason; **~alidad** *f mus* tonality
tonel *m* barrel; cask
tonela|da *f* ton; **~je** *m* tonnage
tónic|a *f mus* tonic; keynote; **~o** *a, m* tonic
tono *m* tone; **de buen ~** elegant
tont|ería *f* folly; foolishness; **~o** silly; stupid
top|ar *v/t* to bump against; **~arse con** to meet, to run into; **~e** *m* butt, end; buffer; highest point; **hasta los ~es** up to the brim
tópico *m* topic
topo *m* mole; *fam* awkward person
topógrafo *m* topographer
toque *m* touch; *mil* call
torbellino *m* whirlwind; *fam* lively person
torc|er *v/t* to twist; to bend; to sprain; to distort; *v/i* to turn; **~erse** to become twisted; to sprain; **~ido** twisted, bent
tordo *m* thrush
tore|ador *m* bullfighter; **~ar** *v/i* to fight bulls; *v/t* to fight (*the bull*); to tease; to elude; **~o** *m* bullfighting; **~ro** *m* bullfighter
toril *m* bull-pen
torment|a *f* storm; thunderstorm; **~ar** *v/t* to torment; **~o** *m* torment; **~oso** stormy
torna|da *f* return; **~rse** to become; to change into
tornasol *m* sunflower
torneo *m* tournament
torn|illo *m* screw; **~iquete** *m* turnstile; **~o** *m* lathe; winch, windlass; revolution, turn; **en ~o a** about, regarding
toro *m* bull
toronja *f* grapefruit
torpe slow; heavy; dull; **~za** *f* heaviness; dullness
torre *f* tower; steeple; turret; (*chess*) castle, rook; high-rise building; **~cilla** *f* turret
torrefacto toasted
torrente *m* torrent
torta *f* cake; pie
tortilla *f* omelette
tórtol|a *f* turtle-dove; **~o** *m fig* lover
tortuga *f* tortoise; turtle
tortuoso winding
tortura *f* torture, anguish; **~r** *v/t* to torture
torunda *f med* swab
tos *f* cough; **~ ferina** whooping cough
tosco crude, rude
toser *v/i* to cough
tosta|da *f* toast; **~do** sunburnt, tanned; **~r** *v/t* to

toast; to tan (*of the sun*)
tostón *m* toasted bread cube; *fig* bore
total total, complete; **~idad** *f* totality; **~itario** totalitarian
tóxico toxic
traba *f* obstacle; fetter
trabaj|ador(a) *m* (*f*) worker; *a* industrious, hard-working; **~ar** *v/i*, *v/t* to work; to till (*soil*); to act (*in theatre*); **~o** *m* work; employment; **~os forzados** hard labour
traba|r *v/t* to link; to tie up; **~r amistades** to make friends; **~zón** *f* link; bond; juncture
trac|ción *f* traction; **~tor** *m* tractor
tradici|ón *f* tradition; **~onal** traditional
traduc|ción *f* translation; **~ir** *v/t* to translate; **~tor(a)** *m* (*f*) translator
traer *v/t* to bring; to fetch; to cause
trafica|nte *m* dealer; monger; **~r** *v/i* to trade; to deal
tráfico *m* traffic
traga|dor(a) *m* (*f*) glutton; **~luz** *m* skylight; **~monedas** *m*, **~perras** *m* slot-machine, vending machine; **~r** *v/t* to swallow; to gulp down; *fig* to swallow; **no poder ~r** not to be able to stand (*someone*)
tragedia *f* tragedy
trago *m* drink; draught; **echar un ~** to have a drink
trai|ción *f* treason; **~cionar** *v/t* to betray; **~cionero** treacherous; **~dor(a)** *m* (*f*) traitor; betrayer; *a* treacherous
traje *m* dress; suit; **~ de baño** swim-suit; bathing suit; **~ de etiqueta** full dress, evening dress; **~ pantalón** pants suit
trajín *m* bustle, hustle
trajinar *v/t* to carry from place to place; *v/i* to bustle about
trama *f* weft; plot; intrigue; **~r** *v/t* to weave; to hatch; to plot
tramitar *v/t* to negotiate
tramo *m* section (*of road*); flight (*of stairs*)
tramp|a *f* trap, snare, pitfall; **~ear** *v/i* to cheat
trampolín *m* spring-board
tramposo *a* deceitful; *m* trickster; swindler
trancar *v/t* to bar (*a door*)
trance *m* critical situation
tranquil|idad *f* tranquillity; stillness; **~izar** *v/t* to calm; **~o** calm; quiet
transacción *f* agreement, compromise; operation; *com* transaction
transatlántico *a* transatlantic; *m* liner
transbord|ador *m* ferry (boat); **~ar** *v/t* to transship; **~o** *m* transfer
transcribir *v/t* to transcribe; to copy
transcur|rir *v/i* to elapse; **~so** *m* course (*of time*)

transeúnte *m* passer-by
transfer|encia *f* transfer; **~ir** *v/t* to transfer
transforma|ción *f* transformation; **~dor** *m elec* transformer; **~r** *v/t* to transform; **~rse** to change
tránsfuga *m* deserter
transfu|ndir *v/t* to transfuse; **~sión** *f* transfusion
transgredir *v/t* to transgress
transición *f* transition
transig|ente accommodating; **~ir** *v/i* to give in; to compromise
transistor *m* transistor
transita|ble passable; **~r** *v/i* to travel
tránsito *m* passage; transit
transitorio transitory, transient
translúcido translucent
transmi|sión *f* transmission; **~tir** *v/t* to transmit; to broadcast
transparen|cia *f* transparency; **~te** transparent
transpirar *v/i* to transpire; to perspire
transplant|ar *v/t* to transplant; **~e** *m* transplantation; *med* transplant
transport|ar *v/t* to transport; **~e** *m* transport; *fig* rapture; *mar* transport ship
transvers|al transversal; **~o** transverse
tranvía *m* tramway; streetcar
trapaza *f* fraud
trapear *v/t SA* to mop (*the floor*)
trapecio *m* trapeze; *geom* trapezoid
trapero *m* rag-dealer
trapillo *m* savings
trapisonda *f* deception; brawl
trap|ito *m* small rag; **~o** *m* rag; cloth; **soltar el ~o** *fam* to burst out laughing *or* crying
tráquea *f anat* windpipe
traque|tear *v/i* to clatter; *v/t* to handle roughly; to rattle; **~teo** *m* rattle, clatter
tras after; behind; besides; **~ de** in addition to
trascenden|cia *f* transcendency; consequence; **~tal** of highest importance; **~te** transcendent
trasegar *v/t* to decant; to turn upside down
traser|a *f* back; rear; **~o** *m* buttock; rump; *a* hind; rear
trashumar *v/i* to migrate from one pasture to another
trasiego *m* decanting; disarrangement
trasla|ción *f* movement (*of the earth around the sun*); **~dar** *v/t* to move; to remove; **~do** *m* move; transfer; **~parse** *v/r* to (over)lap
traslu|cirse *v/r* to shine through; **al ~z** against the light
trasnochar *v/i* to spend the night; to keep late hours
traspapelar *v/t* to mislay

traspas|ar *v/t* to pass over; to cross over; to transfer (*business*); **~o** *m* transfer, conveyance; violation (*of law*)
trasplantar *v/t* to transplant; **~se** to emigrate
trasquilar *v/t* to shear; to crop (*hair*) badly
trast|ada *f* villainy; dirty trick; mischief; **~e** *m* fret (*of a guitar*); **dar al ~e con** *fam* to finish with; **~ear** *v/t* to play (*a guitar, etc*); *v/i* to move things; **~o** *m* old piece of furniture; trash; junk; *fam* worthless person; *pl* tools; implements
trastorn|ar *v/t* to confuse; to upset; **~o** *m* confusion; upheaval; disorder; derangement
trasunto *m* transcript, copy
trata *f* slave-trade; **~nte** *m* dealer; **~r** *v/t* to treat; to address (*someone*); *v/i* **~r de** to try; to deal with; **~r acerca de** to deal with (*a subjcet*); **~rse de** *impers* to be a question of; **¿de qué se ~?** what is it about?
trato *m* treatment; manner; behaviour; deal; form of address; *pl* dealings
través *m* bias; traverse; **al ~ de** across; through
traves|ero *a* crosswise; *m* bolster; **~ía** *f* crossing; passage; voyage
travesura *f* mischief, lark, prank
traviesa *f* distance across; *fc* sleeper
travieso mischievous; naughty
trayecto *m* distance; stretch; section
traz|a *f* sketch; **~ar** *v/t* to trace; to sketch; to devise; **~o** *m* outline
trébol *m* clover; **~es** *m/pl* (*cards*) clubs
trecho *m* distance; stretch; **de ~ en ~** at intervals
tregua *f* truce; respite
tremendo tremendous
trémulo tremulous, trembling
tren *m* train; outfit; show; **~ directo** through train; **~ mixto** mixed passenger and goods train; **~ ómnibus** stopping train; **~ de aterrizaje** undercarriage (*of a plane*); **~ de enlace** connecting train; **~ de mercancías** goods train
trenza *f* plait, tress; braid; ply; **~r** *v/t* to plait; to braid
trepa|dora *f bot* creeper, runner; **~r** *v/i* to climb
trepida|ción *f* vibration; **~r** *v/i* to vibrate; to shake
triángulo *m* triangle
tribu *f* tribe
tribuna *f* platform; **~l** *m* tribunal; court of justice
tribut|ar *v/t* to pay (taxes); **~ario** *m* taxpayer; *a* tributary; **~o** *m* tribute
triciclo *m* tricycle
tricornio *m* three-cornered hat

trienio *m* period of three years
trig|al *m* wheat field; **~o** *m* wheat
trilla|do hackneyed, stale; **~r** *v/t* to thresh
trillizos *m/pl* triplets
trimestral quarterly
trimotor *m* three-engined aeroplane
trincar *v/t* to break; *naut* to lash; *v/i fam* to drink
trinch|ante *m* carver (*for meat*); **~ar** *v/t* to carve (*meat*); **~era** *f mil* trench; trench-coat
trineo *m* sleigh; sledge
trinidad *f eccl* Trinity
trinitaria *f bot* pansy
tripa *f* gut; intestine; *coc* tripe
triple treble
trípode *m or f* tripod
tríptico *m* triptych
tripulación *f* crew
triquitraque *m* firecracker
triste sad; **~za** *f* sadness
triturar *v/t* to grind
triunf|ar *v/i* to triumph; **~o** *m* triumph; (*cards*) trump; *dep* win, victory
trivial trivial, commonplace; **~idad** *f* triviality
trocar *v/t* to exchange; to turn into
trocha *f fc* gauge
trochemoche: a ~ helter-skelter
trofeo *m* trophy
trole *m* trolley; **~bús** *m* trolley-bus
tromba *f* waterspout
trombón *m mus* trombone
tromp|a *f mus* horn; trunk of an elephant; **~azo** *m* bump; severe blow; **~eta** *f* trumpet
trona|da *f* thunderstorm; **~r** *v/i, v/imp* to thunder
tronco *m* trunk
trono *m* throne
tropa *f* troup; soldiers, troups
tropel *m* crowd; jumble
trop|ezar *v/i* to stumble; **~ezón** *m* slip, mistake; blunder; **~iezo** *m* stumbling; slip
tropical tropical
trópico *astr, geog* tropic
trot|amundos *m* globe trotter; **~ar** *v/t, v/i* to trot; **~e** *m* trot
trozo *m* piece; bit
truco *m* trick
trucha *f* trout
trueno *m* thunder
trueque *m* exchange
trufa *f* truffle
truhán *m* swindler, cheat, crook
tú *pers pron 2nd pers sing* you
tu (*pl* **tus**) *poss pron m, f* your
tuberculosis *f* tuberculosis
tub|ería *f* tubing; piping; **~o** *m* tube; pipe; **~o de desagüe** waste-pipe
tuerca *f mech* nut
tuert|o crooked; one-eyed; **a ~as o a derechas** by hook or by crook
tuétano *m* marrow

tufo *m* vapour; stench
tul *m* tulle; **~ipán** *m* tulip
tullido disabled, crippled
tumba *f* tomb
tumbar *v/t* to knock down; **~se** to fall down
tumor *m* tumour
tumultuoso tumultuous
tuna *f* Indian fig
túnel *m* tunnel
túnica *f* tunic; robe
tupé *m* toupee; *fam* cheek
turba *f* crowd; peat
turba|dor(a) *m* (*f*) disturber; **~r** *v/t* to disturb
turbina *f* turbine
turbulento turbulent
turco(a) *m* (*f*), *a* Turk
turis|mo *m* tourism; roadster; **~ta** *m*, *f* tourist
turn|ar *v/i* to alternate; **~o** *m* turn; **por ~os** by turns
turquesa *f* turquoise
turrón *m* nougat
tutear *v/t* to address familiarly as "tú"
tutor *m* guardian; tutor
tuyo(a) *poss pron*; *2nd pers m*, *f* thine; yours

U

u (*before words commencing with* o *or* ho) or
ubicación *f* location; situation
ubre *f* udder
Ud. = **usted**
ufanarse to boast
ujier *m* usher
úlcera *f* ulcer
ulcer|arse to fester; **~oso** ulcerous
ulterior farther; further; later; subsequent
ultimar *v/t* to conclude; to finish; *SA* to finish off
último last; final; latest; utmost
ultraj|ante outrageous; **~ar** *v/t* to outrage; to insult; **~e** *m* outrage; rape
ultramar overseas; **~ino** *m* ultramarine; *pl* imported foods; *a* oversea
ultranza: a ~ at all costs
ulular *v/i* to howl; to hoot
umbral *m* threshold
umbr|ío, ~oso shady; shadowy
un (*apocope of* **uno**) *m*, **una** *f indef art* a, an
unánime unanimous
unanimidad *f* unanimity
unción *f* unction; anointing; *eccl* extreme unction
undular *v/i* to undulate
ungüento *m* ointment, salve
único only; sole, unique
uni|dad *f* unit; unity; **~do** united; **~ficación** *f* unification; **~ficar** *v/t* to unify, to unite
uniform|ar *v/t* to make uniform; **~e** *a* uniform; unvarying; *m* uniform; **~idad** *f* uniformity
uni|ón *f* union; unity; **~r** *v/t* unite; **~rse** to join
unísono unisonous
unitario unitarian

univers|al universal; **~alidad** *f* universality; **~idad** *f* university; **~itario** university (*as a*); *m* university student; **~o** *m* universe
uno(a) *a* one; *pl* some; nearly; *pron m, f* one, someone; **~ y otro** both; **cada ~** each one
unt|ar *v/t* to anoint; to rub with ointment; to spread (*butter on bread*); to smear (*with grease*); **~uoso** greasy
uña *f* nail (*of finger or toe*); talon; claw; hoof; **ser ~ y carne** to be hand in glove; to be bosom friends
uranio *m* uranium
urban|idad *f* politeness; manners; **~ización** *f* housing estate, city planning; **~o** urbane; urban
urbe *f* large city, metropolis
urdimbre *f* warp
urgen|cia *f* urgency; **~te** urgent
urinario *a* urinary; *m* urinal
urna *f* urn; ballot-box
urraca *f* magpie
urticaria *f* nettle-rash
usa|do used; worn; accustomed; **~nza** *f* usage; **~r** *v/t* to use; to make use of; **~rse** to be in fashion; to be in use
uso *m* use; employment; **al ~** according to usage
usted you
usua|l customary; **~rio** *m* user
usufruct|o *m for* usufruct; profit; **~uar** *v/t* to enjoy the usufruct of; *v/i* to be fruitful
usur|a *f* usury; **~ero** *m* usurer; money-lender
utensilio *m* implement; tool; utensil
útero *m med* uterus
útil *a* useful; *m* tool; **~es de escritorio** stationery
utili|dad *f* usefulness, utility; **~tario** utilitarian; **~zable** utilizable; **~zar** *v/t* to utilize; to benefit from
utopia *f* Utopia
utópico Utopian
utopista *m, f, a* Utopian
uva *f* grape; **~ espina** gooseberry

V

vaca *f* cow; *coc* beef
vacación *f* vacation; holiday
vacan|cia *f* vacancy; **~te** vacant
vaciar *v/t* to empty
vacila|ción *f* hesitation; **~nte** hesitating
vacío *a* empty; vacant; *m* vacuum
vacuna *f* vaccine; **~ción** *f* vaccination; **~r** *v/t* to vaccinate
vad|ear *v/t* to ford; **~o** *m* ford
vagabund|ear *v/i* to rove; to loiter; **~o** *m* tramp; *a* idle; roving
vagar *v/i* to rove; to wander
vago *adj* vague; indefinite;

vagrant, stray; *m* vagabond; tramp
vagón *m* carriage; coach; **~-cama** sleeping-car; **~ frigorífico** refrigerator car; **~ restaurante** dining car
vagoneta *f* van; open truck
vahído *m* dizziness
vaho *m* vapour
vaina *f* sheath; husk, pod; *SA fam* nuisance
vainilla *f* vanilla
vaivén *m* swinging; rocking; inconstancy; ups and downs (*of fortune*); *mech* shuttle movement
vajilla *f* crockery; table service
vale *m com* voucher; promissory note; **~dero** valid
valentía *f* courage, valour
valer *v/t* to be worth; to cost; **~ la pena** to be worth while; **¡no vale!** it is no good!; **~se de** to avail oneself of; **¡válgame Dios!** good Heavens!, bless my soul!
valeroso brave; strong
valía *f* worth; credit; influence; faction
validez *f* validity
válido valid
valiente brave; valiant; strong; excellent; fine
valija *f* suitcase; mail-bag
val|ioso valuable; wealthy; **~or** *m* value; price; courage, valour; *pl com* securities; bonds; **~or nominal** face value; **~oración** *f* valuation; **~orar, ~orizar** *v/t* to value; to appraise
vals *m* waltz
válvula *f* valve; **~ de seguridad** safety valve
valla *f* fence; barrier
valle *m* valley
vanagloriarse to boast
vanguardia *f mil* vanguard, van
van|idad *f* vanity; uselessness; **~o** useless; vain; **en ~o** in vain
vapor *m* steam; vapour; steamer, steamship; **~izar** *v/t* to vaporize; **~oso** vaporous
vaquero *m* cowherd; cowboy
vara *f* stick; rod; pole; Spanish measure; **~r** *v/t* to strand
varia|ble variable; changeable; **~ción** *f* variation; change; **~do** varied; **~nte** varying; **~r** *v/t* to vary; to change; to modify; *v/i* to vary; to differ
varicoso varicose
variedad *f* variety; **función** *f* **de ~es** variety show
varilla *f* thin stick, wand; rib; rod; **~je** *m* ribbing (*of umbrella, etc*)
vario various
varón *m* male; man
varonil manly
vasall|aje *m* vassalage; servitude; **~o** *m* vassal
vasc|o(a) *m* (*f*), *a* Basque; **~uence** *m* Basque language

vas|ija *f* vessel; **~o** *m* glass
vástago *m* shoot; sprout; offspring
vasto vast, immense
vaticinio *m* prophecy; prediction
vatio *m* watt
vaya *f* jest; *interj* indeed
vecin|al neighbouring; **unidad ~al** community housing project; **~dad** *f*, **~dario** *m* vicinity; neighbourhood; **~o(a)** *m* (*f*) neighbour; citizen; resident
veda *f* prohibition; closed season; **~r** *v/t* to prohibit
veedor *m* inspector
vega *f* fertile plain
vegeta|ción *f* vegetation; **~l** *m* vegetable; plant; *a* vegetable; **~r** *v/i* to vegetate; **~riano(a)** *m* (*f*), *a* vegetarian
vehemen|cia *f* vehemence; **~te** vehement; vivid
vehículo *m* vehicle
veintena *f* score
veje|te *m* little old man; **~z** *f* old age
vejiga *f* bladder
vela *f* candle; watch, vigil; *naut* sail; ship; **~ mayor** mainsail; **en ~** awake; **~da** *f* vigil; soirée; **~do** veiled; **~r** *v/t* to watch; *v/i* to stay awake
velero *m* sailing-boat
veleta *f* weather-cock; *fig* fickle person
velo *m* veil
velocidad *f* speed; velocity; *aut* gear; **a toda ~** at full speed
veloz speedy
vell|o *m* down; **~ón** *m* fleece; sheepskin; **~oso, ~udo** hairy
vena *f* vein
venado *m* stag; deer; venison
venal mercenary, venal
vencedor(a) *m* (*f*) conqueror; victor, winner; *a* winning
venc|er *v/t* to overcome; to conquer; *v/i* to win; *com* to fall due, to expire; **~ible** conquerable; **~ido** defeated; *com* due, payable; **~imiento** *m* *com* maturity; expiration
venda *f* bandage; **~r** *v/t* to bandage; to swathe
vendaval *m* strong wind; gale
vende|dor(a) *m* (*f*) seller; salesman; retailer; **~r** *v/t* to sell
vendible marketable
vendimia *f* vintage
veneciano(a) *a*, *m* (*f*) Venetian
veneno *m* poison; venom; **~so** poisonous; venomous
venerar *v/t* to venerate; to worship
venéreo venereal
venga|nza *f* vengeance, revenge; **~r** *v/t* to avenge; **~rse de** to take revenge on; **~tivo** revengeful; vindictive
venia *f* permission, leave; pardon
venida *f* coming; arrival

venir *v/t* to come; to arrive; ~ **a menos** to come down in the world; ~ **a ser** to turn out to be; ~ **bien** to suit; **~se abajo** to collapse; to fall down
venta *f* sale; selling; **de ~** for sale
ventaj|a *f* advantage; **~oso** advantageous
ventan|a *f* window; **~a a bisagra** casement; **~a de guillotina** sash window; **~a panorámica** picture window; **~al** *m* large window; **~illa** *f* wicket, small window (*post-office, bank, etc*); **~illo** *m* small window
ventarrón *m* gale
ventila|ción *f* ventilation; **~dor** *m* ventilator; fan; **~r** *v/t* to ventilate; *fig* to discuss
ventis|ca *f* snow-storm; blizzard; **~quero** *m* snow-drift; glacier
ventoso windy
ventrílocuo *m* ventriloquist
ventrudo pot-bellied
ventur|a *f* luck; **a la ~a** at random; **por ~a** by chance; **~oso** fortunate
ver *v/t* to see; to notice; to understand; **¡a ~!** let's see!; **hacer ~** to show; **tener que ~ con** to have to do with
veranea|nte *m, f* holiday-maker (*in summer*); **~r** *v/i* to spend the summer holidays
veras *f/pl*: **de ~** truly; really
veraz truthful
verbena *f* night festival and fair on the eve of a saint's day
verbo *m* verb; **~so** verbose, long-winded
verdad *f* truth; **~ero** real, authentic
verd|e green; **~or** *m* greenness, verdure; **~oso** greenish
verdugo *m* hangman
verdu|lero(a) *m (f)* greengrocer; **~ra** *f* greens; fresh vegetables
vereda *f* lane; path; *SA* pavement
veredicto *m* verdict; finding
vergonzoso shameful; bashful
vergüenza *f* shame; bashfulness; modesty
verídico truthful
verificar *v/t* to verify; to confirm; **~se** to prove true; to take place
verja *f* iron railing; grille, grating
vermut *m* vermouth; *theat, cine* afternoon performance
verosímil likely, plausible
verosimilitud *f* probability
verraco *m* boar
verruga *f* wart
versa|do versed; proficient; **~r** *v/i* to go around; **~r sobre** to treat of
versión *f* version; translation; interpretation
verso *m* verse
vertebra *f* vertebra

verte|dero *m* dumping place, rubbish heap; **~r** *v/t* to pour; to spill; to shed; *v/i* to flow; to run
vertiente *f* slope
vertiginoso vertiginous; giddy
vesícula *f* vesicle; blister
vestíbulo *m* vestibule; lobby
vestido *m* dress; clothing
vestigio *m* trace; vestige
vestir *v/t* to clothe; to dress; *v/i* to look elegant; to dress; **~ de** to wear; **~se** to dress; to get dressed
veterano *m* veteran; *a* experienced
veterinario *m* veterinary surgeon
veto *m* veto
vez *f* time; occasion; turn; **a la ~** at the same time; **a su ~** in turn, in his turn; **cada ~ más** more and more; **de ~ en cuando** from time to time; **rara ~** seldom; **tal ~** perhaps; **una ~** once; **una ~ que** since; **a veces** sometimes; **muchas veces** often; **pocas veces** rarely, seldom; **repetidas veces** time and again
vía *f* way; road; manner; **~ férrea** railway; **por ~ marítima** by sea; **por ~ de** by way of; **♀ Láctea** Milky Way
viable practicable
viaj|ante *m, f* traveller; **~ar** *v/i* to travel; **~e** *m* journey; (*marítimo*) voyage; **~e de negocios** business trip; **~ero** *m* traveller
víbora *f* viper
vibra|ción *f* vibration; **~dor** *m* vibrator; **~r** *v/i* to vibrate
vicar|ía *f* vicarage; **~io** *m* vicar
vici|ar *v/t* to spoil; to corrupt; **~o** *m* vice; **~oso** vicious; depraved
vicisitud *f* vicissitude
víctima *f* victim
victimar *v/t SA* to kill
victori|a *f* victory; **~oso** victorious
vid *f* vine; grape-vine
vida *f* life; living; **¡en la ~!** never in my life!; **¡por ~ mía!** upon my soul!
vidente *m, f* seer
vidrier|a *f* glass window; **~o** *m* glazier
vidrio *m* glass; glassware; **~ fibroso** fibre glass; **~so** glassy (*eyes, etc*)
viejo(a) *a* old; ancient; *m* (*f*) old man (woman)
vienés(esa) *a, m* (*f*) Viennese
viento *m* wind; air
vientre *m* abdomen; belly
viernes *m* Friday; **♀ Santo** Good Friday
viga *f* beam; girder
vigen|cia *f* force, use; **estar en ~cia** to be in force; **~te** in force
vigía *f* lookout (post), watchtower
vigilan|cia *f* vigilance; **~te** *a* vigilant; *m* watchman;

shopwalker
vigilia *f* vigil, watch
vigor *m* vigour; strength; force, effect; **en ~** valid; in force; **~oso** vigorous
vil vile; base; **~eza** *f* vileness; villainy
villa *f* town; municipality; villa
villancico *m* Christmas carol
villorrio *m* hamlet; little village
vinagre *m* vinegar; **~ra** *f* vinegar cruet, castor
vínculo *m* bond; tie
vino *m* wine; **~ de Jerez** sherry; **~ generoso** fine dessert wine; **~ tinto** red wine
viñ|a *f*, **~edo** *m* vineyard
viola *f mus* viola
viol|ar *v/t* to violate; **~encia** *f* violence; **~entar** *v/t* to force; **~entarse** to force oneself; **~ento** violent
violeta *f* violet
viol|ín *m* violin; **~ón** *m* double bass; **~oncelo** *m* violoncello
virar *v/t naut* to tack; to veer
virg|en *f* virgin; **~inidad** *f* virginity
viril virile, manly; **~idad** *f* virility; manhood
virrey *m* viceroy
virtu|al virtual; **~d** *f* virtue; **~oso** virtuous
viruela *f* smallpox
virulen|cia *f* virulence; **~te** virulent
virus *m* virus
viruta *f* wood shaving
visa *f*, **visado** *m* visa
visaje *m* grimace
visar *v/t* to visa; to countersign
vísceras *f/pl* viscera
viscos|idad *f* viscosity; **~o** sticky; viscous
visib|ilidad *f* visibility; **~le** visible; evident
visillo *m* lace-curtain
visión *f* vision, sight
visit|a *f* visit; **~ar** *v/t* to visit; **~eo** *m* frequent visiting
vislumbr|ar *v/t* to glimpse; **~e** *f* glimpse, glimmer
viso *m* sheen (*of cloth*)
visón *m* mink
visor *m foto* viewer, viewfinder
víspera *f* eve; **~s** *f/pl* evensong; **en ~s de** on the eve of
vista *f* sight; vision; eyesight; aspect; **a la ~** in sight; in view; *com* at sight; **de ~** by sight; **en ~ de** in view of; **está a la ~** it is obvious; **hasta la ~** see you again; so long; **hacer la ~ gorda** to pretend not to see; **perder de ~** to lose sight of; *m* customs officer; **~zo** *m* glance
visto in view of; **~ bueno** approved; O. K.; **está ~** it is clear; **por lo ~** apparently
vistoso beautiful; attractive
visual visual
vital vital; **~icio** lifelong;

life, for life; **~idad** *f* vitality
vitamina *f* vitamin
viticultura *f* wine-growing
vitorear *v/t* to acclaim; to cheer
vítreo glassy; vitreous
vitrina *f* show-case
vituper|ar *v/t* to vituperate; **~io** *m* vituperation
viud|a *f* widow; **~edad** *f* widow's pension; **~ez** *f* widowhood; **~o** *m* widower
viva|cidad *f* vivacity; brilliance; **~racho** vivacious, lively, gay; **~z** bright, witty; lively
víveres *m/pl* provisions
vivero *m* hatchery; *bot* nursery
viveza *f* liveliness; brilliancy; smartness
vivien|da *f* dwelling; abode; **~te** living
viv|ificar *v/t* to vivify; **~ir** *v/t, v/i* to live; to last; **¿quién vive?** *mil* who goes there?; **~o** alive, living; lively; vivid, bright; intense; clever; *t v* live
vizconde *m* viscount; **~sa** *f* viscountess
vocab|lo *m* word; **~ulario** *m* vocabulary
vocación *f* vocation; calling
vocal *f* vowel; *m* voting member of a committee; **~izar** *v/i* to vocalize; to articulate
voce|ar *v/i* to shout; to announce; **~río** *m* shouting
vociferar *v/i* to shout; to vociferate
volad|izo jutting out; projecting; **~or** flying; **~ura** *f* explosion; blasting
vola|nte *m* steering-wheel; fly-wheel; balance (*of watch*); hand-bill; badminton; flounce; **~r** *v/i* to fly; to run fast; to pass quickly; *v/t* to blow up; to blast
volátil volatile; changeable
volatilizar *v/t* to volatilize
volcán *m* volcano
volcánico volcanic
volcar *v/t* to overturn; to upset; to make angry
voleo *m* (*tennis*) volley
voltaje *m* voltage
volte|ar *v/t* to turn; to revolve; *SA* to tip, to turn over; *v/i* to tumble; **~reta** *f* somersault
voltio *m* volt
volum|en *m* volume; **~inoso** voluminous
volunta|d *f* will; intention; **a ~d** at will; **de buena ~d** with pleasure; **~rio** *a* voluntary; *m* volunteer
voluptuos|idad *f* voluptuousness; **~o** voluptuous; luscious
volver *v/t* to turn; to replace; to return; **~ loco** to drive mad; *v/i* to return; **~ a hacer algo** to do something again; **~ en sí** to regain consciousness; **~se** to turn, to become

vomitar *v/t* to vomit, to throw up
vómito *m* vomiting
vora|cidad *f* voracity; **~z** voracious
vos *pers pron* you
vot|ación *f* voting; (*total*) vote; **~ar** *v/t* to vote, to vow; to curse; **~o** *m* vote, ballot; vow; *pl* wishes
voz *f* voice; noise; word; **a una ~** unanimously; **dar voces** to shout; **en alta ~** aloud
vuelco *m* overturning
vuelo *m* flight; flare (*of a dress*); projecting part (*of a building*); **al ~** on the wing; immediately
vuelta *f* turn; walk; bend, curve; reverse; **a ~ de correo** by return mail; **a la ~** around the corner; overleaf; **dar una ~** to take a stroll; **dar ~s** to go round, to revolve; **estar de ~** to be back; **poner de ~ y media** to insult; to call names
vuestro(a, os, as) *poss pron* your, yours
vulcanizar *v/t* to vulcanize
vulgar common; ordinary, vulgar; **~idad** *f* vulgarity
vulnera|ble vulnerable; **~r** *v/t* to hurt

X, Y

xenófobo(a) *m* (*f*), *a* hater of foreigners
xilófono *m* xylophone

y and
ya already; **~ no** no longer; **~ que** since; as; **¡~!** oh, I see!; **~ … ~** now … now; **¡~ lo creo!** indeed!; of course!
yace|nte lying; **~r** *v/i* to lie; to lie in the grave
yacimiento *m* deposit; bed (*of minerals*); **~ petrolífero** oil-field
yapa *f SA* bonus, extra
yarda *f* yard (*measure*)
yate *m* yacht
yedra *f* ivy
yegua *f* mare
yelmo *m* helmet
yema *f* bud; yolk (*of egg*); **~ del dedo** tip of the finger
yermo uncultivated, desert, waste
yerno *m* son-in-law
yerro *m* error, mistake
yes|ería *f* plasterwork; **~o** *m* plaster; plaster cast; **~o blanco** plaster of Paris
yo *pers pron* I
yodo *m* iodine
yola *f* yawl
yugo *m* yoke
yugoeslavo(a) *a, m* (*f*) Jugoslav
yunque *m* anvil
yunta *f* yoke (*of oxen*)
yute *m* jute

Z

zafar *v/t* to adorn; to lighten (*a ship*); **~se** to run away
zafiro *m* sapphire
zagal *m* boy; shepherd
zagual *m* paddle
zaguán *m* doorway, entrance
zaguero *m dep* back, defense player
zahúrda *f* pigsty
zaino *fig* false; treacherous
zalamería *f* flattery
zalema *f* salaam; bow
zamarro *m* sheepskin jacket
zambo(a) *m* (*f*) halfbreed of Negro and Indian blood
zambullirse to dive, to plunge
zampar *v/t* to hurl
zanahoria *f* carrot
zan|ca *f* long leg, shank; **~cada** *f* stride; **~cadilla** *f* trick; trap; **~co** *m* stilt; **~cudo** *a* longlegged; *m SA* mosquito
zangamanga *f fam* trick
zángano *m* drone; sponger
zanja *f* ditch; trench
zanquear *v/i* to waddle
zapa *f* spade; **~dor** *m mil* sapper, pioneer; **~r** *v/t* to sap
zapat|ería *f* shoe-shop; **~ero** *m* shoemaker; **~o** *m* shoe
zar *m* czar
zaragata *f* quarrel
zarandear *v/t* to sift; to sieve
zarcillo *m* tendril
zarpa *f* paw; **~r** *v/i* to weigh anchor, to sail
zarrapastroso ragged
zarza *f* bramble; **~mora** *f* blackberry
zarzuela *f* musical comedy
zazoso lisping
zigzaguear *v/i* to zigzag
zócalo *m* socle; *mar* shelf
zodiaco *m* zodiac
zona *f* zone; district
zonzo silly, foolish
zoología *f* zoology
zoológico zoological
zopo clumsy
zoquete *m* blockhead
zorr|a *f* vixen; *fig* cunning person; *fam* slut; tart; **~o** *m* fox
zozobra *f naut* capsizing; *fig* worry; **~r** *v/i* to founder; to be in danger
zueco *m* wooden shoe, clog
zumb|ar *v/i* to buzz, to hum; to hit, to slap; *v/t* to joke with; **~arse de** to make fun of; **~ido** *m* buzzing
zumo *m* juice
zurcir *v/t* to darn; to stitch
zurdo left-handed
zurrar *v/t* to spank, to thrash, to tan
zurri|ar *v/i* to buzz; to hum; to rattle; **~do** *m* humming; buzzing
zutano *m* so-and-so

Numerals

Numerales

Cardinal Numbers — *Cardinales*

0 cero, *nought, zero*
1 uno(a) *one*
2 dos *two*
3 tres *three*
4 cuatro *four*
5 cinco *five*
6 seis *six*
7 siete *seven*
8 ocho *eight*
9 nueve *nine*
10 diez *ten*
11 once *eleven*
12 doce *twelve*
13 trece *thirteen*
14 catorce *fourteen*
15 quince *fifteen*
16 dieciséis *sixteen*
17 diecisiete *seventeen*
18 dieciocho *eighteen*
19 diecinueve *nineteen*
20 veinte *twenty*
21 veintiuno *twenty-one*
22 veintidós *twenty-two*
30 treinta *thirty*
31 treinta y uno *thirty-one*
40 cuarenta *forty*
50 cincuenta *fifty*
60 sesenta *sixty*
70 setenta *seventy*
80 ochenta *eighty*
90 noventa *ninety*
100 ciento, cien *a (or one) hundred*
101 ciento uno *hundred and one*
200 doscientos *two hundred*
300 trescientos *three hundred*
400 cuatrocientos *four hundred*
500 quinientos *five hundred*
600 seiscientos *six hundred*
700 setecientos *seven hundred*
800 ochocientos *eight hundred*
900 novecientos *nine hundred*
1000 mil *a (or one) thousand*
1976 mil novecientos setenta y seis *nineteen hundred and seventy-six*
2000 dos mil *two thousand*
100 000 cien mil *a (or one) hundred thousand*
500 000 quinientos mil *five hundred thousand*
1 000 000 un millón *a (or one) million*
2 000 000 dos milliones *two millions*

Ordinal Numbers — *Ordinales*

1.º primero (primer) *first*
2.º segundo *second*
3.º tercero *third*
4.º cuarto *fourth*
5.º quinto *fifth*
6.º sexto *sixth*
7.º sé(p)timo *seventh*
8.º octavo *eighth*
9.º noveno, nono *ninth*
10.º décimo *tenth*
11.º undécimo *eleventh*
12.º duodécimo *twelfth*
13.º decimotercio *thirteenth*
14.º decimocuarto *fourteenth*
15.º decimoquinto *fifteenth*
16.º decimosexto *sixteenth*
17.º decimoséptimo *seventeenth*
18.º decimoctavo *eighteenth*
19.º decimonono *nineteenth*
20.º vigésimo *twentieth*
21.º vigésimo primo (primero) *twenty-first*
22.º vigésimo segundo *twenty-second*
30.º trigésimo *thirtieth*
40.º cuadragésimo *fortieth*
50.º quincuagésimo *fiftieth*
60.º sexagésimo *sixtieth*
70.º septuagésimo *seventieth*
80.º octogésimo *eightieth*
90.º nonagésimo *ninetieth*
100.º centésimo (*one*) *hundredth*
101.º centésimo primero *hundred and first*
200.º ducentésimo *two hundredth*
300.º trecentésimo *three hundredth*
400.º cuadringentésimo *four hundredth*
500.º quingentésimo *five hundredth*
600.º sexcentésimo *six hundredth*
700.º septingentésimo *seven hundredth*
800.º octingentésimo *eight hundredth*
900.º noningentésimo *nine hundredth*
1000.º milésimo (*one*) *thousandth*
2000.º dos milésimo *two thousandth*
100 000.º cien milésimo *hundred thousandth*
500 000.º quinientos milésimo *five hundred thousandth*
1 000 000.º millonésimo *millionth*